# PENSE EM PHLEBAS

# IAIN M. BANKS

# PENSE EM PHLEBAS

SÉRIE
A CULTURA

TRADUÇÃO
EDMUNDO BARREIROS

Copyright © Iain M. Banks, 1987
Publicado pela primeira vez na Grã-Bretanha em 1987 pela
Little, Brown Book Group

The translation of this title has been made possible with the help of the Publishing Scotland translation fund.

A tradução desta obra foi possível com a ajuda do fundo de tradução Publishing Scotland.

Título original: Consider Phlebas

Direção editorial: Victor Gomes
Coordenação editorial: Aline Graça
Acompanhamento editorial: Bonie Santos, Lui Navarro e Thiago Bio
Tradução: Edmundo Barreiros
Preparação: Bonie Santos
Revisão: Bárbara Waida
Design de capa e projeto gráfico: Frede Tizzot
Diagramação: Valquíria Chagas

Esta é uma obra de ficção. Nomes, personagens, lugares, organizações e situações são produtos da imaginação do autor ou usados como ficção. Qualquer semelhança com fatos reais é mera coincidência.

Todos os direitos reservados. Proibida a reprodução, no todo ou em partes, através de quaisquer meios. Os direitos morais do autor foram contemplados.

Dados Internacionais de Catalogação na Publicação (CIP)

B218p Banks, M. Iain
Pense em Phlebas / Iain M. Banks ; Tradução: Edmundo Barreiros
– São Paulo : Morro Branco, 2023.
576 p. ; 14 x 21 cm.

ISBN: 978-65-86015-76-8

1. Literatura escocesa. 2. Ficção científica.
I. Barreiros, Edmundo. II. Título.
CDD 891.6

Todos os direitos desta edição reservados à:
EDITORA MORRO BRANCO
Alameda Santos, 1357, 8º andar
01419-908 – São Paulo, SP – Brasil
Telefone (11) 3373-8168
www.editoramorrobranco.com.br

Publishing Scotland
Foillseachadh Alba

Impresso no Brasil
2023

A idolatria é pior que a carnificina.
— *O Alcorão*, 2:190


Gentio ou Judeu,
Ó tu que alas o leme e olhas a barlavento,
Pense em Phlebas, que tinha um porte e um rosto belo como o teu.
— **T. S. Eliot,** *A terra inútil*, **IV**

*Em memória de Bill Hunt*

| | | |
|---|---|---|
| | PRÓLOGO | 11 |
| 1. | SORPEN | 17 |
| 2. | A MÃO DE DEUS 137 | 27 |
| 3. | TURBULÊNCIA EM AR LÍMPIDO | 53 |
| 4. | TEMPLO DA LUZ | 73 |
| | SITUAÇÃO ATUALIZADA: UM | 111 |
| 5. | MEGANAVIO | 125 |
| 6. | OS DEVORADORES | 175 |
| | INTERLÚDIO EM ESCURIDÃO | 222 |
| 7. | UM JOGO DE DANO | 229 |
| 8. | OS FINS DA INVENÇÃO | 283 |
| | SITUAÇÃO ATUALIZADA: DOIS | 333 |
| 9. | O MUNDO DE SCHAR | 345 |

| | | |
|---|---|---|
| **10.** | O SISTEMA DE COMANDO: BATÓLITO | **381** |
| | SITUAÇÃO ATUALIZADA: TRÊS | **408** |
| **11.** | O SISTEMA DE COMANDO: ESTAÇÕES | **417** |
| **12.** | O SISTEMA DE COMANDO: MOTORES | **453** |
| **13.** | O SISTEMA DE COMANDO: TERMINUS | **495** |
| **14.** | PENSE EM PHLEBAS | **549** |
| | APÊNDICES | **555** |
| | A GUERRA ENTRE IDIRANOS E A CULTURA | **557** |
| | RAZÕES: A CULTURA | **558** |
| | RAZÕES: OS IDIRANOS | **560** |
| | A GUERRA EM RESUMO | **562** |
| | *DRAMATIS PERSONAE* | **567** |
| | EPÍLOGO | **573** |

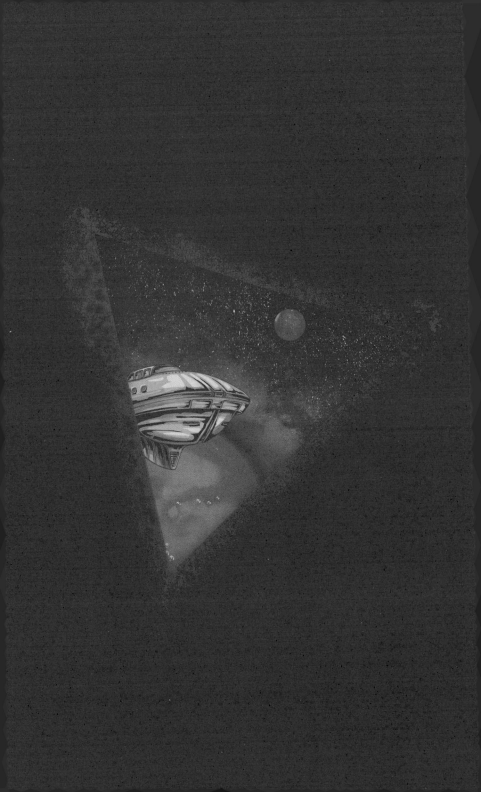

# PRÓLOGO

**A NAVE** nem tinha nome. Ela não tinha tripulação humana porque a nave industrial que a havia construído tinha sido evacuada muito tempo antes. Não tinha suporte de vida nem unidades de acomodação pelo mesmo motivo. Não tinha número de classe nem designação de frota porque era um cruzamento de partes e peças de diferentes tipos de nave de guerra; e não tinha um nome porque a nave industrial não tinha tempo sobrando para essas delicadezas.

O estaleiro montou a nave da melhor forma que pôde a partir de seu estoque desfalcado de componentes, embora a maioria dos sistemas de armas, de força e sensoriais estivessem defeituosos, defasados ou precisando de manutenção. A nave-fábrica sabia que sua própria destruição era inevitável, mas havia uma pequena chance de que sua última criação tivesse a velocidade e a sorte necessárias para escapar.

O componente perfeito e inestimável que a nave-fábrica *tinha* era a Mente extremamente poderosa — embora ainda crua e sem treinamento — em torno da qual havia construído o resto da nave. Se pudesse manter a Mente em segurança, a nave-fábrica achava que teria feito um bom trabalho. Ainda assim, havia outra razão — a verdadeira razão — para que a mãe estaleiro não tivesse dado um nome a sua cria nave de guerra; ela achava que lhe faltava mais uma coisa: esperança.

A nave deixou a doca de construção da nave-fábrica com a instalação da maior parte de seus equipamentos ainda por fazer. Acelerando intensamente, seu curso uma espiral de quatro dimensões através de uma enxurrada de estrelas onde ela sabia que só podia haver perigo, ela se lançou ao hiperespaço com motores usados de uma nave recondicionada de uma classe; observou seu lugar de nascimento desaparecer ao fundo com sensores danificados por batalhas de uma outra; e testou unidades de armas ultrapassadas canibalizadas de uma terceira. Dentro de sua fuselagem de nave de guerra, em espaços estreitos, sem iluminação, sem aquecimento e com alto vácuo, drones construtores trabalhavam duro para instalar ou completar sensores, deslocadores, geradores de campo, destruidores de escudos, campos de laser, câmaras de plasma, magazines com ogivas, unidades de manobra, sistemas de reparos e os milhares de outros componentes de maior ou menor importância exigidos para montar uma nave de guerra funcional.

Aos poucos, enquanto percorria a vastidão dos espaços abertos entre os sistemas estelares, a estrutura interna da nave mudou, e ela foi se tornando menos caótica, mais organizada, conforme os drones da fábrica terminavam suas tarefas.

Várias dezenas de horas após o início de sua primeira viagem, enquanto testava seu scanner de rota focando no caminho que tinha feito, a nave registrou uma enorme explosão aniquiladora ao longe atrás de si, onde costumava ficar a nave-fábrica. Ela observou a concha florescente de radiação se expandir por algum tempo, então voltou o campo do scanner para a frente e enviou ainda mais força para seus motores já sobrecarregados.

A nave fazia o possível para evitar combate; mantinha-se afastada das rotas que naves inimigas provavelmente utilizariam; tratava qualquer suspeita de proximidade de qualquer nave como um avistamento hostil confirmado. Ao mesmo tempo, enquanto ziguezagueava e esquivava e desviava e subia e descia, penetrava o mais rápido possível, o mais diretamente que ousava, por todo o ramo do braço galáctico no qual havia nascido, seguindo para a borda daquele grande istmo e o espaço comparativamente vazio além dela. Do outro lado, na borda do ramo seguinte, ela poderia encontrar segurança.

Assim que chegou àquela primeira fronteira, onde as estrelas se erguiam como uma falésia cintilante ao longo do vazio, ela foi capturada.

Uma frota de naves hostis, cujo trajeto por acaso chegou perto o bastante do trajeto da nave em fuga, detectou sua concha de emissões barulhenta e hesitante e a interceptou. A nave correu direto na direção do ataque e foi vencida. Com armamentos inferiores, lenta, vulnerável, ela soube quase instantaneamente que não tinha chance de sequer causar algum dano na frota adversária.

Então ela se autodestruiu, detonando o conjunto de ogivas que levava em uma repentina liberação de energia que, por um segundo, apenas no hiperespaço, brilhou mais que a estrela anã amarela em um sistema próximo.

Espalhada em um padrão à sua volta, um instante antes de a nave explodir em plasma, a maioria dos milhares de ogivas que explodiram formou uma esfera crescente de radiação através da qual qualquer fuga parecia impossível. Na fração de segundo que durou todo o combate, houve no fim alguns milionésimos nos quais os computadores de batalha da frota inimiga analisaram brevemente o labirinto de quatro dimensões de radiação em expansão e viram que havia um caminho terrivelmente complicado e improvável para escapar das conchas concêntricas de energia em erupção que agora se abriam como as pétalas de uma flor imensa entre os sistemas estelares. Não era, porém, uma rota que a Mente de uma nave de guerra pequena e arcaica pudesse planejar, criar e seguir.

Quando se percebeu que a Mente da nave tinha tomado exatamente aquele caminho através de sua tela de aniquilação, era tarde demais para impedi-la de cair pelo hiperespaço na direção do planetinha frio, o quarto a partir do único sol amarelo do sistema próximo.

Também era tarde para fazer qualquer coisa em relação à luz da explosão das ogivas da nave, que haviam sido organizadas em um código simples descrevendo o destino da nave e o status e a posição da Mente que havia escapado, legível para qualquer um que captasse a luz sobrenatural enquanto ela corria através da galáxia. Talvez o pior de tudo — e se seus projetos permitissem tal coisa, aqueles cérebros eletrônicos agora teriam sentido medo —, o planeta para o qual a Mente seguira através de seu campo de explosões não era um que eles pudessem simplesmente atacar, destruir ou no qual pudessem sequer pousar: era o Mundo de Schar, perto da região de espaço estéril entre dois ramos galácticos chamada de Golfo Sombrio, e era um dos proibidos Planetas dos Mortos.

# 1
## SORPEN

**O NÍVEL** agora estava em seu lábio superior. Mesmo com a cabeça apertada com força contra as pedras da parede da cela, seu nariz estava apenas logo acima da superfície. Ele não conseguiria soltar as mãos a tempo; iria se afogar.

Na escuridão da cela, em seu fedor e calor, enquanto o suor escorria pela testa e sobre os olhos bem fechados e ele entrava e saía de transe, uma parte de sua mente tentava acostumá-lo à ideia de sua própria morte. Mas, como um inseto invisível zumbindo em um quarto silencioso, havia mais alguma coisa, algo que não ia embora, que não tinha utilidade, apenas irritava. Era uma frase irrelevante e inútil e tão antiga que ele tinha se esquecido de onde a havia ouvido ou lido, que girava e girava pelo interior de sua cabeça como bolas de gude agitadas dentro de um jarro:

*O Jinmoti de Bozlen Dois mata os assassinos rituais hereditários da família próxima do novo Rei do Ano afogando-os nas lágrimas do Empatauro Continental em sua Estação da Tristeza.*

Em certo momento, logo após o início de sua provação, quando estava apenas parcialmente em transe, ele tinha se perguntado o que aconteceria se vomitasse. Isso tinha sido quando as cozinhas do palácio — cerca de quinze ou dezesseis andares acima, se seus cálculos estivessem corretos — jogaram seus dejetos pela rede sinuosa de encanamento que levava à cela do esgoto. O líquido imundo e gorgolejante tinha desalojado comida apodrecida da última vez que um pobre coitado tinha se afogado em sujeira e lixo, e foi então que ele achou que poderia vomitar. Tinha sido quase reconfortante descobrir que isso não faria diferença para a hora de sua morte.

Então ele tinha se perguntado — naquele estado de frivolidade nervosa que às vezes acomete aqueles que nada podem fazer além de esperar em uma situação de ameaça mortal — se chorar aceleraria sua morte. Em teoria, sim, embora em termos práticos isso fosse irrelevante; mas foi então que a frase começou a se revirar em sua cabeça.

*O Jinmoti de Bozlen Dois mata os assassinos rituais hereditários...*

O líquido, que ele podia ouvir e sentir e cheirar com clareza demais — e que provavelmente poderia ter visto com seus olhos longe do comum se estivessem abertos — moveu-se brevemente para tocar a ponta de seu nariz. Ele o sentiu bloquear suas narinas, enchendo-as de um fedor que fez seu estômago se revirar. Mas sacudiu a cabeça, tentou forçar o crânio ainda mais para trás contra as pedras, e o caldo imundo se afastou. Exalou e conseguiu respirar outra vez.

Não havia muito tempo agora. Verificou os pulsos outra vez, mas não estava nada bom. Ele levaria mais cerca de uma hora, e tinha apenas minutos, se estivesse com sorte.

O transe estava se desfazendo. Ele estava voltando quase à consciência total, como se seu cérebro quisesse apreciar por completo sua própria morte, sua própria extinção. Tentou pensar em algo profundo, ou ver sua vida passar em um clarão à sua frente, ou de repente se lembrar de um velho amor, uma profecia ou premonição havia muito esquecida. Mas não havia nada, apenas uma frase vazia e a sensação de se afogar na sujeira e nos dejetos de outras pessoas.

*Seus velhos canalhas.* Um de seus poucos traços de humor ou originalidade tinha sido criar um jeito de morrer elegante e irônico. Como deve ter lhes parecido adequado arrastar suas formas decrépitas até as latrinas do salão de banquetes para defecar sobre seus inimigos e assim matá-los.

A pressão do ar aumentou, e um ronco distante e suspirante de líquido assinalou mais uma descarga vinda de cima. *Seus velhos canalhas. Bem, eu espero que pelo menos você tenha mantido sua promessa, Balveda.*

*O Jinmoti de Bozlen Dois mata os assassinos rituais hereditários...* pensou uma parte de seu cérebro, enquanto os canos no teto gorgolejavam e os dejetos se derramavam na massa quente de líquido que quase enchia a cela. A onda passou sobre seu rosto, então recuou para deixar seu nariz livre por um segundo e lhe dar tempo para encher os pulmões de ar. Então o líquido subiu delicadamente para novamente tocar a ponta de seu nariz e ficou ali.

Ele prendeu a respiração.

\*

Tinha sido doloroso no início, quando eles o penduraram. As mãos dele, amarradas dentro de sacos de couro apertados, estavam diretamente acima de sua cabeça, presas por grossas argolas de aço afixadas às paredes da cela, que seguravam todo o peso dele. Os pés estavam amarrados juntos e pendurados no interior de um tubo de ferro, também preso à parede, que impedia que ele apoiasse qualquer peso sobre seus pés e joelhos e, ao mesmo tempo, que ele afastasse as pernas da parede mais que um palmo em qualquer direção. O tubo terminava logo acima de seus joelhos; sobre ele havia apenas uma tanga fina e suja para esconder sua nudez antiga e imunda.

Ele tinha desligado a dor de seus pulsos e ombros ainda enquanto os quatro guardas musculosos, dois deles em cima de escadas, o prendiam no lugar. Mesmo assim, podia sentir aquela sensação incômoda no fundo de seu crânio que lhe dizia que ele *deveria* estar sentindo dor. Isso havia diminuído gradativamente conforme o nível de dejetos na pequena cela do esgoto subira e fizera seu corpo flutuar.

Ele, então, havia começado a entrar em transe, assim que os guardas saíram, embora soubesse que provavelmente não havia esperança. Não tinha durado muito; a porta da cela se abriu novamente em minutos, uma passarela de metal foi baixada por um guarda sobre as pedras molhadas do piso da cela, e luz do corredor invadiu a escuridão. Ele interrompeu o transe inconstante e esticou o pescoço para ver quem poderia ser o visitante.

Entrou na cela, segurando um bastão pequeno que emitia uma luz azul, a figura encurvada de Amahain-Frolk, ministro de segurança da Gerontocracia de Sorpen. O velho sorriu para ele e assentiu em aprovação, então se virou para o corredor e, com a mão magra e pálida, chamou alguém que estava fora da cela para subir na passarela curta e entrar. Ele achou que seria a agente Balveda da Cultura, e era. Ela subiu com leveza na prancha de metal, olhou lentamente ao redor e fixou o olhar nele. Ele sorriu e tentou menear a cabeça para cumprimentá-la, suas orelhas se esfregando nos braços nus.

— Balveda! Achei que pudesse vê-la outra vez. Veio ver o anfitrião da festa?

Ele forçou um sorriso. Oficialmente, era seu banquete; ele era o anfitrião. Outra das pequenas piadas da Gerontocracia. Ele esperava que sua voz não tivesse mostrado sinais de medo.

Perosteck Balveda, agente da Cultura, uma cabeça mais alta que o velho ao seu lado e ainda muito bonita mesmo sob o brilho pálido da luz azul, sacudiu lentamente a cabeça fina e bem-feita. Seu cabelo curto e preto era como uma sombra sobre o seu crânio.

— Não — disse ela. — Eu não queria vê-lo, nem me despedir.

— Você me botou aqui, Balveda — falou ele em voz baixa.

— É verdade, e aqui é seu lugar — concordou Amahain-Frolk, chegando o mais à frente possível na plataforma sem correr o risco de se desequilibrar e ter de pisar no chão molhado. — Eu queria que você primeiro fosse torturado, mas a srta. Balveda aqui — a voz aguda e rouca do ministro ecoou na cela quando ele voltou a cabeça outra vez para a mulher — implorou por você, embora só Deus saiba por quê. Mas este aqui é mesmo o seu lugar, assassino. — Ele agitou o bastão na direção do homem quase nu pendurado na parede suja da cela.

Balveda olhava para os pés, quase invisíveis sob a barra da túnica cinza simples e comprida que usava. Um pingente circular preso a uma corrente em torno de seu pescoço brilhou com a luz do corredor do lado de fora. Amahain-Frolk tinha voltado até onde ela estava, erguendo o bastão luminoso e apertando os olhos para olhar para o prisioneiro.

— Sabe, mesmo agora eu quase podia jurar que era Egratin que estava pendurado aqui. Eu mal posso… — Ele sacudiu a cabeça magra e ossuda. — Eu mal posso acreditar que não é, pelo menos não até ele abrir a boca. Meu Deus, esses Transmutadores são coisas perigosas e assustadoras! — Ele se virou para Balveda. Ela alisou o cabelo da nuca e olhou para o velho.

— Eles também são um povo antigo e orgulhoso, ministro, e restam muito poucos deles. Posso lhe pedir mais uma vez? Por favor? Deixe que ele viva. Ele pode ser…

O gerontocrata acenou com a mão magra e retorcida para ela, seu rosto se distorcendo em uma careta.

— Não! Seria bom, srta. Balveda, que você parasse de pedir que esse... esse assassino, esse... *espião* traiçoeiro e assassino seja poupado. Você acha que não consideramos grave o assassinato covarde e a personificação de um de nossos ministros do mundo exterior? Que danos essa... *coisa* poderia ter causado! Quando nós o prendemos, dois de nossos guardas morreram apenas por terem sido *arranhados*! Outro está cego para sempre depois que esse monstro cuspiu em seu olho! Entretanto — Amahain-Frolk olhou com desprezo para o homem acorrentado à parede — nós arrancamos esses dentes. E suas mãos estão amarradas para que ele não possa arranhar nem a si mesmo. — Voltou-se novamente para Balveda. — Você diz que eles são poucos? Eu acho bom; logo vai haver um a menos. — O velho estreitou os olhos enquanto olhava para a mulher. — Somos gratos a você e seu povo por expor esse assassino e essa fraude, mas não pense que isso lhe dá o direito de nos dizer o que fazer. Há alguns da Gerontocracia que não querem nada com *nenhuma* influência externa, e suas vozes ganham volume a cada dia com a aproximação da guerra. Você faria bem em não antagonizar aqueles de nós que apoiam sua causa.

Balveda estreitou os lábios e olhou novamente para os pés, entrelaçando as mãos magras atrás das costas. Amahain-Frolk tinha se voltado para o homem pendurado na parede, agitando o bastão em sua direção enquanto falava.

— Você logo vai estar morto, impostor, e com você morrem os planos de seus mestres para a dominação de nosso sistema pacífico! O mesmo destino espera por eles se tentarem nos invadir. Nós e a Cultura somos...

Ele sacudiu a cabeça da melhor maneira possível e gritou em resposta:

— Frolk, você é um idiota!

O velho se encolheu como se tivesse sido atingido. O Transmutador continuou.

— Você não consegue ver que vocês vão ser dominados de qualquer forma? Provavelmente pelos idiranos, mas se não por eles, então pela Cultura. Vocês não controlam mais seus destinos; a guerra acabou com tudo isso. Logo, todo este setor vai ser parte do front, a menos que vocês o *tornem* parte da esfera idirana. Eu só fui enviado para lhes contar o que vocês, de qualquer forma, já deviam saber, não os enganar para que fizessem algo de que se arrependeriam mais tarde. Pelo amor de Deus, homem, os idiranos não vão *comer* vocês...

— Rá! Eles parecem capazes de fazer isso! Monstros com três pés; invasores, assassinos, infiéis... Você quer que nos associemos a eles? A monstros altos de três pernas? Para sermos submetidos sob seus *cascos*? Para termos de adorar seus falsos deuses?

— Pelo menos eles têm um deus, Frolk. A Cultura não tem. — A dor em seus braços estava voltando enquanto ele se concentrava em falar. Mudou de posição da melhor forma possível e olhou para o ministro. — Eles pelo menos pensam da mesma maneira que vocês. A Cultura, não.

— Ah, não, meu amigo, ah, não. — Amahain-Frolk ergueu a mão espalmada para ele e sacudiu a cabeça. — Você não vai plantar sementes de discórdia desse jeito.

— Meu Deus, seu velho idiota. — Ele riu. — Você quer saber quem é o verdadeiro representante da Cultura neste planeta? Não é ela. — Apontou a cabeça na direção da mulher. — É aquele fatiador de carne ligado que a segue por todo lado, seu míssil faca. Ela pode tomar as decisões, ele pode fazer o que ela disser, mas ele é o verdadeiro emissário. É disso que se trata a Cultura: máquinas. Você acha que deve ficar ao lado de Balveda por ela ter duas pernas e pele macia, mas, nesta guerra, são os idiranos que estão do lado da vida...

— Bom, você logo vai estar do outro lado *disso*. — O gerontocrata fez um som de escárnio e olhou de relance para Balveda, que tinha os olhos baixos voltados para o homem acorrentado à parede. — Vamos embora, srta. Balveda — disse Amahain-Frolk enquanto se virava e tomava o braço da mulher para conduzi-la da cela. — A... presença dessa *coisa* fede mais que a cela.

Balveda, então, ergueu os olhos para ele, ignorando o pequeno ministro que tentava puxá-la até a porta. Ela olhou direto para o prisioneiro com seus olhos límpidos de íris negras e ergueu as mãos ao lado do corpo.

— Sinto muito — disse a ele.

— Acredite ou não, eu também — respondeu ele, assentindo. — Só me prometa que você vai comer e beber muito pouco esta noite, Balveda. Eu gostaria de pensar que haverá uma pessoa lá em cima do meu lado, e poderia muito bem ser minha pior inimiga. — Sua intenção era soar desafiador e engraçado, mas pareceu apenas amargo; ele afastou os olhos do rosto da mulher.

— Prometo — disse Balveda. Ela se deixou ser conduzida até a porta, e a luz azul se apagou na cela escura. Ela parou na porta. Esticando dolorosamente a cabeça para fora, ele conseguia vê-la. O míssil faca estava lá também, percebeu ele, logo na entrada da cela, provavelmente estivera ali o tempo inteiro, mas ele não tinha percebido seu corpo pequeno e elegante pairando na escuridão. Ele focou os olhos negros de Balveda quando o míssil faca se moveu.

Por um segundo, ele achou que Balveda tivesse instruído a pequena máquina a matá-lo agora — silenciosa e rapidamente, enquanto ela encobria a visão de Amahain-Frolk —, e seu coração disparou. Mas o pequeno dispositivo simplesmente passou flutuando pelo rosto de Balveda e saiu para o corredor. Balveda ergueu a mão em um gesto de despedida.

— Bora Horza Gobuchul — disse ela. — Adeus.

Ela se virou rapidamente, desceu da plataforma e saiu da cela. A passarela foi erguida para fora e a porta bateu, com bordas de borracha correndo sobre o chão sujo e sibilando uma vez quando os selos internos a deixaram à prova d'água. Ele ficou ali pendurado, olhando por um momento para um chão invisível antes de voltar para o transe que ia Transmutar seus pulsos, alongá-los para que ele pudesse escapar. Mas algo na maneira solene e final como Balveda dissera seu nome o havia esmagado por dentro, e ele soube então, e talvez até já soubesse antes, que não havia escapatória.

*... afogando-os nas lágrimas...*

Seus pulmões estavam explodindo! Sua boca tremia, ele sentia ânsias de vômito, a imundície estava em seus ouvidos, mas podia ouvir um grande ronco, ver luzes embora estivesse uma completa escuridão. Os músculos de seu estômago começaram a se mover para dentro e para fora, e ele teve de cerrar os maxilares para impedir sua boca de se abrir para respirar um ar que não estava ali. Agora. Não... *agora* ele tinha de desistir. Ainda não... com certeza agora. Agora, agora, agora, a qualquer segundo; entregar-se àquele terrível vácuo negro dentro dele... ele precisava respirar... *agora!*

Antes que tivesse tempo de abrir a boca, ele foi jogado contra a parede — socado contra as pedras como se algum imenso punho de ferro o tivesse atingido. Exalou o ar velho dos pulmões em uma respiração convulsiva. Seu corpo de repente estava frio, e todas as partes dele junto da parede latejavam de dor. A morte, aparentemente, era peso, dor, frio... e luz demais...

Ele ergueu a cabeça. Gemeu com a luz. Tentou ver, tentou ouvir. O que estava acontecendo? Por que ele estava respirando? Por que ele estava tão *pesado* outra vez? Seu corpo estava arrancando seus braços dos ombros; seus pulsos estavam cortados quase até o osso. Quem tinha *feito* isso com ele?

Onde antes houvera uma parede à sua frente, havia agora um buraco grande e irregular que se estendia abaixo do nível do piso da cela. Todo o excremento e o lixo tinham saído por ali. As últimas gotas ainda chiavam sobre as laterais quentes da abertura, produzindo vapor que se envolvia em torno da figura de pé bloqueando a maior parte da luz brilhante que vinha de fora, no ar aberto de Sorpen. A figura tinha três metros de altura e se parecia vagamente com uma pequena espaçonave blindada apoiada em um tripé de pernas grossas. Seu capacete parecia grande o suficiente para conter três cabeças humanas, lado a lado. Seguro quase despreocupadamente em uma mão gigantesca havia um canhão de plasma que só para levantar Horza teria de usar os dois braços; a outra mão da criatura apertava uma arma um pouco maior. Atrás dela, projetando-se pelo buraco, vinha uma plataforma de canhão idirana, vividamente iluminada pela luz das explosões que Horza agora podia sentir através do ferro e das pedras aos quais estava preso. Ele ergueu a cabeça para o gigante parado na abertura e tentou sorrir.

— Bom — disse ele com voz rouca, então gorgolejou e cuspiu. — Vocês sem dúvida não tiveram pressa.

# 2

## A MÃO DE DEUS 137

**FORA** do palácio, no frio cortante de uma tarde de inverno, o céu limpo estava cheio do que parecia neve cintilante.

Horza parou na rampa do transporte de guerra e olhou para o alto e ao redor. As paredes perpendiculares e as torres esguias do palácio-prisão ecoavam e refletiam os estrondos e clarões dos disparos contínuos, enquanto plataformas de canhões idiranas iam de um lado para o outro, disparando de vez em quando. Em torno deles na brisa fortificante eram sopradas grandes nuvens de resíduos de morteiros antilaser no telhado do palácio. Uma lufada enviou metal flutuante e tremeluzente na direção do transporte parado, e Horza descobriu um lado de seu corpo molhado e grudento repentinamente coberto de plumagem reflexiva.

— Por favor. A batalha ainda não acabou — trovejou o soldado idirano às suas costas, no que provavelmente tinha a intenção de ser um sussurro baixo. Horza se virou para o homem grande de armadura e olhou para o visor do capacete do gigante, onde podia ver seu próprio rosto de velho refletido. Ele respirou fundo, então assentiu, fez a volta e entrou andando, um pouco trêmulo, no transporte. Um clarão de luz projetou sua sombra em diagonal à sua frente, e a nave balançou com a onda de choque de uma grande explosão em algum lugar no interior do palácio quando a rampa se fechou.

Você podia conhecê-las por seus nomes, pensou Horza enquanto tomava banho. As Unidades Gerais do Contato da Cultura, que até agora tinham aguentado o ímpeto dos primeiros quatro anos de guerra no espaço, sempre tinham escolhido nomes brincalhões e zombeteiros.

Até as novas naves de guerra que começavam a produzir, à medida que sua nave fábrica completava os preparativos para a produção de guerra, prefeririam nomes jocosos, sombrios ou explicitamente desagradáveis, como se a Cultura não conseguisse levar totalmente a sério o vasto conflito no qual tinha se envolvido.

Os idiranos viam as coisas de forma diferente. Para eles, o nome de uma nave devia refletir a natureza séria de seu propósito, seus deveres e sua utilização resoluta. Na grande marinha idirana havia centenas de naves batizadas com os nomes dos mesmos heróis, planetas, batalhas, conceitos religiosos e adjetivos impressionantes. O cruzador leve que havia resgatado Horza era a 137ª nave a ser chamada de *A Mão de Deus*, e ela existia simultaneamente com mais de cem outras naves na marinha usando o mesmo título, por isso seu nome completo era *A Mão de Deus 137*.

Horza se secou no jato de ar com certa dificuldade. Como todas as outras coisas na nave espacial, ele tinha sido construído em escala monumental apropriada para o tamanho dos idiranos, e o furacão de ar que produziu quase soprou Horza para fora do box do chuveiro.

O Querl Xoralundra, pai-espião e sacerdote guerreiro da seita de Farn-Idir, tributária das Quatro Almas, entrelaçou duas mãos sobre a mesa. Elas pareceram a Horza um par de placas continentais em colisão.

— Então, Bora Horza — disse em tom trovejante o velho idirano —, você está recuperado.

— Praticamente — assentiu Horza, esfregando os pulsos. Ele estava sentado na cabine de Xoralundra na *Mão de Deus 137* vestindo um traje espacial volumoso, mas confortável, aparentemente levado apenas para ele. Xoralundra, que também usava um traje, tinha insistido que o homem o usasse porque a nave de guerra ainda estava preparada para o combate enquanto percorria uma órbita rápida e em baixa energia em torno do planeta Sorpen. Uma ugc da Cultura classe Montanha tinha sido confirmada no sistema pela inteligência naval; a *Mão* estava sozinha, e eles não conseguiam encontrar nenhum traço da nave da Cultura, então precisavam ser cautelosos.

Xoralundra se inclinou na direção de Horza, projetando uma sombra sobre a mesa. Sua cabeça enorme, em forma de sela quando vista diretamente de frente, com os dois olhos dianteiros límpidos e sem piscar perto das extremidades, assomou sobre o Transmutador.

— Você teve sorte, Horza. Nós não fomos resgatá-lo por compaixão. O fracasso é sua própria recompensa.

— Obrigado, Xora. Essa na verdade é a coisa mais gentil que alguém me disse o dia todo.

Horza se recostou no assento e passou uma das mãos de aparência envelhecida pelos cabelos ralos que iam ficando amarelados. Ia levar alguns dias para que a aparência envelhecida que havia assumido desaparecesse, embora já pudesse senti-la começando a deixá-lo. Na mente de um Transmutador havia uma autoimagem constantemente mantida e revisada em um nível semiconsciente, mantendo o corpo na aparência desejada. A necessidade de Horza de se parecer com um gerontocrata agora havia terminado, então o retrato mental do ministro que ele havia personificado para os idiranos estava se fragmentando e se dissolvendo, e seu corpo estava voltando a seu estado normal e neutro.

A cabeça de Xoralundra foi lentamente de um lado para o outro entre as bordas da gola do traje. Era um gesto que Horza nunca tinha conseguido traduzir totalmente, embora trabalhasse para os idiranos e conhecesse Xoralundra desde bem antes da guerra.

— Enfim. Você está vivo — disse Xoralundra.

Horza assentiu e tamborilou os dedos na mesa para mostrar que concordava. Ele desejou que a cadeira idirana na qual estava sentado não o fizesse se sentir tanto como uma criança; seus pés não estavam nem tocando o convés.

— Por pouco. Obrigado, mesmo assim. Lamento tê-lo arrastado até aqui para resgatar um fracassado.

— Ordens são ordens. Pessoalmente estou satisfeito por termos conseguido. Agora preciso lhe dizer por que recebemos essas ordens.

Horza sorriu e afastou o olhar do velho idirano, que tinha acabado de lhe fazer um tipo de elogio; uma coisa rara. Ele tornou a olhar e observou a boca grande do outro ser — grande o bastante, pensou Horza, para arrancar suas duas mãos de uma só vez — enquanto ela dizia de forma retumbante as palavras precisas e curtas da língua idirana.

— Você uma vez participou de uma missão de cuidador no Mundo de Schar, um dos Planetas Dra'Azon dos Mortos — afirmou Xoralundra. Horza assentiu. — Precisamos que você volte lá.

— Agora? — disse Horza para o rosto largo e escuro do idirano.

— Lá há apenas Transmutadores. Eu já lhe disse que não vou personificar outro Transmutador. E certamente não vou matar um.

— Não estamos pedindo que você faça isso. Escute enquanto eu explico.

Xoralundra se recostou no assento de um jeito que quase qualquer vertebrado, ou mesmo qualquer coisa como um vertebrado, teria chamado de cansado.

— Quatro dias padrão atrás — começou o idirano, e então o capacete de seu traje, que estava no chão perto de seus pés, emitiu um ruído penetrante. Ele pegou o capacete e o pôs na mesa.

— *O que é?* — disse ele, e Horza sabia o bastante sobre a voz idirana para perceber que, quem quer que estivesse perturbando o Querl, era melhor que tivesse uma boa razão para fazer isso.

— Estamos com a fêmea da Cultura — disse uma voz vinda do capacete.

— Ahh... — disse Xoralundra em voz baixa, recostando-se. O equivalente idirano de um sorriso, a boca apertada e os olhos estreitos, passou por seus traços. — Bom, capitão. Ela já está a bordo?

— Não, Querl. O transporte está a alguns minutos de distância. Estou retirando as plataformas de canhões. Estamos prontos para deixar o sistema assim que estiverem todos a bordo.

Xoralundra se debruçou para mais perto do capacete. Horza inspecionou a pele envelhecida nas costas de suas mãos.

— E a nave da Cultura? — perguntou o idirano.

— Nada, ainda, Querl. Ela não pode estar em nenhum lugar do sistema. Nosso computador sugere que está fora, possivelmente entre nós e a frota. Em pouco tempo ela vai perceber que estamos aqui sozinhos.

— Você vai partir para se reunir com a frota no momento em que a agente da Cultura estiver a bordo, sem esperar pelas plataformas. Entendido, capitão? — Xoralundra olhou para Horza enquanto o humano olhava para ele. — Entendido, capitão? — repetiu o Querl, ainda olhando para o humano.

— Sim, Querl — foi a resposta. Horza podia ouvir o tom gélido mesmo através do pequeno alto-falante do capacete.

— Bom. Use sua própria iniciativa para decidir a melhor rota de volta para a frota. Enquanto isso, você vai destruir as cidades de De'aychanbie, Vinch, Easna-Yowon, Izilere e Ylbar com bombas de fusão, segundo instruções do Almirantado.

— Está bem, Qu... — Xoralundra apertou uma alavanca no capacete, e ele ficou em silêncio.

— Vocês estão com Balveda? — perguntou Horza, surpreso.

— Estamos, sim, com a agente da Cultura. Vejo sua captura, ou destruição, como de relativamente pequena consequência. Mas só garantindo ao Almirantado que tentaríamos pegá-la eles considerariam uma missão tão perigosa à frente da frota principal para resgatá-lo.

— Hum. Aposto que vocês não pegaram o míssil faca de Balveda — escarneceu Horza, olhando novamente para as rugas em suas mãos.

— Ele se destruiu enquanto você estava sendo posto a bordo do transporte que o trouxe até a nave. — Xoralundra acenou com uma das mãos, lançando um sopro de ar com cheiro idirano sobre a mesa. — Mas basta disso. Preciso explicar por que arriscamos um cruzador leve para resgatá-lo.

— À vontade — disse Horza, e então se virou para olhar para o idirano.

— Quatro dias padrão atrás — disse o Querl —, um grupo de nossas naves interceptou uma única nave da Cultura de aparência externa convencional, mas de construção interna um tanto estranha, a julgar por sua assinatura de emissões. A nave foi destruída com bastante facilidade, mas sua Mente escapou. Havia um sistema planetário próximo. A Mente parece ter transcendido o espaço real para o interior da superfície do globo que ela escolheu, indicando assim um nível de gerenciamento do campo hiperespacial que achávamos, esperávamos, ainda estar além da Cultura. Sem dúvida essas espaciobacias estão no momento acima de nós. Temos razões para crer, por isso e por outras indicações, que a Mente envolvida é de uma nova classe de Veículos Gerais de Sistemas que a Cultura está desenvolvendo. A captura dessa Mente seria um golpe de inteligência de primeira ordem.

O Querl, então, fez uma pausa. Horza aproveitou a oportunidade para perguntar:

— Essa coisa está no Mundo de Schar?

— Está. Segundo sua última mensagem, ela pretendia se abrigar nos túneis do Sistema de Comando.

— E vocês não podem fazer nada em relação a isso? — Horza deu um sorriso.

— Nós viemos buscá-lo. Isso já é fazer alguma coisa, Bora Horza. — O Querl fez uma pausa. — A forma de sua boca me diz que você vê algo divertido nessa situação. O que seria isso?

— Eu só estava pensando... muitas coisas: que aquela Mente foi muito inteligente ou muito sortuda; que *você* teve sorte por me ter por perto; também que a Cultura provavelmente não vai ficar parada sem fazer nada.

— Para lidar com seus pontos na ordem — disse rispidamente Xoralundra —, a Mente da Cultura é ao mesmo tempo sortuda e inteligente; nós tivemos sorte; a Cultura pouco pode fazer porque eles não têm, até onde sabemos, nenhum Transmutador a seu serviço, e com certeza não um que tenha servido no Mundo de Schar. Eu também acrescentaria, Bora Horza — disse o idirano, colocando as duas mãos enormes sobre a mesa e inclinando a grande cabeça na direção do humano —, que *você* mesmo teve mais que um pouco de sorte.

— Ah, tive, mas a diferença é que eu acredito nisso. — Horza sorriu.

— Hum. Isso não lhe dá muito crédito — observou o Querl.

Horza deu de ombros.

— Então você quer que eu vá até o Mundo de Schar para pegar a Mente?

— Se possível. Ela pode estar danificada. Pode ter permissão para se destruir, mas é um prêmio pelo qual vale a pena lutar. Nós vamos lhe dar todo o equipamento de que precisar, mas só sua presença já nos daria um pequeno apoio.

— E as pessoas que já estão lá? Os Transmutadores atuando como cuidadores?

— Não tivemos nenhuma notícia deles. Eles provavelmente não souberam da chegada da Mente. Sua próxima transmissão de rotina vai ser em alguns dias, mas, considerando o problema nas comunicações por causa da guerra, eles podem não conseguir transmitir.

— O que... — disse Horza lentamente, um dedo traçando um padrão circular na superfície da mesa para a qual olhava — ... vocês sabem sobre o pessoal na base?

— Os dois membros mais antigos foram substituídos por Transmutadores mais novos — disse o idirano. — As duas sentinelas juniores se tornaram seniores e permaneceram lá.

— Elas não estariam em perigo, estariam? — perguntou Horza.

— Ao contrário. O interior de uma Barreira de Silêncio de Dra'Azon em um Planeta dos Mortos deve ser um dos lugares mais seguros onde estar durante as atuais hostilidades. Nem nós nem a Cultura podemos arriscar ofender de alguma forma Dra'Azon. Por isso eles não podem fazer nada, e nós podemos apenas usar você.

— Se — disse Horza com cautela, chegando para a frente na cadeira e abaixando um pouco a voz — eu puder conseguir esse computador metafísico para vocês...

— Algo em sua voz me diz que estamos nos aproximando da questão da remuneração — disse Xoralundra.

— Estamos mesmo. Já arrisquei meu pescoço por vocês por tempo suficiente, Xoralundra. Eu quero cair fora. Há uma boa amiga minha naquela base no Mundo de Schar, e se ela concordar, quero tirar nós dois de toda essa guerra. É isso o que estou pedindo.

— Não posso prometer nada. Vou solicitar isso. Seu serviço duradouro e dedicado vai ser levado em consideração.

Horza se recostou e franziu o cenho. Ele não sabia ao certo se Xoralundra estava sendo irônico ou não. Seis anos provavelmente não parecia muito para uma espécie que era praticamente imortal; mas o Querl Xoralundra sabia com que frequência seu frágil subordinado humano tinha arriscado tudo a serviço de seus mestres alienígenas, sem nenhuma verdadeira recompensa, então talvez ele estivesse falando sério. Antes que Horza pudesse dar continuidade à barganha, o capacete emitiu um bipe mais uma vez. Horza fez uma expressão de dor. Todos os ruídos na nave idirana pareciam ensurdecedores. As vozes eram trovão; bipes e zumbidos deixavam seus ouvidos apitando por muito tempo depois de pararem; e anúncios pelo sistema de som da nave faziam com que ele levasse as duas mãos à cabeça. Horza torcia para que não houvesse um alarme total enquanto estivesse a bordo. O alarme da nave idirana podia causar danos a ouvidos humanos desprotegidos.

— O que é? — perguntou Xoralundra ao capacete.

— A fêmea está a bordo. Vou precisar só de mais oito minutos para colocar a arma...

— As cidades foram destruídas?

— Foram, Querl.

— Deixe a órbita imediatamente e siga a toda velocidade para a frota.

— Querl, eu devo observar que... — começou a voz baixa e firme do capacete sobre a mesa.

— Capitão — disse bruscamente Xoralundra. — Nesta guerra houve até hoje catorze confrontos de duelo individual entre cruzadores leves do Tipo 5 e Unidades Gerais do Contato classe Montanha. Todos terminaram em vitória para o inimigo. Você já viu o que sobra de um cruzador leve depois que uma ugc acaba com ele?

— Não, Querl.

— Nem eu, e não tenho a intenção de ver isso pela primeira vez de dentro de um. Prossiga imediatamente.

Xoralundra apertou novamente o botão no capacete. Ele fixou o olhar em Horza.

— Vou fazer o que puder para garantir sua liberação do serviço com fundos suficientes se você obtiver sucesso. Agora, depois de fazermos contato com o corpo principal da frota, você vai em uma unidade rápida para o Mundo de Schar. Lá você vai receber um transporte, logo depois da Barreira de Silêncio. Ele vai estar desarmado, embora vá ter os equipamentos de que achamos que você vai precisar, incluindo alguns analisadores espectrográficos de hiperespaço de curto alcance, se a Mente empreender uma destruição limitada.

— Como você pode ter certeza de que vai ser "limitada"? — perguntou Horza com ceticismo.

— A Mente pesa vários milhares de toneladas, apesar de seu tamanho relativamente pequeno. Uma destruição aniquiladora rasgaria o planeta ao meio e antagonizaria os Dra'Azon. Nenhuma Mente da Cultura arriscaria uma coisa dessas.

— Sua confiança me surpreende — disse Horza, sorumbático.

Nesse momento, a nota do ruído de fundo ao seu redor se alterou. Xoralundra girou o capacete e olhou para uma de suas pequenas telas internas.

— Bom. Estamos a caminho. — Ele tornou a olhar para Horza. — Tem outra coisa que devo lhe contar. O grupo de naves que pegou a nave da Cultura fez uma tentativa de seguir a Mente fugitiva até o planeta.

Horza franziu o cenho.

— Eles não sabiam que não deviam fazer isso?

— Eles fizeram o melhor que puderam. Com o grupo de batalha havia vários animais de dobra espacial chuy-hirtsi capturados que tinham sido desativados para utilização posterior em um ataque surpresa a uma base da Cultura. Um deles foi rapidamente preparado para uma excursão em pequena escala à superfície do planeta e jogado contra a Barreira de Silêncio em um cruzador de dobra espacial. O estratagema não deu certo. Quando atravessou a barreira, o animal foi atacado por algo semelhante a tiros de grade e foi seriamente danificado. Ele saiu da dobra espacial perto do planeta em um curso que o faria entrar em chamas. O equipamento e a força terrestre que ele continha devem ser considerados perdidos.

— Bem, imagino que tenha sido uma boa tentativa, mas um Dra'Azon deve fazer até mesmo essa Mente maravilhosa atrás da qual você está parecer um computador valvulado. Vai ser preciso mais que isso para enganá-los.

— Você acha que consegue?

— Não sei. Não *acho* que eles possam ler mentes, mas quem sabe? Não *acho* que os Dra'Azon sequer sabem da guerra nem se importam muito com ela ou com o que eu tenho feito desde que deixei o Mundo de Schar. Então eles provavelmente não vão conseguir fazer a ligação, mas, novamente, quem sabe? — Horza deu de ombros mais uma vez. — Vale a tentativa.

— Bom. Vamos lhe explicar tudo quando tornarmos a nos reunir com a frota. Por enquanto devemos rezar para que nossa volta seja sem incidentes. Você pode querer conversar com Perosteck Balveda antes que ela seja interrogada. Combinei com o Segundo Inquisidor da Frota que você pode vê-la, se desejar.

Horza sorriu.

— Xora, nada me daria mais prazer.

*

O Querl tinha outros assuntos na nave enquanto ela acelerava para sair do sistema Sorpen. Horza ficou na cabine de Xoralundra para descansar e comer antes de chamar Balveda.

A comida era a melhor imitação feita pela cozinha automática do cruzador de algo apropriado para um humanoide, mas o gosto era horrível. Horza comeu o que conseguiu e bebeu um pouco de água destilada igualmente nada inspiradora. Tudo foi servido por um medjel, uma criatura semelhante a um lagarto de cerca de dois metros de comprimento com uma cabeça chata e comprida e seis patas, sobre quatro das quais ele corria, usando o par dianteiro como mãos. Os medjel eram a espécie companheira dos idiranos. Era um tipo complicado de simbiose social que sustentara muitos fundos de pesquisa universitários de exossociologia no milênio em que a civilização idirana tinha sido parte da comunidade galáctica.

Os próprios idiranos tinham evoluído em seu planeta Idir como o principal monstro de um planeta inteiro de monstros. A ecologia frenética e selvagem de Idir em seus primeiros dias tinha desaparecido muito tempo antes, assim como todos os outros monstros de seu mundo natal, exceto aqueles nos zoológicos. Mas os idiranos tinham mantido a inteligência que os transformara em vencedores, assim como a imortalidade biológica que, por causa da dureza da luta pela sobrevivência na época, sem falar nos elevados níveis de radiação em Idir, tinha sido uma vantagem evolucionária e não uma receita para a estagnação.

Horza agradeceu ao medjel quando ele lhe trouxe pratos e quando os levou embora, mas ele não disse nada. Afirmava-se em geral que eles tinham dois terços da inteligência de um humanoide médio (o que quer que fosse isso), o que os tornava duas ou três vezes menos brilhantes que um idirano normal. Ainda assim, eles eram bons soldados, mesmo que sem imaginação, e havia muitos deles; aproximadamente dez ou doze para cada idirano. Quarenta mil anos de cruzamentos os haviam deixado leais até o nível cromossômico.

Horza não tentou dormir, embora estivesse cansado. Ele disse ao medjel para levá-lo até Balveda. O medjel pensou a respeito, pediu permissão pelo intercomunicador da cabine e se encolheu visivelmente com uma repreensão verbal de um Xoralundra distante que estava na ponte de comando com o capitão da nave.

— Venha comigo, senhor — disse o medjel, abrindo a porta da cabine.

*

Nas escadas da nave de guerra, a atmosfera idirana se tornava mais óbvia do que era na cabine de Xoralundra. O cheiro de idiranos estava mais forte, e a vista à frente ficava nublada após algumas dezenas de metros, mesmo através dos olhos de Horza. Era quente e úmido, e o piso era macio. Horza seguiu apressadamente pelo corredor, observando o coto da cauda aparada do medjel enquanto ele se agitava à sua frente.

Ele passou por dois idiranos no caminho, nenhum dos quais lhe deu a menor atenção. Talvez eles soubessem tudo sobre ele e o que ele era, mas talvez não. Horza sabia que os idiranos odiavam parecer demasiadamente curiosos ou mal-informados.

Quase colidiu com dois medjel feridos em macas antigravitacionais sendo levados por um corredor transversal por dois de seus colegas militares. Horza observou enquanto os feridos passavam e franziu o cenho. Os respingos espiralados em sua armadura de batalha tinham sido inconfundivelmente produzidos por uma arma de plasma, e a Gerontocracia não tinha nenhuma arma de plasma. Ele deu de ombros e seguiu em frente.

Eles chegaram a uma área do cruzador onde o passadiço estava bloqueado por portas de correr. O medjel falou com uma barreira de cada vez e elas se abriram. Um guarda idirano portando uma carabina a laser estava ao lado de uma porta; ele viu o medjel e Horza se aproximando e fez com que a porta se abrisse para o homem no momento em que ele chegou lá. Horza cumprimentou o guarda com um aceno de cabeça ao passar. A porta se fechou com um chiado atrás dele, e outra, imediatamente à frente, se abriu.

Balveda se virou rapidamente em sua direção quando ele entrou na cela. Parecia que ela estivera andando de um lado para o outro. Ela jogou a cabeça um pouco para trás quando viu Horza e emitiu um ruído de sua garganta que pode ter sido uma risada.

— Ora, ora — disse ela, sua voz delicada se estendendo. — Você sobreviveu. Parabéns. Por falar nisso, eu mantive minha promessa. Que reviravolta, hein?

— Olá — respondeu Horza, cruzando os braços sobre o peito de seu traje e olhando para a mulher de alto a baixo. Ela estava usando o mesmo vestido cinza e não parecia machucada. — O que aconteceu com aquela coisa em volta do seu pescoço? — perguntou Horza.

Ela olhou para baixo, para onde costumava ficar o pingente sobre seu peito.

— Bem, acredite ou não, era um memoriforme.

Ela sorriu para ele e se sentou com as pernas cruzadas no chão macio; além de uma alcova com cama elevada, era o único lugar onde se sentar. Horza também se sentou, suas pernas doendo só um pouco. Ele se lembrou das marcas na armadura dos medjel.

— Um memoriforme. Ele não teria se transformado em uma arma de *plasma*, por acaso, teria?

A agente da Cultura assentiu.

— Entre outras coisas.

— Pensei que sim. Soube que seu míssil faca pegou a saída mais expansiva.

Balveda deu de ombros.

Horza a olhou nos olhos e disse:

— Acho que você não estaria aqui se tivesse qualquer coisa importante que pudesse contar a eles, estaria?

— Aqui, talvez — concordou Balveda. — Viva, não. — Ela esticou os braços para trás e deu um suspiro. — Acho que vou passar a guerra em um campo de internação, a menos que eles encontrem alguém para fazer uma troca. Só espero que essa coisa não leve tempo demais.

— Ah, você acha que a Cultura pode ceder em breve? — Horza deu um sorriso.

— Não, eu acho que a Cultura pode vencer em breve.

— Você só pode estar louca. — Horza sacudiu a cabeça.

— Bem... — disse Balveda, meneando a cabeça com uma expressão sentida — na verdade, acho que ela vai acabar ganhando.

— Se vocês continuarem a recuar como têm feito pelos últimos três anos, vão acabar em algum lugar nas Nuvens.

— Eu não vou entregar nenhum segredo, Horza, mas acho que você pode descobrir que não estamos recuando muito mais.

— Vamos ver. Francamente, estou surpreso por vocês terem lutado por tanto tempo.

— Assim como nossos amigos de três pernas. Assim como todo mundo. Assim como nós, eu às vezes penso.

— Balveda. — Horza deu um suspiro cansado. — Ainda não sei por que diabos vocês estão lutando, para começo de conversa. Os idiranos nunca foram ameaça para vocês. Eles ainda não seriam, se vocês parassem de lutar contra eles. A vida em sua grande Utopia ficou mesmo tão entediante que vocês precisavam de uma guerra?

— Horza — disse Balveda, inclinando-se para a frente. — Não entendo por que *você* está lutando. Sei que Heidohre está em...

— Hei*b*ohre — interveio Horza.

— Está bem, o maldito asteroide onde vivem os Transmutadores. Sei que é no espaço idirano, mas...

— Isso não tem nada a ver, Balveda. Estou lutando por eles porque acho que eles estão certos e vocês estão errados.

Balveda se recostou, perplexa.

— Você... — começou ela, então abaixou a cabeça e a sacudiu, olhando fixamente para o chão. Então ergueu os olhos. — Eu realmente *não* entendo você, Horza. Você deve saber quantas espécies, quantas civilizações, quantos sistemas, quantos indivíduos foram destruídos ou... sufocados pelos idiranos e sua maldita religião maluca. O que a Cultura já fez que pode ser comparado com *isso*?

Uma das mãos dela estava sobre o joelho, a outra estava diante de Horza, recurvada como para enforcar alguém. Ele olhou para ela e sorriu.

— Em uma contagem numérica simples, os idiranos sem dúvida chegam na frente, Perosteck, e eu disse a eles que nunca me importei com seus métodos nem com seu fervor. Sou totalmente a favor de que as pessoas tenham permissão para viver suas próprias vidas. Mas agora eles estão lutando contra vocês, e isso é o que faz diferença para mim. Por eu ser contra vocês, mais que a favor deles, estou preparado... — Horza se deteve por um momento, rindo de leve, um pouco óbvio. — Bem, parece um pouco melodramático, mas com certeza estou preparado para morrer por eles. — Ele deu de ombros. — Simples assim.

Horza assentiu ao dizer isso, e Balveda baixou a mão estendida e olhou para o lado, sacudindo a cabeça e expirando alto. Horza continuou.

— Porque... bem, acho que você pensou que eu só estava brincando quando disse ao velho Frolk que achava que o míssil faca era o verdadeiro representante. Eu não estava brincando, Balveda. Eu estava falando sério na hora e estou agora. Não me importa o quanto a Cultura se ache virtuosa nem quantas pessoas os idiranos matem. Eles estão do lado da vida, vida biológica entediante e antiquada; fedorenta, falível e sem visão, Deus sabe, mas vida *de verdad*e. Vocês são governados por suas máquinas. Vocês são um beco sem saída evolucionário. O problema é que para tirar sua mente disso, vocês tentam arrastar todas as outras pessoas junto com vocês. A pior coisa que poderia acontecer à galáxia seria que a Cultura ganhasse essa guerra.

Ele fez uma pausa para deixá-la dizer alguma coisa, mas ela ainda estava sentada de cabeça baixa, sacudindo-a. Ele riu dela.

— Sabe, Balveda, para uma espécie tão sensível vocês às vezes demonstram uma falta de empatia notável.

— Quem tem empatia pela estupidez está a meio caminho de pensar como um idiota — resmungou a mulher, ainda sem olhar para Horza.

Ele riu novamente e ficou de pé.

— Quanta... amargura, Balveda — disse ele.

Ela olhou para ele.

— Vou te dizer, Horza — falou ela em voz baixa. — Nós vamos ganhar.

Ele sacudiu a cabeça.

— Acho que não. Vocês não saberiam como.

Balveda chegou para trás outra vez, as mãos estendidas às costas. Seu rosto estava sério.

— Nós podemos aprender, Horza.

— Com quem?

— Quem quer que possa ensinar — disse ela devagar. — Passamos grande parte de nosso tempo observando fanáticos, valentões e militaristas, pessoas determinadas a vencer a qualquer custo. Não faltam professores.

— Se vocês quiserem saber alguma coisa sobre vencer, perguntem aos idiranos.

Balveda não disse nada por um momento. Seu rosto estava calmo, pensativo, talvez triste. Ela assentiu após algum tempo.

— Dizem que há um perigo... na guerra — começou ela. — Que você começa a se parecer com seu inimigo. — Ela deu de ombros. — Nós só temos de torcer para conseguir evitar isso. Se a força evolucionária em que você parece acreditar realmente funciona, então ela vai funcionar através de nós, e não dos idiranos. Se você estiver errado, então ela merece ser superada.

— Balveda — disse ele, rindo de leve. — Não me decepcione. Prefiro uma briga... Você quase parece estar começando a concordar com meu ponto de vista.

— Não. — Ela suspirou. — Não estou. A culpa é do treinamento das Circunstâncias Especiais. Nós tentamos pensar em tudo. Eu estava sendo pessimista.

— Eu tinha a impressão de que as CE não permitiam esses pensamentos.

— Então pense um pouco mais, sr. Transmutador — disse Balveda, arqueando uma sobrancelha. — As CE permitem todos os pensamentos. É isso o que algumas pessoas acham tão assustador nelas.

Horza achou que sabia o que a mulher queria dizer. As Circunstâncias Especiais sempre tinham sido a arma de espionagem moral da seção do Contato, a mais avançada política de interferência diplomática da Cultura, a elite da elite, em uma sociedade que abominava o elitismo. Mesmo antes da guerra, sua posição e sua imagem dentro da Cultura tinham sido ambíguas. Eram glamorosas, mas perigosas, possuidoras de uma aura de sensualidade marginal — não havia outra maneira de descrever — que implicava predação, sedução e até violação.

Elas também tinham uma atmosfera de segredo ao seu redor (em uma sociedade que praticamente venerava a abertura) que sugeria feitos desagradáveis e vergonhosos, e um ambiente de relatividade moral (em uma sociedade que se agarrava a seus absolutos; vida/bom, morte/ruim; prazer/bom, dor/ruim) que ao mesmo tempo atraía e repelia, mas de toda forma excitava.

Nenhuma outra parte da Cultura representava mais exatamente o que a sociedade como um todo realmente defendia ou era mais militante na aplicação das crenças fundamentais da Cultura. Mesmo assim, nenhuma outra parte personificava menos o caráter cotidiano da sociedade.

Com a guerra, o Contato tinha se tornado o Exército da Cultura, e as Circunstâncias Especiais, sua inteligência e seção de espionagem (o eufemismo ficava apenas um pouco mais óbvio, só isso). E com a guerra, a posição das CE dentro da Cultura mudou, e para pior. Elas se tornaram o repositório para a culpa que as pessoas na Cultura experimentavam apenas por terem concordado em entrar em guerra: desprezadas como um mal necessário, insultadas como um compromisso moral desagradável, descartadas como algo em que as pessoas prefeririam não pensar.

As CE, porém, realmente tentavam pensar em tudo, e suas Mentes tinham a reputação de serem mais cínicas, amorais e abertamente sorrateiras que aquelas que formavam o Contato; máquinas sem ilusões que se orgulhavam de pensar o pensável até seus limites mais extremos. Então tinha sido previsto com enfado que exatamente isso ia acontecer. As CE iam se tornar um pária, um bode expiatório, e sua reputação, uma glândula para absorver o veneno na consciência da Cultura. Mas Horza achava que saber tudo isso não tornava as coisas mais fáceis para alguém como Balveda. As pessoas da Cultura tinham pouco estômago para não serem apreciadas por qualquer um, principalmente seus concidadãos, e a tarefa da mulher era difícil o suficiente sem o acréscimo do fardo de saber que ela era mais condenada pela maior parte de seu próprio lado do que era pelo inimigo.

— Bem, tanto faz, Balveda — disse ele, se alongando. Flexionou os ombros rígidos dentro do traje, passou os dedos pelo cabelo ralo e branco-amarelado. — Acho que isso vai se resolver por conta própria.

Balveda riu com melancolia.

— Isso é bem verdade… — Ela sacudiu a cabeça.

— Obrigado, mesmo assim — falou ele.
— Por quê?
— Acho que você acabou de reforçar minha fé no resultado final desta guerra.
— Ah, vá embora, Horza. — Balveda deu um suspiro e olhou para o chão.

Horza queria tocá-la, despentear seu cabelo preto curto ou beliscar sua bochecha pálida, mas achou que isso só a perturbaria mais. Ele conhecia muito bem o amargor da derrota para querer agravar a experiência para alguém que era, no fim, uma adversária justa e honrada. Ele foi até a porta e, depois de falar com o guarda, teve permissão para sair.

— Ah, Bora Horza — disse Xoralundra quando o humano apareceu na porta da cela.

O Querl veio andando pelo passadiço. O guarda fora da cela se empertigou visivelmente e soprou alguma poeira imaginária de sua carabina.

— Como está nossa hóspede?
— Não muito feliz. Estávamos trocando justificativas, e acho que ganhei por pontos.

Horza sorriu. Xoralundra parou junto do homem e olhou para baixo.

— Hum. Bem, a menos que você prefira comemorar suas vitórias no vácuo, sugiro que na próxima vez que deixar minha cabine enquanto estamos em posto de combate você leve seu...

Horza não ouviu a palavra seguinte. O alarme da nave tocou.

O sinal de alarme idirano, tanto em uma nave de guerra como nos outros lugares, consiste do que parece uma série de explosões pronunciadas. É a versão amplificada do trovão de peito idirano, um sinal evoluído que os idiranos usavam para alertar os outros em sua manada ou clã por várias centenas de milhares de anos antes de se tornarem civilizados, e era produzido pela aleta de peito, que é o terceiro braço vestigial idirano.

Horza levou as mãos aos ouvidos, tentando silenciar o barulho terrível. Podia sentir as ondas de choque no peito, entrando pela gola aberta do traje. Ele se sentiu ser apanhado e forçado contra as anteparas. Só então percebeu que tinha fechado os olhos. Por um segundo pensou que nunca tinha sido resgatado, nunca tinha deixado a parede da cela do esgoto, que esse era o momento de sua morte e todo o resto tinha sido um sonho estranho e vívido. Ele abriu os olhos e se viu olhando para o focinho queratinoso do Querl Xoralundra, que o sacudia furiosamente e que, quando o alarme da nave parou e foi substituído por um zunido apenas dolorosamente intenso, disse muito alto na cara de Horza:

— CAPACETE!

— Ah, merda! — praguejou Horza.

Ele foi largado no convés quando Xoralundra o soltou, virou-se rapidamente e ergueu do chão um medjel que tentava passar por ele correndo.

— Você! — berrou Xoralundra. — Eu sou o pai-espião Querl da frota — gritou ele em sua cara, sacudindo a criatura de seis membros pela frente de seu traje. — Você vai até minha cabine imediatamente e vai trazer o pequeno capacete que está ali perto da câmara de emergência de bombordo na popa. O mais rápido possível. Essa ordem é mais importante que todas as outras e não pode ser revogada. Vá!

Ele jogou na direção certa o medjel, que aterrissou correndo.

Xoralundra girou o próprio capacete de sua posição presa pelas dobradiças às costas, encaixou-o e então abriu o visor. Ele parecia prestes a dizer alguma coisa para Horza, mas o alto-falante do capacete crepitou e falou, e a expressão do Querl mudou. O pequeno ruído parou, e só restou o lamento contínuo do alarme do cruzador.

— A nave da Cultura estava escondida nas camadas superficiais do sistema Sol — disse Xoralundra, amargamente, mais para si mesmo que para Horza.

— No *Sol*?

Horza estava incrédulo. Ele tornou a olhar para a porta da cela, como se de algum modo aquilo fosse culpa de Balveda.

— Esses canalhas estão ficando cada vez mais espertos.

— Estão — retrucou rispidamente o Querl, então girou rapidamente sobre um dos pés. — Siga-me, humano.

Horza obedeceu e saiu correndo atrás do velho idirano, então esbarrou nele quando a figura enorme parou de repente. Horza observou quando o rosto largo e escuro do alienígena girou para trás para olhar por cima de sua cabeça para o soldado ainda parado rigidamente junto à porta da cela. Uma expressão que Horza não conseguiu interpretar passou pelo rosto de Xoralundra.

— Guarda — disse o Querl, não muito alto.

O soldado com a carabina a laser se virou.

— Mate a mulher.

Xoralundra saiu andando com passos pesados pelo corredor. Horza ficou parado por um momento, olhando primeiro para o Querl que se afastava rapidamente, depois para o guarda quando ele conferiu sua carabina, ordenou que a porta da cela se abrisse e entrou. Então o homem saiu correndo pelo corredor atrás do velho idirano.

— Querl! — disse arquejante o medjel quando parou ao lado da câmara pressurizada, o capacete do traje erguido em frente a ela.

Xoralundra pegou o capacete de suas mãos e o encaixou rapidamente na cabeça de Horza.

— Você vai encontrar uma conexão de dobra espacial na câmara — disse o idirano a Horza. — Vá o mais longe possível. A frota vai estar aqui em cerca de nove horas padrão. Você não deve ter de fazer nada; o traje vai chamar ajuda em uma resposta codificada IFF. Eu também...

Xoralundra se calou quando o cruzador deu um solavanco. Houve um estrondo alto, e Horza foi derrubado por uma onda de choque, enquanto o idirano, em suas pernas de tripé, mal se moveu. O medjel que tinha ido buscar o capacete ganiu quando foi jogado embaixo das pernas de Xoralundra. O idirano praguejou e o chutou; ele saiu correndo. O cruzador sofreu outro solavanco e outros alarmes começaram. Horza sentia cheiro de queimado. Uma mistura confusa de barulhos que podiam ser vozes idiranas ou explosões abafadas vinha de algum lugar acima.

— Eu também vou tentar escapar — continuou Xoralundra. — Que Deus o acompanhe, humano.

Antes que Horza pudesse dizer qualquer coisa, o idirano tinha baixado seu visor e o empurrado para o interior da câmara. Ela se fechou bruscamente. Horza foi jogado contra uma parede enquanto o cruzador se sacudia violentamente. Ele olhou desesperadamente em torno do pequeno espaço esférico à procura de uma unidade de dobra, então a viu, e após certa dificuldade, soltou-a de seus ímãs na parede e a prendeu à parte traseira de seu traje.

— Pronto? — disse uma voz em seu ouvido.

Horza deu um pulo, então disse:

— Estou! Estou! Manda ver!

A câmara pressurizada não se abriu de forma convencional; ela se virou do avesso e o lançou no espaço, girando para longe do disco achatado do cruzador em uma pequena galáxia de partículas de gelo. Ele olhou para a nave da Cultura, então disse a si mesmo para não ser estúpido; ela provavelmente ainda estava a vários trilhões de quilômetros de distância. Isso era quão longe a guerra moderna estava da escala humana. Você podia atacar e destruir de distâncias impensáveis, eliminar planetas além de seu próprio sistema e provocar estrelas a se transformarem em novas de anos-luz de distância... e ainda assim não ter ideia de por que estava realmente lutando.

Pensando uma última vez em Balveda, Horza tateou às costas até encontrar a alavanca de controle da volumosa unidade de dobra, apertou os botões corretos sobre ela e viu as estrelas girarem e se distorcerem em torno dele enquanto a unidade em seu traje o enviava em alta velocidade para longe da nave espacial idirana atacada.

Ele mexeu com o controle de pulso por algum tempo, tentando captar sinais da *Mão de Deus 137*, mas não conseguiu nada além de estática. O traje falou com ele uma vez, dizendo:

— Carga/da unidade/de dobra/parcialmente/esgotada.

Horza observava a unidade de dobra através de uma pequena tela instalada dentro do capacete.

Ele se lembrou de que os idiranos diziam algum tipo de prece para seu Deus antes de entrar em dobra espacial. Uma vez, quando estava com Xoralundra em uma nave que estava entrando em dobra, o Querl insistiu que o Transmutador também repetisse a oração. Horza protestou que aquilo nada significava para ele; não só o deus idirano ia de encontro a suas próprias convicções pessoais, mas a oração em si era em uma língua idirana morta que ele não entendia. Disseram a ele um tanto friamente que era o gesto que importava. Para o que os idiranos viam como essencialmente um animal (a melhor tradução de sua palavra para humanoides era "biotômato"), só o comportamento de devoção era exigido; seu coração e sua mente não tinham qualquer importância. Quando Horza perguntara sobre sua alma imortal, Xoralundra rira. Foi a primeira e única vez que Horza experimentou uma coisa dessas do velho guerreiro. Quem tinha ouvido dizer que um corpo mortal tinha uma alma imortal?

Quando a unidade de dobra estava quase esgotada, Horza a desligou. Estrelas entraram em foco ao seu redor. Ele ajustou os controles da unidade e a jogou para longe de si. Eles se separaram, Horza se movendo lentamente em uma direção enquanto a unidade ia girando em outra; então ela desapareceu, e os controles tornaram a ligá-la para usar o que restava de sua energia para levar qualquer um que estivesse seguindo seus traços na direção errada.

Ele acalmou aos poucos sua respiração; ela havia ficado muito acelerada e forte por algum tempo, mas ele a desacelerou, e seu coração, deliberadamente. Familiarizou-se com o traje, testando suas funções e a energia. Tinha cheiro e toque de novo, e parecia um dispositivo construído pelos rairch. Os trajes rairch estavam entre os melhores. As pessoas diziam que a Cultura fazia melhores, mas as pessoas diziam que a Cultura fazia tudo melhor, e eles ainda assim estavam perdendo a guerra. Horza verificou os lasers instalados no traje e procurou a pistola escondida que ele sabia que devia ter. Finalmente a encontrou, disfarçada como parte da proteção do antebraço esquerdo, uma pequena pistola de plasma. Ele sentiu vontade de atirar com ela em alguma coisa, mas não havia nada para onde apontar. Então a guardou.

Cruzou os braços sobre o peito volumoso e olhou ao redor. Havia estrelas por toda parte. Ele não tinha ideia de qual delas era a de Sorpen. Então as naves da Cultura podiam se esconder nas fotosferas das estrelas, não podiam? E uma Mente — mesmo que estivesse desesperada e em fuga — podia saltar através do fundo de um poço de gravidade, não podia? Talvez os idiranos fossem ter um trabalho mais difícil do que esperavam. Eles eram os guerreiros naturais, tinham a experiência e a coragem, e toda a sua sociedade estava organizada para o conflito contínuo. Mas a Cultura, aquela mistura aparentemente desunida, anárquica, hedonista e decadente de espécies mais ou menos humanas, sempre isolando ou absorvendo grupos de pessoas diferentes, tinha lutado por quase quatro anos sem demonstrar nenhum sinal de desistir ou mesmo chegar a algum acordo.

O que todo mundo havia esperado que fosse no melhor dos casos uma resistência breve e limitada, durando tempo suficiente apenas para marcar posição, tinha se desenvolvido em um esforço sério de guerra. Os reveses iniciais e as primeiras poucas megamortes não tinham, como os especialistas e estudiosos haviam previsto, sido um choque suficiente para levar a Cultura a se retirar, horrorizada com as brutalidades da guerra, mas orgulhosa de ter arriscado sua vida coletiva, cumprindo as ameaças de sua boca coletiva. Em vez disso, ela continuou recuando e recuando, se preparando, se equipando e planejando. Horza estava convencido de que as Mentes estavam por trás de tudo.

Ele não podia acreditar que as pessoas comuns na Cultura realmente quisessem a guerra, independentemente de como tivessem votado. Eles tinham sua utopia comunista. Eram fracos, paparicados e mimados, e o materialismo evangélico da seção do Contato fornecia as boas obras para salvar sua consciência. O que mais eles podiam querer? A guerra tinha de ser ideia das Mentes; era parte de seu impulso clínico de limpar a galáxia, fazê-la funcionar em linhas belas e eficientes, sem desperdício, injustiça ou sofrimento. Os tolos na Cultura não conseguiam ver que um dia as Mentes começariam a pensar sobre como os próprios humanos na Cultura eram um desperdício e ineficientes.

Horza usou os giroscópios internos do traje para se virar, permitindo-se olhar para todas as partes do céu, perguntando-se onde, naquele vazio salpicado de luz, batalhas eram lutadas e bilhões morriam, onde a Cultura ainda resistia e as frotas de batalha idiranas avançavam. O traje zumbiu e emitiu estalidos e chiados muito baixos ao seu redor: preciso, obediente, tranquilizador.

De repente, ele sentiu um solavanco que o deteve sem aviso e fez com que batesse os dentes. Um barulho desconfortavelmente semelhante a um alarme de colisão soou violentamente em seu ouvido, e pelo canto do olho Horza pôde ver uma microtela no interior do capacete perto de sua bochecha esquerda se acender com uma imagem gráfica vermelha e holográfica.

— Radar/de aquisição/de alvo — disse o traje. — Chegando/aumentando.

# 3

## TURBULÊNCIA EM AR LÍMPIDO

— **O QUÊ?** — exclamou Horza.

— Radar/de aqui...

— Ah, cale a boca! — gritou Horza, e começou a apertar botões no console de pulso do traje, girando de um lado para o outro, examinando a escuridão ao seu redor.

Devia haver uma maneira de conseguir uma imagem à sua frente no interior do capacete para lhe mostrar de que direção estavam vindo os sinais, mas ele não tivera tempo suficiente para se familiarizar completamente com o traje e não conseguia encontrar o botão certo. Então se deu conta de que provavelmente podia apenas pedir.

— Traje! Mostre-me uma imagem da fonte da transmissão!

A borda superior esquerda do visor se acendeu. Ele girou e se reposicionou até um ponto vermelho se localizar sobre a superfície transparente. Apertou os botões no pulso outra vez, e o traje emitiu um chiado enquanto liberava gás de seus esguichos nas solas, lançando-o em alta velocidade sob aproximadamente uma gravidade. Nada pareceu mudar além de seu peso, mas a luz vermelha se apagou rapidamente, então tornou a se acender. Ele praguejou. O traje disse:

— Radar/de aqui...

— Eu *sei* — interrompeu Horza.

Ele pegou a pistola de plasma no braço e preparou os lasers do traje. Também cortou os jatos de gás. O que quer que estivesse indo atrás dele, ele duvidava que fosse capaz de ser mais rápido. Ficou sem peso outra vez. A pequena luz vermelha continuava a piscar no visor. Ele observou as telas internas. A fonte de transmissão estava se aproximando em uma rota curva a cerca de 0,01 da velocidade da luz, no espaço real. O radar era de baixa frequência e não especialmente potente — algo tecnologicamente primitivo demais para ser da Cultura ou dos idiranos. Ele pediu ao traje que cancelasse a exibição, baixou os ampliadores do alto do visor e os ligou, apontando para de onde vinha a fonte do radar. Uma variação na frequência do sinal pelo efeito Doppler, ainda exibida em uma das pequenas telas internas do capacete, anunciou que o que quer que estivesse produzindo a transmissão estava desacelerando. Ele seria resgatado em vez de explodido em pedaços?

Algo brilhou turvamente no campo dos amplificadores. O radar foi desligado. Estava muito perto agora. Ele sentiu a boca secar, e suas mãos tremiam dentro das luvas pesadas do traje. A imagem nos amplificadores parecia explodir com escuridão, então ele os recolheu no alto do capacete e olhou para os campos de estrelas e para a noite negra. Algo passou pela visão dele, completamente escuro, correndo pelo fundo de céu em absoluto silêncio. Ele apertou o botão que ligava o radar de agulha e tentou seguir a forma enquanto ela passava por ele, ocultando estrelas; mas não conseguiu, então não havia como dizer quão perto havia passado nem quão grande era. Ele tinha perdido seu rastro nos espaços entre as estrelas quando a escuridão à sua frente brilhou. Ele achou que a coisa estivesse se virando. E, confirmando isso, o pulso do radar voltou.

— Rada...

— Quieto — disse Horza, verificando a pistola de plasma.

A forma escura se expandiu, quase diretamente à frente. As estrelas ao seu redor estremeceram e brilharam sob o efeito de lente de um motor de dobra mal ajustado no modo de cancelamento. Horza observou a forma se aproximar. O radar se desligou outra vez. Ele ligou seu próprio radar de novo, o facho da agulha escaneando a nave à frente. Ele estava olhando para a imagem resultante em uma tela interna quando ela piscou e se apagou, os zumbidos e chiados do traje pararam, e as estrelas começaram a se apagar.

— Efetuador/de enfraquecimento/fo... go... — disse o traje, e Horza ficou inerte e inconsciente.

Havia algo duro embaixo dele. A cabeça doía. Ele não conseguia se lembrar de onde estava nem do que devia estar fazendo. Só se lembrava de seu nome, Bora Horza Gobuchul, Transmutador do asteroide

Heibohre, ultimamente empregado pelos idiranos em sua guerra santa contra a Cultura. Mas como isso se conectava com a dor em seu crânio e o metal duro e frio sob seu rosto?

Ele tinha sido atingido com força. Ao mesmo tempo que não conseguia ver, ouvir nem sentir cheiro de nada, sabia que algo severo tinha acontecido, algo quase fatal. Tentou se lembrar do que tinha acontecido. Onde estivera pela última vez? O que estivera fazendo?

*A Mão de Deus 137!* Seu coração deu um pulo quando ele se lembrou. Ele precisava sair dali! Onde estava seu capacete? Por que Xoralundra o havia abandonado? Onde estava aquele medjel estúpido com seu capacete? *Socorro!*

Ele descobriu que não conseguia se mexer.

De qualquer modo, não era *A Mão de Deus 137* nem qualquer nave idirana. O convés era duro e frio, se é que era um convés, e o ar tinha um cheiro errado. Ele agora também ouvia pessoas falando. Mas nenhuma imagem, ainda. Não sabia se seus olhos estavam abertos e ele estava cego ou se estavam fechados e ele não conseguia abri-los. Tentou levar a mão ao rosto para descobrir, mas nada se mexia.

As vozes eram humanas. Havia muitas. Elas estavam falando a língua da Cultura, marain, mas isso não significava muita coisa; o marain se tornara cada vez mais comum como segunda língua na galáxia ao longo dos últimos milênios. Horza sabia falá-lo e o entendia, mas não o usava desde... desde que tinha falado com Balveda, na verdade, mas antes disso já fazia muito tempo. Pobre Balveda. Mas aquelas pessoas estavam conversando, e ele não conseguia identificar as palavras individuais. Tentou mover as pálpebras e acabou sentindo alguma coisa. Ainda não conseguia imaginar onde podia estar.

Toda aquela escuridão... Então se lembrou de algo sobre estar em um traje, e de uma voz falando com ele sobre alvos ou algo assim. Em choque, percebeu que tinha sido capturado, ou resgatado. Desistiu de tentar abrir os olhos e se concentrou fortemente em entender o que as pessoas próximas estavam dizendo. Tinha usado o marain recentemente; era capaz de fazer isso. Precisava fazer. Precisava saber.

— ... maldito sistema por duas semanas e tudo o que conseguimos é um velho de traje. — Isso era uma voz. Mulher, pensou.

— O que você esperava, uma nave estelar da Cultura? — Homem.

— Bom, merda, um *pedaço* de uma. — A voz de mulher outra vez. Alguma risada.

— É um bom traje. Rairch, pela aparência. Acho que vou ficar com ele. — Outra voz de homem. Tom de comando, inconfundível.

— ...

Nada bom. Silêncio demais.

— Eles se ajustam, idiota. — O homem outra vez.

— ... pedaços de naves idiranas e da Cultura estão flutuando por toda parte e nós poderíamos... aquele laser de proa... e ainda está fodido. — Mulher, diferente.

— Nosso efetuador não o danificou, certo? — Outro homem; de voz jovem, interrompendo o que a mulher tinha dito.

— Estava em sugar, não soprar — disse o capitão, ou o que quer que ele fosse.

Quem *eram* aquelas pessoas?

— ... de muito menos que o vovô ali — disse um dos homens.

Ele! Estavam falando sobre ele! Ele tentou não demonstrar nenhum sinal de vida. Então percebeu que evidentemente estava sem o traje, deitado a alguns metros de distância de pessoas provavelmente paradas em torno dele, algumas de costas para ele. Estava deitado com um braço embaixo do corpo, de lado, nu, de frente para eles. Sua cabeça ainda doía e ele podia sentir saliva escorrendo de sua boca entreaberta.

— ... algum tipo de arma com eles. Mas não consigo vê-la — disse o Homem, e sua voz se alterou, como se ele estivesse mudando de posição enquanto falava.

Parecia que eles tinham perdido a pistola de plasma. Eles eram mercenários. Tinham de ser. Corsários.

— Posso ficar com seu traje antigo, Kraiklyn? — Homem jovem.

— Ora, está decidido — disse o homem, a voz soando como se ele estivesse se levantando de uma posição agachada ou se virando.

Parecia que ele tinha ignorado a pessoa que falara anteriormente.

— Uma certa decepção, talvez, mas nós conseguimos este traje. Melhor ir embora antes que os garotos grandes apareçam.

— E agora? — Uma das mulheres outra vez.

Horza gostou da voz dela. Desejou conseguir abrir os olhos.

— Aquele templo. Deve ser presa fácil, mesmo sem o laser de proa. A apenas dez dias de distância daqui. Vamos aumentar um pouco nossos recursos com alguns dos tesouros dos altares e depois comprar armamento pesado em Vavatch. Podemos gastar nossos ganhos ilegais lá. — O homem, Krakeline ou qualquer que fosse seu nome, fez uma pausa. Riu. — Doro, não fique tão assustada. Isso vai ser simples. Você vai agradecer por eu ter ouvido falar desse lugar quando estivermos ricos. Os malditos sacerdotes nem usam armas. Vai ser fácil...

— Fácil. É, nós sabemos. — Uma voz de mulher; a bonita.

Horza agora tinha consciência da luz. Rosa, diante de seus olhos. A cabeça ainda estava doendo, mas ele estava se recuperando. Conferiu seu corpo, acionando os nervos de feedback para avaliar sua própria prontidão física. Abaixo do normal, e não estaria perfeita até que os últimos efeitos de sua aparência geriátrica tivessem desaparecido, em alguns dias — se ele vivesse tanto. Desconfiou de que eles achavam que já estivesse morto.

— Zallin — disse o Homem. — Descarte aquele sujeito.

Horza abriu os olhos com um susto quando passos se aproximaram. O Homem estava falando sobre *ele*!

— Aah! — exclamou alguém por perto. — Ele não está morto. Os olhos estão se mexendo!

Os passos de repente pararam. Horza se sentou, tremendo, apertando os olhos contra a luz. Estava respirando com dificuldade e sua cabeça girou quando ele a ergueu. Seus olhos entraram em foco.

Ele estava em um hangar bem iluminado, mas pequeno. Uma velha nave de transporte com marcas do tempo enchia praticamente metade dele. Estava sentado quase encostado em uma parede; perto da outra estavam as pessoas que estiveram falando. A meio caminho dele e do grupo havia um jovem grande e desajeitado com braços muito compridos e cabelo prateado. Como Horza tinha imaginado, o traje que ele estivera usando estava emborcado no chão aos pés do grupo de humanos. Ele engoliu em seco e piscou. O jovem de cabelos prateados olhou fixamente para ele e coçou nervosamente uma orelha. Ele usava short e uma camiseta em frangalhos. Deu um pulo quando um dos homens mais altos do grupo, com a voz que Horza tinha decidido que era do capitão, disse:

— Wubslin. — Ele se virou para um dos outros homens. — Esse efetuador não está funcionando direito?

*Não deixe que falem de você como se você não estivesse aqui!* Horza limpou a garganta e falou o mais alto e com a maior determinação que conseguiu.

— Não tem nada errado com seu efetuador.

— Então — disse o homem alto, com um sorriso estreito e uma sobrancelha arqueada — você deveria estar morto.

Todos estavam olhando para ele, a maioria com desconfiança. O jovem mais próximo ainda estava coçando a orelha; ele parecia intrigado, até mesmo assustado, mas o resto parecia apenas querer se livrar dele o mais rápido possível. Eram todos humanos, ou perto disso; homens e mulheres; a maioria vestindo trajes ou partes de trajes, ou camisetas e shorts. O capitão, agora andando através do grupo, para mais perto de Horza, parecia alto e musculoso. Tinha uma cabeleira escura penteada para trás desde a testa, compleição pálida e algo feroz nos olhos e na boca. A voz era adequada a ele. Quando se aproximou mais, Horza viu que ele estava segurando uma pistola a laser. O traje que ele usava era preto, e suas botas pesadas ecoavam no convés nu de metal. Ele avançou até chegar ao lado do jovem de cabelo prateado, que estava mexendo com a barra de sua camiseta e mordendo o lábio.

— Por que você não está morto? — perguntou o Homem a Horza em voz baixa.

— Porque eu sou muito mais resistente do que pareço, porra — disse Horza.

O Homem sorriu e assentiu.

— Deve ser. — Ele se virou e olhou rapidamente para o traje. — O que você estava fazendo aqui fora vestindo aquilo?

— Eu costumava trabalhar para os idiranos. Eles não queriam que a nave da Cultura me alcançasse, e achavam que iam conseguir me resgatar mais tarde, por isso me jogaram para fora da nave para esperar pela frota. Ela vai chegar em cerca de oito ou nove horas, por falar nisso, então eu não ficaria por aqui.

— Vai, é? — falou o capitão em voz baixa, erguendo novamente a sobrancelha. — Você parece muito bem-informado, velho.

— Não sou tão velho. Esse foi um disfarce para meu último trabalho, uma droga agática. O efeito está passando. Mais alguns dias e vou ser útil outra vez.

O Homem sacudiu a cabeça com tristeza.

— Não, não vai. — Ele se virou e foi na direção das outras pessoas. — Descarte-o — disse ele ao jovem de camiseta. O jovem começou a caminhar.

— Não, espere a droga de um minuto! — gritou Horza, colocando-se de pé rapidamente.

Recostou-se na parede, com as mãos estendidas, mas o jovem estava indo diretamente até ele. Os outros olhavam ou para ele ou para o capitão. Horza deu um chute à frente com uma das pernas, rápido demais para o jovem de cabelo prateado. Ele o acertou com o pé na virilha. O jovem arquejou e caiu no convés, agarrado a si mesmo. O Homem tinha se virado. Ele olhou para o jovem, depois para Horza.

— Então? — disse ele.

Horza teve a impressão de que ele estava gostando daquilo tudo. Apontou para o jovem que agora estava de joelhos.

— Eu disse a você... posso ser útil. Sou muito bom em uma luta. Você pode ficar com o traje...

— Eu já *tenho* o traje — disse secamente o capitão.

— Então pelo menos me dê uma chance. — Horza olhou para eles. — Vocês são mercenários ou algo assim, certo?

Ninguém disse nada. Ele podia se sentir começando a suar; então parou o suor.

— Deixe que eu me junte a vocês. Tudo que estou pedindo é uma chance. Se eu falhar da primeira vez, aí você me descarta.

— Por que não o descartar agora e poupar o aborrecimento?

O capitão riu, abrindo os braços. Alguns dos outros também riram.

— Uma *chance* — repetiu Horza. — Merda, não é pedir muito.

— Lamento. — O Homem sacudiu a cabeça. — Já estamos com superlotação.

O jovem de cabelo prateado olhava para Horza, o rosto retorcido de dor e ódio. As pessoas do grupo sorriam maliciosamente para Horza ou conversavam em voz baixa e apontavam para ele com a cabeça, sorrindo. De repente, tomou consciência de que parecia exatamente um velho magro e pelado.

— Porra! — disse ele com rispidez, olhando com raiva diretamente para o Homem. — Me dê cinco dias e eu enfrento *você* a qualquer hora.

As sobrancelhas do capitão se ergueram. Por um segundo ele pode ter parecido com raiva, então caiu na gargalhada. Apontou o laser para Horza.

— Está bem, velho. Vou lhe dizer o que vamos fazer. — Pôs as mãos nos quadris e apontou com a cabeça para o jovem ainda ajoelhado no convés. — Você pode lutar com Zallin, aqui. Está disposto para uma briga, Zallin?

— Eu vou matá-lo — disse Zallin, olhando direto para a garganta de Horza.

O Homem riu. Um pouco de seu cabelo escuro saía pela parte de trás de seu traje.

— Essa é a ideia. — Ele olhou para Horza. — Eu lhe disse que já estamos superlotados. Você vai ter de produzir uma vaga. — Voltou-se para os outros. — Abrir um espaço. E alguém arrume um short para esse velho; ele está me fazendo perder o apetite.

Uma das mulheres jogou um short para Horza. Ele o vestiu. O traje tinha sido erguido do convés, e o transporte correu alguns metros para o lado até bater com um ruído metálico contra o casco no outro lado do hangar. Zallin tinha finalmente se erguido do convés e voltado até os outros. Alguém espirrou spray anestésico em seus genitais. *Graças a Deus pelos não retráteis*, pensou Horza. Estava apoiado na divisória, observando o grupo de pessoas. Zallin era mais alto que todos eles. Seus braços pareciam chegar aos joelhos e eram tão grossos quanto as coxas de Horza.

Horza viu o capitão acenar com a cabeça em sua direção, e uma das mulheres foi andando até ele. Ela tinha um rosto pequeno e de aparência dura. Sua pele era escura e seu cabelo era claro e espetado. Todo o seu corpo parecia magro e rígido; ela andava, pensou Horza, como um homem. Quando ela se aproximou, Horza viu que tinha alguns pelos no rosto, nas pernas e nos braços que o camisão comprido que usava deixava à mostra. Ela parou na frente dele e o olhou dos pés até o rosto.

— Sou sua madrinha — falou ela. — Seja lá o que de bom vá fazer por você.

Ela era a pessoa com a voz bonita. Horza ficou decepcionado, mesmo em seu medo. Ele acenou com a mão.

— Meu nome é Horza. Obrigado por perguntar. — *Idiota!*, disse a si mesmo. *Conte a eles seu verdadeiro nome, isso mesmo. Por que não contar também que você é um Transmutador? Tolo.*

— Yalson — disse a mulher abruptamente, e estendeu a mão.

Horza não soube ao certo se a palavra era uma saudação ou o nome dela. Ele estava com raiva de si mesmo. Como se já não tivesse problemas suficientes, tinha se traído a dizer seu verdadeiro nome. Provavelmente isso não teria importância, mas ele sabia muito bem que eram os pequenos deslizes, os erros aparentemente inconsequentes, que frequentemente faziam a diferença entre o sucesso e o fracasso, até entre a vida e a morte. Estendeu a mão e apertou a da mulher ao perceber que era isso o que deveria fazer. A mão dela era seca, fria e forte. Ela apertou a dele e a soltou antes que ele tivesse a chance de retribuir o aperto. Ele não tinha ideia de onde ela vinha, então tentou não pensar muito nisso. De onde ele vinha, isso teria sido um tipo de convite bem específico.

— Horza, hein? — Ela assentiu e levou as mãos aos quadris do mesmo jeito que o capitão tinha feito. — Bom, boa sorte, Horza. Acredito que Kraiklyn considere Zallin o membro mais dispensável da tripulação, por isso ele não vai se importar se você vencer.

Ela olhou para sua barriga flácida e o peito esquelético e franziu o cenho.

— *Se* você ganhar — repetiu.

— Muito obrigado — disse Horza, tentando encolher a barriga e estufar o peito. Então gesticulou para os outros. — Eles estão fazendo apostas ali? — Tentou sorrir.

— Apenas de quanto você vai durar.

Horza deixou que a tentativa de sorriso desaparecesse. Ele afastou os olhos da mulher e falou:

— Sabe, eu provavelmente até poderia ficar deprimido assim mesmo sem sua ajuda. Não me deixe impedi-la se você quiser ir lá e apostar algum dinheiro.

Ele voltou a olhar para o rosto da mulher. Não via nenhuma compaixão nem mesmo simpatia nele. Ela tornou a olhá-lo de cima a baixo, em seguida assentiu, deu as costas e voltou até os outros. Horza xingou.

— Certo! — Kraiklyn bateu as palmas enluvadas. O grupo de pessoas se separou e se dirigiu para as laterais do hangar, em torno dos dois. Zallin estava de pé olhando para Horza da extremidade do espaço aberto. Horza se afastou da parede divisória e se sacudiu, tentando relaxar e se preparar.

— Então é até a morte, vocês dois — anunciou Kraiklyn, sorrindo. — Sem armas, mas não estou vendo nenhum juiz, então... vale tudo. Certo... comecem.

Horza abriu um pouco mais de espaço entre ele e a parede divisória. Zallin se encaminhava em sua direção, abaixado, os braços estendidos como um par de mandíbulas muito grandes de algum inseto enorme. Horza sabia que se usasse todas as suas armas internas (e se ainda tivesse todas elas; ele sempre tinha de se lembrar de que haviam removido seus dentes de veneno em Sorpen) provavelmente poderia vencer sem muita dificuldade, a menos que Zallin acertasse um golpe de sorte. Mas estava igualmente certo de que se realmente usasse a única arma eficaz que lhe restava — as glândulas de veneno sob suas unhas —, os outros iam adivinhar o que ele era e ele, de qualquer jeito, estaria morto. Ele poderia ter conseguido usar os dentes de alguma forma e morder Zallin. O veneno afetava o sistema nervoso central, e Zallin teria perdido a velocidade gradualmente; provavelmente ninguém teria percebido. Mas arranhá-lo seria fatal para os dois. O veneno contido nas bolsas sob as unhas de Horza paralisava os músculos em sequência desde o ponto de entrada, e seria óbvio que Zallin tinha sido arranhado por algo além de unhas comuns. Mesmo que os outros mercenários não vissem isso como trapaça, haveria boa chance de que o Homem, Kraiklyn, descobrisse que Horza era um Transmutador e mandasse matá-lo.

Um Transmutador era uma ameaça para qualquer um que governasse pela força, fosse da vontade ou das armas. Amahain-Frolk sabia disso, e Kraiklyn também devia saber. Também havia um nível de repulsa humana básica reservada para a espécie de Horza. Não só eles tinham sua reserva genética original muito alterada, mas eram também uma ameaça à identidade, um desafio ao individualismo mesmo daqueles que provavelmente nunca seriam personificados. Não tinha nada a ver com almas ou possessão física ou espiritual; era, como bem entendiam os idiranos, a cópia comportamental de outra pessoa o que revoltava. A individualidade, a coisa que a maioria dos humanos considerava mais preciosa que qualquer outra em relação a si mesmos, de algum modo era empobrecida pela facilidade com que um Transmutador podia ignorá-la como uma limitação e usá-la como disfarce.

Ele tinha se Transmutado em um velho, e o legado disso ainda estava nele. Zallin estava chegando muito perto.

O jovem saltou, usando os braços enormes como pinças e tentando desajeitadamente agarrar Horza. Horza se abaixou e saltou para o lado, mais rápido do que Zallin havia antecipado. Antes que ele pudesse acompanhar Horza, o Transmutador acertou um chute no ombro do jovem que era destinado a sua cabeça. Zallin xingou. Horza fez o mesmo. Ele tinha machucado o pé.

Esfregando o ombro, o jovem avançou outra vez, no início de forma quase despreocupada, então de repente golpeando com um dos braços compridos, a mão em punho, e errando o rosto de Horza por muito pouco. O Transmutador sentiu o vento do soco cortante em sua face. Se o golpe tivesse acertado, teria acabado com a luta. Horza desviou para um lado, então saltou na outra direção, girando sobre um calcanhar e atacando novamente com um pé destinado ao meio das pernas do jovem. Ele acertou, mas Zallin apenas deu um sorriso dolorido e tentou agarrar Horza outra vez. O spray devia ter eliminado todas as sensações.

Horza circundou o jovem. Zallin olhava fixamente para ele com uma expressão de concentração intensa no rosto. Seus braços ainda estavam curvados à sua frente como pinças, e as extremidades de seus dedos se flexionavam de vez em quando, como se estivessem desesperadas para sentir o pescoço de Horza. Horza mal tinha consciência das pessoas paradas à sua volta, nem da luz nem das instalações do hangar. Tudo o que conseguia ver era o rapaz abaixado e pronto à sua frente, com seus braços enormes e cabelo prateado, sua camiseta esfarrapada e os sapatos leves. Os sapatos rangeram no convés de metal quando Zallin atacou outra vez. Horza girou e reagiu com o pé direito. Ele acertou a orelha direita de Zallin, e o jovem se afastou com expressão arrogante, esfregando-a.

Horza sabia que estava respirando com dificuldade outra vez. Estava usando energia demais só para permanecer na tensão máxima, pronto para o próximo ataque, e nesse meio-tempo não estava atacando Zallin o suficiente. Naquele ritmo, o jovem logo o esgotaria, mesmo sem atacá-lo. Zallin estendeu os braços outra vez e avançou. Horza desviou para um lado, seus músculos velhos reclamando. Zallin rodou. Horza saltou para a frente, girando outra vez em um só pé e atacando com o outro calcanhar o diafragma do jovem. Ele acertou com um baque satisfatório e tentou se afastar em um salto, mas percebeu que seu pé estava preso. Zallin o estava segurando. Horza caiu no convés.

Zallin estava se balançando, uma das mãos na base de sua caixa torácica. Estava arquejando, quase dobrado ao meio e cambaleante — Horza desconfiava que tivesse quebrado uma costela —, mas segurava o pé de Horza com a outra mão. Por mais que se contorcesse e puxasse, Horza não conseguia se livrar da pegada.

Ele tentou um pulso de suor na parte baixa de sua perna direita. Não fazia isso desde os exercícios em combate individual na academia em Heibohre, mas valia a tentativa; tudo valia, se tivesse uma chance de se soltar daquela pegada. Não funcionou. Talvez tivesse se esquecido de como fazer aquilo da maneira certa, ou talvez suas glândulas de suor artificialmente envelhecidas fossem incapazes de reagir tão rápido, mas, de qualquer forma, ainda estava preso na pegada do jovem. Zallin agora estava se recuperando do golpe que Horza tinha acertado. Ele sacudiu a cabeça, as luzes do hangar refletiram em seu cabelo; então segurou o pé de Horza com a outra mão.

Horza estava se movimentando com as mãos em torno do jovem, uma perna presa, a outra solta, tentando fazer algum peso sobre o convés. Zallin olhou fixamente para o Transmutador e moveu as mãos em círculos, como se estivesse tentando girar e arrancar o pé de Horza. Horza leu o movimento e já foi movendo todo o corpo ao seu redor enquanto Zallin iniciava a manobra; ele acabou de volta onde tinha começado, o pé preso nas mãos de Zallin e as palmas de suas próprias mãos se arrastando pelo convés enquanto tentava seguir os movimentos do jovem. *Eu poderia tentar as pernas dele; me movimentar rápido e morder*, pensou Horza, tentando desesperadamente ter alguma ideia. *No instante em que ele começasse a desacelerar, eu teria uma chance. Eles não iriam perceber. Tudo de que preciso é...* Então, é claro, ele se lembrou outra vez. Eles haviam removido aqueles dentes. Aqueles velhos canalhas — e Balveda — iam matá-lo no fim das contas, e no caso de Balveda, do além-túmulo. Enquanto Zallin segurasse seu pé daquele jeito, a luta só tinha um caminho a seguir.

*Dane-se, vou mordê-lo mesmo assim.* Ele se surpreendeu com o pensamento; foi concebido e executado antes que tivesse tempo de pensar realmente na possibilidade. Quando percebeu, tinha puxado a perna que Zallin segurava e empurrado com a maior força possível com as mãos, jogando-se entre as pernas do jovem. Ele cravou os dentes restantes na panturrilha do garoto.

— AAH! — gritou Zallin.

Horza mordeu com mais força, sentindo a pegada em torno de seu pé afrouxar um pouco. Ergueu bruscamente a cabeça, tentando rasgar a carne do jovem. Ele sentia como se sua rótula fosse explodir, e sua perna, quebrar, mas apertou a mordida em torno da carne viva e atacou o corpo de Zallin com toda a força. Zallin o soltou.

Horza parou de morder instantaneamente e se jogou para longe enquanto as mãos do jovem desciam com força na direção de sua cabeça. Horza se levantou; seu tornozelo e seu joelho doíam, mas não estavam seriamente machucados. Zallin estava mancando quando avançou, sangue jorrando de sua panturrilha. Horza mudou de tática e se lançou à frente sobre ele, atingindo o jovem bem no estômago, por baixo da guarda rudimentar de seus braços enormes. Zallin levou a mão à barriga e à parte baixo de sua caixa torácica e se agachou em reflexo. Quando Horza passou por ele, virou-se e atacou o pescoço de Zallin com as duas mãos.

Normalmente, o golpe teria matado, mas Zallin era forte, e Horza ainda estava fraco. Enquanto o Transmutador se equilibrava e se virava, teve de evitar colidir com alguns dos mercenários enfileirados ao longo da parede; a luta tinha atravessado o hangar de uma extremidade a outra. Antes que Horza pudesse acertar outro golpe, Zallin estava de pé outra vez, o rosto contorcido pela agressão frustrada. Ele gritou e correu na direção de Horza, que desviou de forma elegante.

Mas Zallin tropeçou em sua corrida e por pura sorte sua cabeça bateu na barriga de Horza.

O golpe foi muito mais doloroso e desmoralizante por ser inesperado. Horza caiu e rolou, tentando derrubar Zallin, mas o jovem caiu sobre ele, prendendo-o ao convés. Horza se debateu, mas nada acontecia. Estava preso.

Zallin se ergueu apoiado sobre a palma de uma das mãos e recuou a outra mão cerrada em punho enquanto olhava com maldade para o rosto do homem sob ele. Horza percebeu de repente que não havia nada que pudesse fazer. Observou o punho maciço subir e ir para trás, com todo o corpo estirado, os braços presos, e soube que estava acabado. Ele tinha perdido. Preparou-se para afastar a cabeça o mais rápido possível do soco de quebrar ossos que podia ver que seria desferido a qualquer momento e tentou mais uma vez movimentar as pernas, mas sabia que não havia esperança. Quis fechar os olhos, mas sabia que tinha de mantê-los abertos. *Talvez o Homem tenha piedade. Ele deve ter visto que lutei bem. Apenas não tive sorte. Talvez ele pare com...*

O punho de Zallin se deteve, como uma lâmina de guilhotina erguida até seu ponto máximo logo antes de ser liberada.

O golpe nunca foi dado. Quando Zallin se tensionou, sua outra mão, recebendo o peso da parte superior de seu corpo sobre o convés, escorregou; ela escapou de baixo dele quando deslizou sobre um pouco do sangue do próprio jovem. Zallin deu um grunhido de surpresa. Enquanto caía na direção de Horza, seu corpo se moveu, e o Transmutador pôde sentir o peso que o prendia se reduzir. Ele saiu de baixo de Zallin e o jovem rolou. Horza rolou na direção contrária, quase batendo nas pernas dos mercenários que estavam assistindo. A cabeça de Zallin bateu no convés — não com força, mas, antes que o jovem conseguisse reagir, Horza se atirou sobre as costas dele, passando as mãos em torno de seu pescoço e puxando a cabeça de cabelos prateados para trás. Posicionou as pernas dos dois lados do corpo de Zallin, montando sobre ele, e o segurou ali.

Zallin ficou imóvel, um ruído gorgolejante saindo de sua garganta onde as mãos de Horza o seguravam. Ele era mais do que forte o bastante para empurrar o Transmutador, rolar de costas e esmagá-lo; mas antes que pudesse fazer qualquer coisa um movimento das mãos de Horza teria quebrado seu pescoço.

Zallin estava olhando para Kraiklyn, que estava parado quase bem à sua frente. Horza também, coberto de suor e respirando com dificuldade, olhou para os olhos escuros e fundos do Homem. Zallin se debateu um pouco, então ficou imóvel outra vez quando Horza tensionou os antebraços.

Estavam todos olhando para ele — todos os mercenários, todos os piratas ou corsários ou como quisessem ser chamados. Eles estavam em torno das duas paredes do hangar e olhavam para Horza. Mas só Kraiklyn estava olhando nos olhos de Horza.

— Isso não precisa ser até a morte — arquejou Horza.

Ele olhou por um momento para os cabelos prateados à sua frente, alguns fios grudados com suor ao couro cabeludo do garoto. Tornou a olhar para Kraiklyn.

— Eu ganhei. Você pode mandar o garoto desembarcar no próximo lugar em que parar. Ou eu desembarco. Não quero matá-lo.

Algo quente e grudento parecia estar escorrendo no convés ao longo de sua perna direita. Ele percebeu que era sangue de Zallin, do ferimento em sua perna. Kraiklyn tinha uma expressão estranhamente distante no rosto. A arma a laser, que ele tinha guardada no coldre, foi sacada rapidamente com sua mão esquerda e apontada para o centro da testa de Horza. No silêncio do hangar, Horza a ouviu clicar e zunir enquanto era ligada, a cerca de um metro de seu crânio.

— Então você vai morrer — disse Kraiklyn, em uma voz plana e sem emoção. — Não tenho lugar nesta nave para pessoas que não tenham gosto por assassinato de vez em quando.

Horza olhou nos olhos de Kraiklyn sobre o cano imóvel da pistola a laser. Zallin soltou um gemido.

O estalo ecoou pelos espaços de metal do hangar como um tiro de pistola. Horza abriu os braços sem tirar os olhos do rosto do chefe dos mercenários. O corpo imóvel de Zallin caiu inerte sobre o convés e desmoronou sob seu próprio peso. Kraiklyn sorriu e guardou a pistola no coldre. Ela se desligou com um estalido e um zumbido.

— Bem-vindo a bordo da *Turbulência em Ar Límpido*.

Kraiklyn suspirou e passou por cima do corpo de Zallin. Foi até o meio de uma das paredes, abriu uma porta e saiu, suas botas fazendo barulho em alguns degraus. A maioria dos outros o seguiu.

— Muito bem.

Horza, ainda de joelhos, virou-se ao ouvir as palavras. Era outra vez a mulher com a voz bonita, Yalson. Ela lhe ofereceu a mão novamente, dessa vez para ajudá-lo a se levantar. Ele a pegou agradecido e ficou de pé.

— Não gostei — declarou ele. Limpou suor da testa com o antebraço e olhou nos olhos da mulher. — Você disse que seu nome era Yalson, certo?

Ela assentiu.

— E você é Horza.

— Olá, Yalson.

— Olá, Horza.

Ela sorriu um pouco. Horza gostou do sorriso. Ele olhou para o cadáver no convés. O sangue tinha parado de escorrer da ferida em uma perna.

— E esse pobre coitado? — perguntou ele.

— Você bem que podia descartá-lo — respondeu Yalson.

Ela olhou para as únicas outras pessoas que restavam no hangar, três homens fortes, peludos e idênticos de shorts. Eles estavam em um grupo perto da porta pela qual os outros tinham saído, olhando para Horza com curiosidade. Todos os três usavam botas pesadas, como se tivessem começado a vestir seus trajes e sido interrompidos logo em seguida. Horza quis rir. Em vez disso, sorriu e acenou.

— Olá.

— Ah, aqueles são os bratsilakins — disse Yalson quando os três corpos peludos acenaram mãos cinza-escuras para ele, não em perfeita sincronia. — Um, Dois e Três — continuou ela, apontando para um deles de cada vez com a cabeça. — Nós devemos ser a única Companhia Livre com um grupo de clones paranoico.

Horza olhou para ela para ver se ela estava falando sério, e os três homens peludos se aproximaram dele.

— Não escute uma palavra do que ela diz — falou um deles com uma voz delicada que Horza achou surpreendente. — Ela nunca gostou de nós. Só esperamos que você esteja do *nosso* lado.

Seis olhos se voltaram ansiosamente para Horza. Ele fez o possível para sorrir.

— Podem contar com isso — disse ele.

Eles retribuíram o sorriso e olharam um para o outro, assentindo.

— Vamos levar Zallin para um vactubo. Provavelmente vamos descartá-lo depois — disse Yalson para os outros três.

Ela foi até o corpo. Dois dos bratsilakins a seguiram, e os três juntos levaram o cadáver inerte até uma área do convés do hangar onde ergueram algumas placas de metal, abriram uma escotilha curva e botaram o corpo de Zallin no espaço estreito, então tornaram a fechar a escotilha e o convés. O terceiro bratsilakin pegou um pano em um painel na parede e limpou o sangue no convés. Então o grupo de clones peludos se dirigiu à porta e à escada. Yalson se aproximou de Horza. Ela fez um gesto para o lado com a cabeça.

— Venha. Vou lhe mostrar onde você pode se limpar.

Ele a seguiu pelo convés do hangar na direção da porta. Ela se virou para trás enquanto eles andavam.

— O resto foi comer. Eu vejo você no refeitório se estiver pronto a tempo. É só seguir o nariz. De qualquer forma, preciso coletar meus ganhos.

— Seus ganhos? — disse Horza quando eles chegaram à porta, onde Yalson pôs a mão no que Horza supôs serem interruptores de luz.

Ela se virou para ele, olhando-o nos olhos.

— Claro — disse ela, e apertou um dos interruptores cobertos por sua mão.

As luzes não mudaram, mas sob os pés Horza pôde sentir uma vibração. Ele ouviu um chiado e o que parecia ser uma bomba em funcionamento.

— Eu apostei em você — disse Yalson, então se virou e começou a subir os degraus depois da porta, dois de cada vez.

Horza olhou ao redor do hangar mais uma vez e foi atrás dela.

Pouco antes de a *Turbulência em Ar Límpido* voltar para dobra espacial e sua tripulação se sentar à mesa, a nave expeliu o cadáver inerte de Zallin. Onde havia encontrado um homem vivo em um traje, deixava um jovem morto de short e camiseta esfarrapada, girando e congelando enquanto a diminuta concha de moléculas de ar se expandia em torno do corpo, como uma imagem da vida partindo.

# TEMPLO DA LUZ

**4**

**A TURBULÊNCIA** em *Ar Límpido* contornou a sombra de uma lua, passando por sua superfície estéril e cheia de crateras — seu rastro ondulando enquanto ela passava perto do limite superior de um poço de gravidade — e depois desceu na direção de um planeta azul e verde coberto de nuvens. Quase no momento em que ela passou pela lua, sua rota começou a se curvar, apontando o nariz da nave gradualmente para longe do planeta e de volta para o espaço. A meio caminho dessa curva, a TAL liberou seu transporte, lançando-o na direção de um horizonte enevoado do globo, para a borda rastejante de escuridão que se projetava sobre a superfície do planeta como uma capa negra.

Horza estava sentado no transporte com a maior parte do resto da tripulação diversa da TAL. Eles estavam equipados e sentados em bancos estreitos no compartimento de passageiros apertado do transporte em uma variedade de trajes espaciais; até os três bratsilakins estavam usando modelos levemente diferentes. O único exemplar realmente moderno era o usado por Kraiklyn, o traje rairch que ele tinha pegado de Horza.

Estavam todos bem armados, e suas armas eram tão variadas quanto os trajes. A maior parte eram lasers ou, mais exatamente, o que a Cultura chamava de TRUPES — Rifles de Transição e Emissão de Padrões Unificados de Radiação Coerente. Os melhores operavam em comprimentos de onda invisíveis ao olho humano. Algumas pessoas tinham canhões de plasma ou pistolas pesadas, e uma tinha um microhowitzador, mas só Horza tinha um fuzil de projéteis, e era um fuzil velho, rústico e de disparo lento. Ele o verificou pela décima ou décima primeira vez e o xingou. Xingou o traje velho e com vazamentos que lhe tinham dado, também; o visor estava começando a embaçar. A coisa toda era impossível.

O transporte começou a chacoalhar e a vibrar quando atingiu a atmosfera do planeta Marjoin, onde iam atacar e roubar alguma coisa chamada de Templo da Luz.

\*

A *Turbulência em Ar Límpido* tinha levado quinze dias para cruzar os aproximadamente 21 anos-luz padrão que havia entre o sistema de Sorpen e o de Marjoin. Kraiklyn se gabava de sua nave atingir 1.200 luzes, mas esse tipo de velocidade, dizia ele, era apenas para emergências. Horza tinha dado uma olhada na nave velha e duvidou que ela chegasse sequer a quatro dígitos sem que seus motores de dobra externos a espalhassem, junto com tudo em seu interior, por todo o céu.

A *Turbulência em Ar Límpido* era uma venerável nave de assalto blindada hronish de uma das dinastias posteriores e decadentes, e tinha sido construída pensando mais em resistência e confiabilidade que em desempenho e sofisticação. Considerando o nível de conhecimento técnico dominado por sua tripulação, Horza achou que isso não seria problema. A nave tinha cerca de cem metros de comprimento, vinte de largura e quinze de altura, além de ter — no alto da parte traseira do casco — uma cauda de dez metros de altura. Dos lados do casco projetavam-se as unidades de dobra, como pequenas versões do próprio casco e conectadas a ele por asas curtas e grossas no meio e pilares de voo que se estendiam desde logo atrás do bico da nave. A TAL era simples e equipada com motores de velocidade de fusão na cauda, assim como um pequeno motor de impulso no nariz, para funcionar em atmosferas e poços de gravidade. Horza achou que aquele arranjo deixava muito a desejar.

Ele tinha recebido o velho beliche de Zallin, dividindo um cubo de dois metros — eufemisticamente chamado de cabine — com Wubslin, que era o mecânico da nave. Ele chamava a si mesmo de engenheiro; mas depois de alguns momentos de conversa em que tentou tirar dele informações técnicas sobre a TAL, Horza percebeu que o homem atarracado e de pele branca pouco sabia sobre os sistemas mais complexos da nave. Ele não era desagradável, não fedia e dormia em silêncio na maior parte do tempo, então Horza achou que as coisas podiam ter sido piores.

Havia dezoito pessoas na nave, em nove cabines. O Homem, claro, tinha uma só para ele, e os bratsilakins compartilhavam uma um tanto acre; eles gostavam de deixar a porta aberta; todo o resto gostava de fechá-la quando passava. Horza ficou decepcionado ao descobrir que havia apenas quatro mulheres a bordo. Duas delas raramente apareciam fora de suas cabines e se comunicavam com os outros principalmente por meio de sinais e gestos. A terceira era uma fanática religiosa que, quando não estava tentando convertê-lo a algo chamado Círculo da Chama, passava o tempo conectada na cabine que dividia com Yalson, assistindo a fitas mentais de fantasia. Yalson parecia ser a única mulher normal a bordo, mas Horza achava difícil pensar nela como mulher. Foi ela, porém, que assumiu a tarefa de apresentá-lo aos outros e contar a ele as coisas sobre a nave e a tripulação que ele precisaria saber.

Ele tinha se limpado em um dos pontos de lavagem em forma de caixão da nave, em seguida seguiu seu nariz, como Yalson tinha sugerido, até o refeitório, onde foi mais ou menos ignorado, mas alguma comida foi empurrada em sua direção. Kraiklyn olhou para ele uma vez quando Horza se sentou, entre Wubslin e um bratsilakin, depois não tornou a olhar e continuou a falar sobre armas e armaduras e táticas. Depois da refeição, Wubslin levou Horza até sua cabine, então foi embora. Horza abriu espaço no beliche de Zallin, puxou alguns lençóis rasgados sobre sua estrutura cansada, dolorida e de aparência envelhecida e mergulhou em um sono profundo.

Quando acordou, reuniu os poucos pertences de Zallin. Foi patético: o jovem morto tinha algumas camisetas, shorts, kilts, uma espada enferrujada, uma coleção de punhais baratos em bainhas puídas e alguns grandes livros plásticos de micropáginas com imagens em movimento, repetindo e repetindo cenas de guerras antigas pelo tempo em que eram mantidos abertos. Isso era basicamente tudo. Horza guardou o traje com vazamentos do jovem, embora fosse grande demais e não ajustável, e o antigo e malcuidado fuzil de projéteis.

Ele levou o resto, embrulhado em um dos lençóis mais esfarrapados, até o hangar. O local estava como quando ele o havia deixado. Ninguém tinha se dado ao trabalho de recolher o transporte. Yalson estava lá, despida até a cintura, se exercitando. Horza parou na porta ao pé da escada e ficou observando a mulher malhar. Ela girava e saltava, dava piruetas e cambalhotas, chutava e dava socos no ar, dando pequenos grunhidos a cada movimento pronunciado. Ela parou quando viu Horza.

— Bem-vindo de volta. — Ela se curvou e pegou uma toalha no convés, então começou a esfregá-la no peito e nos braços, onde o suor brilhava na pelagem dourada. — Achei que você tivesse morrido.

— Eu dormi por muito tempo? — perguntou Horza. Ele não sabia o sistema de tempo que eles usavam na nave.

— Dois dias padrão.

Yalson passou a toalha pelo cabelo espetado e a enrolou, úmida, em torno dos ombros levemente peludos.

— Mas você parece melhor.

— Eu me sinto melhor — disse Horza.

Ele ainda não tinha se olhado em um espelho ou em um reversor, mas sabia que seu corpo estava começando a voltar ao normal, perdendo a aparência geriátrica.

— Isso são as coisas de Zallin? — Yalson apontou com a cabeça para o pacote nas mãos dele.

— São.

— Vou te mostrar como operar os vactubos. Nós provavelmente vamos jogar isso na próxima vez que sairmos de dobra espacial.

Yalson abriu o convés e a escotilha do tubo por baixo, então Horza jogou as coisas de Zallin no cilindro, e Yalson tornou a fechá-los. O Transmutador gostou do jeito que Yalson cheirava quando captou o odor de seu corpo quente e suado, mas de algum modo não havia nada na atitude dela em relação a ele para fazê-lo achar que algum dia eles seriam mais que amigos. Mas ele se contentaria com uma amiga na nave. Sem dúvida precisava de uma.

Então eles foram para o refeitório comer alguma coisa. Horza estava faminto; seu corpo exigia comida para se reconstruir e acrescentar mais volume à forma magra que havia assumido para personificar o ministro dos mundos exteriores da Gerontocracia de Sorpen.

Pelo menos, pensou Horza, a cozinha automática funcionava bem, e os campos antigravitacionais pareciam suaves. A ideia de cabines apertadas, comida podre e um campo gravitacional com solavancos ou errático enchia o Transmutador de horror.

— ... Zallin não tinha nenhum amigo de verdade — disse Yalson, sacudindo a cabeça enquanto enfiava a comida na boca.

Eles estavam sentados juntos no refeitório. Horza queria saber se havia alguém na nave que pudesse querer vingar o jovem que tinha matado.

— Pobre coitado — falou Horza outra vez.

Ele baixou a colher e olhou através do espaço atulhado do refeitório de teto baixo por um segundo, sentindo novamente aquele estalo rápido e decisivo de osso quebrando em suas mãos, vendo com os olhos de sua mente a coluna vertebral se partir, a traqueia ser destruída, as artérias serem comprimidas, desligando a vida do jovem como quem girava um botão. Ele sacudiu a cabeça.

— De onde ele veio?

— Quem sabe? — Yalson deu de ombros.

Ela viu a expressão no rosto de Horza e acrescentou, entre mastigadas:

— Olha, ele teria matado você. Ele está morto. Esqueça dele. Eu sei que é difícil, mas... Enfim, ele era muito chato.

Ela comeu um pouco mais.

— Eu só estava me perguntando se haveria alguém para quem eu devesse mandar alguma coisa. Amigos ou relacionamentos ou...

— Olha, Horza — disse Yalson, virando-se para ele. — Quando você chega a bordo desta nave, você não tem passado. Considera-se muita falta de educação perguntar a alguém de onde veio ou o que fez na vida antes de se juntar a nós. Talvez todos tenhamos alguns segredos, ou simplesmente não queiramos falar ou pensar em algumas das coisas que fizemos ou em algumas das coisas que fizeram conosco. Mas, de uma forma ou de outra, não tente descobrir. Entre as suas orelhas é o único lugar neste caixote onde você vai conseguir alguma privacidade, então tire o máximo proveito disso. Se viver por tempo o bastante, talvez alguém vá querer lhe contar tudo sobre si mesmo, depois de algum tempo, provavelmente quando estiverem bêbados, mas a essa altura você pode não querer que façam isso. De qualquer modo, meu conselho é deixar para lá por enquanto.

Horza abriu a boca para dizer algo, mas Yalson continuou.

— Vou lhe dizer tudo o que eu sei agora, só para poupá-lo de perguntar.

Ela baixou a colher e limpou os lábios com um dedo, então se virou na cadeira para ficar de frente para ele. Ergueu uma das mãos. Os pelos minúsculos de seu antebraço e das costas da mão davam um contorno dourado a sua pele escura. Ela estendeu um dedo.

— Um... a nave: Hronish. Ela existe há centenas de anos. Pelo menos uma dúzia de donos pouco cuidadosos. Atualmente sem laser de proa, porque o estouramos tentando alterar seu padrão de comprimento de onda. Dois... — Ela estendeu outro dedo. — Kraiklyn: ele tem esta nave desde que todos nós o conhecemos. Diz que a ganhou em um jogo de Dano em algum lugar, logo antes da guerra. Sei que ele joga, mas não sei o quanto é bom. Enfim, esse é o negócio dele. Oficialmente, somos chamados de CLK, Companhia Livre de Kraiklyn, e ele é o chefe. Ele é um líder muito bom e não tem medo de se juntar ao resto da tripulação quando a situação fica difícil. Ele lidera no front, e isso faz dele uma pessoa ok para mim. O truque é que ele nunca dorme. Ele tem uma... hã... — Yalson franziu o cenho, obviamente à procura das palavras certas. — ... uma divisão hemisférica de tarefas aprimorada no cérebro. Em um terço do tempo, uma metade dorme, e ele fica um pouco sonhador e vago; em outro terço do tempo, a outra metade adormece e ele fica todo lógica e números e não se comunica muito bem. No outro terço do tempo, como quando ele está em ação ou quando há uma emergência, os dois lados estão acordados e funcionando. Isso faz com que seja muito difícil atacá-lo de surpresa em seu beliche.

— Clones paranoicos e um Homem com um sistema alternado no crânio. — Horza sacudiu a cabeça. — Está bem. Continue.

— Três... — disse Yalson — ... não somos mercenários. Somos uma Companhia Livre. Na verdade, somos apenas piratas, mas se Kraiklyn quer nos chamar assim, é isso o que somos. Em teoria, qualquer um pode se juntar a nós desde que coma a comida e respire o ar, mas na prática ele é um pouco mais seletivo que isso, e gostaria de ser ainda mais, aposto. Enfim. Nós cumprimos alguns contratos, a maioria de proteção, algumas missões de escolta para lugares de terceira classe que se viram presos na guerra, mas na maior parte do tempo simplesmente atacamos e roubamos em qualquer lugar onde achemos que a confusão causada pela guerra nos torne propensos a nos sair bem. Estamos a caminho disso neste momento. Kraiklyn soube desse lugar chamado Templo da Luz em um planeta de aproximadamente terceira classe nesse gargalo de floresta, e ele acha que vai ser entrar fácil e sair fácil, para usar uma das expressões favoritas dele. Segundo ele, está cheio de sacerdotes e tesouros; nós atiramos nos primeiros e pegamos os segundos. Então seguimos para o Orbital Vavatch antes que a Cultura o destrua e compramos alguma coisa para substituir nosso laser de proa. Acho que os preços devem estar muito bons. Se esperarmos tempo suficiente, as pessoas provavelmente vão tentar doar as coisas.

— O que está acontecendo com Vavatch? — perguntou Horza.

Isso não era algo de que ele tinha ouvido falar. Sabia que o grande orbital ficava nesse lugar da zona de guerra, mas achava que sua posse em estilo condomínio o manteria fora da linha de fogo.

— Seus amigos idiranos não te contaram? — disse Yalson. Ela baixou a mão com os dedos estendidos. — Bem — começou ela, quando Horza apenas deu de ombros —, como você provavelmente *sabe*, os idiranos estão avançando através de todo o flanco interno do Golfo, o Penhasco Cintilante. A Cultura parece estar oferecendo boa resistência para variar, ou pelo menos está se preparando para fazer isso. Parecia que eles iam chegar a um de seus acordos habituais e deixar Vavatch como território neutro. Essa coisa religiosa que os idiranos têm em relação a planetas significa que eles na verdade não estariam interessados no orbital desde que a Cultura não tentasse usá-lo como base, e eles tinham prometido que não iam fazer isso. Merda, com a porra desses vgs que eles estão construindo atualmente, eles não *precisam* de bases em orbitais, anéis nem planetas nem mais nada... Bem, todos os variados tipos e esquisitos em Vavatch acharam que iam ficar muito bem, obrigada, e provavelmente bem de fora do tiroteio galáctico que estava acontecendo ao seu redor... Então os idiranos anunciaram que *iam* tomar Vavatch afinal de contas, embora apenas nominalmente; nenhuma presença militar. A Cultura disse que não ia aceitar isso, os dois lados se recusaram a abandonar seus princípios preciosos, e a Cultura disse: "Está bem, se vocês não recuarem, vamos explodir o lugar antes que vocês cheguem lá". E é isso o que está acontecendo. Antes que a frota de batalha idirana chegue, a Cultura vai evacuar toda a droga do orbital e depois explodi-lo.

— Eles vão *evacuar* um *orbital*? — indagou Horza.

Era realmente a primeira vez que ele ouvia falar daquilo. Os idiranos não tinham mencionado nada sobre o Orbital Vavatch nos resumos que entregaram a ele, e mesmo quando ele estava realmente personificando o ministro dos mundos exteriores Egratin, a maior parte do que vinha de fora eram rumores. Qualquer idiota veria que todo o volume em torno do Golfo Sombrio se tornaria uma batalha espacial com centenas de anos-luz de extensão, centenas de altura e décadas de profundidade, pelo menos, mas o que estava realmente acontecendo ele não tinha conseguido descobrir. A guerra estava mesmo aumentando. Ainda assim, apenas um lunático ia pensar em tentar tirar todo mundo de um orbital.

Yalson assentiu.

— É o que dizem. Não me pergunte onde vão conseguir as naves para isso, mas é isso o que dizem que vão fazer.

— Eles estão loucos. — Horza sacudiu a cabeça.

— É, bom, acho que eles provaram isso quando começaram a guerra, para começo de conversa.

— Está bem. Desculpe. Continue — disse Horza, acenando com a mão.

— Eu me esqueci do que mais ia dizer.

Yalson sorriu, olhando para os três dedos que tinha estendido como se eles fossem lhe dar uma pista. Ela olhou para Horza.

— Acho que isso cobre tudo. Eu aconselharia você a manter a cabeça baixa e a boca fechada até chegarmos a Marjoin, onde fica esse templo, e continuar com a cabeça baixa quando estivermos lá, pensando bem. — Ela riu, e Horza se viu rindo com ela. — Supondo que você se saia bem, as pessoas vão aceitá-lo melhor depois que você estiver com elas em um tiroteio. Por enquanto você é o bebê na nave, não importa o que tenha feito no passado, e independentemente de Zallin.

Horza olhou para ela desconfiado, pensando em atacar qualquer lugar — mesmo um templo sem defesas — em um traje de segunda mão com um fuzil de projétil pouco confiável.

— Bem... — Ele suspirou, pegando mais uma colherada de comida do prato. — Desde que vocês não comecem a apostar para que lado eu vou cair outra vez...

Yalson olhou para ele por um segundo, então sorriu e voltou à sua comida.

*

Kraiklyn se revelou mais curioso em relação ao passado de Horza, apesar do que Yalson tinha dito. O Homem convidou Horza a sua cabine. Ela era limpa e arrumada, com tudo guardado e preso por travas ou redes, e tinha um cheiro fresco. Havia livros de verdade enfileirados na parede, e um carpete absorvente no chão. Um modelo da *TAL* estava pendurado do teto, e um grande fuzil a laser estava aninhado em outra parede; ele parecia poderoso, com um jogo grande de baterias e um dispositivo de divisão de raio na extremidade do cano. Brilhava à luz suave da cabine como se tivesse sido lustrado.

— Sente-se — disse Kraiklyn, apontando uma cadeira pequena para Horza enquanto ajustava a única cama como um sofá e se jogava sobre ela.

Ele levou a mão a uma prateleira às suas costas e pegou dois frascos de cheiro. Ofereceu um a Horza, que o pegou e rompeu o lacre. O capitão da *Turbulência em Ar Límpido* inspirou profundamente os vapores de seu próprio pote, então bebeu um pouco do líquido enevoado. Horza fez o mesmo. Ele reconheceu a substância, mas não se lembrava do nome. Era uma daquelas coisas que você podia cheirar e ficar doidão ou beber e ficar apenas sociável; os ingredientes ativos duravam apenas alguns minutos em temperatura corporal, e de qualquer forma eram quebrados em vez de absorvidos pela maioria dos tratos digestivos humanos.

— Obrigado — disse Horza.

— Bem, você parece estar bem melhor do que quando veio a bordo — disse Kraiklyn, olhando para o peito e os braços de Horza.

O Transmutador tinha quase retornado a sua forma normal depois de quatro dias de descanso e alimentação pesada. Seu tronco e seus membros tinham se enchido até algo próximo de seus músculos habituais, e sua barriga não havia crescido. A pele tinha se esticado e assumido um brilho marrom-dourado, enquanto seu rosto parecia ao mesmo tempo mais firme e ainda assim mais flexível, e seu cabelo também estava crescendo escuro nas raízes; ele tinha cortado as mechas escorridas branco-amarelado das madeixas esparsas do gerontocrata. Seus dentes de veneno também estavam tornando a crescer, mas precisariam de mais uns vinte dias antes de poderem ser usados.

— Também me sinto melhor.

— Hum. Uma pena o garoto Zallin, mas tenho certeza de que você entendeu o que eu quis dizer.

— Sem dúvida. Fico simplesmente grato a você por ter me dado a chance. Algumas pessoas teriam atirado em mim e me jogado para fora.

— Isso passou pela minha cabeça — disse Kraiklyn, brincando com o frasco que estava segurando. — Mas senti que você não era um mentiroso completo. Não posso dizer que acreditei em você sobre essa droga de envelhecimento e os idiranos naquele dia, mas achei que você podia lutar por causa disso. Veja bem, você teve sorte, certo?

Ele sorriu para Horza, que retribuiu o sorriso. Kraiklyn olhou para os livros na parede oposta.

— Enfim, Zallin era uma espécie de peso morto; entende o que estou dizendo? — Ele tornou a olhar para Horza. — O garoto mal sabia qual extremidade de seu fuzil devia usar. Eu estava pensando em tirá-lo da equipe no próximo lugar aonde chegássemos. — Ele tornou a engolir o vapor.

— Como eu disse, obrigado.

Horza estava chegando à conclusão de que sua primeira impressão sobre Kraiklyn — que o Homem era um merda — estava mais ou menos correta. Se ele ia dispensar mesmo Zallin, não havia razão para que a luta fosse até a morte. Horza poderia ter dormido no transporte ou no hangar, ou Zallin poderia ter feito isso. Uma pessoa a mais não teria deixado a *TAL* menos espaçosa pelo tempo que levava para chegar a Marjoin, não teria sido por tanto tempo assim, e eles não teriam começado a usar todo o ar nem nada assim. Kraiklyn apenas quisera um pequeno show.

— Sou grato a você — falou Horza, e ergueu o frasco na direção do capitão brevemente antes de tornar a inalar.

Ele estudou com cuidado o rosto de Kraiklyn.

— Então, conte como é trabalhar para esses caras com as três pernas — disse Kraiklyn, sorrindo e apoiando um braço em uma prateleira ao lado da cama-sofá. Ele ergueu as sobrancelhas. — Hein?

*A-há*, pensou Horza.

— Eu não tive muito tempo para descobrir. Cinquenta dias atrás eu ainda era um capitão dos fuzileiros em Sladden. Acho que você não deve ter ouvido falar dele.

Kraiklyn sacudiu a cabeça. Horza estivera trabalhando naquela história pelos últimos dois dias, e sabia que se Kraiklyn verificasse ia descobrir que o planeta existia, que seus habitantes eram em sua maioria humanoides e que ele tinha caído recentemente sob a suserania idirana.

— Bom, os idiranos iam nos executar porque continuamos a lutar depois da rendição, mas então fui sacado disso e me disseram que eu viveria se fizesse um serviço para eles. Eles disseram que eu me parecia muito com esse velho que eles queriam do lado deles; se eles o removessem, eu fingiria ser ele? Eu pensei, que se dane. O que eu tenho a perder? Então acabei nesse lugar, Sorpen, com essa droga de envelhecimento, personificando um ministro do governo. Eu estava me saindo bem, também, até que essa mulher da Cultura apareceu, me desmascarou completamente e quase fez com que eu fosse morto. Eles estavam perto de acabar comigo quando esse cruzador idirano chegou para buscá-la. Eles me resgataram e a capturaram e estavam voltando para a frota quando foram atacados por uma UGC. Eu fui enfiado naquele traje e jogado para fora para esperar pela frota.

Horza torcia para sua história não parecer muito ensaiada. Kraiklyn olhava fixamente para o frasco que estava segurando, franzindo o cenho.

— Eu tenho me perguntado isso. — Ele olhou para Horza. — Por que um cruzador iria sozinho quando toda a frota estava logo atrás dele?

Horza deu de ombros.

— Na verdade, não sei. Eles mal tiveram tempo para me explicar as coisas antes que a UGC aparecesse. Acho que eles deviam querer muito aquela mulher da Cultura e acharam que se esperassem pela frota, a UGC a teria avistado, pegado a mulher e fugido.

Kraiklyn assentiu, parecendo pensativo.

— Hum. Eles a deviam querer muito. Você a viu?

— Ah, eu a vi, sim. Antes de ela me jogar naquilo e depois.

— Como ela era? — Kraiklyn franziu as sobrancelhas e brincou com o frasco outra vez.

— Alta, magra, com certa beleza, mas desagradável, também. Inteligente demais para o meu gosto. Não sei... Não muito diferente de nenhuma mulher da Cultura que eu já tenha visto. Quero dizer, todas elas são diferentes, e por aí vai, mas ela não teria chamado atenção.

— Dizem que são muito especiais algumas dessas agentes da Cultura. Supostamente são capazes de... fazer truques, sabe? Todo tipo de adaptação especial e uma sofisticada química corporal. Ela faz alguma coisa especial da qual você tenha ouvido falar?

Horza sacudiu a cabeça, perguntando-se aonde aquilo tudo levaria.

— Não que eu saiba — disse ele.

Sofisticada química corporal, dissera Kraiklyn. O Homem estava começando a adivinhar? Ele achava que Horza era um agente da Cultura, ou mesmo um Transmutador? Kraiklyn ainda estava olhando para seu frasco de droga. Ele assentiu e continuou:

— Praticamente o único tipo de mulher com quem eu teria qualquer coisa, essas da Cultura. Dizem que elas têm mesmo todas essas... alterações, sabe?

Kraiklyn olhou para Horza e piscou enquanto inalava a droga.

— Entre as pernas; os homens têm essas bolas aperfeiçoadas, certo? Meio que recirculando... E as mulheres têm algo parecido, também; supostamente para conseguir gozar durante horas, porra... Bem, minutos, pelo menos...

Os olhos de Kraiklyn pareciam um pouco vidrados enquanto sua voz sumia. Horza tentou não transparecer o quanto o desprezava. *Lá vamos nós outra vez*, pensou. Tentou contar o número de vezes que tinha ouvido pessoas, normalmente de sociedades de terceiro ou quarto nível, normalmente humanos relativamente básicos, e mais frequentemente machos, falando em voz baixa, em tons de admiração invejosa, sobre como É Mais Divertido na Cultura. Perversamente reservada dessa vez, a Cultura minimizava até que ponto as pessoas que nela nasciam herdavam essas genitálias alteradas.

Naturalmente, essa modéstia apenas aumentava o interesse de todas as outras pessoas, e Horza às vezes ficava com raiva de humanos que exibiam o tipo de respeito servil que a sexualidade quase tecnológica da Cultura engendrava. Vindo de Kraiklyn, isso não o surpreendeu. Ele se perguntou se o Homem teria feito alguma cirurgia barata imitadora da Cultura. Não era incomum. Também não era seguro. Com demasiada frequência essas alterações eram apenas trabalho de encanamento, especialmente em machos, e não faziam nenhuma tentativa de acelerar a frequência cardíaca e o resto do sistema circulatório — pelo menos — para lidar com a exigência maior. (Na Cultura, é claro, esse alto desempenho era generreparado.) Essa imitação do sintoma da decadência da Cultura tinha, muito literalmente, causado muitos corações partidos. *Imagino que vamos ouvir sobre as maravilhosas glândulas de drogas em seguida*, pensou Horza.

— ... É, e eles têm essas glândulas de drogas — continuou Kraiklyn, os olhos ainda sem foco, assentindo para si mesmo. — Supostamente são capazes de tomar uma dose de praticamente qualquer coisa a qualquer hora que quiserem. Só pensando. Coisas secretas que os deixam doidões. — Kraiklyn acariciou o frasco que estava segurando. — Sabia que dizem que você não consegue estuprar uma mulher da Cultura? — Ele não parecia esperar por uma resposta. — É, elas têm classe, essas mulheres. Não são como algumas das merdas nesta nave. — Deu de ombros e deu mais um trago do frasco. — Mesmo assim...

Horza limpou a garganta e se inclinou para a frente em seu assento, sem olhar para Kraiklyn.

— De qualquer forma, ela está morta agora — disse Horza, erguendo os olhos.

— Hein? — falou distraidamente Kraiklyn, olhando para o Transmutador.

— A mulher da Cultura — explicou Horza. — Ela está morta.

— Ah, sim.

Kraiklyn assentiu, então limpou a garganta e continuou:

— Então, o que você quer fazer agora? Eu meio que estou esperando que você venha junto nesse golpe do templo. Acho que você nos deve essa, pela carona.

— Ah, sim, não se preocupe — disse Horza.

— Bom. Depois disso, vemos o que fazer. Se você entrar em forma, pode ficar; do contrário, vamos desembarcá-lo em algum lugar onde você queira, dentro do razoável, como dizem. Essa operação não deve ser problema: é entrar fácil e sair fácil. — Kraiklyn fez um movimento esvoaçante de mergulho com a mão espalmada, como se ela fosse o modelo da *TAL* pendurado em algum lugar acima da cabeça de Horza. — Depois nós vamos para Vavatch. — Tomou outro gole dos vapores do frasco de cheirar. — Imagino que você não jogue Dano, hein? — Ele baixou o frasco, e Horza olhou nos olhos predatórios através da névoa tênue que se erguia do gargalo do frasco, então sacudiu a cabeça.

— Não é um dos meus vícios. Na verdade, nunca tive a oportunidade de aprender.

— É, acho que não. É o único jogo. — Kraiklyn assentiu. — Além desse... — Ele sorriu e olhou ao redor, querendo obviamente dizer a nave, as pessoas dentro dela e sua ocupação. — Bem — disse Kraiklyn, ficando ereto no sofá —, acho que já disse bem-vindo a bordo, mas você é bem-vindo. — Ele se inclinou para a frente e deu tapinhas no ombro de Horza. — Desde que você saiba quem é o chefe, hein? — Ele deu um sorriso largo.

— É sua nave — falou Horza.

Ele bebeu o que restava do conteúdo do frasco e o pôs em uma prateleira ao lado de um retrato em holocubo que mostrava Kraiklyn de pé em seu traje negro, segurando o mesmo fuzil a laser que estava pendurado na parede acima.

— Acho que vamos nos dar bem, Horza. Você se enturme com os outros e pratique, e nós vamos acabar com aqueles monges. O que você acha?

O Homem piscou novamente para ele.

— Pode apostar — disse Horza, levantando-se e sorrindo. Kraiklyn abriu a porta para ele.

*E para meu próximo truque*, pensou Horza assim que saiu da cabine e se dirigiu para o refeitório, *minha imitação do... capitão Kraiklyn!*

*

Durante os dias seguintes, ele realmente se enturmou com o resto da tripulação. Conversou com aqueles que queriam conversar e observou ou ouviu com cuidado coisas sobre os que não queriam. Yalson ainda era sua única amiga, mas ele se dava bem o bastante com seu colega de quarto, Wubslin, embora o engenheiro atarracado fosse calado e, quando não estava comendo ou trabalhando, geralmente dormisse. Os bratsilakins aparentemente tinham decidido que Horza provavelmente não estava contra eles, mas pareciam estar guardando sua opinião sobre se ele era a seu *favor* até Marjoin e o Templo da Luz.

Dorolow era o nome da mulher religiosa que ocupava a mesma cabine que Yalson. Ela era rechonchuda, de pele e cabelo claros, e suas orelhas enormes se curvavam para baixo para se unir a suas bochechas. Falava em uma voz alta e estridente que ela dizia ser bastante baixa até onde ela sabia, e seus olhos lacrimejavam muito. Seus movimentos eram adejantes e nervosos.

A pessoa mais velha na Companhia era Aviger, um homem pequeno e um pouco acabado com pele marrom e pouco cabelo. Ele conseguia fazer coisas surpreendentemente flexíveis com as pernas e os braços, como entrelaçar as mãos atrás das costas e trazê-las por cima da cabeça sem soltar. Ele dividia uma cabine com um homem chamado Jandraligeli, um mondlidiciano alto, magro e de meia-idade que usava as cicatrizes de seu mundo natal na testa com um orgulho impenitente e uma expressão de perpétuo desdém. Ele ignorou Horza com dedicação, mas Yalson disse que ele fazia isso com todo novo recruta. Jandraligeli passava muito tempo na manutenção de seu traje velho, mas bem cuidado, e do fuzil a laser limpo e reluzente.

Gow e kee-Alsorofus eram as duas mulheres muito reservadas que, supostamente, *faziam coisas* quando estavam sozinhas em sua cabine, o que parecia irritar os homens menos tolerantes da Companhia — ou seja, a maioria deles. As duas mulheres eram razoavelmente jovens e tinham pouco domínio do marain. Horza achou que talvez fosse isso o que as mantinha tão isoladas, mas na verdade elas eram mesmo muito tímidas. Tinham estatura e constituição medianas e traços definidos na pele cinza, com olhos que eram poços escuros. Horza achou que talvez fosse bom que elas não olhassem diretamente para as pessoas com demasiada frequência; com aqueles olhos, podia ser uma experiência perturbadora.

Mipp era um homem gordo e sombrio com pele totalmente negra. Ele era capaz de pilotar a nave manualmente quando Kraiklyn não estava a bordo e a Companhia precisava de apoio próximo em solo, ou podia assumir os controles do transporte. Diziam que também atirava bem, com um canhão de plasma ou um fuzil rápido de projéteis, mas era dado a bebedeiras, ficando perigosamente embriagado com uma variedade de líquidos venenosos que obtinha na cozinha automática. Uma ou duas vezes Horza o ouviu vomitando no reservado ao lado, entorpecido. Mipp dividia uma cabine com outro beberrão, chamado Neisin, que era mais sociável e cantava muito. Ele tinha, ou havia se convencido de que tinha, algo terrível para esquecer, e embora bebesse de forma mais constante e com mais regularidade que Mipp, às vezes, quando havia tomado um pouco mais que o habitual, ficava muito calado e então começava a chorar e dava grandes soluços. Era pequeno e magro, e Horza se perguntou onde cabia toda aquela bebida e de onde vinham tantas lágrimas do interior de sua cabeça compacta e raspada. Talvez houvesse algum tipo de circuito entre sua garganta e seus dutos lacrimais.

Tzbalik Odraye era o pretenso fera nos computadores. Como ele e Mipp juntos podiam, em teoria, desarmar as fidelidades que Kraiklyn tinha programado no computador não senciente da TAL e depois sair voando na nave, eles nunca tinham permissão para ficar juntos na nave quando Kraiklyn não estava a bordo. Na verdade, Odraye não era tão versado assim em computadores, como Horza descobriu fazendo perguntas um pouco pessoais, mas aparentemente casuais. Entretanto, o homem alto e um pouco corcunda com o rosto comprido de pele amarela provavelmente sabia o suficiente, admitiu Horza, para cuidar de qualquer coisa que desse errado com os cérebros da nave, que pareciam ter sido projetados mais para durabilidade que para refinamento filosófico. Tzbalik Odraye dividia a cabine com Rava Gamdol, que parecia vir do mesmo lugar que Yalson, a julgar por sua pele e sua pelagem clara, mas ele negava isso. Yalson era vaga em relação ao assunto, e eles não se gostavam. Rava era outro recluso; havia isolado o espaço diminuto em torno de seu beliche superior e instalado algumas luzes pequenas e um ventilador. Às vezes passava dias seguidos naquele pequeno espaço, entrando com um recipiente de água e saindo com outro cheio de urina. Tzbalik Odraye fazia o possível para ignorar o colega de cabine, e sempre negava vigorosamente soprar a fumaça da pungente erva cifetressi, que ele fumava, através das pequenas saídas de ventilação do cubículo minúsculo de Rava.

A cabine final era compartilhada por Lenipobra e Lamm. Lenipobra era o mais jovem da Companhia; um jovem alto, magro e desengonçado, com gagueira e um cabelo ruivo espalhafatoso. Ele tinha uma língua tatuada de que tinha muito orgulho e que exibia em toda oportunidade possível. A tatuagem, de uma mulher humana, era em todos os sentidos tosca. Lenipobra era o mais próximo de um médico que havia na *TAL* e raramente era visto sem um livro-tela que continha um dos livros médicos mais atualizados sobre pan-humanos. Ele mostrou isso com orgulho para Horza, inclusive algumas das páginas em movimento, uma das quais mostrava em cores vivas as técnicas básicas para tratar queimaduras profundas de laser nas formas mais comuns de aparelhos digestivos. Lenipobra achava aquilo muito divertido. Horza fez uma observação mental para se esforçar ainda mais para não levar um tiro no Templo da Luz. Lenipobra tinha braços muito compridos e magros, e passava aproximadamente um quarto de cada dia andando de quatro, embora Horza não tenha conseguido descobrir se isso era totalmente natural para sua espécie ou meramente afetação.

Lamm estava bem abaixo da estatura média, mas era muito musculoso e de aspecto forte. Tinha sobrancelhas duplas e pequenos enxertos de chifre; estes se projetavam de seu cabelo ralo, mas muito escuro acima de um rosto que ele normalmente fazia o possível para tornar agressivo e ameaçador. Falava relativamente pouco entre as operações e, quando falava, era normalmente sobre batalhas em que tinha estado, pessoas que tinha matado, armas que tinha usado e assim por diante. Lamm se considerava o segundo em comando na nave, apesar da política de Kraiklyn de tratar todos os outros como iguais. De vez em quando, Lamm lembrava as pessoas de não lhe causarem nenhum problema. Era bem armado e mortal, e seu traje tinha até um dispositivo nuclear que ele dizia que ia disparar antes de ser capturado. Ele esperava que as pessoas inferissem que, se o aborrecessem, ele poderia disparar seu artefato nuclear em um ataque de irritação.

*

— Por que diabos você está olhando para mim? — disse a voz de Lamm em meio à tempestade de estática enquanto Horza estava sentado no transporte, sacudindo e chacoalhando dentro de seu traje grande demais.

Horza percebeu que estava olhando através do outro homem, que estava diretamente à sua frente. Ele tocou o botão do microfone em seu pescoço e disse:

— Estou pensando em outra coisa.

— Não quero você olhando para mim.

— Todos nós temos de olhar para algum lugar — falou Horza, em tom de brincadeira, para o homem de traje preto fosco e capacete de visor cinza. O traje negro fez um gesto com a mão que não estava segurando um fuzil de laser.

— Bem, não olhe para mim, porra.

Horza deixou que a mão caísse de seu pescoço. Ele sacudiu a cabeça dentro do capacete do traje. O encaixe era tão ruim que o lado de fora nem se moveu. Ele olhou fixamente para a seção da fuselagem acima da cabeça de Lamm.

Eles iam atacar o Templo da Luz. Kraiklyn estava nos controles do transporte, levando-o baixo sobre as florestas de Marjoin, ainda cobertas pela noite, seguindo para a linha do amanhecer que surgia além da aglomeração verde que emitia vapor. O plano era que a *TAL* voltasse na direção do planeta com o sol muito baixo às suas costas, usando seus efetuadores sobre qualquer equipamento eletrônico que o templo tivesse e fazendo tanto barulho e emitindo tantos clarões quanto possível com seus lasers secundários e algumas bombas detonadoras. Enquanto essa distração estivesse absorvendo qualquer capacidade defensiva que o templo pudesse ter, o transporte seguiria diretamente até ele e desembarcaria todo mundo, ou, se houvesse qualquer reação hostil, pousaria na floresta do lado da noite do templo e lançaria sua pequena força de tropas com trajes espaciais. A Companhia então se dispersaria e, se tivesse condições, usaria seu equipamento AG para voar até o templo ou — como no caso de Horza — os tripulantes apenas rastejariam, se arrastariam, andariam ou correriam da melhor maneira possível até o conjunto de construções baixas e com laterais íngremes e torres baixas que formavam o Templo da Luz.

Horza não podia acreditar que eles iam atacar sem algum tipo de reconhecimento; mas Kraiklyn, quando questionado a respeito durante a exposição antes da operação no hangar, insistira que isso podia significar abrir mão do elemento surpresa. Ele tinha mapas precisos do lugar e um bom plano de batalha. Enquanto todo mundo se ativesse ao plano, nada daria errado. Os monges não eram idiotas completos, e o planeta tinha sido Contatado e sem dúvida sabia da guerra que estava acontecendo ao seu redor. Então, só para o caso de a seita ter contratado qualquer observação aérea, era mais sábio não tentar dar uma olhada que pudesse entregar o jogo. De qualquer modo, templos não mudavam muito.

Horza e vários dos outros não ficaram muito impressionados com essa leitura da situação, mas não havia nada que pudessem fazer. Então ali estavam todos eles sentados, suando e nervosos e sendo sacudidos como os ingredientes de um coquetel naquele transporte em ruínas, entrando em uma atmosfera potencialmente hostil em velocidade hipersônica. Horza deu um suspiro e verificou novamente o fuzil.

Como sua antiga armadura, o fuzil era velho e não era confiável; tinha emperrado duas vezes quando ele o testara na nave usando cartuchos vazios. Seu propulsor magnético parecia funcionar razoavelmente, mas, a julgar pelo espalhamento errático das balas, seu campo raiado era quase inútil. Os cartuchos eram grandes — calibre de pelo menos sete milímetros e comprimento três vezes maior — e a arma podia conter apenas 48 de cada vez e disparar não mais rápido que oito por segundo. Incrivelmente, as balas enormes não eram nem explosivas; eram pedaços sólidos de metal, mais nada. Para completar, a mira da arma não estava funcionando; um brilho vermelho enchia a telinha quando ela era ligada. Horza suspirou.

— Estamos cerca de trezentos metros acima das árvores agora — disse a voz de Kraiklyn do cockpit do transporte. — Estamos fazendo cerca de uma vez e meia a velocidade do som. A *TAL* acabou de iniciar sua entrada. Cerca de mais dois minutos. Já estou vendo o amanhecer. Boa sorte para todos. — A voz crepitou e morreu no alto-falante do capacete de Horza.

Algumas das outras figuras de traje trocaram olhares. Horza olhou para Yalson, sentada do outro lado do transporte a cerca de três metros de distância, mas seu visor era espelhado. Ele não sabia dizer se ela estava ou não olhando para ele. Queria lhe dizer alguma coisa, mas não queria incomodá-la no circuito aberto caso ela estivesse se concentrando, se preparando. Ao lado de Yalson estava sentada Dorolow, a mão enluvada fazendo o sinal do Círculo da Chama sobre o alto do visor do capacete.

Horza bateu as mãos no velho fuzil e soprou na direção da turbidez da condensação que estava se formando na borda superior do visor. Isso só piorou as coisas, como ele achou que pudesse acontecer. Talvez devesse abrir o visor, agora que estavam dentro da atmosfera do planeta.

O transporte se sacudiu de repente como se tivesse tocado o topo de uma montanha. Todo mundo foi jogado para a frente, forçando os cintos de segurança de seus assentos, e algumas armas voaram para a frente e para o alto, batendo no teto do transporte antes de caírem ruidosamente de volta no convés. As pessoas pegaram suas armas, e Horza fechou os olhos: ele não teria se surpreendido nada se um daqueles entusiastas tivesse deixado sua trava de segurança solta. Entretanto, as armas foram recuperadas sem incidentes, e as pessoas se sentaram segurando-as e olhando ao redor.

— O que raios foi isso? — disse Aviger, o homem velho, e riu nervosamente.

O transporte começou uma manobra brusca, jogando primeiro uma metade do grupo de costas, enquanto a outra metade ficava pendurada para a frente pelos cintos de segurança, e então virando na outra direção e invertendo as posições. Gemidos e xingamentos soaram no canal aberto no capacete de Horza. O transporte mergulhou, fazendo com que Horza se sentisse de estômago vazio, flutuando, e então a nave se equilibrou novamente.

— Um pouco de fogo hostil — anunciaram os tons entrecortados de Kraiklyn, e todas as cabeças de capacete começaram a olhar de um lado para o outro.

— O quê?

— *Fogo* hostil?

— Eu sabia.

— Oh, oh.

— Merda.

— *Por que* eu pensei, assim que *ouvi* aquelas palavras, "entrar fácil e sair fácil", que isso ia... — começou Jandraligeli em uma fala arrastada, entediada e perspicaz, apenas para ser interrompido por Lamm.

— Porra de fogo hostil. É tudo de que precisamos. Uma porra de fogo hostil.

— Eles *estão* armados — disse Lenipobra.

— Merda, quem é que não está, hoje em dia? — comentou Yalson.

— Chicel-Horhava, nossa doce senhora; salve todos nós — murmurou Dorolow, acelerando o delinear do Círculo sobre seu visor.

— Cale a porra da boca — vociferou Lamm.

— Vamos torcer para que Mipp consiga distraí-los sem ser explodido — disse Yalson.

— Talvez nós devêssemos cancelar — sugeriu Rava Gamdol. Acham que deveríamos cancelar? Vocês acham que deveríamos cancelar? Alguém...

— NÃO! SIM! NÃO! — gritaram três vozes, quase em uníssono.

Todo mundo olhou para os três bratsilakins. Os dois bratsilakins das extremidades viraram seus capacetes para olhar o que estava no meio, quando o transporte mergulhou outra vez. O capacete do bratsilakin do meio se voltou brevemente para cada um dos lados.

— Ah, merda — falou uma voz pelo canal aberto. — Está bem: NÃO!

— Acho que talvez devêssemos... — começou a dizer novamente a voz de Rava Gamdol.

Então Kraiklyn gritou:

— Lá vamos nós! Todo mundo pronto!

O transporte freou com força, inclinando-se para um lado, depois para o outro, estremecendo uma vez e embicando. Ele quicou e sacudiu, e por um segundo Horza achou que eles estivessem caindo, mas então a nave parou e as portas traseiras se abriram como uma mandíbula. Horza estava de pé com o resto deles, saindo do transporte para a selva.

Eles estavam em uma clareira. Em sua extremidade, alguns galhos e gravetos ainda caíam de árvores enormes e de aparência pesada onde o transporte tinha, apenas segundos antes, arrancado a borda do dossel da floresta ao mergulhar na direção da pequena área de solo plano e gramado. Horza teve tempo de ver alguns pássaros coloridos voando depressa das árvores próximas e captou um vislumbre de um céu azul e rosa. Então estava correndo com os outros, dando a volta no transporte pela frente, onde ele brilhava vermelho-escuro e a vegetação embaixo queimava, e entrou na selva. Alguns membros da Companhia usavam dispositivos antigravitacionais, flutuando acima da vegetação rasteira entre os troncos de árvore cobertos de musgo, mas eram atrapalhados por cipós que pendiam como cordas grossas e floridas entre as árvores.

Até então eles ainda não conseguiam ver o Templo da Luz, mas segundo Kraiklyn, ele estava logo à frente. Horza olhou ao redor para os outros a pé enquanto passavam por cima de árvores caídas cobertas de musgo e abriam caminho através de cipós e raízes suspensas.

— Foda-se a dispersão; isso é muito difícil.

Era a voz de Lamm. Horza olhou ao redor e para cima, e viu o traje negro subindo direto para a massa verde de folhagem acima deles.

— Canalha — disse uma voz baixa.

— É. C-c-canalha — concordou Lenipobra.

— Lamm — chamou Kraiklyn, — seu filho da puta, não suba por aí. Espalhem-se. Dispersem, droga!

Então uma onda de choque que Horza pôde sentir através de seu traje explodiu sobre todos eles. Horza atingiu o chão imediatamente e ficou ali. Outro estrondo veio pelo alto-falante sibilante do capacete quando transmitiu o barulho do exterior.

— Isso foi a *TAL* passando!

Ele não reconheceu a voz.

— Tem certeza? — Outra pessoa.

— Eu a vi através das árvores. Era a *TAL*!

Horza se levantou e começou a correr outra vez.

— O canalha quase arrancou a porra da minha cabeça... — reclamou Lamm.

Havia uma luz diante de Horza, através dos troncos e folhas. Ele ouviu alguns disparos: a explosão seca de projéteis, o ruído de sucção dos lasers e o movimento e o estrondo de canhões de plasma. Ele correu para um pequeno barranco de terra e arbustos e se jogou no chão de modo que conseguisse ver além do topo. Com certeza, ali estava o Templo da Luz, sua silhueta contra o amanhecer, todo coberto de plantas, trepadeiras, cipós e musgo, com algumas espiras e torres se erguendo acima como troncos de árvore descarnados.

— Ali está ele! — gritou Kraiklyn.

Horza olhou ao longo do barranco de solo musgoso e dos arbustos para o outro lado abaixo, através da rala vegetação rasteira e do capim semelhante a varetas, e viu alguns membros da Companhia na mesma posição de bruços que ele.

— Wubslin! Aviger! — gritou Kraiklyn. — Cubram-nos com os plasmas. Neisin, você mantém os micros dos dois lados do campo, e também depois dele. Todo o resto, sigam-me!

Mais ou menos como um, eles partiram, subindo o barranco emaranhado de solo musgoso e arbustos e descendo pelo outro lado, através da vegetação rasteira rala e do capim comprido como varetas, as hastes cobertas com musgo verde-escuro pendurado. A mistura de cobertura do solo chegava à altura do peito e tornava o avanço difícil, mas seria razoavelmente fácil se abaixar e se esconder de uma linha de tiro. Horza caminhava por aquilo da melhor maneira possível. Disparos de plasma cantavam pelo ar acima deles, iluminando a extensão obscura de chão entre eles e o muro íngreme do templo.

Fontes distantes de terra e estrondos que ele podia sentir através de seus pés disseram a Horza que Neisin, que estivera sóbrio pelos últimos dois dias, estava disparando um padrão de fogo convincente e, mais importante, preciso com o microhowitzador.

— Há alguns disparos vindos do nível superior esquerdo — disse a voz tranquila e sem pressa de Jandraligeli. Segundo o plano, ele devia estar escondido no alto em meio à copa das árvores, observando o templo. — Estou revidando agora.

— Merda! — gritou alguém de repente. Uma das mulheres. Horza podia ouvir disparos à frente, embora não houvesse clarões vindos da parte do templo que ele conseguia ver.

— Ha, ha. — A voz presunçosa de Jandraligeli veio pelo alto-falante do capacete. — Peguei!

Horza viu uma nuvem de fumaça no alto à esquerda do templo. Ele, agora, estava a meio caminho de lá, talvez mais perto. Podia ver alguns dos outros próximos, à sua esquerda e à sua direita, abrindo caminho e andando através das hastes de capim e dos arbustos com os fuzis altos junto ao ombro. Estavam todos aos poucos ficando cobertos pelo musgo verde-escuro, o que Horza achou que pudesse ser útil como camuflagem (desde que, é claro, não se revelasse ser algum musgo assassino senciente que até então não tivesse sido descoberto... ele disse a si mesmo para deixar de ser bobo).

Estrondos altos nos arbustos ao seu redor e pedaços destroçados de capim e gravetos que passaram voando como pássaros nervosos o fizeram mergulhar para o chão. A terra embaixo dele estremeceu. Ele rolou e viu chamas lamberem as hastes musgosas acima; havia uma faixa tremeluzente de fogo diretamente atrás dele.

— Horza? — chamou uma voz. Yalson.

— Tudo bem — respondeu ele.

Ele se ergueu a uma posição agachada e começou a correr através do capim, passando por arbustos e árvores jovens.

— Estamos entrando agora — disse Yalson.

Ela também estava no alto das árvores, com Lamm, Jandraligeli e Neisin. Segundo o plano, todos menos Neisin e Jandraligeli iam agora começar a se mover pelo ar em AGs na direção do templo. Embora as unidades antigravitacionais em seus trajes lhes dessem uma dimensão extra com a qual trabalhar, elas podiam ser uma faca de dois gumes; enquanto uma figura no ar costumava ser mais difícil de acertar que uma em terra, ela também costumava atrair muito mais fogo. A única outra pessoa com unidade AG na Companhia era Kraiklyn, mas ele dissera que preferia usar a sua para surpreender ou em emergências, por isso ainda estava em solo com o resto deles.

— Estou nos muros! — Horza achou que era a voz de Odraye. — Parece tudo bem. Os muros na verdade são fáceis; o musgo os torna...

O capacete de Horza crepitou. Ele não sabia ao certo se havia algo errado com seu comunicador ou se alguma coisa tinha acontecido com Odraye.

— ... bre mim enquanto estou...

— ... em seu inútil...

Vozes entraram em conflito no capacete de Horza. Ele continuou avançando em meio ao capim alto e bateu na lateral do capacete.

— ... babaca!

O alto-falante do capacete emitiu um zumbido, então ficou em silêncio. Horza xingou e parou, agachando. Ele mexeu nos controles do comunicador na lateral do capacete, tentando trazer o alto-falante de volta à vida. Suas luvas grandes demais o atrapalhavam. O alto-falante permaneceu em silêncio. Ele xingou novamente e ficou de pé, abrindo caminho entre os arbustos e o capim comprido até o muro do templo.

— ... ojéteis no interior! — gritou de repente uma voz. — Isso... ito simples!

Ele não conseguiu identificar a voz, e o alto-falante tornou a emudecer imediatamente.

Chegou à base do muro; ele se erguia da vegetação rasteira a um ângulo de aproximadamente quarenta graus e estava coberto de musgo. Mais à frente, dois membros da Companhia o estavam subindo, quase no alto, cerca de sete metros acima. Horza viu uma figura voadora fazendo curvas pelo ar e desaparecendo por cima do parapeito. Começou a subir. O traje desajeitadamente grande tornava aquilo mais difícil do que deveria ser, mas ele chegou ao alto sem cair e saltou do parapeito sobre uma passarela larga ao longo do muro. Um muro semelhante coberto de musgo erguia-se até o pavimento seguinte. À direita de Horza o muro fazia uma curva abaixo de uma torre atarracada; à sua esquerda, a passarela do muro aparentemente desaparecia em um muro interno. Segundo o plano de Kraiklyn, Horza devia seguir nessa direção. Devia haver uma porta ali. Horza saiu correndo na direção do muro vazio.

Um capacete surgiu do lado do muro inclinado. Horza começou a se abaixar e desviar, só por garantia, mas primeiro um braço acenou do mesmo lugar, então tanto capacete quanto braço apareceram, e ele reconheceu a mulher Gow.

Horza jogou para trás o visor de seu capacete enquanto corria, recebendo no rosto uma lufada do ar marjoíno. Ouviu o barulho de disparos de projéteis no interior do templo e o estrondo surdo e distante da detonação de um disparo de microhowitzador. Correu até uma entrada estreita recortada no muro inclinado, parcialmente coberta por serpentinas de musgo. Gow estava ajoelhada, a arma pronta, sobre os restos estilhaçados de uma porta de madeira pesada que antes bloqueava a passagem além dela. Horza se ajoelhou ao lado dela e apontou para o capacete.

— Meu comunicador pifou. O que está acontecendo?

Gow apertou um botão em seu pulso, e o alto-falante em seu traje disse:

— Tudo bem até agora. Ninguém ferido. Eles nas torres. — Ela apontou para cima. — Eles não entrar voando. O inimigo só tem armas de projétil, eles recuar. — Ela assentiu e continuou olhando ao redor através da porta e para a passagem escura depois. Horza também assentiu. Gow deu um tapinha em seu braço. — Eu digo Kraiklyn você entra, está bem?

— Está. Diga a ele que meu comunicador pifou, ok?

— Ok, claro. Zallin mesmo problema teve. Você em segurança, ok?

— Claro. Você também, fique em segurança — disse Horza.

Ele se levantou e entrou no templo, arrastando os pés sobre lascas de madeira e fragmentos de arenito espalhados sobre o musgo pela demolição da porta. O corredor escuro se ramificava em três direções. Ele se virou na direção de Gow e apontou.

— Corredor central, certo?

A figura agachada, a silhueta contra a luz do amanhecer, assentiu e falou:

— É, isso. Vai meio.

Horza partiu. O corredor estava coberto de musgo. Em intervalos de alguns metros, luzes elétricas mortiças ardiam nas paredes, projetando poças turvas de luz que o musgo escuro parecia absorver. De paredes macias e chão de esponja, a passagem estreita fez Horza estremecer, embora não sentisse frio. Ele conferiu se sua arma estava pronta para disparar. Não conseguia ouvir nenhum som além de sua própria respiração.

Ele chegou a uma bifurcação e escolheu a direita. Surgiram alguns degraus, que subiu correndo, tropeçando uma vez quando seus pés tentaram sair correndo de suas botas muito grandes; ele estendeu a mão e machucou o braço no degrau. Um pouco de musgo saiu do degrau, e Horza captou um vislumbre de alguma coisa brilhando por baixo, sob a luz amarela baça projetada pelas luzes nas paredes. Recuperou o equilíbrio, sacudindo o braço machucado enquanto continuava a subir a escada e se perguntava por que os construtores do templo tinham feito os degraus de um material que parecia vidro. No alto da escada ele seguiu por um corredor curto, então subiu outro lance de escada escuro que fazia uma curva para a direita. Levando-se em consideração seu nome, pensou Horza, o templo era incrivelmente escuro. Ele saiu em uma pequena varanda.

A capa do monge era escura, da mesma cor que o musgo, e Horza não o viu até que o rosto pálido se voltou em sua direção, junto com a arma.

Horza se jogou para o lado, contra a parede à sua esquerda, e disparou sua arma da altura do quadril ao mesmo tempo. A arma do monge se moveu bruscamente para cima e disparou uma fuzilaria de fogo rápido na direção do teto conforme ele desabava. Os tiros ecoaram ao redor do espaço escuro e vazio além da pequena varanda. Horza se agachou junto à parede, a arma apontada para a figura escura e desmoronada a apenas alguns metros de distância. Levantou a cabeça e na penumbra viu o que restava do rosto do monge, então relaxou um pouco. O homem estava morto. Horza se afastou da parede e se ajoelhou junto da balaustrada da varanda. Agora podia ver um grande salão na luz mortiça dos poucos globos pequenos que se projetavam do telhado. A varanda ficava aproximadamente a meia altura e ao longo de uma das paredes mais compridas, e, pelo que podia ver, havia alguma espécie de palco ou altar no fim do salão. A luz era tão fraca que ele não conseguia ter certeza, mas pensou ter visto figuras sombrias no chão do salão, em movimento. Perguntou-se se era a Companhia e tentou se lembrar de ter visto outras portas ou corredores em seu caminho até lá; ele deveria estar lá embaixo, naquele andar, no chão. Xingou seu comunicador inútil e decidiu que teria de arriscar gritar para as pessoas no salão.

Ele se debruçou para a frente. Alguns cacos de vidro haviam caído do telhado, onde tinha sido atingido pela arma do monge, e seu joelho coberto pelo traje triturou os destroços. Antes que pudesse abrir a boca para gritar para o salão, ouviu barulhos vindos de baixo — uma voz aguda falando uma língua de guinchos e estalidos. Horza ficou imóvel, não disse nada. Poderia ter sido apenas a voz de Dorolow, imaginou, mas por que ela falaria em outra língua que não o marain? A voz tornou a chamar. Ele achou que tivesse ouvido outra, mas então disparos de laser e projéteis explodiram brevemente do lado oposto do salão do altar. Ele se abaixou e, na calmaria que se seguiu, ouviu algo estalar às suas costas.

Então se virou, apertando o dedo no gatilho, mas não havia ninguém ali. Em vez disso, uma coisa pequena e redonda aproximadamente do tamanho de um punho de criança equilibrava-se no alto da balaustrada e desceu ruidosamente sobre o musgo a cerca de um metro de distância. Ele a chutou e mergulhou por cima do corpo do monge morto.

A granada explodiu em pleno ar, logo abaixo da varanda.

Horza pulou de pé enquanto os ecos ainda explodiam vindos do altar. Saltou pela porta na outra extremidade da varanda, estendendo uma das mãos e agarrando o canto macio da parede ao passar, girando enquanto caía de joelhos. Estendeu o braço e arrancou a arma do monge morto da pegada inerte do cadáver, no instante que a varanda começou a se soltar da parede com um som vítreo de trituração. Horza recuou para o corredor às suas costas. A varanda mergulhou inteiramente pelo espaço vazio do salão em uma nuvem cintilante e baça de fragmentos e caiu com um grande estrondo de destruição no piso abaixo, levando a forma sombria do monge morto voando com ela.

Horza viu mais das formas se espalharem na escuridão abaixo, e atirou com a arma que tinha acabado de adquirir. Então se virou e olhou para o corredor no qual estava agora, perguntando-se se haveria um caminho até o nível do salão ou mesmo até a saída. Ele verificou a arma que tinha pegado; parecia melhor que a sua. Abaixou-se e saiu correndo da porta que dava para o salão, pendurando o fuzil velho no ombro. O corredor mal iluminado fez uma curva para a direita. Horza se aprumou aos poucos à medida que deixava a porta para trás, e parou de se preocupar com granadas. Então tudo começou a acontecer no salão às suas costas.

A primeira coisa que ele percebeu foi que sua sombra estava sendo projetada à sua frente, tremeluzindo e dançando sobre a parede curva da passagem. Então uma cacofonia e barulhos e um estrondo entrecortado de ondas de laser o fizeram balançar e agrediram seus ouvidos. Ele abaixou rapidamente o visor do capacete e se agachou novamente enquanto se virava na direção do salão e dos clarões brilhantes. Mesmo através do capacete, achou que estava ouvindo gritos misturados com disparos e explosões. Correu de volta e se jogou no chão onde estivera antes, deitado, olhando para o salão.

Horza abaixou a cabeça o mais rápido possível e usou os cotovelos para tornar a se erguer no instante em que percebeu o que estava acontecendo. Ele quis correr, mas ficou onde estava, enfiou a arma do monge pelo canto da porta e disparou na direção genérica do altar, mantendo o capacete o mais afastado possível da porta, com o visor direcionado para outro lado, até que a arma parou de atirar. Quando a arma parou, ele a jogou para longe e usou a sua própria, até que ela emperrou. Então saiu rastejando dali e foi correndo pelo corredor, para longe da abertura do salão. Ele não duvidava de que o resto da Companhia estivesse fazendo a mesma coisa, aqueles que conseguiam.

O que ele tinha visto deveria ter sido incrível, mas embora ele tenha olhado apenas por tempo suficiente para que uma única imagem que mal se movia se formar em suas retinas, sabia o que estava vendo e o que estava acontecendo. Enquanto corria, tentou pensar em por que o Templo da Luz estaria protegido contra lasers. Quando chegou a uma bifurcação no corredor, parou.

Horza golpeou com a coronha do fuzil em torno da curva da parede, através do musgo; o metal acertou algo, amassando um pouco, mas ele sentiu, também, outra coisa ceder. Usando a luz fraca das células de iluminação do traje dos dois lados do visor, olhou para o que havia por baixo do musgo.

— Ah, meu Deus... — disse ele, em voz baixa, para si mesmo.

Golpeou outra parte da parede e olhou outra vez. Lembrou-se do brilho do que tinha achado ser vidro por baixo do musgo na escada, quando machucou o braço, e da sensação de trituração sob seu joelho na varanda. Ele se apoiou na parede macia, sentindo-se enjoado.

Ninguém tinha tomado a medida extraordinária de proteger dos lasers um templo inteiro, nem mesmo um grande salão. Teria sido terrivelmente caro e sem dúvida desnecessário em um planeta de nível três, de qualquer forma. Não; provavelmente todo o interior do templo (ele se lembrou do arenito ao qual a porta externa estava presa) tinha sido construído em blocos de cristal, e era isso o que estava enterrado por baixo de todo o musgo. Você atira com um laser e o musgo se vaporiza em um instante, deixando as superfícies do cristal por baixo refletirem o resto desse pulso e quaisquer disparos posteriores que atingissem o mesmo lugar. Ele tornou a olhar para o segundo lugar que tinha acertado com a arma, olhou fundo para a superfície transparente por trás e viu as luzes de seu próprio traje brilhando fracamente em sua direção vindas de algum limite espelhado em algum lugar em seu interior. Ele se afastou da parede e saiu correndo pela ramificação direita do corredor, passando por portas pesadas de madeira, depois descendo uma escada curva na direção de um clarão de luz.

O que ele tinha visto no salão era o caos, iluminado por lasers. Uma única olhada, coincidindo com vários clarões, tinha queimado uma imagem em seus olhos que ele achava que ainda conseguia ver. Em uma extremidade do salão, no altar, havia monges agachados, armas disparando, suas próprias armas brilhando com fogo químico explosivo; em torno deles, explosões escuras de fumaça onde o musgo se vaporizava. Na outra extremidade do salão, vários membros da Companhia estavam de pé, deitados ou cambaleantes, suas próprias sombras enormes na parede às suas costas. Estavam atacando com tudo o que tinham, os pulsos estroboscópicos dos fuzis vindo da parede oposta, e sendo atingidos pelos próprios tiros que eram rebatidos pela superfície interna dos blocos de cristal em que eles nem percebiam estar atirando. Pelo menos dois já estavam cegos, a julgar pela forma como eram pegos em poses desajeitadas de quem não via, os braços estendidos à frente, as armas disparando de uma das mãos.

Horza sabia muito bem que seu próprio traje, especialmente seu visor, não era capaz de deter um disparo de laser, fosse de armas com um comprimento de onda visível ou raios X. Tudo o que ele podia fazer era tirar sua cabeça do caminho e disparar os projéteis que ainda tinha, na esperança de acertar alguns dos sacerdotes ou seus guardas. Ele provavelmente tivera sorte por não ter sido atingido mesmo no breve espaço de tempo em que tinha olhado para o salão; agora tudo o que podia fazer era sair dali. Tentou gritar no microfone do capacete, mas o comunicador estava mudo; sua voz parecia vazia dentro do traje e ele não conseguia se ouvir no alto-falante de seu ouvido.

Ele viu outra forma sombria à frente, uma silhueta indistinta agachada contra a parede no facho de luz do dia que vinha de outro corredor. Horza se atirou para o interior de uma porta. A figura não se mexeu.

Ele tentou o fuzil; as batidas nas paredes de cristal pareciam tê-lo destravado. Uma explosão de fogo fez a figura desabar inerte no chão. Horza saiu pela porta e andou até ela.

Era outro monge, a mão morta segurando uma pistola. Seu rosto branco estava visível à luz que vinha de outro corredor. Na parede atrás do monge havia marcas de musgo queimado; cristal limpo e ileso aparecia por baixo. Além dos buracos produzidos pela explosão de fogo de Horza, a túnica do monge, agora empapada com sangue vermelho-vivo, estava coberta de queimaduras de laser. Horza enfiou a cabeça além da curva e olhou para a luz.

Contra a luz da manhã, emoldurada por um portal inclinado, havia uma forma sobre o chão musgoso, a arma estendida na extremidade de uma das mãos de modo que apontava pelo corredor na direção de Horza. Havia uma porta pesada em ângulo por trás, presa apenas por uma dobradiça retorcida. *É Gow*, pensou Horza. Então olhou para a porta outra vez, pensando que, de algum modo, ela parecia errada. A porta e as paredes que levavam a ela estavam marcadas de queimaduras de laser.

Ele seguiu o corredor até a figura caída e a rolou para poder ver o rosto. Sua cabeça girou por um segundo quando ele olhou. Não era Gow; era sua amiga, kee-Alsorofus, que tinha morrido ali. Seu rosto enegrecido e rachado olhava fixamente, de olhos secos, através do visor ainda limpo de seu capacete. Horza olhou para a porta e para o corredor. Claro: estava em outra parte do templo. Mesma situação, mas um conjunto diferente de corredores, e uma pessoa diferente...

O traje da mulher tinha buracos, com centímetros de profundidade, em alguns lugares; o cheiro de carne queimada penetrou no traje que se encaixava mal em Horza, fazendo-o ter ânsia de vômito. Ele se levantou, pegou o laser de kee-Alsorofus, atravessou a porta inclinada e saiu na passarela ao longo do muro. Correu por ela, fez uma curva e se abaixou quando uma ogiva de microhowitzador caiu perto demais dos muros inclinados do templo e projetou uma chuva de fragmentos cintilantes de metal e pedaços rosados de arenito. Os canhões de plasma ainda estavam disparando da floresta, também, mas Horza não conseguia ver nenhuma figura voadora. Estava procurando por elas quando de repente sentiu o traje de um de seus lados, parado no ângulo do muro. Parou, reconhecendo o traje de Gow, e ficou a cerca de três metros de distância enquanto ela olhava para ele. Ela empurrou lentamente o visor do capacete para cima. Seu rosto cinza e seus olhos fundos como poços se fixaram no fuzil a laser que ele estava carregando. A expressão em seu rosto fez com que ele desejasse ter verificado se a arma ainda estava ligada. Ele olhou para a arma em sua mão, então para a mulher, que ainda estava olhando fixamente para ela.

— Eu... — Ele ia explicar.

— Ela morta, né? — A voz da mulher estava baixa. Ela pareceu dar um suspiro. Horza inspirou, estava prestes a começar a falar de novo, mas ela continuou no mesmo tom monótono. — Achei ouvir ela.

De repente, Gow ergueu a mão que segurava a arma, brilhando sob o azul e o rosa do céu da manhã. Horza viu o que ela ia fazer e começou a andar em sua direção, estendendo instantaneamente uma das mãos, mesmo sabendo que estava longe e tarde demais para fazer qualquer coisa. Ele teve tempo de gritar:

— Não! — Mas a arma já estava na boca da mulher, e no instante seguinte, enquanto Horza começava a se abaixar e seus olhos se fechavam instintivamente, a parte de trás do capacete de Gow explodiu em um único pulso de luz não vista, lançando uma nuvem vermelha repentina sobre o muro musgoso atrás.

Horza ficou agachado, as mãos fechadas em torno do cano da arma à sua frente, os olhos fixos na selva distante. *Que bagunça*, pensou, *que porra de confusão idiota e obscena*. Ele não estivera pensando no que Gow tinha acabado de fazer consigo mesma, mas olhou ao redor para a mancha vermelha na parede angulosa e a forma desmoronada do traje de Gow e pensou novamente.

Horza estava prestes a descer pelo muro externo do templo quando algo se moveu no ar acima dele. Ele se virou e viu Yalson pousando na passarela do muro. Ela olhou uma vez para o corpo de Gow, então eles conversaram sobre o que os dois sabiam da situação — o que ela tinha ouvido pelo canal aberto do comunicador, o que Horza tinha visto no salão — e decidiram que iam esperar ali até que alguns dos outros saíssem ou eles perdessem a esperança. Segundo Yalson, apenas Rava

Gamdol e Tzbalik Odraye estavam com certeza mortos depois do tiroteio no salão, mas todos os três bratsilakins também tinham estado lá, e ninguém ouvira nada sobre eles depois que o canal aberto ficou inteligível outra vez e a maior parte dos gritos parou.

Kraiklyn estava vivo e bem, mas perdido; Dorolow, perdida também, sentada chorando, talvez cega; e Lenipobra, contra todos os conselhos e as ordens de Kraiklyn, tinha entrado no templo através de uma porta no telhado e estava descendo para tentar resgatar qualquer um que pudesse, usando apenas uma pequena pistola de projéteis que carregava.

Yalson e Horza se sentaram de costas um para o outro na passarela do muro, Yalson mantendo o Transmutador informado sobre como as coisas no templo estavam indo. Lamm passou voando acima, dirigindo-se para a selva, onde pegou um canhão de plasma com Wubslin, sob protestos. Ele tinha acabado de pousar perto quando Lenipobra anunciou com orgulho que tinha encontrado Dorolow, e Kraiklyn relatou que conseguia ver a luz do dia. Ainda não havia notícia dos bratsilakins. Kraiklyn apareceu após fazer uma curva na passarela do muro; Lenipobra saltou e surgiu à vista, agarrando Dorolow junto a seu traje e seguindo acima do muro em uma série de grandes saltos lentos enquanto sua unidade AG se esforçava para erguer tanto ele quanto a mulher.

Eles partiram de volta para o transporte. Jandraligeli podia ver movimento na estrada além do templo, e havia disparos de franco-atiradores vindo dos dois lados da floresta. Lamm queria invadir o templo com o canhão de plasma e vaporizar alguns monges, mas Kraiklyn ordenou a retirada. Lamm largou o canhão de plasma e navegou sozinho na direção do transporte, xingando alto pelo canal aberto através do qual Yalson ainda estava tentando chamar os bratsilakins.

Eles seguiram com dificuldade através do capim alto e dos arbustos sob os rastros sibilantes dos raios de plasma, enquanto Jandraligeli lhes dava cobertura. Tiveram de se abaixar uma vez ou outra quando disparos de projéteis de pequeno calibre cortaram através da folhagem à sua volta.

*

Eles se esparramaram no hangar da *Turbulência em Ar Límpido*, ao lado do transporte ainda quente enquanto estalava e rangia, esfriando outra vez depois de sua subida em alta velocidade através da atmosfera.

Ninguém queria falar. Eles apenas ficaram sentados ou deitados no convés, alguns com as costas apoiadas na lateral do transporte quente. Os que tinham estado dentro do templo eram os mais obviamente afetados, mas mesmo os outros, que tinham apenas ouvido o caos pelos comunicadores de seus trajes, pareciam em um leve estado de choque. Capacetes e armas estavam espalhados ao seu redor.

— "Templo da Luz" — disse Jandraligeli por fim, e emitiu uma mistura de riso com escárnio.

— O templo da porra da luz — concordou Lamm.

— Mipp — falou Kraiklyn com voz cansada para seu capacete —, algum sinal dos bratsilakins?

Mipp, ainda na pequena ponte da TAL, disse que não havia nada.

— Nós deveríamos bombardear e acabar com aquele lugar — sugeriu Lamm. — Jogar uma bomba nuclear nos desgraçados.

Ninguém respondeu. Yalson se levantou devagar e deixou o hangar, subindo de forma exausta a escada até o convés superior, o capacete pendurado em um braço, a arma no outro, a cabeça baixa.

— Acho que perdemos esse radar. — Wubslin fechou uma escotilha de inspeção e rolou de baixo do bico do transporte. — Aqueles primeiros disparos de fogo hostil... — Sua voz se calou.

— Pelo menos ninguém está ferido — disse Neisin. Ele olhou para Dorolow. — Seus olhos estão melhores? — A mulher assentiu, mas manteve os olhos fechados. Neisin também assentiu. — Na verdade, é pior quando as pessoas estão feridas. Nós tivemos sorte.

Ele levou a mão a uma pequena bolsa na frente de seu traje e sacou um pequeno recipiente de metal. Sugou de um bico no alto e fez uma careta, sacudindo a cabeça.

— É, nós tivemos sorte. E foi bem rápido para eles, também. — Ele assentiu para si mesmo, sem olhar para ninguém, sem se importar que ninguém parecesse estar ouvindo. — Viram como todo mundo que perdemos dividiu o mesmo... Quero dizer, eles estavam em duplas... ou trios... hein?

Ele deu outro gole e sacudiu a cabeça. Dorolow estava perto. Ela estendeu o braço e abriu a mão. Neisin olhou para ela surpreso, então lhe passou o pequeno frasco. Ela deu um gole e o devolveu. Neisin olhou ao redor, mas ninguém mais queria.

Horza estava sentado sem dizer nada. Ele olhava fixamente para as luzes frias do hangar, tentando não ver a cena que tinha testemunhado no salão do templo escuro.

A *Turbulência em Ar Límpido* rompeu a órbita com um impulso de fusão e seguiu para a borda externa do poço de gravidade de Marjoin, onde poderia acionar seus motores de dobra. Ela não captou nenhum sinal dos bratsilakins nem bombardeou o Templo da Luz. Estabeleceu uma rota para o Orbital Vavatch.

A partir de transmissões de rádio que captaram do planeta, eles descobriram o que tinha acontecido com o lugar, o que tinha feito com que os monges e sacerdotes no templo estivessem tão bem armados. Dois Estados-nação no mundo de Marjoin estavam em guerra, e o templo ficava perto da fronteira entre os dois países, constantemente pronto para um ataque. Um dos Estados era vagamente socialista; o outro era de inspiração religiosa, os sacerdotes no Templo da Luz representando uma seita dessa fé militante. A guerra fora causada em parte pelo conflito galáctico maior que se desenrolava ao seu redor, além de ser uma imagem pequena e aproximada dele. Fora aquele reflexo, percebeu Horza, que matara os membros da Companhia, tanto quanto qualquer disparo de laser ricocheteado.

Horza não sabia ao certo como ia dormir naquela noite. Ficou deitado acordado por algumas horas, ouvindo Wubslin ter pesadelos silenciosos. Então houve batidas suaves na porta. Yalson entrou e se sentou no beliche de Horza. Ela pôs a cabeça em seu ombro e os dois se abraçaram. Depois de algum tempo, ela pegou a mão dele e o conduziu silenciosamente pela escada de escotilha na direção oposta à do refeitório — onde um facho de luz e música distante testemunhavam que Kraiklyn, acordado, estava relaxando com um frasco de droga e uma fita holossonora — até a cabine que tinha sido de Gow e kee-Alsorofus.

No escuro da cabine, em uma cama pequena cheia de aromas estranhos e texturas novas, eles desempenharam o mesmo ato antigo, o deles — ambos sabiam — um cruzamento quase inevitavelmente estéril de espécies e culturas distantes milhares de anos-luz uma da outra. Então dormiram.

# SITUAÇÃO ATUALIZADA: UM

Fal 'Ngeestra observava as sombras das nuvens se moverem sobre a planície distante, a dez quilômetros de distância horizontalmente e um verticalmente, e então, com um suspiro, ergueu o olhar até a linha de montanhas encimadas de neve na outra extremidade da campina aberta. A cadeia de montanhas estava a trinta quilômetros de seus olhos, mas os picos eram pronunciados e distintos no ar rarefeito que invadiam com sua rocha e sua branquidão gelada e resplandecente. Mesmo àquela distância, através de tanta atmosfera, o brilho impressionava os olhos.

Ela se virou e saiu andando sobre as grandes pedras do pavimento do terraço da hospedaria com passos duros nada adequados a sua pouca idade. As treliças acima de sua cabeça estavam cobertas de flores em vermelho-vivo e branco e projetavam um padrão regular de sombras sobre o terraço abaixo; ela andou através de luz e sombra, seu cabelo apagado, e então brilhando em dourado, um de cada vez, à medida que cada passo hesitante a levava da sombra para a luz do sol.

O volume cinza-escuro do drone chamado Jase apareceu na outra extremidade do terraço, fora da hospedaria em si. Fal sorriu quando o viu e se sentou em um banco de pedra que se projetava da parede baixa que separava o terraço da vista. Eles estavam muito no alto, mas era um dia quente e sem vento; ela esfregou um pouco de suor da testa enquanto o velho drone flutuava pelo terraço em sua direção, as linhas inclinadas de luz do sol passando pelo seu corpo em um ritmo constante. O drone parou sobre as pedras ao lado do banco, seu topo amplo e chato aproximadamente no mesmo nível que a cabeça da garota.

— Não é um belo dia, Jase? — disse Fal, olhando outra vez para as montanhas distantes.

— É — concordou Jase.

O drone tinha uma voz inusitadamente profunda e ressonante, e tirava o máximo de proveito disso. Já fazia mil anos ou mais que os drones da Cultura tinham campos de aura que se coloriam de acordo com seu estado de ânimo — seu equivalente de expressão facial e linguagem corporal —, mas Jase era velho, feito muito antes que os campos de aura fossem pensados, e tinha se recusado a ser adaptado e reequipado para acomodá-los. Ele preferia confiar na própria voz para expressar o que sentia, ou permanecer inescrutável.

— Droga. — Fal sacudiu a cabeça, olhando para a neve distante. — Eu gostaria de estar escalando. — Ela emitiu um estalido com a boca e olhou para a perna direita, que se estendia reta à sua frente. Havia quebrado a perna oito dias antes, enquanto escalava nas montanhas do outro lado da planície. Agora estava imobilizada por uma bela estrutura de fios de campo, escondida sob calças justas que estavam na moda.

Jase, pensou ela, usaria isso como desculpa para lhe dar novamente um sermão sobre a prudência de escalar apenas com um arnês flutuador, ou com um drone de resgate por perto, ou pelo menos não escalar sozinha, mas a velha máquina não disse nada. Fal olhou para o drone e seu rosto bronzeado brilhou à luz.

— Então, Jase, o que você tem para mim? Negócios?

— Receio que sim.

Fal se instalou da maneira mais confortável possível no banco de pedra e cruzou os braços. Jase estendeu um campo de força curto de sua lataria para apoiar a perna estendida de aparência estranha, embora soubesse que os campos da própria tala estavam sustentando todo o peso.

— Fale logo — disse Fal.

— Você talvez se lembre de um item da sinopse diária de dezoito dias atrás sobre uma de nossas naves espaciais que foi montada por uma nave-fábrica no volume de espaço interno do Golfo Sombrio; a nave-fábrica teve de se destruir, e o mesmo aconteceu depois com a nave que ela havia feito.

— Eu me lembro — confirmou Fal, que se esquecia de pouco sobre qualquer coisa, e de nada de uma sinopse diária. — Foi uma aberração porque a fábrica estava tentando tirar uma Mente de VGS do caminho.

— Bem — continuou Jase, com a voz um pouco cansada. — Nós temos um problema com isso.

Fal sorriu.

A Cultura, não restava a menor dúvida, confiava profundamente em suas máquinas tanto para estratégias quanto para táticas na guerra em que estava agora envolvida. Na verdade, era possível dizer que a Cultura era suas máquinas, que elas a representavam em um nível mais fundamental que qualquer humano ou grupo de humanos na sociedade. As Mentes que a nave-fábrica da Cultura, os orbitais seguros e os VGS maiores estavam produzindo agora eram algumas das coleções mais sofisticadas de matéria na galáxia. Elas eram tão inteligentes que nenhum humano era capaz de compreender exatamente quão inteligentes elas eram (e as próprias máquinas eram incapazes de descrever isso para uma forma tão limitada de vida).

Desses colossos mentais, passando pelas máquinas mais comuns, mas ainda sencientes, e pelos computadores inteligentes, mas na verdade mecanísticos e previsíveis, até o menor circuito em um micromíssil pouco mais inteligente que uma mosca, a Cultura tinha apostado — muito tempo antes de a guerra idirana ser vislumbrada — no cérebro das máquinas, não no cérebro humano. Isso porque a Cultura se via como uma sociedade racional autoconsciente; e máquinas, mesmo as sencientes, eram mais capazes de alcançar esse estágio desejado, assim como mais eficientes em utilizá-lo após fazer isso. Isso era bom o suficiente para a Cultura.

Além do mais, isso deixava os humanos na Cultura livres para cuidar das coisas que realmente importavam na vida, como esportes, jogos, romance, estudar línguas mortas, sociedades bárbaras e probabilidades impossíveis e escalar montanhas altas com a ajuda de um arnês de segurança.

Uma leitura hostil dessa situação poderia levar à ideia de que a descoberta pelas Mentes da Cultura de que alguns humanos eram na verdade capazes de igualar e às vezes superar suas marcas na avaliação precisa de determinado conjunto de fatos levaria à indignação das máquinas e a circuitos queimados, mas esse não era o caso. Fascinava aquelas mentes que uma coleção tão insignificante e caótica de faculdades mentais pudesse por algum passe de neurônios produzir uma resposta para um problema que fosse tão boa quanto as suas. Havia uma explicação, é claro, e talvez ela tivesse algo a ver com padrões de causa e efeito que mesmo o poder quase semelhante ao de um deus das Mentes tinha dificuldade de decifrar; também tinha muito a ver com o próprio peso dos números.

Havia mais de 18 trilhões de pessoas na Cultura, praticamente todas bem nutridas, extensivamente educadas e mentalmente alertas, e só trinta ou quarenta delas tinham essa habilidade incomum de prever e avaliar em pé de igualdade com uma Mente bem-informada (das quais já havia muitas centenas de milhares). Não era impossível que isso fosse pura sorte; jogue 18 trilhões de moedas para o alto por algum tempo e algumas delas vão acabar caindo do mesmo lado por muito tempo.

Fal 'Ngeestra era uma Referente da Cultura, uma daquelas trinta, talvez quarenta, dentre os 18 trilhões que podiam lhe dar uma ideia intuitiva do que ia acontecer, ou lhe contar por que achava que algo que já tinha acontecido tinha acontecido como acontecera, e quase com certeza acertar todas as vezes. Ela recebia problemas e ideias constantemente, sendo ao mesmo tempo usada e avaliada. Nada que ela dissesse ou fizesse deixava de ser registrado; nada que experimentasse passava despercebido. Ela insistia, porém, que quando estivesse escalando, sozinha ou com amigos, devia ser deixada com seus próprios dispositivos e não vigiada pelos da Cultura. Levaria consigo um terminal de bolso para registrar tudo, mas não teria um link em tempo real com nenhuma parte da rede de Mentes na placa em que vivia.

Por causa dessa insistência, tinha ficado jogada na neve com uma perna quebrada por um dia e uma noite até que um grupo de busca a descobrisse.

O drone Jase começou a dar a ela os detalhes do voo da nave sem nome a partir de sua nave-mãe, de sua interceptação e autodestruição. Fal, porém, tinha virado a cabeça, e só estava meio ouvindo. Seus olhos e sua mente estavam nas encostas distantes e nevadas, onde ela esperava escalar outra vez em alguns dias, assim que aqueles ossos estúpidos em sua perna tivessem se curado completamente.

As montanhas eram lindas. Havia outras montanhas subindo a encosta onde ficava o terraço da hospedaria, erguendo-se no céu azul--claro, mas elas eram coisas humildes em comparação com aqueles picos pronunciados que se erguiam do outro lado da planície. Sabia que era por isso que a haviam colocado naquela hospedaria; esperavam que escalasse aquelas montanhas mais próximas em vez de se dar ao trabalho de entrar em uma aeronave e voar sobre a planície. Era, porém, uma ideia tola; tinham de deixá-la ver as montanhas, ou não seria ela mesma, e enquanto pudesse vê-las, simplesmente *tinha* de escalá-las. Idiotas.

*Em um planeta*, pensou ela, *você não conseguiria vê-las tão bem. Não conseguiria ver seus contrafortes mais baixos, a forma como as montanhas simplesmente se erguem da planície.*

A hospedaria, o terraço, as montanhas e a planície estavam em um orbital. Humanos tinham construído aquele lugar, ou pelo menos construído as máquinas que tinham construído as máquinas que... Bem, isso poderia continuar por muito tempo. A placa do orbital era quase perfeitamente chata; na verdade, verticalmente ela era levemente côncava, mas, como o diâmetro interno do orbital terminado — corretamente formado só depois que todas as placas individuais se juntavam e a última divisória era removida — media mais de três milhões de quilômetros, a curvatura era muito menor que na superfície convexa de qualquer globo habitável por humanos. Então, do ponto de vista elevado de observação de Fal, ela podia ver até a base das montanhas distantes.

Fal pensou que devia ser muito estranho viver em um planeta e ter de olhar além de uma curva; de modo que, por exemplo, você visse o alto de um navio aparecer acima do horizonte antes do resto dele.

Ela de repente percebeu que estava pensando sobre planetas por causa de algo que Jase tinha acabado de dizer. Virou-se e olhou abertamente para a máquina cinza-escuro, reprisando sua memória de curto prazo para se lembrar exatamente do que ela havia acabado de dizer.

— Essa Mente foi *por baixo* do planeta no hiperespaço? — perguntou ela. — Então entrou em dobra espacial dentro dele?

— Foi isso o que ela disse que estava tentando fazer quando enviou a mensagem codificada em seu padrão de destruição. Como o planeta ainda está lá, ela deve ter tido sucesso. Se tivesse falhado, pelo menos meio por cento de sua massa teria reagido com o material do próprio planeta como se fosse antimatéria.

— Entendi. — Fal coçou a bochecha com um dedo. — Achei que isso não devia ser possível? — Sua voz continha uma pergunta. Ela olhou para Jase.

— O que foi?

— Fazer... — Ela franziu o cenho por não ser entendida imediatamente e acenou com a mão impacientemente. — ... fazer o que ela fez. Ir por baixo de uma coisa tão grande no hiperespaço e então sair. Me disseram que nem nós conseguíamos fazer isso.

— Disseram o mesmo para a Mente em questão, mas ela estava desesperada. O próprio Conselho Geral de Guerra decidiu que deveríamos tentar duplicar o feito, usando uma Mente semelhante e um planeta dispensável.

— O que aconteceu? — perguntou Fal, sorrindo com a ideia de um planeta "dispensável".

— Nenhuma mente sequer consideraria a ideia; é perigoso demais. Mesmo as qualificadas no Conselho de Guerra se opuseram.

Fal riu, olhando para as flores vermelhas e brancas enroscadas em torno da treliça acima. Jase, que no fundo era um romântico incorrigível, achava que a risada dela parecia o ruído de riachos nas montanhas, e sempre a gravava para si mesmo, até quando havia bufos e gargalhadas, mesmo quando ela estava sendo rude e era uma risada sarcástica. Jase sabia que uma máquina, mesmo uma máquina senciente, não podia morrer de vergonha, mas também sabia que faria exatamente isso se Fal algum dia descobrisse algo sobre aquilo. Fal parou de rir e falou:

— Qual é, na verdade, a aparência dessa coisa? Quero dizer, você nunca as vê sozinhas, elas estão sempre dentro de alguma coisa... uma nave ou o que quer que seja. E como ela... o que ela usou para entrar em dobra?

— Externamente — disse Jase em seu tom habitual, calmo e contido — é um elipsoide. Com os campos erguidos, parece uma nave bem pequena. Tem cerca de dez metros de comprimento e dois e meio de diâmetro. Internamente é feita de milhões de componentes, mas os mais importantes são as partes de pensamento e memória da Mente propriamente dita; são elas que a tornam tão pesada, porque são muito densas. Ela pesa quase 15 mil toneladas. Tem sua própria energia, é claro, e vários geradores de campo, qualquer um dos quais poderia entrar em serviço como motor de emergência, e na verdade são projetados com isso em mente. Só o invólucro externo está constantemente no espaço real; o resto, pelo menos todas as partes pensantes, fica no hiperespaço.

— Imaginando, como devemos fazer, que a Mente tenha feito o que disse que ia fazer, só há uma possibilidade de como ela poderia realizar a tarefa, considerando que não tem um motor de dobra espacial nem um deslocador.

Jase fez uma pausa, e Fal chegou para a frente no assento, os cotovelos nos joelhos, as mãos cerradas sob o queixo. Ele a viu mudar o peso das costas e uma pequena careta surgir momentaneamente em seu rosto. Jase chegou à conclusão de que ela estava ficando desconfortável no banco duro de pedra e ordenou que um dos drones da hospedaria trouxesse algumas almofadas.

— A Mente tem uma unidade de dobra, mas ela deveria ser usada apenas para expandir volumes microscópicos da memória para que haja mais espaço em torno das seções de informação, na forma de espirais de partículas elementares de terceiro nível, que ela quer alterar. O limite de volume normal nessa unidade de dobra é menos de um milímetro cúbico; de algum jeito, a Mente da nave a adaptou para abarcar todo o seu corpo e permitir que ele aparecesse dentro da superfície do planeta. Um espaço aéreo livre seria o lugar lógico onde se buscar, e os túneis do Sistema de Comando parecem uma escolha óbvia; é para onda ela disse que ia se dirigir.

— Certo — disse Fal, assentindo. — Está bem. Agora, o que... ah...

Um pequeno drone carregando duas almofadas grandes apareceu ao lado dela.

— Hum, obrigada — disse Fal, erguendo-se com uma das mãos e colocando uma almofada embaixo de si e a outra atrás das costas.

O pequeno drone saiu flutuando para a hospedaria outra vez. Fal se acomodou.

— Você pediu as almofadas, Jase? — perguntou ela.

— Eu, não — mentiu Jase com um prazer secreto. — O que você ia perguntar?

— Esses túneis — retomou Fal, inclinando-se para a frente, dessa vez com mais conforto. — Esse Sistema de Comando. O que ele é?

— Resumidamente, consiste em um loop pareado e sinuoso de túneis de 22 metros de diâmetro enterrados a cinco quilômetros de profundidade. Todo o sistema tem várias centenas de quilômetros de extensão. Os trens foram projetados para serem os centros móveis de comando em tempo de guerra de um estado que existiu anteriormente no planeta, quando ele estava em uma fase de nível três de sofisticação intermediária. O armamento mais moderno da época era a bomba de fusão, transportada por um foguete transplanetário guiado. O Sistema de Comando foi projetado para...

— Está bem. — Fal acenou rapidamente com a mão. — Proteger, manter a mobilidade para que eles não fossem explodidos. Certo?

— Certo.

— Que tipo de cobertura rochosa eles tinham?

— Granito — respondeu Jase.

— Batolítico?

— Só um segundo — pediu Jase, consultando em outro lugar. — Isso. Correto: um batólito.

— *Um* batólito? — indagou Fal, com as sobrancelhas erguidas. — Só um?

— Só um.

— Esse é um mundo de gravidade levemente baixa? De crosta espessa?

— Os dois.

— Ahã. Então a Mente dentro desses... — Ela olhou para o terraço, sem na verdade ver nada, mas no olho de sua mente enxergava quilômetros de túneis escuros (e pensava que podia ver algumas montanhas impressionantes sobre eles: todo aquele granito; gravidade baixa; bom território para escalada). Olhou para a máquina outra vez. — Então o que aconteceu? É um Planeta dos Mortos. Os nativos acabaram fazendo isso consigo mesmos?

— Com armas biológicas, não nucleares, até o último humanoide, 11 mil anos atrás.

— Hum. — Fal assentiu. Agora estava óbvio por que os Dra'Azon tinham tornado o Mundo de Schar um de seus Planetas dos Mortos. Se você fosse uma superespécie de energia pura há muito tempo afastada da vida normal baseada em matéria da galáxia e sua ideia fosse isolar e preservar um ou dois planetas que achasse que poderiam servir como um monumento adequado à morte e à futilidade, o Mundo de Schar, com sua história curta e sórdida, parecia o tipo de lugar que você poria bem perto do topo da lista.

Uma coisa ocorreu a ela.

— Por que esses túneis não se selaram outra vez depois de todo esse tempo? Cinco quilômetros de pressão...

— Não sabemos. — Jase suspirou. — Os Dra'Azon não foram muito abertos em relação a informação. É possível que os engenheiros do sistema tenham desenvolvido uma técnica para suportar essa pressão durante um período desses. É improvável, admito, mas eles eram engenhosos.

— Pena que eles não tenham dedicado um pouco mais de engenhosidade para permanecer vivos em vez de conduzir uma matança em massa de forma tão eficiente quanto possível — disse Fal, e deu uma pequena bufada.

Jase sentiu prazer com as palavras da garota (se não com a bufada), mas ao mesmo tempo detectou nelas um toque daquela mistura de desprezo e presunção condescendente que a Cultura achava tão difícil não exibir ao vistoriar os erros de sociedades menos avançadas, embora a fonte de civilização de seu próprio passado inferior não tivesse sido menos falível. Mesmo assim, o ponto fundamental se mantinha verdadeiro: a experiência e também o bom senso indicavam que, para começar, o método mais confiável para evitar a autoextinção era não se equipar dos meios para fazer isso.

— Então — disse Fal, olhando para baixo enquanto batia o calcanhar bom sobre as pedras cinza — a Mente está nos túneis; os Dra'Azon estão do lado de fora. Qual é o limite da Barreira de Silêncio?

— A usual metade da distância para a estrela mais próxima: 310 dias-luz padrão no caso do Mundo de Schar no momento.

— E...? — Ela estendeu a mão para Jase e ergueu a cabeça e as sobrancelhas. Sombras de flores se moveram em seu pescoço quando a mais delicada das brisas começou e agitou as plantas na treliça acima de sua cabeça. — Qual o problema?

— Bem — disse Jase —, a razão para a Mente ter permissão de entrar nisso foi que...

— Por necessidade. Certo. Continue.

Jase, que tinha parado de se irritar com as interrupções de Fal na primeira vez que ela lhe levara uma flor da montanha, continuou.

— Há uma base pequena no Mundo de Schar, assim como em todos os Planetas dos Mortos. Como sempre, ela é tripulada por uma sociedade pequena, nominalmente neutra e não dinâmica com alguma maturidade galáctica...

— O Transmutador — interrompeu Fal, bem devagar, como se adivinhasse a solução de um enigma que a estava incomodando por horas e devia ser simples.

Ela olhou através da treliça coberta de flores para um céu azul onde algumas nuvens brancas pequenas estavam se movendo devagar. Então olhou de volta para a máquina.

— Estou certa, não estou? Aquele cara Transmutador que... e aquela agente das Circunstâncias Especiais, Balveda, e o lugar onde você precisa ser senil para governar. Eles são Transmutadores no Mundo de Schar, e esse sujeito... — Ela se calou e franziu o cenho. — Mas eu achei que ele estivesse morto.

— Agora não temos tanta certeza. A última mensagem da UGC *Energia Nervosa* parecia indicar que ele pode ter escapado.

— O que aconteceu com a UGC?

— Não sabemos. O contato foi perdido enquanto ela estava tentando capturar e não destruir a nave idirana. As duas foram dadas como perdidas.

— Capturar, hein? — disse Fal acidamente. — Outra Mente exibida. Mas é isso, não é? Os idiranos podem conseguir usar esse cara, qual é o nome dele? Nós sabemos?

— Bora Horza Gobuchul.

— Enquanto nós não temos nenhum Transmutador.

— Nós temos, mas a que temos está do outro lado da galáxia em um trabalho urgente sem conexão com a guerra; levaria meio ano para trazê-la até aqui. Além disso, ela nunca esteve no Mundo de Schar; a parte difícil desse problema é que Bora Horza Gobuchul esteve.

— Oh, *ho* — disse Fal.

— Além disso, temos informações não confirmadas de que a mesma frota idirana que atacou a nave que fugia também tentou sem sucesso seguir a Mente até o Mundo de Schar com uma pequena força de desembarque. Agora o Dra'Azon envolvido vai ficar desconfiado.

Ele pode deixar Bora Horza Gobuchul passar, pois ele serviu antes com a tripulação cuidadora no planeta, mas nem ele tem entrada garantida. Qualquer outra pessoa é algo realmente muito duvidoso.

— Claro que o pobre diabo pode estar morto.

— Transmutadores não têm fama de serem fáceis de matar, e, além disso, não seria sábio simplesmente contar com essa possibilidade.

— E você está preocupado que ele chegue até essa Mente preciosa e a leve para os idiranos.

— Isso poderia acontecer.

— Apenas supondo que *acontecesse* — conjecturou Fal, estreitando os olhos e se inclinando para a frente para olhar para a máquina —, e daí? Faria mesmo alguma diferença? O que aconteceria se os idiranos pusessem as mãos nessa jovem Mente reconhecidamente cheia de recursos?

— Presumindo que nós vamos ganhar a guerra... — começou Jase, pensativo — ... isso poderia estender seu andamento por uma quantidade de meses que você pode contar nos dedos.

— E quantos meses supostamente é isso? — disse Fal.

— Alguma coisa entre três e sete, imagino. Depende de que mão você está usando.

Fal sorriu.

— E o problema é que a Mente não pode se destruir sem deixar esse Planeta dos Mortos ainda mais morto do que já está, na verdade sem transformá-lo em um cinturão de asteroides.

— Exatamente.

— Então talvez esse pequeno demônio não devesse ter se dado ao trabalho de se salvar dos destroços e devesse ter sido destruído com a nave.

— Isso se chama instinto de sobrevivência. — Jase fez uma pausa enquanto Fal assentia, então continuou. — Ele é programado na maioria das coisas vivas. — Ele fingiu sopesar a perna machucada da garota em sua pegada mantida por um campo. — Embora, é claro, sempre haja exceções.

— É — disse Fal, dando o que esperava que fosse um sorriso condescendente —, muito engraçado, Jase.

— Então você está vendo o problema.

— Estou vendo o problema — concordou Fal. — Claro que poderíamos entrar à força e explodir o lugar em pedacinhos se necessário, e para o inferno com os Dra'Azon. — Ela sorriu.

— É — admitiu Jase. — E colocar todo o resultado da guerra em risco por antagonizar um poder cuja quantidade enevoada desconhecida tem a mesma extensão de sua imensidão. Nós também poderíamos nos render aos idiranos, mas também duvido que façamos isso.

— Bem, desde que estejamos considerando todas as opções. — Fal riu.

— Ah, sim.

— Está bem, Jase, se é tudo... deixe-me pensar nisso por algum tempo — disse Fal 'Ngeestra, sentando-se ereta no banco, espreguiçando-se e bocejando. — Parece interessante. — Ela sacudiu a cabeça. — Mas isso ainda é incerto. Consiga-me... qualquer coisa que ache que possa ser relevante. Eu gostaria de me concentrar nesse detalhe da guerra por um tempo; toda a informação que tivermos sobre o Golfo Sombrio... Tudo com que eu consiga lidar, pelo menos. Está bem?

— Está bem — concordou Jase.

— Hum — murmurou Fal, assentindo de forma vaga, os olhos desfocados. — É... tudo o que temos naquela área geral... quero dizer, volume... — Ela fez um gesto de círculo com a mão, em sua imaginação abarcando vários milhões de anos-luz cúbicos.

— Muito bem — falou Jase, e se afastou lentamente do olhar da garota. Ele voltou flutuando pelo terraço nas colunas de luz do sol e sombra, na direção da hospedaria, sob as flores.

A garota ficou sentada sozinha, balançando para trás e para a frente e cantarolando em voz baixa, suas mãos novamente na boca e seus cotovelos nos joelhos, um dos quais estava dobrado, e outro dos quais estava reto.

*Aqui estamos nós*, pensou ela, *matando o imortal, parando apenas pouco antes de nos envolvermos com algo em que a maioria das pessoas pensaria como um deus, e aqui estou eu, a 80 mil anos-luz de distância, se eu consigo medir, supostamente para pensar em um jeito de sair dessa situação ridícula. Que piada... Droga. Eu gostaria que eles me deixassem ser uma Referente de campo, lá fora onde está a ação, em vez de ficar aqui sentada, tão longe que leva dois anos só para chegar.*

Ela mudou de posição e se sentou de lado no assento, de modo que sua perna ficasse ao longo do banco, então voltou o rosto para as montanhas que brilhavam do outro lado da planície. Descansou o cotovelo no parapeito de pedra, apoiando a cabeça na mão enquanto seus olhos sorviam a vista.

Fal se perguntou se eles vinham realmente mantendo a palavra sobre não a observar quando ela escalava. Não parecia impossível que mantivessem um drone pequeno, um micromíssil ou algo assim por perto, só para o caso de alguma coisa acontecer, e então, depois do acidente, depois que tinha caído, a tivessem deixado lá esparramada, assustada, com frio e com dor, só para convencê-la de que não estavam fazendo uma coisa dessas e para ver o efeito que isso teria sobre ela, desde que não estivesse correndo nenhum risco de morrer. Conhecia, afinal de contas, o jeito como suas Mentes funcionavam. Era o tipo de coisa que ela pensaria em fazer se estivesse no comando.

*Talvez eu devesse apenas fazer as malas; ir embora. Dizer a eles onde enfiar essa guerra. O problema é que... eu gosto de tudo isso...*

Ela olhou para uma de suas mãos, marrom-dourada em um facho de luz. Abriu e fechou a mão, olhando para os dedos. *Três... a sete...* Pensou em uma mão idirana. *Dependendo...*

Fal olhou para trás, além da planície cheia de sombras, na direção das montanhas distantes e suspirou.

# MEGANAVIO

**VAVATCH** ficava no espaço como o bracelete de um deus. O aro de 14 milhões de quilômetros brilhava e cintilava, azul e ouro contra o vazio negro de espaço além. Quando a *Turbulência em Ar Límpido* estava entrando em dobra espacial na direção do orbital, a maior parte da Companhia observava seu objetivo se aproximar na tela principal no refeitório. O mar verde-azulado, que cobria a maior parte da superfície do material básico ultradenso do artefato, estava salpicado de nuvens brancas, reunidas em enormes sistemas de tempestade ou bancos vastos, alguns dos quais pareciam se estender por todos os 35 mil quilômetros de largura do orbital que girava lentamente.

Só de um lado daquela faixa circular de água havia alguma terra visível, dura contra um muro inclinado de contenção de cristal puro. Embora da distância de que estavam observando a faixa de terra parecesse um diminuto fio marrom na borda de um grande parafuso de azul vívido, esse fio chegava a dois mil quilômetros de largura; não havia escassez de terra em Vavatch.

Sua maior atração, porém, eram e sempre tinham sido os meganavios.

— Você não tem religião? — perguntou Dorolow a Horza.

— Tenho — respondeu ele, sem tirar os olhos da tela na parede acima do fim da mesa principal do refeitório. — Minha sobrevivência.

— Então... sua religião morre com você. Que triste — disse Dorolow, tirando os olhos de Horza e voltando-os para a tela.

O Transmutador deixou a observação passar.

A conversa tinha começado quando Dorolow, impressionada pela beleza do grande orbital, expressara a crença de que, mesmo sendo uma obra de criaturas de base, nada além de humanos, ele ainda era um testemunho triunfante do poder de Deus, pois Deus tinha feito os humanos e todas as outras criaturas com alma. Horza tinha discordado, realmente irritado por a mulher conseguir usar até algo que era tão obviamente um testamento ao poder da inteligência e do trabalho duro como argumento para seu próprio sistema de crença irracional.

Yalson, que estava sentada à mesa ao lado de Horza e cujo pé estava esfregando delicadamente o tornozelo do Transmutador, apoiou os cotovelos na superfície plástica ao lado dos pratos e copos.

— E eles vão explodi-lo dentro de quatro dias. Que porra de desperdício.

Ela não teve a oportunidade de descobrir se isso teria funcionado como manobra para mudar de assunto, porque o alto-falante do refeitório crepitou uma vez, então emitiu com clareza a voz de Kraiklyn, que estava na ponte de comando.

— Achei que vocês pudessem gostar de ver isso.

A imagem do orbital distante foi substituída por uma tela vazia na qual apareceu uma mensagem em letras brilhantes.

SINAL DE ALERTA/SINAL DE ALERTA/SINAL DE ALERTA/ALERTA: ATENÇÃO TODA A TRIPULAÇÃO: O ORBITAL VAVATCH E O POLO COM TODAS AS UNIDADES SUBORDINADAS SERÃO DESTRUÍDOS REPETINDO DESTRUÍDOS HORA DE MARAIN A/4872.0001 EXATAMENTE (EQUIVALENTE A HORA DO POLO-G 00043.2909.401: EQUIVALENTE A HORA DO MEMBRO TRÊS 09.256.8: EQUIVALENTE A HORA RELATIVA IDIRANA QU'URIBALTA 359.0021: EQUIVALENTE A HORA DE VAVATCH SEG7TH.4010.5) POR HIPERTRITURAINTRUSÃO NÍVEL NOVA E POSTERIOR BOMBARDEIO DE AMC. ENVIADO POR *ESCATOLOGISTA* (NOME TEMPORÁRIO), VEÍCULO GERAL DE SISTEMAS DA CULTURA. NO HORÁRIO DE A/4870.986. HORA DE MARAIN TOTALMENTE TRANS... FIM DA SEÇÃO DO SINAL... REPETIÇÃO DE SINAL NÚMERO UM DE SETE A SEGUIR: .......... SINAL DE ALERTA/SINAL DE ALERTA/ SINAL...

— Acabamos de encontrar essa concha de mensagem — acrescentou Kraiklyn. — Vejo vocês depois. — O alto-falante crepitou outra vez, então ficou em silêncio.

A mensagem desapareceu da tela, e o orbital a encheu outra vez.

— Hum — falou Jandraligeli. — Curto e direto ao ponto.

— Como eu disse. — Yalson apontou a tela com a cabeça.

— Eu me lembro... — começou Wubslin devagar, olhando para a faixa de azul brilhante e branco na tela —, quando eu era muito novo, uma de minhas professoras botou um barquinho de metal de brinquedo para flutuar na superfície de um balde de água. Então ela levantou o balde pela alça e me segurou junto ao peito com o outro braço, de modo que eu ficasse olhando na mesma direção que ela. Então começou a girar e a girar, cada vez mais rápido, fazendo com que o rodopio afastasse o balde dela e, depois de algum tempo, ficasse estendido, a superfície da água em seu interior a noventa graus do chão, e eu estava ali com aquela grande mão adulta em minha barriga e tudo girando à minha volta e ficava olhando para aquele barquinho de brinquedo, que ainda estava flutuando na água, embora a água estivesse diretamente vertical diante de meu rosto, e minha professora disse: "Lembre-se disso se algum dia tiver sorte o bastante para ver os meganavios de Vavatch".

— É? — disse Lamm. — Bom, eles estão prestes a soltar a porra da alça.

— Então vamos torcer apenas para não estarmos na superfície quando eles fizerem isso — falou Yalson.

Jandraligeli se virou para ela, com uma sobrancelha erguida:

— Depois do último fiasco, querida, *nada* me surpreenderia.

— Entrar fácil e sair fácil — comentou Aviger, e o velho riu.

A viagem de Marjoin para Vavatch levara 23 dias. A Companhia havia se recuperado aos poucos dos efeitos do ataque abortado no Templo da Luz. Havia algumas torções e arranhões; Dorolow ficou cega de um olho por alguns dias, e todo mundo permaneceu calado e reservado, mas quando Vavatch foi avistado, todos haviam começado a ficar tão entediados com a vida a bordo da nave, mesmo com menos deles nela, que estavam ansiosos por outra operação.

Horza mantinha o fuzil a laser que kee-Alsorofus tinha usado, e fez os reparos e as melhorias rudimentares em seu traje que as limitadas instalações de engenharia da *TAL* permitiram que fizesse. Kraiklyn era todo elogios para o traje que tomara de Horza; ele o havia tirado do meio do pior dos problemas no salão do Templo da Luz, e embora tivesse recebido alguns disparos de pulsos pesados, mal estava marcado, muito menos danificado.

Neisin tinha dito que nunca havia gostado mesmo de lasers e nunca tornaria a usar um; ele tinha um fuzil leve de projéteis de disparo rápido perfeitamente bom e muita munição. Carregaria isso no futuro quando não estivesse usando o microhowitzador.

Horza e Yalson tinham começado a dormir juntos toda noite no que agora era a cabine deles, a que as duas mulheres tinham ocupado. Durante os longos dias da viagem, eles tinham se aproximado mais, mas falado relativamente pouco para novos amantes. Os dois pareciam querer que fosse desse jeito. O corpo de Horza tinha completado sua regeneração depois de sua personificação do gerontocrata, e não restava nele mais nenhum traço ou sinal daquele papel. Mas embora dissesse à Companhia que agora estava do jeito que sempre tinha sido, na verdade tinha modelado seu corpo para ficar como o de Kraiklyn. Horza estava um pouco mais alto e com o tórax mais largo que seu normal neutro, e seu cabelo estava mais escuro e mais farto. O rosto, é claro, ele ainda não podia se dar ao luxo de Transmutar, mas por baixo de sua superfície marrom-clara ele estava pronto. Um transe rápido e ele poderia se passar pelo capitão da *Turbulência em Ar Límpido*; talvez Vavatch lhe desse a oportunidade de que precisava.

Ele havia pensado muito e por muito tempo no que fazer agora que era parte da Companhia e estava em relativa segurança, mas isolado de seus empregadores idiranos. Ele sempre podia seguir seu próprio caminho, mas isso decepcionaria Xoralundra, estivesse o velho idirano vivo ou morto. Isso também seria fugir da guerra, da Cultura e do papel que ele decidira assumir contra ela. Além disso, de qualquer forma, no início, havia a ideia que Horza estivera acalentando, antes mesmo de saber que sua tarefa seguinte envolveria ir para o Mundo de Schar, e essa era a ideia de voltar para um velho amor.

O nome dela era Sro Kierachell Zorant. Ela era o que chamavam de Transmutador adormecido, um que não teve nenhum treinamento e não tinha nenhum desejo de praticar Transmutação, e ela havia aceitado o posto no Mundo de Schar em parte como um alívio da atmosfera cada vez mais belicosa no asteroide natal dos Transmutadores, Heibohre. Aquilo tinha sido sete anos antes, quando Heibohre já estava dentro do que era geralmente reconhecido como espaço idirano, e quando muitos Transmutadores já estavam empregados pelos idiranos.

Horza foi enviado para o Mundo de Schar em parte porque estava sendo punido e em parte para sua própria proteção. Um grupo de Transmutadores tinha tramado para acionar as antigas usinas de força do asteroide e retirá-lo do espaço idirano, tornando seu lar e sua espécie neutros outra vez na guerra que eles podiam ver que estava se tornando inevitável. Horza tinha descoberto a trama e matado dois dos conspiradores. A corte da Academia de Artes Militares em Heibohre — seu corpo governante em tudo, menos no nome — tinha achado um meio-termo entre o sentimento popular no asteroide, que queria Horza punido por ter tirado a vida de outros Transmutadores, e a gratidão que sentia por ele. A corte tivera uma tarefa delicada, considerando o apoio sem empolgação que a maioria dos Transmutadores dava para que ficassem onde estavam, portanto, dentro da esfera de influência idirana. Ao enviar Horza para o Mundo de Schar com instruções para ficar lá por muitos anos — mas sem lhe aplicar nenhuma outra punição — a corte esperava fazer todos os envolvidos sentirem que seu ponto de vista particular tinha ganhado o dia. Levando-se em conta que não houve revolta, que a Academia continuava como a força governante no asteroide e que os serviços dos Transmutadores estavam em demanda como nunca antes desde a formação de sua espécie única, a corte havia tido sucesso.

De algumas maneiras, Horza tinha tido sorte. Estava sem amigos ou influência; seus pais estavam mortos; seu clã estava praticamente extinto, exceto por ele. Laços de família significavam muito na sociedade dos Transmutadores, e sem parentes ou amigos influentes para falar por ele, Horza talvez houvesse escapado com uma punição mais branda do que tinha o direito de esperar.

Horza tinha esfriado os pés nas neves do Mundo de Schar por menos de um ano antes de partir para se juntar aos idiranos em sua luta contra a Cultura, tanto antes quanto depois de ela ser oficialmente chamada de guerra. Durante esse tempo, havia iniciado um relacionamento com um dos outros quatro Transmutadores ali: a Transmutadora Kierachell, que discordava de quase tudo em que Horza acreditava, mas que o amara, de corpo e mente, apesar de tudo. Quando ele partiu, sabia que isso a machucara muito mais do que a ele. Horza ficara feliz com a companhia e gostava dela, mas não sentira nada como o que os humanos deviam sentir quando falavam de amor, e quando partiu, estava começando, apenas começando, a ficar entediado. Disse a si mesmo na época que a vida era assim mesmo, que no fim apenas a machucaria mais se ficasse, que era em parte pelo bem dela que estava partindo. Mas a expressão nos olhos dela na última vez que olhara para eles não tinha sido algo em que ele gostava de pensar, por um bom tempo.

Ele tinha ouvido dizer que ela ainda estava lá, e pensou nela e teve memórias carinhosas; e quanto mais arriscava a vida e mais tempo passava, mais queria vê-la outra vez; mais uma existência de um tipo mais tranquilo e menos perigoso o atraía. Havia imaginado a cena, imaginado a expressão nos olhos dela quando ele retornasse para ela... Talvez ela tivesse se esquecido dele, ou mesmo estivesse comprometida em algum relacionamento com os outros Transmutadores na base do Mundo de Schar, mas Horza não achava que seria o caso; ele pensava nessas coisas apenas como uma espécie de seguro.

Yalson tornava as coisas mais difíceis, também, mas ele estava tentando não se aprofundar demais na amizade e no sexo, embora estivesse quase certo de que eram apenas essas duas coisas para ela também.

Então ele iria personificar Kraiklyn se pudesse, ou pelo menos matá-lo e apenas tomar o controle, e torcer para conseguir contornar as fidelidades de identidade comparativamente cruas implantadas no computador da *TAL*, ou conseguir que alguém fizesse isso. Em seguida levaria a *Turbulência em Ar Límpido* para o Mundo de Schar, se encontraria com os idiranos se pudesse, mas iria mesmo assim, supondo que o sr. Adequado — apelido que os Transmutadores na base do Mundo de Schar tinham dado para o ser Dra'Azon que guardava o planeta

— permitisse que ele atravessasse a Barreira de Silêncio depois da tentativa malfeita de enganá-lo com um chuy-hirtsi esvaziado. Se fosse possível, daria ao resto da Companhia a chance de se retirar.

Um problema era saber quando atacar Kraiklyn. Horza esperava que surgisse uma oportunidade em Vavatch, mas era difícil fazer planos definitivos porque Kraiklyn não parecia ter nenhum plano. Ele tinha apenas falado de "oportunidades" no orbital, que estavam "destinadas a surgir" por causa de sua destruição iminente, sempre que lhe perguntavam a respeito durante a viagem.

— Aquele mentiroso filho da mãe — disse Yalson uma noite quando estavam a aproximadamente meio caminho de Marjoin para Vavatch.

Eles estavam deitados juntos no que agora era sua cabine, na escuridão da noite na nave, a aproximadamente metade da gravidade, no espaço apertado da cama.

— O quê? — indagou Horza. — Você acha que, no fim das contas, ele não está indo para Vavatch?

— Ah, ele está indo para lá, sim, mas não porque há possibilidades desconhecidas de um trabalho bem-sucedido. Ele está indo pelo jogo de Dano.

— Que jogo de Dano? — perguntou Horza, voltando-se na escuridão para ela, cujos ombros nus estavam apoiados sobre o braço de Horza. Ele podia sentir sua penugem macia contra a pele. — Você está falando de um jogo grande? Um jogo de verdade?

— É. O próprio Ringue. Na última vez que ouvi falar dele, era apenas um rumor, mas faz mais sentido cada vez que penso nisso. Vavatch é uma certeza, desde que, juntos, eles consigam quórum.

— Os Jogadores na Véspera da Destruição. — Horza riu com delicadeza. — Você acha que Kraiklyn pretende assistir ou jogar?

— Ele vai tentar jogar, eu acho; se ele for tão bom quanto diz que é, eles talvez até permitam, desde que ele possa aumentar a aposta. Teoricamente foi assim que ganhou a *TAL*, não de alguém em um jogo de Ringue, mas devia ser companhia bem pesada se eles estavam apostando naves. Mas acho que estaria preparado para assistir se precisasse. Aposto que é por isso que estamos todos indo nessas pequenas férias. Ele pode tentar inventar algum tipo de desculpa ou fabricar alguma operação, mas essa é a verdadeira razão: Dano. Ou ele ouviu alguma coisa ou tem um palpite inteligente, mas é óbvio pra cacete... — Sua voz sumiu, e Horza sentiu a cabeça dela se sacudir em seu braço.

— Um dos *habitués* do Ringue não é...? — começou ele.

— Ghalssel.

Então Horza sentiu a cabeça com cabelo curto assentir contra a pele de seu braço.

— É, ele vai estar lá, se puder estar. Ele explodiria os motores da *Vantagem Principal* para chegar a um jogo importante de Dano, e do jeito que as coisas têm se aquecido recentemente nesse gargalo da floresta, apresentando todas aquelas oportunidades de entrar fácil, sair fácil, não consigo imaginar que ele esteja longe. — A voz de Yalson parecia amarga. — Eu pessoalmente acho que Ghalssel é o objeto dos sonhos eróticos de Kraiklyn. Ele acha que o cara é a porra de um herói. Merda.

— Yalson — disse Horza no ouvido da mulher, o cabelo dela fazendo cócegas em seu nariz —, um: como Kraiklyn tem sonhos eróticos se ele não dorme? E dois: e se ele grampeou essas cabines?

A cabeça dela voltou-se rapidamente em sua direção.

— E daí, porra? Não tenho medo dele. Ele sabe que sou uma das pessoas mais confiáveis que ele tem; atiro bem e não me borro nas calças quando as coisas começam a esquentar. Também acho que Kraiklyn é o mais parecido com um líder que temos na nave ou poderemos ter, e ele sabe disso. Não se preocupe comigo. Enfim... — Ele sentiu os ombros e a cabeça dela se movimentarem outra vez e soube que ela o olhava. — Você iria me vingar se eu levasse um tiro pelas costas, não iria?

A ideia nunca tinha passado pela cabeça dele.

— Não iria? — insistiu ela.

— Bom, claro que sim — respondeu ele.

Ela não se mexeu. Ele podia ouvir sua respiração.

— Você iria, não iria? — disse Yalson.

Ele ergueu os braços e a envolveu pelos ombros. Ela estava quente, a penugem em sua pele era macia, e os músculos e a carne por baixo, sobre sua estrutura magra, eram fortes e firmes.

— Eu iria, sim — assegurou ele, e só então percebeu que estava falando sério.

*

Foi durante esse tempo, entre Marjoin e Vavatch, que o Transmutador descobriu o que queria saber sobre os controles e as fidelidades da *Turbulência em Ar Límpido*.

Kraiklyn usava um anel de identidade no mindinho da mão direita, e algumas das fechaduras da TAL só funcionavam na presença da assinatura eletrônica daquele anel. O controle da nave dependia de um link de identidade audiovisual; o rosto de Kraiklyn era reconhecido pelo computador da nave, assim como sua voz quando ele dizia: "Aqui é Kraiklyn". Era simples assim. A nave anteriormente tivera uma trava de reconhecimento de retina, mas ela havia quebrado muito tempo antes e sido removida. Horza ficou satisfeito; copiar o padrão da retina de uma pessoa era uma operação delicada e difícil, exigindo, em meio a muitas outras coisas, o crescimento cuidadoso de células em torno da íris. Quase fazia mais sentido optar por uma transcrição genética total, na qual o próprio DNA da pessoa se tornava o modelo para um vírus que deixava apenas o cérebro do Transmutador — e, opcionalmente, as gônadas — sem alteração. Isso, porém, não seria necessário para personificar o capitão Kraiklyn.

Horza descobriu sobre as fidelidades da nave quando pediu ao Homem uma lição sobre como pilotar a nave. Kraiklyn, no início, ficou relutante, mas Horza não o pressionou, e respondeu a algumas perguntas aparentemente normais de Kraiklyn sobre computadores, após seu pedido, com ignorância fingida. Aparentemente convencido de que ensinar Horza a pilotar a TAL não levaria ao risco de que ele assumisse o controle da nave, Kraiklyn cedeu e permitiu que Horza praticasse pilotar a nave no manual, usando os controles um tanto toscos no modo simulador sob as instruções de Mipp enquanto ela seguia seu caminho pelo espaço na direção de Vavatch no piloto automático.

— Aqui é Kraiklyn — anunciou o alto-falante para o refeitório, algumas horas depois de eles encontrarem a transmissão da Cultura alertando sobre a destruição do orbital. Eles estavam sentados depois de uma refeição, bebendo ou inalando, relaxando ou, no caso de Dorolow, fazendo o sinal do Círculo da Chama na testa e dizendo a

Oração de Gratidão. O grande orbital ainda estava na tela do refeitório e tinha ficado muito maior, quase enchendo-a com a superfície interna de seu lado da luz do dia, mas todo mundo já estava um pouco *blasé* em relação a isso e agora dava só uma olhada de vez em quando. Todo o restante da Companhia estava lá, exceto Lenipobra e o próprio Kraiklyn. Eles olharam uns para os outros ou para o alto-falante quando Kraiklyn falou:

— Tenho um trabalho para nós, algo que acabei de confirmar. Wubslin, prepare o transporte. Vou encontrar o resto de vocês no hangar em três horas da nave, vestidos com seus trajes, equipe. E não se preocupem; dessa vez não haverá hostis. Dessa vez vocês sabem como é, entrar *e* sair.

O alto-falante crepitou, então ficou em silêncio. Horza e Yalson trocaram olhares.

— Então — disse Jandraligeli, recostando-se na cadeira e colocando as mãos na nuca. As cicatrizes em seu rosto se acentuaram um pouco quando ele assumiu uma expressão pensativa. — Nosso estimado líder encontrou mais uma vez algo em que usarmos nossos poucos talentos?

— Melhor não ser na porra de outro templo — resmungou Lamm, coçando os pequenos enxertos de chifre onde eles se juntavam a sua cabeça.

— Como você vai encontrar um templo em Vavatch? — indagou Neisin.

Ele estava um pouco bêbado, falando mais do que normalmente falava quando estava com os outros. Lamm virou o rosto na direção do homem menor, a algumas cadeiras de distância e do outro lado da mesa.

— É melhor você ficar sóbrio, meu amigo — aconselhou ele.

— Navios — disse Neisin para ele, pegando o cilindro com bico da mesa à sua frente. — Nada além de malditos navios grandes naquele lugar. Nenhum templo. — Fechou os olhos, jogou a cabeça para trás e bebeu.

— Pode ser — considerou Jandraligeli — que haja templos nos navios.

— Pode ser que haja a porra de um bêbado nesta nave espacial — acrescentou Lamm, observando Neisin. O outro retribuiu o olhar.

— É melhor ficar sóbrio depressa, Neisin — continuou Lamm, apontando o dedo para o homem menor.

— Acho que vou para o hangar — anunciou Wubslin, levantando-se e saindo do refeitório.

— Vou ver se Kraiklyn quer uma mão — falou Mipp, saindo na direção oposta, através de outra porta.

— Acham que já conseguimos *ver* algum daqueles meganavios? — Aviger estava olhando para a tela. Dorolow olhou para ela também.

— Não seja idiota — retrucou Lamm. — Eles não são tão grandes.

— Eles são *grandes* — opinou Neisin, assentindo para si mesmo e para o pequeno cilindro. Lamm olhou para ele, depois para os outros, e sacudiu a cabeça. — É — reforçou. — Eles são bem grandes.

— Eles na verdade não têm mais que alguns quilômetros de comprimento. — Jandraligeli deu um suspiro, se encostou na cadeira e pareceu pensativo, enfatizando as cicatrizes ainda mais. — Então você não vai vê-los dessa distância. Mas eles com certeza são grandes.

— E eles ficam apenas dando voltas no orbital inteiro? — perguntou Yalson.

Ela já sabia, mas preferia que o mondlidiciano falasse a ouvir Lamm e Neisin discutindo. Horza sorriu para si mesmo. Jandraligeli assentiu.

— Para todo o sempre. Levam cerca de quarenta anos para fazer um círculo completo.

— Eles nunca param? — indagou Yalson. Jandraligeli olhou para ela e ergueu uma sobrancelha.

— Eles levam *vários* anos só para atingir a *velocidade* total, minha jovem. Pesam cerca de um bilhão de toneladas. Eles nunca param; simplesmente continuam andando em círculos. Naves de cruzeiro fazem excursões e atuam como reboques, e eles também usam aeronaves.

— Vocês sabiam — disse Aviger, olhando ao redor para as pessoas ainda sentadas à mesa e se inclinando para a frente com os cotovelos bem dobrados — que na verdade as pessoas pesam menos em um meganavio? É porque eles dão a volta na direção oposta à que o orbital gira. — Aviger fez uma pausa e franziu o cenho. — Ou é o contrário?

— Ah, merda — praguejou Lamm, sacudindo violentamente a cabeça, então se levantou e foi embora.

Jandraligeli franziu o cenho.

— Fascinante — falou ele.

Dorolow sorriu para Aviger, e o velho olhou ao redor para os outros, assentindo.

— Bom, tanto faz; é um fato — declarou Aviger.

*

— Certo.

Kraiklyn posicionou um pé na rampa traseira do transporte e pôs as mãos nos quadris. Ele estava de short; seu traje estava pronto para ser vestido, aberto na frente até o peito como uma pele descartada de inseto, logo atrás dele.

— Eu disse a vocês que temos um trabalho. O negócio é o seguinte. — Kraiklyn fez uma pausa e olhou para a Companhia, de pé, sentada ou apoiada em canhões e fuzis por todo o hangar. — Nós vamos atacar um dos meganavios.

Ele fez uma pausa, aparentemente esperando por uma reação. Só Aviger pareceu surpreso e de certa forma empolgado; o resto, com a ausência apenas de Mipp e do recém-acordado Lenipobra, não pareceu impressionado. Mipp estava na ponte de comando; Lenipobra ainda estava correndo para se aprontar em sua cabine.

— Bem — continuou Kraiklyn, irritado —, todos vocês sabem que Vavatch vai ser explodido pela Cultura em alguns dias. As pessoas estão tirando tudo o que podem do lugar, e os meganavios agora estão todos abandonados, exceto por algumas equipes de destroços e salvatagem. Acho que já tiraram tudo de valioso deles. Mas tem um navio chamado *Olmedreca* onde algumas das equipes tiveram uma pequena discussão. Uma pessoa descuidada disparou um pequeno dispositivo nuclear, e agora o *Olmedreca* tem um buraco muito grande em uma lateral. Ele ainda está flutuando e reduzindo a velocidade, mas como o dispositivo nuclear explodiu de um lado e o buraco não fez muito pela hidrodinâmica do navio, ele começou a fazer uma grande curva, e está cada vez mais perto do Muro Limite externo. Na última transmissão que captei, ninguém tinha certeza se ele ia bater antes que a Cultura começasse a explodir ou não, mas eles não parecem animados para aproveitar a oportunidade, então parece que não há ninguém a bordo.

— Você quer que subamos a bordo — disse Yalson.

— É, porque eu estive no *Olmedreca* e acho que sei uma coisa de que as pessoas vão ter se esquecido na pressa de ir embora: lasers de proa.

Alguns membros da Companhia se entreolharam com ceticismo.

— É, meganavios têm lasers de proa, especialmente o *Olmedreca*. Ele costumava navegar pelas grandes extensões do Mar do Círculo onde muitos dos outros navios não passavam, lugares onde havia muitas ervas ou icebergs flutuantes; ele não conseguia exatamente manobrar para desviar, por isso tinha de ser capaz de destruir qualquer coisa em seu caminho e ter poder de fogo para fazer isso. O armamento dianteiro do *Olmedreca* deixaria envergonhadas algumas naves de guerra da frota. Aquela coisa podia abrir caminho através de um iceberg maior que ela mesma e detonar ilhas de erva flutuante tão grandes que as pessoas costumavam pensar que ela estava atacando a Terra Limite. Minha opinião, e é uma opinião bem-informada, pois tenho lido nas entrelinhas dos sinais que estão vindo de lá, é que ninguém se lembrou de todo esse armamento, então nós vamos atrás dele.

— E se o navio atingir o muro enquanto estivermos a bordo? — questionou Dorolow.

Kraiklyn sorriu para ela.

— Nós não somos cegos, somos? Nós sabemos onde fica o muro e sabemos onde... vamos conseguir *ver* onde está o *Olmedreca*. Vamos descer, dar uma olhada e então, se decidirmos que temos tempo, vamos remover alguns dos lasers menores... Droga, só um já ia servir. Eu também vou descer, vocês sabem, e não vou arriscar meu próprio pescoço se vir o Muro Limite se aproximando, vou?

— Nós vamos levar a TAL? — perguntou Lamm.

— Não diretamente. O orbital tem massa suficiente para tornar a dobra espacial uma proposta traiçoeira, e as fusões seriam destruídas pelas autodefesas do Polo; eles achariam que nossos motores eram meteoritos ou algo assim. Não. Vamos deixar a TAL aqui, sem piloto. Sempre posso controlá-la remotamente do meu traje se houver uma emergência. Vamos usar os campos do transporte; campos de força funcionam bem em um orbital. Ah, uma coisa da qual eu na verdade não deveria ter de lembrar vocês: *não* tentem usar suas unidades antigravitacionais lá, ok? A antigravidade funciona bem contra massa, não giro, então vocês iam acabar tomando um banho inesperado se saltassem pela lateral na esperança de voar ao redor das proas.

— O que fazemos depois de conseguir esse laser, se conseguirmos? — indagou Yalson.

Kraiklyn franziu brevemente o cenho e deu de ombros.

— Provavelmente a melhor coisa é seguir para a capital. Ela se chama Evanauth... um porto onde eles costumavam construir meganavios. Fica em terra, é claro... — Ele sorriu, olhando para alguns dos outros.

— É — disse Yalson. — Mas o que fazemos quando chegarmos lá?

— Bem... — Kraiklyn lançou um olhar duro para a mulher.

Horza chutou o calcanhar dela com a ponta do pé. Yalson se virou e olhou para o Transmutador enquanto Kraiklyn falava.

— Nós talvez consigamos usar as instalações do porto, quero dizer, no espaço no lado de baixo de Evanauth, para montar o laser. Mas, de qualquer forma, tenho certeza de que a cultura vai ser rápida, então talvez possamos apenas experimentar os últimos dias de um dos portos de escala combinados mais interessantes da galáxia. E suas últimas noites, devo acrescentar.

Kraiklyn olhou para vários dos outros, e houve algumas risadas e algumas poucas observações. Ele parou de sorrir e olhou outra vez para Yalson.

— Então pode ser bem interessante, vocês não acham?

— É. Está bem. Você é o chefe, Kraiklyn. — Yalson sorriu, então abaixou a cabeça.

Baixinho, para Horza, ela disse:

— Adivinhe onde é o jogo de Dano?

— Será que esse navio enorme não vai atravessar o muro e destruir o orbital de qualquer jeito, antes que a Cultura faça qualquer coisa? — questionou Aviger.

Kraiklyn deu um sorriso condescendente e sacudiu a cabeça.

— Acho que você vai ver que os Muros Limites são suficientes.

— Ho! Espero que sejam! — Aviger riu.

— Bem, não se preocupe com isso — tranquilizou-o Kraiklyn. — Agora, alguém dê uma mão para Wubslin para uma verificação final do transporte. Vou até a ponte de comando para garantir que Mipp saiba o que fazer. Vamos partir em cerca de dez minutos.

Kraiklyn deu um passo para trás e entrou em seu traje, erguendo-o e enfiando os braços nas mangas. Prendeu os fechos principais do peito, pegou o capacete e gesticulou com a cabeça para a Companhia enquanto passava por eles e subia a escada na saída do hangar.

— Você estava tentando irritá-lo? — perguntou Horza a Yalson.

Ela se virou para o Transmutador.

— Ah, eu só quis lhe dar uma dica de que eu podia ver através dele; ele não me engana.

Wubslin e Aviger estavam verificando o transporte. Lamm estava mexendo em seu laser. Jandraligeli estava de pé com os braços cruzados, as costas apoiadas na parede do hangar perto da porta, os olhos erguidos para as luzes do teto, uma expressão entediada no rosto. Neisin estava falando em voz baixa com Dorolow, que via o homem pequeno como um possível convertido ao Círculo da Chama.

— Você supõe então que o jogo de Dano vai ser em Evanauth? — perguntou Horza.

Ele estava sorrindo. O rosto de Yalson parecia muito pequeno dentro da gola grande e ainda aberta de seu traje, e muito sério.

— Sim, é o que eu acho. Aquele filho da mãe traiçoeiro provavelmente inventou toda a droga da operação nessa coisa do megabarco. Ele nunca *me* contou que tinha estado em Vavatch antes. Filho da mãe mentiroso. — Ela olhou para Horza e lhe deu um soco na barriga do traje, fazendo-o rir e dançar para trás. — Por que você está sorrindo?

— Por sua causa. — Horza riu. — E daí se ele quer ir jogar uma partida de Dano? Você sempre diz que esta nave é dele e que ele é o chefe e toda essa besteira, mas você nem deixa o coitado do sujeito se divertir um pouco.

— Então por que ele não admite isso? — Yalson gesticulou bruscamente com a cabeça para Horza. — Porque ele não quer dividir nenhum de seus ganhos, por isso. A regra é que compartilhamos *tudo* o que ganhamos, dividindo de acordo com...

— Bom, dá pra entender o lado dele se for isso — disse Horza com sensatez. — Se ele ganhar uma partida de Dano, o trabalho terá sido apenas dele mesmo; nada a ver conosco.

— Essa *não* é a questão! — berrou Yalson.

Sua boca era uma linha tensa, as mãos estavam nos quadris; ela estava batendo os pés.

— Está bem — falou Horza, sorrindo. — Então, quando você apostou que eu ganharia a luta com Zallin, por que não devolveu seus ganhos?

— Isso é diferente — respondeu Yalson, muito irritada.

Mas foi interrompida.

— Ei, ei! — Lenipobra chegou ao hangar descendo as escadas quando Horza estava prestes a dizer alguma coisa. Ele e Yalson se viraram para o homem mais jovem quando este se aproximou, prendendo as luvas do traje nos punhos.

— V-v-vocês viram aquela mensagem mais cedo?

Ele parecia agitado e não conseguia ficar parado; não parava de esfregar as mãos enluvadas uma na outra e de mexer os pés.

— T-t-tiros de grade em nível nova! Uau! Que espetáculo! Eu *amo* a C-Cultura! *E* uma n-n-nuvem de AMC, iuhu! — Ele riu, dobrando-se na cintura, bateu as duas mãos no chão do convés, tornou a se erguer e sorriu para todo mundo.

Dorolow coçou as orelhas e pareceu intrigada. Lamm olhou para o jovem por cima do cano de seu fuzil, enquanto Yalson e Horza olhavam um para o outro, balançando a cabeça. Lenipobra foi dançando e boxeando até Jandraligeli, que ergueu uma sobrancelha e observou o rapaz desengonçado se pavoneando à sua frente.

— O armamento do fim do Universo, e esse jovem idiota está praticamente gozando nas calças.

— Ah, você é um estraga-prazeres, Ligeli — disse Lenipobra para o mondlidiciano, parando de dançar e abaixando os braços para se virar e sair andando relaxadamente na direção do transporte.

Quando passou por Yalson e Horza, murmurou:

— Yalson, que diabos é AMC, afinal?

— Antimatéria colapsada, garoto.

Yalson sorriu enquanto Lenipobra continuava a andar. Horza riu sem emitir som enquanto a cabeça do jovem assentia dentro da gola aberta de seu traje. Ele entrou pela traseira aberta do transporte.

A *Turbulência em Ar Límpido* seguia. O transporte saiu do hangar e voou ao longo do lado inferior do Orbital Vavatch, deixando a espaçonave que voava abaixo como um peixe pequenino sob o casco de algum grande navio escuro.

Em uma tela pequena colocada na extremidade do compartimento principal do transporte desde sua última saída, as figuras em trajes espaciais podiam observar a curva aparentemente interminável de material de base ultradenso que se estendia na direção da distância escura, iluminada pela luz das estrelas. Era como voar de cabeça para baixo sobre um planeta feito de metal, e de todas as vistas que a galáxia tinha resultantes de esforço consciente, ela só era superada, no que a Cultura chamava de *valor impressionável*, por um grande Ringue ou uma Esfera.

O transporte percorreu mil quilômetros da superfície inferior lisa. Então, de repente, havia acima dele uma cunha de escuridão, algo inclinado que parecia ainda mais liso que o material de base, mas era claro, transparente e formava um ângulo com a base em si e recortava o espaço como o gume de uma faca de cristal por 2 mil quilômetros: o Muro Limite. Esse era o muro bordejado por mar, do lado oposto da faixa de terra que eles tinham visto ao se aproximar na TAL. Os primeiros dez quilômetros da curva achatada foram escuros como o espaço; a superfície espelhada só aparecia quando estrelas se refletiam nela, e olhando para aquela imagem perfeita a mente podia girar, vendo o que pareciam anos-luz quando, na verdade, a superfície estava a apenas alguns milhares de metros de distância.

— Meu Deus, isso é grande — sussurrou Neisin.

O transporte continuou a subir, e acima dele surgiu, através do muro, um brilho de luz, uma extensão brilhante de azul.

Na luz do sol, praticamente não filtrada pelo muro transparente, o transporte subiu para o espaço vazio ao lado do Muro Limite. A dois quilômetros de distância havia ar, mesmo que fosse rarefeito, mas o transporte subiu no nada, voando em ângulo ao longo do muro enquanto mergulhava na direção da linha de seu topo. O transporte cruzou aquele gume de faca, 2 mil quilômetros acima da base do orbital, então começou a seguir o muro de volta para o interior; passou pelo campo magnético do orbital, uma região onde pequenas partículas magnetizadas de poeira artificial bloqueavam alguns raios do sol, fazendo com que o mar abaixo fosse mais frio que em qualquer outro lugar do mundo, produzindo os diferentes climas de Vavatch. O transporte continuou em seu mergulho: através de íons, depois gases rarefeitos, e finalmente entrando em ar rarefeito e sem nuvens, estremecendo no efeito Coriolis da corrente de jato. O céu acima passou de preto para azul. O Orbital Vavatch, um aro de 14 milhões de quilômetros de água aparentemente pairando nua no espaço, estendia-se diante da nave em mergulho como uma vasta pintura circular.

— Bem, pelo menos estamos na luz do dia — disse Yalson. — Vamos só torcer para a informação de nosso capitão sobre a localização exata desse navio maravilhoso se revelar correta.

A tela mostrava nuvens. Enquanto o transporte mergulhava e voava, ele chegou a uma paisagem falsa de vapor d'água. As nuvens pareciam se estender para sempre ao longo da superfície interna curva do orbital, que mesmo daquela altura parecia plano, depois subiam para o céu negro acima. Só muito mais longe eles podiam ver a imensidão do verdadeiro oceano, mas havia toques de azul mais próximos, como pequenos retalhos.

— Não se preocupem com a nuvem — anunciou Kraiklyn pelo alto-falante da cabine. — Isso vai mudar conforme a manhã avançar.

O transporte ainda estava mergulhando, ainda voando adiante através da atmosfera cada vez mais densa. Depois de algum tempo eles começaram a atravessar as poucas nuvens de grande altitude. Horza se remexeu um pouco em seu traje; desde que a TAL tinha igualado velocidade e curva com o grande orbital e desligado sua própria unidade AG, a nave e a Companhia estavam sob a mesma gravidade falsa do giro da construção — um pouco mais, na verdade, porque eles estavam estacionários em relação à base, mas muito longe dela. Vavatch, cujos construtores originais tinham vindo de um planeta com gravidade mais elevada, girava para produzir 20% mais "gravidade" que a média aceitável para humanos, para a qual estava programado o gerador da TAL. Então Horza, como o resto do grupo, se sentia mais pesado do que estava acostumado. Seu traje já estava aquecendo por atrito.

Nuvens encheram a tela da cabine de cinza.

— Ali está ele! — gritou Kraiklyn, sem tentar esconder a empolgação na voz.

Ele estava em silêncio havia quase quinze minutos, e as pessoas tinham começado a ficar irrequietas. O transporte tinha se inclinado algumas vezes, de um lado para o outro, aparentemente à procura do *Olmedreca*. Às vezes a tela ficava nítida, mostrando camadas de nuvens abaixo, às vezes se nublava de cinza outra vez quando entravam em outro banco ou em uma coluna de vapor. Uma vez chegou a congelar.

— Estou vendo as torres superiores!

A Companhia se juntou na frente da cabine, levantando-se de seus assentos e se aproximando da tela. Apenas Lamm e Jandraligeli permaneceram sentados.

— Já estava na hora, porra — disse Lamm. — Por que diabos é preciso procurar todo esse tempo por uma coisa de quatro quilômetros de comprimento?

— É fácil quando você não tem radar — falou Jandraligeli. — Só agradeço por não termos *batido* na maldita coisa enquanto voávamos através daquelas nuvens horríveis.

— Merda — praguejou Lamm, e inspecionou o fuzil outra vez.

— Vejam aquilo — comentou Neisin.

Em um deserto de nuvens, como um vasto cânion rasgado em um planeta feito de vapor, através de quilômetros de níveis em um espaço tão longo e largo que mesmo no ar límpido, entre as nuvens empilhadas, a vista simplesmente se esmaecia e sumia em vez de terminar, o *Olmedreca* se movia.

Os níveis inferiores de sua superestrutura estavam bem escondidos, invisíveis na névoa que abraçava o oceano, mas de seus conveses ocultos erguiam-se imensas torres e estruturas de vidro e metal leve, subindo centenas de metros no ar límpido. Aparentemente desconectadas, elas se moviam lenta e suavemente acima da superfície lisa das nuvens baixas como peças de um interminável jogo de tabuleiro, projetando sombras fracas e pálidas sobre o topo opaco da névoa enquanto o sol do sistema de Vavatch brilhava através de camadas de nuvens dez quilômetros acima.

Conforme aquelas torres enormes se moviam pelo ar, deixavam para trás traços e fios de vapor, que se agitavam no topo da névoa pela passagem do grande navio abaixo. Nos espaços pequenos e límpidos que as torres e os níveis mais elevados de superestrutura deixavam na névoa, os níveis inferiores podiam ser vistos: passarelas e passadiços, os arcos interligados de um sistema de monotrilho, piscinas e pequenos parques com árvores, mesmo alguns equipamentos menores como aeronaves pequenas e móveis pequeninos semelhantes aos de casas de bonecas. À medida que os olhos e o cérebro absorviam a cena, eles podiam, daquela altura, identificar a protuberância na superfície de nuvens provocada pelo navio — uma área levemente erguida na névoa de quatro quilômetros de comprimento e quase três de largura, e com a forma de uma folha atarracada e pontuda ou uma ponta de flecha.

O transporte desceu para mais perto. As torres, com suas janelas reluzentes, suas pontes suspensas, plataformas de aeronaves, balaustradas, conveses e toldos tremulantes, seguiam navegando, silenciosas e escuras.

— Bom — anunciou a voz de Kraiklyn de um jeito oficial —, parece que temos uma boa caminhada a fazer até a proa, equipe. Não posso levá-los até lá sob essas condições. Mas ainda estamos a bons cem quilômetros de distância do Muro Limite, então temos bastante tempo. Eu vou nos levar o mais perto que eu puder.

— Merda. Lá vamos nós — falou Lamm com raiva. — Eu devia saber.

— Uma caminhada longa nessa gravidade é tudo de que eu preciso — disse Jandraligeli.

— É *vasto*! — Lenipobra ainda estava olhando fixamente para a tela. — Essa coisa é *enorme*!

Ele estava sacudindo a cabeça. Lamm se levantou de seu assento, afastou o jovem do caminho e bateu na porta do cockpit do transporte.

— O que é? — perguntou Kraiklyn pelo alto-falante da cabine. — Estou procurando um lugar para descer. Se for você, Lamm, só fique sentado.

Lamm olhou para a porta com uma expressão primeiro de surpresa, depois de irritação. Ele bufou e voltou para seu assento, afastando Lenipobra do caminho outra vez.

— Filho da mãe — murmurou ele, então baixou o visor de seu capacete e o transformou em espelho.

— Certo — falou Kraiklyn. — Estamos descendo.

Os que ainda estavam de pé se sentaram de volta, e em alguns segundos o transporte tocou cuidadosamente o chão. As portas se abriram e uma lufada de ar frio entrou por elas. Eles saíram lentamente para as vistas amplas do meganavio silencioso e firme como rocha. Horza ficou sentado no transporte esperando que o resto saísse, então viu Lamm o observando. Horza se levantou e fez uma reverência irônica para a figura de traje escuro.

— Você primeiro — disse ele.

— Não — retrucou Lamm. — Você primeiro. — Ele apontou com a cabeça de lado na direção das portas abertas. Horza saiu do transporte, seguido por Lamm. Lamm sempre fazia questão de ser o último a sair do transporte; isso era sorte para ele.

Eles pararam em uma plataforma de aterrissagem de pequenas aeronaves, perto da base de uma grande torre retangular de superestrutura, talvez com sessenta metros de altura. Os conveses da torre se erguiam para os céus, enquanto acima da superfície da bancada de nuvens à frente e por todos os lados da plataforma torres e pequenas protuberâncias na névoa mostravam onde estava o resto do navio, embora fosse impossível saber onde ele terminava agora que estavam tão baixo. Eles não conseguiam ver nem onde o artefato nuclear havia explodido; não havia nenhum balanço, nenhum tremor que revelasse que estavam realmente em um navio danificado viajando por um oceano, e não parados em uma cidade deserta com nuvens passando suavemente por ela.

Horza se juntou a alguns dos outros perto de um muro baixo de contenção na borda da plataforma, olhando cerca de vinte metros abaixo para um convés agora visível, e mais uma vez através da superfície tênue da névoa. Correntes de vapor corriam sobre a área abaixo em ondas longas e sinuosas, às vezes revelando, às vezes ocultando um convés coberto de áreas de terra plantadas com pequenos arbustos, com pequenos dosséis e cadeiras espalhados, e pequenas construções similares a tendas na superfície. Tudo parecia deserto e abandonado, como um resort no inverno, e Horza estremeceu dentro de seu traje. À frente deles, a vista conduzia a um ponto subentendido a cerca de um quilômetro de distância, onde algumas torres pequenas e finas se projetavam da bancada de nuvens, perto das proas ocultas do navio.

147

— Parece que estamos nos dirigindo para ainda mais nuvens — disse Wubslin, apontando na direção em eles estavam seguindo.

Ali, uma grande parede de cânion de nuvens pairava no ar, estendendo-se de um lado a outro do horizonte, mais alta que qualquer torre no meganavio. Ela brilhava para eles sob a luz cada vez mais forte do sol.

— Talvez isso se dissipe quando esquentar — sugeriu Dorolow, sem parecer convencida.

— Se atingirmos aquela coisa, podemos esquecer esses lasers — falou Horza, olhando ao redor na direção do transporte, onde Kraiklyn estava falando com Mipp, que devia ficar de guarda no transporte enquanto o resto seguia em frente para a proa. — Sem radar, vamos ter de decolar antes de entrarmos na bancada de nuvens.

— Talvez... — começou Yalson.

— Bem, eu vou dar uma olhada lá embaixo — disse Lenipobra, baixando o visor e apoiando uma das mãos no parapeito baixo. Horza olhou para ele.

Lenipobra acenou.

— Vejo vocês na p-proa; iuhuu!

Ele pulou direto por cima do parapeito e começou a cair na direção do convés cinco andares abaixo. Horza tinha aberto a boca para gritar e até se moveu para tentar agarrar o jovem, mas, como o resto deles, tinha percebido tarde demais o que Lenipobra estava fazendo.

Em um segundo ele estava ali, no outro tinha saltado.

— Não!

— Leni...!

Os que já não estavam olhando para baixo correram para o parapeito; a pequena figura estava despencando. Horza olhava e torcia para que de algum modo ele conseguisse se deter, parar, fazer alguma coisa. O grito começou em seus capacetes quando Lenipobra estava a menos de dez metros do convés abaixo; terminou abruptamente no instante em que a figura de braços abertos bateu na borda de uma área de terra. Ele quicou inerte por cerca de um metro sobre o convés, então ficou imóvel.

— Ah, meu Deus... — Neisin de repente se sentou, tirou o capacete e levou a mão aos olhos. Dorolow baixou a cabeça e começou a soltar o capacete.

— Mas que droga foi isso? — Kraiklyn estava vindo correndo do transporte com Mipp atrás dele.

Horza ainda estava olhando pelo parapeito, para a figura imóvel que parecia uma boneca estatelada no convés abaixo. A névoa se adensou em torno dela quando os traços de vapor e as correntes ficaram mais espessos por um momento.

— Lenipobra! Lenipobra! — gritou Wubslin no microfone de seu capacete.

Yalson se virou e praguejou delicadamente para si mesma, desligando o transmissor de seu intercomunicador. Aviger ficou parado, tremendo, seu rosto inexpressivo dentro do visor do capacete. Kraiklyn parou no parapeito, então olhou além dele.

— Leni...? — Ele olhou ao redor para os outros. — Isso foi...? O que *aconteceu*? O que ele estava fazendo? Se algum de vocês estava brincando...

— Ele pulou — disse Jandraligeli. Sua voz estava trêmula. Ele tentou rir. — Acho que os garotos de hoje em dia não sabem diferenciar sua gravidade de sua estrutura giratória de referência.

— Ele *pulou*? — gritou Kraiklyn. Ele agarrou Jandraligeli pela gola do traje. — Como ele pôde *pular*? Eu *disse* a vocês que as unidades antigravitacionais não iam funcionar, eu *disse* isso a todos vocês na última vez em que estávamos no hangar...

— Ele chegou *atrasado* — interveio Lamm. Ele deu um chute no metal fino do parapeito, sem conseguir amassá-lo. — O filho da mãe idiota chegou *atrasado*. Nenhum de nós pensou em dizer a ele.

Kraiklyn soltou Jandraligeli e olhou ao redor para o resto.

— É verdade — concordou Horza, e sacudiu a cabeça. — Eu simplesmente não pensei. Nenhum de nós pensou. Lamm e Jandraligeli estavam até reclamando de ter de andar até a proa quando Leni estava no transporte, e você mencionou isso, mas acho que ele simplesmente não ouviu. — Horza deu de ombros. — Estava empolgado.

Ele sacudiu a cabeça.

— Todos fizemos merda — declarou Yalson pesadamente.

Ela havia tornado a ligar o comunicador. Ninguém falou por algum tempo. Kraiklyn parou e olhou ao redor para eles, então foi até o parapeito, pôs as duas mãos sobre ele e olhou para baixo.

— Leni? — chamou Wubslin em seu comunicador, olhando para baixo também. Sua voz estava baixa.

— Chicel horhava — Dorolow fez o sinal do Círculo da Chama, fechou os olhos e tornou a falar —, doce senhora, aceite sua alma em paz.

— Besteira — disse Lamm, e se virou.

Ele começou a disparar o laser nas partes distantes e mais altas da torre acima deles.

— Dorolow — começou Kraiklyn —, você, Wubslin e Yalson desçam até lá. Vejam o que... ah, merda... — Kraiklyn se virou. — Desçam até lá. Mipp, jogue um cabo para eles ou envie um kit médico, o que for. O resto de nós... vamos em frente até as proas, certo? — Ele olhou para todos eles, desafiador. — Vocês podem querer voltar, mas isso só significaria que ele morreu por nada.

Yalson deu as costas e desligou novamente seu comunicador.

— Poderíamos fazer isso — disse Jandraligeli. — Eu acho.

— Eu não — declarou Neisin. — Eu não vou. Vou ficar aqui, com o transporte. Ele se sentou com a cabeça baixa entre os ombros, seu capacete sobre o convés. Olhou para o convés e sacudiu a cabeça. — Eu não. Não, senhor, eu não. Já chega para mim por hoje. Vou ficar aqui.

Kraiklyn olhou para Mipp e assentiu para Neisin.

— Cuide dele. — Ele se virou para Dorolow e Wubslin. — Vão. Nunca se sabe; talvez vocês consigam fazer alguma coisa. Yalson... você também.

Yalson não estava olhando para Kraiklyn, mas se virou e seguiu Wubslin e a outra mulher quando eles saíram para encontrar um jeito de descer até o convés inferior.

Um estrondo que sentiram na sola dos pés fez com que todos pulassem. Eles se viraram e viram Lamm, uma figura distante contra as nuvens ao longe, atirando em suportes de plataformas de aeronaves cinco ou seis conveses acima, o raio invisível lambendo chamas ao redor do metal sob estresse. Outra plataforma cedeu, esvoaçando e girando como uma enorme carta de baralho, despencando no nível onde eles estavam com outra pancada de estremecer o convés.

— Lamm! — explodiu Kraiklyn. — *Pare* com isso!

O traje negro com o fuzil erguido fingiu não ouvir, e Kraiklyn levantou seu próprio laser pesado e apertou o gatilho. Uma parte do convés cinco metros à frente de Lamm irrompeu em chamas e metal brilhante, erguendo-se, em seguida tornando a desabar, uma bolha de gases explodindo de lá e desequilibrando Lamm, que cambaleou e quase caiu. Ele se equilibrou e parou de pé, tremendo visivelmente de raiva, mesmo àquela distância. Kraiklyn ainda estava com a arma apontada na direção dele. Lamm se aprumou e pendurou a própria arma no ombro, voltando quase como se estivesse passeando, como se nada tivesse acontecido. Os outros relaxaram um pouco.

Kraiklyn reuniu todos eles; então partiram, seguindo Dorolow, Yalson e Wubslin para o interior da torre e por uma escada em caracol larga e acarpetada que descia para o interior do meganavio *Olmedreca*.

— Morto como um fóssil — disse amargamente a voz de Yalson no alto-falante de seus capacetes, quando estavam perto da metade do caminho. — Morto como a droga de um fóssil.

Quando o grupo passou por eles a caminho das proas, Yalson e Wubslin estavam esperando ao lado do corpo pelo cabo de guincho que Mipp estava baixando lá do alto. Dorolow estava rezando.

Eles atravessaram o deque do nível em que Lenipobra tinha morrido, desceram pela névoa e seguiram um passadiço estreito sem nada além de espaço vazio dos dois lados.

— Só cinco metros — anunciou Kraiklyn, usando o radar de agulha de luz de seu traje rairch para examinar as profundezas de vapor abaixo deles.

A névoa ia ficando lentamente mais tênue à medida que eles avançavam, subindo outra vez para outro convés, agora vazio, depois tornando a descer, por escadas externas e rampas compridas. O sol era visível através da névoa algumas vezes, um disco vermelho que ora ficava mais brilhante, ora mais opaco. Eles atravessaram conveses, desviaram de piscinas, atravessaram calçadões e plataformas de pouso, passaram por mesas e cadeiras, através de bosques e sob toldos, arcadas e arcos. Viram torres acima deles através da névoa e algumas vezes olharam para baixo, para os poços enormes abertos no navio e alinhados com uma série de outros conveses e áreas abertas, do fundo dos quais eles acharam poder ouvir o mar. A névoa em turbilhão pairava no fundo dessas grandes depressões como uma sopa de sonhos.

Eles pararam perto de uma fileira de pequenos veículos sobre rodas, abertos, com assentos e alegres toldos listrados como teto. Kraiklyn olhou ao redor, orientando-se. Wubslin tentou dar a partida nos veículos, mas nenhum dos pequenos carros funcionava.

— Daqui podemos ir por dois caminhos — disse Kraiklyn, franzindo o cenho ao olhar para a frente.

O sol brilhava brevemente no alto, deixando o vapor acima e ao lado deles dourado com seus raios. Havia linhas de algum esporte ou jogo desenhadas no convés sob seus pés. Uma torre se projetava da névoa em um dos lados, suas espirais e voltas se movendo como braços enormes, obscurecendo o sol novamente. Sua sombra atravessou o caminho à frente deles.

— Vamos nos separar. — Kraiklyn olhou ao redor. — Vou por ali com Aviger e Jandraligeli. Horza e Lamm, vocês vão por ali. — Ele apontou para um lado. — Isso leva a uma das proas laterais. Deve haver alguma coisa lá; apenas continuem procurando. — Tocou um botão no pulso. — Yalson?

— Olá — respondeu Yalson pelo intercomunicador.

Ela, Wubslin e Dorolow tinham visto o corpo de Lenipobra ser içado até o transporte e em seguida partiram, seguindo o resto.

— Certo — falou Kraiklyn, olhando para uma das telas do capacete. — Vocês estão a apenas uns trezentos metros de distância.

Ele se virou e olhou de volta para o caminho por onde tinham vindo. Uma coleção de torres, a alguns quilômetros de distância, se estendia agora atrás deles, a maioria começando nos níveis mais altos. Eles podiam ver cada vez mais do *Olmedreca*. Névoa passava tranquilamente por eles em silêncio.

— Ah, sim — disse Kraiklyn. — Estou vendo vocês.

Ele acenou.

Pequenas figuras em um convés distante ao lado de uma das grandes depressões cheias de névoa acenaram de volta.

— Estou vendo vocês também — devolveu Yalson.

— Quando vocês chegarem aonde estamos agora, sigam para a esquerda para a outra proa lateral; há lasers auxiliares lá. Horza e Lamm vão...

— É, nós ouvimos — interrompeu Yalson.

— Certo. Vamos conseguir trazer o transporte para mais perto, talvez até onde quer que encontremos alguma coisa. Vamos. Mantenham os olhos bem abertos.

Ele acenou com a cabeça para Aviger e Jandraligeli, e eles saíram andando. Lamm e Horza olharam um para o outro, depois partiram na direção que Kraiklyn tinha indicado. Lamm gesticulou para que Horza desligasse o transmissor de seu comunicador e abrisse o visor.

— Se tivéssemos esperado, desde o começo poderíamos ter posto o transporte onde queríamos — disse ele, com o próprio visor aberto.

Horza concordou.

— Filho da mãe idiota — xingou Lamm.

— Quem? — perguntou Horza.

— Aquele garoto. Pular da maldita plataforma.

— Hum.

— Sabe o que eu vou fazer? — Lamm olhou para o Transmutador.

— O quê?

— Vou cortar fora a língua daquele filho da mãe idiota, é isso o que vou fazer. Uma língua tatuada deve valer alguma coisa, não deve? O pequeno filho da mãe me devia dinheiro mesmo. O que você acha? Quanto você acha que ela deve valer?

— Não tenho ideia.

— Filho da mãe... — murmurou Lamm.

Os dois homens seguiram pelo convés, afastando-se da linha reta que tinham seguido anteriormente. Era difícil dizer exatamente para onde estavam indo, mas segundo Kraiklyn era na direção de uma das proas laterais, que se projetavam como estabilizadores enormes conectados ao *Olmedreca* e formavam baías para os navios de cruzeiro que tinham chegado e partido do meganavio em seu auge, em excursões, ou funcionando como escaleres.

Eles passaram por um lugar onde evidentemente havia ocorrido um tiroteio recente; queimaduras de laser, vidro quebrado e metal rasgado se espalhavam por uma seção de acomodações do navio, e cortinas rasgadas e tapeçarias tremulavam na brisa constante do avanço da grande embarcação. Dois dos pequenos veículos com rodas estavam destruídos, caídos de lado ali perto. Eles andaram ruidosamente pisando nos detritos e seguiram em frente. Os outros dois grupos também seguiam adiante, fazendo progresso razoável segundo seus relatos e conversas. À frente deles ainda havia a enorme bancada de nuvens que tinham visto mais cedo; ela não tinha ficado mais rarefeita nem mais baixa, e agora eles deviam estar a apenas alguns quilômetros dela, embora fosse difícil estimar as distâncias.

— Estamos aqui — disse Kraiklyn por fim, sua voz crepitando no ouvido de Horza.

Lamm ligou seu canal de transmissão.

— O quê?

Ele olhou mistificado para Horza, que deu de ombros.

— Por que vocês estão demorando? — perguntou Kraiklyn. — Nós tivemos de caminhar mais. Estamos nas proas principais. Elas se projetam mais à frente do que a parte em que vocês estão.

— O cacete que estão, Kraiklyn — interveio Yalson da outra equipe, que devia estar se dirigindo para o conjunto oposto de proas.

— O quê? — questionou Kraiklyn.

Lamm e Horza pararam para ouvir a conversa por seus comunicadores. Yalson tornou a falar.

— Acabamos de chegar na borda do navio. Na verdade, acho que estamos um pouco longe da lateral principal... em alguma espécie de asa ou coluna... Enfim, não tem nenhuma proa lateral por aqui. Você nos mandou na direção errada.

— Mas vocês... — começou Kraiklyn. Então sua voz sumiu.

— Kraiklyn, droga, você nos mandou na direção da proa e *você* está em uma proa lateral! — gritou Lamm no microfone de seu capacete.

Horza estava chegando à mesma conclusão. Era por isso que eles ainda estavam andando, e a equipe de Kraiklyn tinha chegado às proas. O capitão da *Turbulência em Ar Límpido* ficou em silêncio por alguns segundos, então disse:

— Merda, você deve estar certo. — Eles puderam ouvi-lo suspirar. — Acho que é melhor você e Horza continuarem em frente. Vou mandar alguém descer em sua direção assim que dermos uma olhada rápida por aqui. Acho que consigo ver uma espécie de galeria com um monte de bolhas transparentes onde pode haver alguns lasers. Yalson, vocês voltem para onde nos separamos e me digam quando chegarem lá. Vamos ver quem encontra alguma coisa útil primeiro.

— Maravilhoso pra caralho — disse Lamm, e saiu andando para dentro da névoa.

Horza o seguiu, desejando que o traje de tamanho errado não roçasse tanto.

Os dois homens seguiram em frente. Lamm parou para investigar alguns salões que já tinham sido saqueados. Materiais requintados presos em vidro quebrado flutuavam como a nuvem em torno deles. Em um apartamento, viram caros móveis de madeira, uma holosfera quebrada em um canto e um tanque de água com lateral de vidro do tamanho de uma sala, cheio de peixes coloridos e apodrecidos e roupas finas, boiando juntos na superfície como ervas exóticas.

Por seus comunicadores, Horza e Lamm ouviram os outros no grupo de Kraiklyn encontrarem o que achavam ser uma porta que levava à galeria onde, eles esperavam, iam encontrar lasers atrás das bolhas transparentes que tinham visto mais cedo. Horza disse a Lamm que era melhor não perderem tempo, por isso deixaram os salões elegantes e voltaram para o convés para continuar seguindo em frente.

— Ei, Horza — disse Kraiklyn enquanto o Transmutador e Lamm caminhavam pelo convés e entravam em um túnel comprido iluminado pela luz baça do sol que atravessava a névoa e os painéis opacos do teto. — Esse radar de agulha não está funcionando direito.

Horza respondeu enquanto eles andavam.

— Qual o problema?

— Ele não atravessa nuvens, esse é o problema.

— Eu na verdade nunca tive a chance de… O que você quer dizer com isso?

Horza parou no corredor. Sentiu alguma coisa estranha no estômago. Lamm continuou andando, afastando-se dele, seguindo pelo corredor.

— Ele está me dando uma leitura daquela nuvem grande à nossa frente, bem diante de nós e a meio quilometro de altura. — Kraiklyn riu. — Não é o Muro Limite, tenho certeza, e dá para *ver* que é uma nuvem, e está mais perto do que a agulha diz que está.

— Onde vocês estão agora? — interrompeu Dorolow. — Encontraram algum laser? E aquela porta?

— Não, só uma espécie de solário ou algo assim — explicou Kraiklyn.

— Kraiklyn! — gritou Horza. — Tem certeza sobre essa leitura?

— Tenho certeza. A agulha diz...

— Com certeza não há muito sol para relaxar... — interrompeu alguém, embora parecesse ter sido acidental e que a pessoa não sabia que seu transmissor estava ligado.

Horza sentiu suor começar a brotar em sua testa. Alguma coisa estava errada.

— Lamm! — chamou ele. Lamm, a trinta metros de distância, virou enquanto caminhava e olhou para trás. — Volte! — gritou Horza.

Lamm parou.

— Horza, não pode haver nada...

— Kraiklyn! — Dessa vez era a voz de Mipp, chamando do transporte. — Havia mais alguém aqui. Acabei de ver outra nave decolar em algum lugar atrás de onde nós pousamos; eles foram embora agora.

— Está bem, obrigado, Mipp — disse Kraiklyn com voz calma. — Escute, Horza, pelo que posso ver daqui, as proas onde vocês estão acabaram de entrar em uma nuvem, então é uma nuvem... Merda, todo mundo está vendo que é a droga de uma nuvem. Não...

O navio estremeceu sob os pés de Horza. Ele se desequilibrou. Lamm olhou para ele, intrigado.

— Vocês sentiram isso? — berrou Horza.

— Sentimos o quê? — perguntou Kraiklyn.

— Kraiklyn? — Era Mipp outra vez. — Estou vendo uma coisa...

— Lamm, volte para cá! — gritou Horza, pelo ar e pelo microfone de seu capacete ao mesmo tempo.

Lamm olhou ao redor. Horza achou que podia sentir um tremor contínuo no convés abaixo.

— O que você sentiu? — indagou Kraiklyn. Ele estava começando a ficar irritado.

Yalson interveio.

— Acho que senti alguma coisa. Nada demais. Mas escutem, essas coisas não deviam... elas não deviam...

— Kraiklyn — disse Mipp com mais urgência. — Acho que estou vendo...

— Lamm!

Horza agora estava recuando, voltando pelo túnel comprido do corredor. Lamm ficou onde estava, parecendo hesitante.

Horza podia ouvir algo, um ronco curioso; ele o lembrou de um motor a jato ou de fusão ouvido de uma grande distância, mas não era nenhum dos dois. Ele podia sentir alguma coisa sob seus pés, também — aquele tremor, e havia algum tipo de atração, um puxão que parecia o estar arrastando para a frente, na direção de Lamm, na direção das proas, como se ele estivesse em um campo fraco, ou...

— Kraiklyn! — berrou Mipp. — Eu estou! Ali está! Eu... você... estou... — balbuciou ele.

— Olha, dá pra vocês todos se acalmarem?

— Estou sentindo alguma coisa... — começou Yalson

Horza começou a correr, retornando pelo corredor. Lamm, que tinha começado a voltar, parou e pôs as mãos nos quadris quando viu o homem se afastar correndo dele. Houve um ronco distante no ar, como uma grande cachoeira ouvida do fundo de uma garganta.

— Também estou sentindo alguma coisa, como se...

— Sobre o que Mipp estava gritando?

— Estamos batendo! — gritou Horza enquanto corria.

O ronco estava se aproximando, ficando cada vez mais forte.

— Gelo! — Era Mipp. — Estou levando o transporte! Corram! É um muro de gelo! Neisin! Onde está você? Neisin! Eu tenho...

— O quê?

— *GELO?*

O ronco aumentou; o corredor ao redor de Horza começou a gemer. Vários dos painéis opacos do teto se partiram e caíram no chão à frente dele. Uma parte da parede de repente se soltou como uma porta se abrindo e ele evitou por pouco bater contra ela. O barulho enchia seus ouvidos.

Lamm olhou ao redor e viu o fim do corredor se mover em sua direção; toda a extremidade daquela seção estava se fechando constantemente com um ronco de trituração, avançando em sua direção na velocidade de uma pessoa correndo. Ele atirou na direção da coisa, mas ela não parou; fumaça se derramava no corredor. Ele xingou, se virou e correu, indo atrás de Horza.

As pessoas estavam berrando e gritando agora de todos os lados. Havia um burburinho de vozes pequeninas nos dois ouvidos de Horza, mas tudo o que ele conseguia de fato ouvir era o barulho trovejante às suas costas. O convés sob seus pés corcoveou e estremeceu, como se todo o navio gigantesco fosse um prédio em meio a um terremoto. As placas e os painéis que formavam as paredes do corredor estavam se curvando; o piso se erguia em alguns lugares; mais painéis do teto se estilhaçaram e caíram. Durante todo o tempo, aquela mesma força fluida o puxava para trás, reduzindo sua velocidade como se ele estivesse em um sonho. Ele saiu correndo para a luz do dia e ouviu Lamm não muito atrás.

— Kraiklyn, seu filho da puta idiota de merda! — gritou Lamm.

As vozes se lamentavam em seu ouvido; seu coração batia forte. Ele jogava cada pé para a frente com toda a sua força, mas o ronco se aproximava, ficando cada vez mais perto. Ele passou pelos salões elegantes vazios onde os materiais macios explodiam, o teto começava a se dobrar sobre os apartamentos e o convés estava se inclinando; a holosfera que tinham visto antes veio rolando e quicando das janelas que caíam. Uma escotilha perto de Horza estourou em uma lufada de ar pressurizado e detritos voando; ele se abaixou enquanto corria e sentiu estilhaços atingirem seu traje. Deslizou quando o convés embaixo dele ecoou e subiu. Os passos de Lamm vinham barulhentos atrás dele. Lamm continuava a gritar profanidades para Kraiklyn pelo intercomunicador.

O barulho atrás de Horza era como uma cachoeira gigante, um grande deslizamento de terra, uma explosão contínua, um vulcão. Seus ouvidos doíam e sua mente girava, atordoada pelo volume do ruído. Uma fileira de janelas dispostas na parede à sua frente ficou branca, em seguida explodiu na direção dele, lançando partículas sobre seu traje em uma série de pequenas nuvens duras. Ele tornou a baixar a cabeça e seguiu na direção da porta.

— Filho da mãe filho da mãe filho da mãe! — berrava Lamm.

— ... não está parando!

— ... por aqui!

— Cale a boca, Lamm.

— Horzaaa...!

Vozes gritaram em seu ouvido. Ele agora corria sobre carpete, no interior de um corredor amplo; portas abertas se agitavam, lustres no teto vibravam. De repente, um dilúvio de água varreu o corredor à sua frente, a vinte metros de distância, e por um segundo ele achou que estivesse no nível do mar, mas sabia que não podia estar; quando passou correndo pelo lugar onde a água estivera, pôde vê-la e ouvi-la espumando e gorgolejando por uma larga escada em caracol, e apenas alguns filetes escorriam do alto. A força da desaceleração do navio agora parecia menor, mas o ronco ainda estava por toda a sua volta. Horza estava enfraquecendo, correndo em um torpor, tentando manter o equilíbrio enquanto o corredor comprido vibrava e se retorcia ao seu redor. Agora uma corrente de ar fluía por ele; algumas folhas de papel e plástico passaram voando como pássaros coloridos.

— ... filho da mãe filho da mãe filho da mãe...

— Lamm...

Havia luz do dia à frente, em um deque solário coberto de vidro e com janelas amplas. Ele saltou através de algumas plantas de folhas largas que cresciam em vasos grandes e caiu sobre um grupo de cadeiras frágeis dispostas em torno de uma mesinha, destruindo-as.

— ... filho da mãe idiota pra cara...

— Lamm, cale a boca! — interveio a voz de Kraiklyn. — Não conseguimos ouvir...

A fileira de janelas à frente ficou branca, rachando como gelo e em seguida explodindo; Horza mergulhou pelo espaço e deslizou sobre os fragmentos espalhados no convés mais além. Atrás dele, o topo e a base das janelas estilhaçadas começaram a se fechar lentamente, como uma boca enorme.

— Seu canalha! Seu filho da pu...

— Droga, mudem de canal. Vão para...

Horza escorregou nos cacos de vidro, quase caindo.

Só a voz de Lamm, agora, soava em seu capacete, enchendo seus ouvidos com xingamentos que, em sua maioria, eram abafados pelo ronco sufocante do desastre interminável por trás. Ele olhou para trás, só por um segundo, para ver Lamm se jogando entre as mandíbulas das janelas que desmoronavam; ele se inclinou sobre o convés, caiu e rolou, então tornou a se levantar, ainda segurando a arma, quando Horza afastou os olhos. Só naquele momento ele percebeu que não estava mais com sua própria arma; devia tê-la deixado cair, mas não conseguia se lembrar onde nem quando.

Horza estava desacelerando. Ele estava em forma e era forte, mas a força acima do padrão da gravidade falsa de Vavatch e o traje de tamanho errado estavam cobrando seu preço.

Ele tentou, enquanto corria em uma espécie de transe, enquanto sua respiração entrava e saía por sua boca muito aberta, imaginar o quanto estiveram perto das proas, por quanto tempo aquele peso imenso de navio às suas costas conseguiria comprimir sua parte frontal enquanto sua massa de um bilhão de toneladas se chocava contra o que devia — se tivesse preenchido a bancada de nuvens que eles haviam visto mais cedo — ser um gigantesco iceberg tabular.

Como se estivesse em um sonho, Horza via o navio à sua volta, ainda envolto em nuvens e neblina, mas iluminado de cima pela torrente de luz dourada do sol. As torres e espiras não pareciam afetadas, toda a vasta estrutura ainda deslizava para a frente na direção do gelo enquanto os quilômetros de meganavio atrás dele pressionavam para a frente com o próprio impulso titânico do grande barco. Passou correndo pelas quadras de jogo, por tendas prateadas tremulantes, no meio de uma pilha de instrumentos musicais. À frente havia uma grande parede escalonada de mais conveses, e acima de Horza havia pontes, balançando e se agitando enquanto seus suportes na direção da proa, fora de vista às suas costas, aproximavam-se da onda de destroços que avançava e eram consumidos. Viu o deque de um dos lados despencar no nada enevoado e rarefeito. O convés sob seus pés começou a se erguer, lentamente, mas por quinze metros ou mais à sua frente; ele se esforçava para subir um declive que ficava cada vez mais íngreme. Uma ponte suspensa à sua esquerda desmoronou, os cabos se agitando; então desapareceu na névoa dourada, o barulho da queda perdido no som esmagador que agredia os ouvidos. Os pés dele começaram a escorregar com a inclinação do convés. Ele caiu pesadamente de costas e se virou, olhando para trás.

Contra um muro de puro branco que se erguia mais alto que a espira mais alta do *Olmedreca*, o meganavio se lançava para a destruição em uma espuma de destroços e gelo. Era como a maior onda do universo, reproduzida em sucata, esculpida em ferro-velho triturado; e além e ao redor, por toda a volta, cascatas de gelo e neve brilhantes e cintilantes despencavam em grandes véus lentos do penhasco de água gelada mais além. Horza olhou para aquilo, então começou a descer deslizando em sua direção conforme o convés o sacudia. À sua esquerda uma torre gigante colapsava devagar, curvando-se para a arrebentação da onda de destroços compactados como um escravo diante de um mestre. Horza sentiu um grito nascer em sua garganta quando viu conveses e gradis, paredes e divisórias e estruturas pelas quais havia acabado de passar correndo começarem a se desfazer e cair em sua direção.

Ele rolou por cima de destroços que deslizavam e fragmentos que corriam até a grade de proteção na borda do convés, agarrou-se ao gradil, segurou-o, deu impulso com os braços, lançou um dos pés e se jogou pela lateral.

Caiu apenas um convés, desabando sobre o metal inclinado, respirando com dificuldade. Ficou de pé o mais depressa possível, inalando ar pela boca e engolindo enquanto tentava fazer seus pulmões funcionarem. O convés estreito onde ele estava também se retorcia, mas o ponto em que estava mais alto ficava entre ele e a parede muito alta de destroços triturados; escorregou pela superfície e se afastou dela enquanto o convés atrás dele se erguia em um pico. Metal se rasgou, e vigas despencaram do convés acima como ossos quebrados através de pele. Havia alguns degraus à sua frente, levando ao convés do qual ele havia saltado, mas a uma área que ainda estava nivelada. Ele subiu até o convés plano, que só então começou a se inclinar para longe da onda de destroços quando sua borda frontal se ergueu, desabando.

Ele desceu correndo a inclinação cada vez mais íngreme, água de piscinas ornamentais rasas cascateando ao seu redor. Mais degraus: ele subiu para o convés seguinte.

O peito e a garganta pareciam cheios de carvão em brasa, as pernas, cheias de chumbo derretido, e o tempo inteiro aquela força de atração terrível o arrastava de volta pelos destroços, como um pesadelo. Ele cambaleou e arquejou quando seguiu do alto da escada e passou pelo lado de uma piscina quebrada e vazia.

— Horza! — chamou uma voz. — É você? Horza! É Mipp! Olhe para cima!

Horza ergueu a cabeça. Na névoa, trinta metros acima dele, estava o transporte da TAL. Ele acenou sem força para ele, cambaleando ao fazer isso. O transporte desceu pela névoa à frente dele, abrindo as portas traseiras, até pairar logo acima do convés seguinte.

— Eu abri as portas! Pule para dentro! — gritou Mipp.

Horza tentou responder, mas não conseguiu produzir nenhum som além de uma espécie de chiado rouco; ele seguiu em frente cambaleante, sentindo como se os ossos de suas pernas tivessem virado geleia. O traje pesado batia barulhento ao seu redor, seus pés deslizavam no vidro quebrado que cobria o convés que zumbia sob suas botas. Ainda mais degraus se erguiam à frente, levando ao convés onde o transporte esperava.

— Depressa, Horza! Não posso esperar muito mais!

Ele se lançou à escada e subiu. O transporte oscilava no ar, girando, sua rampa traseira aberta apontando para ele, depois para o outro lado. Os degraus sob seus pés estremeceram; o barulho à sua volta trovejava, cheio de gritos e estrondos. Outra voz gritava em seus ouvidos, mas ele não conseguia entender as palavras. Caiu sobre o convés de cima e se lançou à frente na direção da rampa do transporte a alguns metros de distância; podia ver os assentos e as luzes no interior, o corpo de Lenipobra, ainda no traje, jogado em um canto.

— Não posso esperar. Tenho... — berrou Mipp acima dos gritos dos destroços e da outra voz. O transporte começou a subir. Horza se atirou em sua direção.

As mãos dele seguraram a borda da rampa quando ela subiu ao nível de seu peito. Ele foi erguido do convés, balançando sob os braços esticados e olhando adiante pela barriga da fuselagem do transporte enquanto a nave abria caminho pelo ar acima.

— Horza! Horza! Desculpe. — Mipp soluçou.

— Você me pegou! — gritou roucamente Horza.

— O quê?

O transporte ainda estava subindo, passando por conveses e torres e as linhas horizontais finas do trajeto dos monotrilhos. Todo o peso de Horza estava seguro por seus dedos, curvados em suas luvas sobre a borda da rampa da porta. Seus braços doíam.

— Estou pendurado na droga da rampa!

— Seus filhos da mãe! — gritou outra voz. Era Lamm.

A rampa começou a se fechar; o solavanco quase fez com que a pegada de Horza se soltasse. Estavam cinquenta metros acima e subindo. Ele viu a parte de cima das portas se fechando na direção de seus dedos.

— Mipp! — chamou ele. — Não feche a porta! Deixe a rampa onde está e eu vou tentar entrar!

— Está bem — disse Mipp rapidamente. A rampa parou de subir, estacionando em torno de vinte graus. Horza começou a balançar as pernas de um lado para o outro. Eles estavam setenta, oitenta metros acima, de costas para a onda de destroços e se afastando dela lentamente.

— Seu filho da mãe! Volte! — berrou Lamm.

— Não posso, Lamm! — gritou Mipp. — Não posso! Você está perto demais!

— Seu gordo *filho da mãe*! — sibilou Lamm.

Luz cintilou ao redor de Horza. A parte inferior do transporte brilhou em uma dúzia de lugares ao ser acertada por tiros de laser. Algo bateu no pé esquerdo de Horza, na sola de sua bota, e sua perna direita foi jogada para o lado enquanto queimava de dor.

Mipp gritava de forma incoerente. O transporte começou a ganhar velocidade, voltando por cima do meganavio e cruzando-o em diagonal. O ar roncava em torno do corpo de Horza, fazendo-o soltar lentamente a pegada.

— Mipp, mais devagar! — berrou ele.

— Filho da mãe! — vociferou Lamm outra vez.

A névoa de um dos lados brilhou quando um leque de raios de curta duração se acendeu dentro dela, então os disparos de laser mudaram de direção e o transporte brilhou novamente, estourando com cinco ou seis pequenas explosões em torno da área do nariz. Mipp gritou. O transporte ganhou velocidade. Horza ainda estava tentando jogar uma das pernas por cima da rampa inclinada, mas os dedos curvados de suas luvas estavam aos poucos escorregando pela superfície áspera enquanto seu corpo era arrastado atrás da nave que acelerava.

Lamm gritou — um som estridente e gorgolejante que passou pela cabeça de Horza como um choque elétrico, até que o barulho foi interrompido de repente, substituído por um instante por ruídos de coisas quebrando, partindo.

O transporte correu acima da superfície do meganavio em meio à colisão, cerca de cem metros acima. Horza sentiu a força se esvaindo de seus dedos e braços. Olhou pelo visor do capacete para o interior do transporte a apenas alguns metros de distância, enquanto, milímetro por milímetro, escorregava.

O interior brilhou uma vez e, um instante depois, houve um clarão branco, cegante, insuportável. Seus olhos se fecharam instintivamente, e uma luz amarela ardente atravessou suas pálpebras. O alto-falante do capacete emitiu um som repentino, penetrante, inumano, como uma máquina berrando, e então se calou de vez. A luz se apagou lentamente. Ele abriu os olhos.

O interior do transporte ainda estava bem iluminado, mas agora também estava queimando. No ar turbulento que entrava redemoinhando pelas portas traseiras abertas, nuvens de fumaça eram arrastadas de assentos queimados, correias chamuscadas e penduradas e da pele negra e enrugada no rosto exposto de Lenipobra. Sombras pareciam estar queimadas na divisória à frente.

Os dedos de Horza, um por um, chegaram à borda da rampa.

*Meu Deus*, pensou ele, olhando para as marcas de queimado e a fumaça, *aquele maníaco tinha um dispositivo nuclear, afinal*. Então foi atingido pela onda de choque.

Ela o jogou para a frente, por cima da rampa e para o interior do transporte, pouco antes de atingir a máquina em si, fazendo-a corcovear e quicar pelo céu como um passarinho pego em uma tempestade. Horza foi chacoalhado pelo interior de um lado para o outro, tentando desesperadamente se agarrar a alguma coisa para não voltar a cair pelas portas traseiras abertas. Sua mão encontrou algumas correias e se fechou em torno delas com o que restava de sua força.

Pelas portas, através da névoa, uma enorme bola de fogo rodopiante subia lentamente para o céu. Um barulho como todos os estrondos de trovão que ele já tinha ouvido vibrou através do interior quente e enevoado da máquina de fuga. O transporte adernou, jogando Horza contra um dos conjuntos de assentos. Uma grande torre apareceu pelas portas traseiras abertas, bloqueando a bola de fogo conforme o transporte continuava a se virar. As portas traseiras pareceram tentar se fechar, então emperraram.

Horza se sentiu pesado e quente dentro de seu traje conforme o calor do clarão da bomba emanava das superfícies que tinham estado expostas à bola de fogo inicial. Sua perna direita doía muito, em algum lugar abaixo do joelho. Ele podia sentir cheiro de queimado.

Quando o transporte se equilibrou e seu curso se endireitou, Horza se ergueu e foi mancando na direção da porta da divisória, onde a silhueta dos assentos e o corpo jogado de Lenipobra — agora esparramado de braços abertos perto das portas traseiras — estavam queimados em sombras congeladas sobre a superfície extremamente branca da parede. Ele abriu a porta e entrou.

Mipp estava no assento do piloto, curvado sobre os controles. As telas dos monitores estavam vazias, mas a visão através do vidro grosso e polarizado do para-brisa do transporte mostrava nuvens, névoa, algumas torres passando abaixo e o mar aberto à frente, coberto com ainda mais nuvens.

— Achei que você... estivesse morto... — disse Mipp com voz embargada, meio se virando na direção de Horza.

Mipp parecia ferido, encolhido em seu assento, corcunda, as pálpebras pesadas. Suor brilhava em sua testa escura. Havia fumaça no cockpit, acre e doce ao mesmo tempo.

Horza tirou o capacete e tomou o outro assento. Olhou para sua perna direita. Havia um buraco limpo e de bordas enegrecidas, de cerca de um centímetro de diâmetro, aberto na parte da panturrilha do traje, que correspondia a um buraco maior e mais irregular na lateral. Ele flexionou a perna e fez uma expressão de dor; só tinha atingido músculo, já estava cauterizado. Não havia nenhum sangue.

Ele olhou para Mipp.

— Você está bem? — perguntou.

Ele já sabia a resposta.

Mipp sacudiu a cabeça.

— Não — falou ele com voz delicada. — Aquele maluco me acertou. Na perna e em algum lugar nas costas.

Horza olhou para a parte de trás do traje de Mipp, perto de onde ele estava apoiado no assento. Um buraco no assento levava a uma cicatriz comprida e escura na superfície do traje. Horza olhou para o chão do cockpit.

— Merda — praguejou ele. — Essa coisa está cheia de buracos.

O chão estava cheio de crateras. Duas ficavam diretamente abaixo do assento de Mipp; um disparo de laser tinha causado aquela cicatriz escura na lateral do traje, o outro devia ter atingido o corpo de Mipp.

— Parece que aquele filho da mãe me acertou bem na bunda, Horza — disse Mipp, tentando sorrir. — Ele tinha uma bomba nuclear, não tinha? Foi isso que explodiu. Detonou todo o sistema elétrico... Só os controles óticos ainda funcionam. Essa droga de transporte está inútil...

— Mipp, deixe-me assumir o controle — pediu Horza.

Eles estavam nas nuvens agora; apenas uma vaga luz acobreada aparecia através da tela de cristal à frente. Mipp sacudiu a cabeça.

— Não posso. Você não conseguiria pilotar esta coisa... no estado em que ela está.

— Nós precisamos voltar, Mipp. Os outros podem ter...

— Não podemos. Eles vão estar todos mortos — argumentou Mipp, sacudindo a cabeça e apertando com mais força os controles, olhando através do vidro. — Meu Deus, esta coisa está morrendo. — Ele olhou ao redor para os monitores vazios, balançando lentamente a cabeça. — Eu posso sentir.

— Merda! — falou Horza, sentindo-se impotente. — E a radiação? — lembrou-se de repente.

Era óbvio que com qualquer traje bem projetado, se você sobrevivesse ao clarão e à explosão, sobreviveria à radiação; mas Horza não tinha certeza de que aquele fosse um traje bem projetado. Um dos muitos instrumentos que não tinha era um monitor de radiação, e isso por si só era um mau sinal. Mipp olhou para uma telinha no painel.

— Radiação... — Ele sacudiu a cabeça. — Nada sério. Baixa em nêutrons... — Fez uma careta de dor. — Uma bomba bastante limpa; provavelmente não o que aquele filho da mãe queria. Ele devia tentar devolvê-la na loja... — Mipp deu uma risadinha contida e desesperadora.

— Temos que voltar, Mipp — disse Horza. Tentou imaginar Yalson, correndo do acidente com uma dianteira maior do que ele e Lamm haviam tido. Disse a si mesmo que ela devia ter conseguido, que, quando a bomba explodiu, ela devia estar longe o bastante para não ser ferida, e que o navio ia finalmente parar, a geleira de destroços de metal perdendo velocidade e estacionando. Mas como ela ou qualquer um dos outros sairia do meganavio se algum deles tivesse sobrevivido? Ele tentou o comunicador do transporte, mas estava tão mudo quanto o de seu traje.

— Você não vai ressuscitá-los — falou Mipp, sacudindo a cabeça. — Não é possível ressuscitar os mortos. Eu os ouvi; a transmissão deles foi cortada enquanto corriam. Eu estava tentando dizer a eles...

— Mipp, eles mudaram de canal, só isso. Você não ouviu Kraiklyn? Eles mudaram de canal porque Lamm estava gritando demais.

Mipp se encolheu em seu assento, sacudindo a cabeça.

— Eu não ouvi isso — declarou ele após um momento. — Não foi isso o que eu ouvi. Eu estava tentando contar a eles sobre o gelo... o tamanho; a altura. — Tornou a sacudir a cabeça. — Eles estão mortos, Horza.

— Eles estavam bem longe de nós, Mipp — explicou Horza em voz baixa. — Pelo menos um quilômetro. Eles provavelmente sobreviveram. Se estavam na sombra, se correram quando nós corremos... Eles estavam bem longe. Provavelmente estão vivos, Mipp. Nós precisamos voltar para pegá-los.

Mipp sacudiu a cabeça.

— Não podemos, Horza. Eles devem estar mortos. Até Neisin. Saiu para uma caminhada... depois que todos vocês já tinham ido. Tive de ir sem ele. Não consegui encontrá-lo. Eles devem estar mortos. Todos eles.

— Mipp — insistiu Horza —, não era um dispositivo nuclear muito *grande*.

Mipp riu, então deu um gemido. Tornou a sacudir a cabeça.

— E daí? Você não viu aquele gelo, Horza; era...

Então o transporte sofreu um solavanco; Horza olhou para a tela, mas havia apenas a luz brilhante da nuvem que eles estavam atravessando, por toda a volta.

— Ah, meu Deus — sussurrou Mipp. — Vamos perder o transporte.

— Qual o problema? — indagou Horza.

Mipp deu de ombros dolorosamente.

— Tudo. Acho que estamos perdendo altura, mas não tenho altímetro, não tenho indicador de velocidade de voo, comunicador, equipamento de navegação, nada. E estamos em um voo difícil por causa de todos esses buracos e das portas abertas.

— Estamos perdendo altura? — perguntou Horza, olhando para Mipp.

Mipp assentiu.

— Quer começar a jogar coisas para fora? — sugeriu ele. — Bem, jogue coisas para fora. Isso pode nos dar mais altura.

O transporte sofreu outro solavanco.

— Você está falando sério — disse Horza, começando a se levantar.

Mipp assentiu.

— Estamos caindo. Estou falando sério. Droga, mesmo que voltássemos, não íamos conseguir levar esta coisa por cima do Muro Limite, nem mesmo com apenas um ou dois de nós... — A voz de Mipp sumiu.

Horza se levantou dolorosamente de seu assento e saiu pela porta.

No compartimento de passageiros havia fumaça, névoa e barulho. A luz baça entrava pelas portas. Tentou arrancar os assentos das paredes, mas eles não se mexeram. Olhou para o corpo em ruínas e o rosto queimado de Lenipobra. O transporte se sacudiu; por um segundo, Horza se sentiu mais leve dentro do traje. Agarrou o traje de Lenipobra pelo braço e arrastou o jovem até a rampa. Empurrou o corpo pela borda da rampa, e a casca inerte caiu, desaparecendo na neblina abaixo. O transporte adernou para um lado, então para o outro, quase derrubando Horza.

Ele encontrou mais algumas coisas: um capacete de traje sobressalente, um pedaço de corda fina, um arnês antigravitacional, um tripé pesado de fuzil. Jogou-os fora. Encontrou um pequeno extintor de incêndio. Olhou ao redor, mas não parecia haver nenhuma chama, e a fumaça não tinha piorado. Ele pegou o extintor e foi até o cockpit. A fumaça ali também parecia estar se dissipando.

— Como estamos indo? — perguntou ele.

Mipp sacudiu a cabeça.

— Não sei.

Ele apontou para o assento onde Horza tinha se sentado.

— Você pode soltá-lo do convés. Jogue fora.

Horza encontrou os trincos que prendiam o assento ao convés. Ele os abriu e arrastou o assento pela porta, até a rampa, e o jogou fora junto com o extintor.

— Há presilhas nas paredes, perto dessa divisória — gritou Mipp, em seguida deu um grunhido de dor. — Você pode soltar os assentos da parede.

Horza encontrou as presilhas e empurrou a primeira fileira de assentos, depois a outra, completa com todas as suas correias e telas, pelos trilhos fixados no interior do transporte, até que rolaram para fora, quicando na borda da rampa e caindo, girando, pela névoa brilhante. Ele sentiu o transporte adernar outra vez.

A porta entre o compartimento de passageiros e a cabine de controle se fechou bruscamente. Horza foi até ela; estava trancada.

— Mipp! — gritou ele.

— Desculpe, Horza. — A voz de Mipp veio fraca do outro lado da porta. — Não posso voltar. Kraiklyn ia me matar, isso se já não estiver morto. Mas eu não consegui encontrá-los. Simplesmente não consegui. Foi pura sorte eu ter encontrado você.

— Mipp, não seja louco. Destranque a porta.

Horza a sacudiu. Ela não era forte; ele podia arrombar se fosse preciso.

— Não posso, Horza... Não tente forçar a porta; vou apontar o nariz direto para baixo, eu juro. Não podemos estar mesmo tão acima do mar... Mal consigo mantê-lo voando do jeito que está... Se você quiser, tente fechar as portas manualmente. Deve haver um painel de acesso em algum lugar na parede traseira.

— Mipp, pelo amor de Deus, aonde você está *indo*? Eles vão explodir este lugar em alguns dias. Não podemos voar para sempre.

— Ah, vamos pousar no mar antes disso — disse a voz de Mipp de trás da porta fechada. Ele parecia cansado. — Vamos pousar no mar antes que eles explodam o orbital, Horza, não se preocupe. Esta coisa está morrendo.

— Mas aonde você está *indo*? — repetiu Horza, gritando para a porta.

— Não sei, Horza. O outro lado, talvez... Evanauth... Não sei. Só para longe. Eu...

Houve um baque surdo como se algo tivesse caído no chão, e Mipp praguejou. O transporte estremeceu e adernou brevemente.

— O que foi? — perguntou Horza com ansiedade.

— Nada — respondeu Mipp. — Deixei o kit médico cair, só isso.

— Merda — falou Horza em voz baixa e se sentou, com as costas apoiadas na divisória.

— Não se preocupe, Horza, eu vou... eu vou... fazer o que puder.

— Está bem, Mipp — disse Horza.

Ele ficou de pé outra vez, ignorando a exaustão nas duas pernas e a dor penetrante na panturrilha direita, e foi até a traseira do transporte. Procurou por um painel de acesso, encontrou um e o abriu. Ele revelou outro extintor de incêndio; jogou-o fora também. Na outra parede, o painel levava a uma manivela. Horza a girou. As portas começaram a se fechar lentamente, então emperraram. Ele forçou a manivela até ela quebrar. Xingou e a jogou fora também.

Nesse momento, o transporte saiu da névoa. Horza olhou para baixo e viu a superfície ondulada de mar cinzento onde ondas lentas rolavam e quebravam. A bancada de nevoeiro estava atrás deles, uma cortina cinza indeterminada por baixo da qual o mar desaparecia. A luz do sol caía em diagonal pelas camadas de névoa, e nuvens enchiam o céu.

Horza observou a manivela quebrada cair na direção do mar, cada vez menor; ela deixou uma marca branca sobre a água, então desapareceu. Ele calculou que estavam cerca de cem metros acima do mar. O transporte adernou, forçando Horza a agarrar a lateral da porta; a nave fez uma curva para seguir quase em paralelo à bancada de nuvens.

Horza foi até a divisória e bateu na porta.

— Mipp? Não consigo fechar as portas.

— Tudo bem — respondeu sem força o outro homem.

— Mipp, abra a porta. Não seja louco.

— Me deixe em paz, Horza. Me deixe em paz, entendeu?

— *Merda* — disse Horza para si mesmo.

Ele voltou até as portas abertas, estapeadas pelo vento que entrava redemoinhando provocado pelo movimento do transporte. Eles pareciam estar se afastando do Muro Limite, a julgar pelo ângulo do sol. Atrás deles não havia nada além de mar e nuvens. Não havia sinal do *Olmedreca* nem de nenhum outro navio ou nave. O horizonte aparentemente plano nos dois lados desaparecia em uma névoa; o oceano não dava a impressão de ser côncavo, apenas vasto. Horza tentou colocar a cabeça para fora da porta aberta do transporte para ver para onde eles estavam indo. A corrente de ar forçou sua cabeça para trás antes que ele conseguisse olhar direito, e a nave sofreu outro solavanco leve, mas ele teve uma impressão de outro horizonte tão plano e sem traços característicos quanto aquele dos dois lados. Foi mais para dentro do transporte e tentou o comunicador, mas não havia nada nos alto-falantes de seu capacete; todos os circuitos estavam mortos; tudo parecia ter sido derrubado pelo pulso eletromagnético da explosão no meganavio.

Horza pensou em tirar o traje e jogá-lo fora, também, mas já estava com frio, e se o tirasse ficaria praticamente nu. Ele resolveu manter o traje, a menos que começassem a perder altura de repente. Estava tremendo, e todo o seu corpo doía.

Resolveu dormir. Naquele momento, não havia nada que pudesse fazer, e seu corpo precisava de descanso. Pensou em se Transmutar, mas decidiu não fazer isso. Fechou os olhos. Viu Yalson, como ele a havia imaginado, correndo no meganavio, e tornou a abrir os olhos. Disse a si mesmo que ela estava bem, muito bem, então fechou os olhos mais uma vez.

Talvez quando acordasse eles estivessem fora das camadas de poeira magnetizada na atmosfera superior, em zonas tropicais ou mesmo temperadas, em vez de na região ártica. Mas isso provavelmente significaria apenas que eles acabariam pousando em águas mornas, não frias. Ele não conseguia imaginar Mipp nem o transporte se mantendo inteiros por tempo o suficiente para completar a viagem através do orbital.

... supondo que ele tivesse 30 mil quilômetros de um lado a outro; eles estavam fazendo, talvez, 300 por hora...

Com a cabeça cheia de números variáveis, Horza caiu no sono. Seu último pensamento coerente foi que eles não estavam voando rápido o bastante, e provavelmente não conseguiam fazer isso. Ainda estariam voando acima do Mar do Círculo em direção a terra quando a Cultura explodisse todo o orbital em um halo de 14 milhões de quilômetros de luz e poeira...

Horza acordou rolando pelo interior do transporte. Nos primeiros segundos borrados de seu despertar, achou que já tivesse despencado pela porta traseira da nave e estivesse caindo pelo ar; então sua cabeça desanuviou, e se viu estirado com os braços abertos sobre o piso do compartimento traseiro, vendo o céu azul no exterior se inclinar quando o transporte adernou. A nave parecia estar viajando mais lentamente do que ele se lembrava. Olhando através das portas, não conseguia ver nada além de céu azul, mar azul, e algumas nuvens brancas, então enfiou a cabeça pelo lado da porta.

O vento forte estava cálido, e ao longe, na direção em que o transporte estava adernando, havia uma pequena ilha. Horza olhou para ela incrédulo. Era pequena, cercada por atóis menores e recifes aparecendo em verde-pálido através da água rasa, e tinha uma única montanha se projetando de círculos concêntricos de vegetação verde luxuriante e areia amarela reluzente.

O transporte mergulhou e se nivelou, estabelecendo a rota para a ilha. Horza recolheu a cabeça, descansando os músculos de seu pescoço e seu ombro depois do esforço de manter a cabeça para fora no vento provocado pelo movimento da nave. O transporte reduziu ainda mais a velocidade, mergulhando outra vez. Uma pequena vibração percorreu a estrutura da nave. Horza viu um toro de água cor de limão aparecer no mar atrás do transporte; colocou a cabeça para fora outra vez e viu a ilha logo à frente e cinquenta metros abaixo. Pequenas figuras corriam pela praia da qual o transporte se aproximava. Um grupo dos humanos estava correndo pela areia na direção da floresta, levando o que parecia uma pirâmide enorme de areia dourada em uma espécie de liteira ou padiola, segura por estacas entre eles.

Horza observou a cena passar abaixo. Havia pequenas fogueiras na praia e canoas compridas. Em uma extremidade da praia, onde as árvores rareavam em direção à água, havia um transporte largo com uma pá no nariz, que tinha talvez duas ou três vezes o tamanho do da *TAL*. O transporte voou acima da ilha, através de algumas colunas vagas de fumaça.

Praticamente não havia pessoas na praia; os últimos poucos, que pareciam magros e quase nus, correram para a proteção das árvores como se estivessem com medo da nave que voava acima deles. Uma figura ficou esparramada na areia perto do módulo. Horza captou um vislumbre de uma figura humana mais vestida que as outras, não fugindo, mas parada e apontando na direção dele, apontando na direção do transporte que voava sobre a ilha, com alguma coisa na mão. Então o topo da pequena montanha apareceu logo abaixo da porta aberta do transporte, bloqueando a visão. Horza ouviu uma série de sons pronunciados, como explosões pequenas e duras.

— Mipp! — gritou ele, indo até a porta fechada.

— A situação está muito ruim, Horza — disse Mipp sem forças do outro lado. Havia uma espécie de jocosidade desesperadora em sua voz. — Nem os nativos são amistosos.

— Eles parecem assustados — opinou Horza.

A ilha estava desaparecendo para trás. Eles não iam voltar, e Horza sentiu o transporte acelerar.

— Um deles tinha uma arma — explicou Mipp. Ele tossiu, em seguida gemeu.

— Você viu aquele transporte? — perguntou Horza.

— Vi, sim.

— Acho que devíamos voltar, Mipp — falou Horza. — Acho que deveríamos fazer a volta.

— Não — disse Mipp. — Não, não acho que deveríamos... Não acho que isso seja uma boa ideia, Horza. Não gostei do aspecto do lugar.

— Mipp, parecia *seco*. O que mais você quer?

Horza olhou para a vista pelas portas traseiras; a ilha já estava a quase um quilômetro de distância, e o transporte ainda estava acelerando, ganhando cada vez mais altitude.

— Precisamos continuar, Horza. Seguir para a costa.

— Mipp! Nós nunca vamos chegar lá! Vamos levar pelo menos quatro dias, e a Cultura vai explodir este lugar em três!

Houve silêncio do outro lado da porta. Horza sacudiu a superfície branca e suja com a mão.

— Só me deixe, Horza! — gritou Mipp. Horza mal reconheceu a voz rouca e esganiçada do homem. — Só me deixe! Vou matar nós dois, eu juro!

A nave de repente se inclinou, apontando o bico para o céu e as portas abertas para o mar. Horza começou a deslizar para trás, seus pés escorregando no chão do transporte. Ele enfiou os dedos de seu traje na fenda na parede à qual os assentos antes ficavam presos, pendurando-se ali enquanto a nave começava a estolar em sua subida íngreme.

— Está bem, Mipp! — berrou ele. — Está bem.

O transporte caiu, deslizando para o lado, jogando Horza para a frente contra a divisória. Ele de repente ficou pesado quando a nave chegou ao fim de seu mergulho curto. O mar rastejava abaixo, a apenas uns cinquenta metros de distância.

— Só me deixe *em paz*, Horza — falou a voz de Mipp.

— Certo, Mipp — concordou Horza. — Certo.

O transporte subiu um pouco, ganhando altitude e aumentando a velocidade. Horza recuou, afastando-se da divisória que o separava da cabine e de Mipp.

Horza sacudiu a cabeça e foi parar ao lado da porta aberta, olhando para a ilha com suas águas rasas cor de limão, rocha cinza, folhagem verde-azulada e faixa de areia amarela. Tudo encolhia devagar, a moldura das portas abertas da nave se enchendo cada vez mais de mar e céu à medida que a ilha se perdia na bruma.

Ele se perguntou o que podia fazer, e sabia que só havia um plano de ação. Havia um transporte naquela ilha; dificilmente ele estaria em pior estado que aquele em que estava agora, e suas chances de serem resgatados no momento eram praticamente nulas. Horza se virou para olhar para a porta frágil que levava ao cockpit, ainda se segurando na borda da porta traseira, o ar cálido e ventoso que entrava se derramando à sua volta.

Perguntou-se se apenas atacava direto ou se tentava negociar com Mipp primeiro. Enquanto ainda estava pensando, o transporte deu um solavanco, então começou a cair como uma pedra na direção do mar.

# 6

## OS DEVORADORES

**HORZA** ficou sem peso por um segundo. Ele se sentiu ser pego pela contracorrente de vento que entrava redemoinhando pelas portas traseiras, puxando-o na direção delas. Agarrou-se ao canal na parede ao qual havia se segurado antes. A nave embicou, e o ronco do vento aumentou. Horza flutuava, de olhos fechados, os dedos presos à fenda na parede, esperando pela batida; mas, em vez disso, a nave se nivelou outra vez, e ele voltou a ficar de pé.

— Mipp! — gritou ele, cambaleando na direção da porta.

Sentiu a nave fazer uma curva e olhou pelas portas traseiras. Eles ainda estavam caindo.

— Acabou, Horza — disse Mipp vagamente. — Eu o perdi. — Ele parecia fraco, calmamente entrando em desespero. — Vou voltar para a ilha. Não vamos chegar lá, mas... vamos cair em alguns instantes... É melhor se abaixar perto dessa divisória e se preparar. Vou tentar fazer com que ele desça o mais suavemente possível...

— Mipp — falou Horza, sentando-se no chão de costas para a divisória. — Tem alguma coisa que eu possa fazer?

— Nada — respondeu Mipp. — Lá vamos nós. Desculpe, Horza. Segure-se.

Horza fez exatamente o contrário, deixando-se relaxar. O ar que entrava roncando pelas portas traseiras uivava em seus ouvidos; o transporte sacudia embaixo dele. O céu estava azul. Ele captou um vislumbre de ondas... manteve tensão nas costas apenas para a cabeça continuar apoiada na superfície da divisória. Então ouviu Mipp gritar; não palavras, apenas um grito de medo, um ruído animal.

O transporte caiu, batendo contra alguma coisa, empurrando Horza com força contra a parede, então soltando-o. A nave ergueu levemente o bico. Horza se sentiu leve por um momento, viu ondas e espuma branca através das portas traseiras abertas, então as ondas desapareceram, ele viu céu, e fechou os olhos quando o bico do transporte mergulhou outra vez.

A nave atingiu as ondas, batendo e parando na água. Horza se sentiu esmagado contra a divisória como se pelo pé de algum animal gigantesco. O ar foi expelido de seu interior, o sangue roncava, o traje o machucava. Ele foi sacudido e apertado, e então, quando o impacto parecia terminado, outro choque martelou em suas costas, pescoço e cabeça, e de repente ele ficou cego.

Quando deu por si, havia água por toda a volta. Ele arquejava e cuspia água, atacando a escuridão e batendo as mãos contra superfícies duras, afiadas e quebradas. Podia ouvir água gorgolejando, e sua própria respiração sufocada espumando. Cuspiu água pela boca e tossiu.

Horza estava flutuando em uma bolha de ar, na escuridão, em água cálida. A maior parte de seu corpo parecia estar doendo, cada membro e cada parte gritando sua própria mensagem especial de dor.

Tateou cuidadosamente ao redor do pequeno espaço em que estava preso. A divisória tinha desabado; ele estava, finalmente, na área do cockpit com Mipp. Encontrou o corpo do outro homem, esmagado entre o assento e o painel de instrumentos, preso e imóvel, meio metro abaixo da superfície da água. Sua cabeça, que Horza pôde tocar estendendo a mão entre o apoio de cabeça do assento e o que pareciam ser as entranhas da principal tela de monitor, se moveu com facilidade demais na gola do traje, e a testa tinha sido esmagada.

A água estava subindo mais. O ar escapava através do nariz esmagado do transporte que flutuava, subindo e descendo de proa para cima no mar. Horza sabia que teria de nadar para baixo e para trás através da seção traseira da nave e sair pelas portas traseiras, ou ficaria preso.

Ele respirou o mais fundo possível, apesar da dor, por cerca de um minuto, enquanto o nível crescente da água gradualmente forçava sua cabeça no ângulo entre o alto do painel de instrumentos da nave e o teto do cockpit. Então mergulhou.

Abriu caminho à força para baixo, passando pelos destroços do assento esmagado no qual Mipp tinha morrido e pelos painéis retorcidos de metal leve que formavam a divisória. Podia ver luz, de um vago ver-de-acinzentado, formando um retângulo abaixo dele. O ar preso em seu traje borbulhava à sua volta, ao longo de suas pernas, subindo até seus pés. Ele perdeu velocidade, puxado para cima pelo ar nas botas, e por um segundo achou que não conseguiria, que ficaria ali pendurado de cabeça para baixo e se afogaria. Então o ar saiu borbulhando pelos buracos abertos em suas botas pelo laser de Lamm, e Horza afundou.

Com dificuldade, ele desceu mais através da água até o retângulo de luz, então atravessou nadando as portas abertas e saiu nas profundezas verdes e cintilantes da água abaixo do transporte; bateu as pernas e su-biu, irrompendo em meio às ondas com um arquejo, inalando ar fresco cálido em seus pulmões. Sentiu seus olhos se ajustarem à luz do sol inclinada, mas ainda brilhante do fim de tarde.

Ele agarrou o bico amassado e perfurado do transporte, que se projetava cerca de dois metros acima da água, e olhou ao redor, ten-tando ver a ilha, mas sem sucesso. Ainda apenas flutuando na água e deixando seu corpo e seu cérebro esgotados se recuperarem, Horza observou o bico da nave apontado para o alto ir afundando na água e se inclinando lentamente à frente, de modo que o transporte aos poucos flutuou quase nivelado nas ondas, a superfície superior apenas à flor da água. O Transmutador, com os músculos do braço se esfor-çando e doendo, depois de algum tempo subiu na nave e ficou ali como um peixe na praia.

Começou a desligar os sinais de dor, como um criado cansado recolhendo os restos despedaçados depois de um acesso de fúria des-trutivo de um patrão.

Só ali deitado, com pequenas ondas cobrindo a superfície superior da fuselagem do transporte, foi que ele percebeu que toda a água que tinha tossido e engolido era doce. Não havia imaginado que o Mar do Círculo fosse outra coisa que não salgado, como a maioria dos oceanos planetários, mas na verdade não havia nem mesmo o menor sinal dis-so, e ficou satisfeito porque, pelo menos, não ia morrer de sede.

Levantou-se cuidadosamente no centro do teto do transporte, on-das quebrando em torno de seus pés. Olhou ao redor e conseguiu por pouco ver a ilha. Ela parecia muito pequena e distante sob a luz do início do anoitecer, e, mesmo que houvesse uma brisa quente e delicada soprando mais ou menos na direção da ilha, ele não tinha ideia de para onde qualquer corrente podia o estar levando.

Ele se sentou, então se deitou, deixando as águas do Mar do Círculo cobrirem a superfície plana abaixo dele e quebrarem em pequenas linhas de arrebentação contra seu traje muito danificado. Depois de algum tempo, simplesmente dormiu, sem na verdade ter intenção disso, mas não se detendo quando percebeu que estava adormecendo, dizendo a si mesmo para dormir por apenas uma hora, aproximadamente.

Acordou e viu o sol, embora ainda alto no céu, já vermelho-escuro enquanto brilhava através das camadas de poeira acima do Muro Limite distante. Ficou de pé outra vez; a nave não parecia ter afundado mais na água. A ilha ainda estava longe, mas parecia um pouco mais perto que antes; as correntes, ou os ventos, como estavam, pareciam o estar levando aproximadamente na direção certa. Ele se sentou outra vez.

O ar ainda estava quente. Ele pensou em tirar o traje, mas acabou decidindo mantê-lo; era desconfortável, mas talvez ficasse com muito frio sem ele. Deitou-se de novo.

Horza se perguntou onde Yalson estaria agora. Teria sobrevivido à bomba de Lamm e à colisão? Ele esperava que sim. Achava que provavelmente sim; não conseguia imaginá-la morta, nem morrendo. Era pouco para ir em frente, e ele se recusava a acreditar que fosse supersticioso, mas não conseguir imaginá-la morta era de algum modo reconfortante. Ela sobreviveria. Era preciso mais que uma arma nuclear tática e um navio de um bilhão de toneladas batendo contra um iceberg do tamanho de um pequeno continente para acabar com aquela garota... Ele se pegou sorrindo, lembrando-se dela.

Teria passado mais tempo pensando em Yalson, mas havia outra coisa em que também tinha de pensar.

Naquela noite, ele iria se Transmutar.

Era tudo o que podia fazer. Provavelmente àquela altura seria irrelevante. Kraiklyn estava morto ou, se tivesse sobrevivido, dificilmente se encontraria com Horza outra vez, mas o Transmutador tinha se preparado para a mudança; seu corpo estava esperando por ela, e ele não conseguia pensar em nada melhor para fazer.

A situação, disse ele a si mesmo, estava longe de ser desesperadora. Não estava muito ferido, parecia estar seguindo na direção da ilha, onde o transporte ainda podia estar, e, se conseguisse chegar a tempo, havia Evanauth e aquele jogo de Dano. Enfim, a Cultura, àquela altura, podia estar procurando por ele, então não era bom manter a mesma identidade por tempo demais. Dane-se, pensou; ele iria se Transmutar. Dormiria como o Horza que os outros conheciam e acordaria como uma cópia do capitão da *Turbulência em Ar Límpido*.

Ele preparou seu corpo machucado e dolorido para a alteração da melhor maneira possível: relaxando músculos e preparando glândulas e grupos de células; enviando sinais deliberados do cérebro para o corpo e o rosto através de nervos que apenas os Transmutadores possuíam.

Observou o sol perdendo força através de estágios vermelhos logo acima do oceano.

Agora ele iria dormir; dormir e se tornar Kraiklyn; assumir mais outra identidade, outra forma a acrescentar às muitas que já havia assumido durante a vida...

Talvez não fizesse sentido, talvez só estivesse assumindo essa nova forma para morrer nela. *Mas*, pensou ele, *o que eu tenho a perder?*

Horza observou o olho vermelho do sol que caía e escurecia até entrar no sono da Transmutação, e naquele transe de Transmutação, embora seus olhos estivessem fechados, e por baixo de pálpebras também se alterando, ainda parecia ver aquele olhar moribundo...

Olhos de animal. Olhos de predador. Enjaulado atrás deles, olhando para o exterior. Nunca dormindo, sendo três pessoas. Propriedade; fuzil e nave e Companhia. Talvez ainda não fosse muito, mas um dia... com só um pouquinho de sorte, não mais do que aquilo a que todo mundo tinha direito... um dia mostraria a eles. *Ele* sabia o quanto era bom, *ele* sabia para o que estava preparado e quem estava preparado para ele. O resto eram apenas símbolos; eram dele porque estavam sob seu comando; era sua nave, afinal de contas. As mulheres especialmente; apenas peças de jogo. Elas podiam ir e vir e ele não se importava. Tudo o que você tinha de fazer com qualquer uma delas era compartilhar do perigo delas, e elas achariam que você era maravilhoso. Elas não conseguiam ver que para ele não havia perigo; ainda lhe restava muito a fazer na vida, *sabia* que não ia morrer uma pequena morte estúpida e esquálida em combate. A galáxia, um dia, conheceria seu nome, e o prantearia ou amaldiçoaria quando ele por fim tivesse de morrer... Ainda não havia decidido se seria prantear ou amaldiçoar... talvez isso dependeria de como a galáxia o tratasse no meio-tempo... Tudo de que precisava era uma mínima chance, só o tipo de coisa que os outros haviam tido, os líderes das Companhias Livres maiores, mais bem-sucedidas, mais conhecidas, mais temidas e respeitadas. Eles deviam tê-la tido... Eles podiam parecer, agora, maiores que ele, mas um dia iriam admirá-lo; todo mundo iria. Todos conheceriam seu nome: *Kraiklyn!*

Horza acordou à luz do amanhecer, ainda deitado no teto lavado pelas ondas do transporte; como alguma coisa trazida pela maré e esparramada sobre uma mesa. Ele estava meio desperto, meio dormindo. Estava mais frio, a luz estava mais fraca e mais azul, mas nada mais havia mudado. Começou a cair no sono outra vez, afastando-se da dor e das esperanças perdidas.

Mais nada havia mudado... apenas ele...

Ele teria de nadar até a ilha.

Havia acordado pela segunda vez na mesma manhã, sentindo-se diferente, melhor, descansado. O sol subia e saía da bruma acima.

A ilha estava mais perto, mas ele estava passando dela. As correntes agora o estavam levando, com o transporte, para longe, não chegando a menos de dois quilômetros do grupo de recifes e bancos de areia ao redor da ilha. Ele se xingou por ter dormido tanto. Saiu do traje — seria inútil agora e merecia ser descartado — e o deixou jogado no teto ainda à flor da água. Estava com fome, seu estômago roncava, mas se sentia em forma e pronto para nadar. Estimou que seriam aproximadamente três quilômetros. Mergulhou e começou a nadar fortemente. A perna direita doía onde ele tinha sido atingido pelo laser de Lamm, e seu corpo ainda latejava em alguns lugares, mas era capaz de fazer aquilo, sabia que conseguiria.

Horza olhou para trás uma vez depois de ter nadado por alguns minutos. Ele conseguiu ver o traje, mas não a nave. O traje vazio era como o casulo abandonado de algum animal metamorfoseado, flutuando aberto e vazio, parecendo estar logo acima da superfície das ondas atrás. Ele se virou para a frente e continuou a nadar.

A ilha se aproximava, mas muito devagar. A água, no início, estava quente, mas parecia ficar mais fria, e as dores em seu corpo aumentavam. Ele as ignorou, desligando-as, mas pôde se sentir perder velocidade, e soube que tinha começado rápido demais. Fez uma pausa, flutuando na água por um momento; então, depois de beber um pouco de água doce cálida, partiu outra vez, dando braçadas de forma mais deliberada e constante na direção da torre cinza da ilha distante.

Disse a si mesmo como havia tido sorte. A queda do transporte não o havia ferido muito — embora as dores ainda o assolassem, como parentes barulhentos trancados em uma sala distante, atrapalhando sua concentração. A água quente, embora aparentemente estivesse ficando mais fria, era doce, de modo que podia beber dela e não desidratar; mesmo assim, passou por sua cabeça que ele teria mais flutuação se ela fosse salgada.

Ele continuou em frente. Deveria ter sido fácil, mas estava ficando cada vez mais difícil. Parou de pensar nisso; concentrou-se em se mover; a batida lenta, constante e ritmada de braços e pernas impulsionando-o pela água; subindo ondas, passando por cima delas, descendo; subindo, por cima, descendo.

*Com meu próprio poder*, disse a si mesmo, *com meu próprio poder*.

A montanha na ilha crescia muito lentamente. Sentiu como se a estivesse construindo, como se o esforço necessário para fazê-la parecer maior em sua visão fosse o mesmo que se ele estivesse trabalhando para construir aquele pico; erguê-lo, pedra por pedra, com as próprias mãos...

Dois quilômetros. Então um.

O sol se moveu, ergueu-se.

Por fim, os recifes e as águas rasas externas; passou por eles em um transe e chegou à água rasa.

Um mar de dor. Um oceano de exaustão.

Ele nadou na direção da praia, através de um leque de ondas e arrebentações que irradiavam da abertura nos recifes por onde tinha nadado...

... e sentiu como se não tivesse tirado o traje, como se ainda o estivesse vestindo, e ele estivesse rígido pela ferrugem ou a idade, ou cheio de água pesada ou areia molhada; arrastando-o, enrijecendo-o, puxando-o para trás.

Podia ouvir ondas quebrando na praia, e quando ergueu os olhos pôde ver pessoas nela; pessoas escuras e magras, vestidas em trapos, reunidas em torno de tendas e fogueiras ou caminhando entre elas. Algumas estavam na água à sua frente, carregando cestos, cestas de trama larga que seguravam na cintura, recolhendo coisas do mar à medida que avançavam por ele, colocando nos cestos o que recolhiam.

Eles não o haviam visto, então ele continuou nadando, fazendo um movimento lento e rastejante com os braços e batendo as pernas com pouca força.

As pessoas que coletavam no mar não pareceram notá-lo; continuavam a andar pelas ondas, curvando-se de vez em quando para pegar algo na areia sob elas, seus olhos varrendo e examinando, escaneando e procurando, mas perto demais; sem vê-lo. Suas braçadas desaceleraram em um nado arquejante e moribundo. Não podia tirar as mãos da água, e as pernas ficaram paralisadas...

Então, através do barulho da arrebentação, como algo vindo de um sonho, ele ouviu várias pessoas gritando por perto, e passos na água se aproximando. Ainda estava em um nado fraco quando outra onda o ergueu, e ele viu várias das pessoas magras vestidas com tangas e túnicas esfarrapadas caminhando pela água em sua direção.

Elas ajudaram Horza a passar pela arrebentação das ondas e por águas rasas iluminadas pelo sol até as areias douradas. Ele ficou ali deitado enquanto o povo magro e de aspecto selvagem se juntava ao seu redor. Conversavam em voz baixa uns com os outros em uma língua que ele nunca tinha ouvido antes. Ele tentou se mexer, mas não conseguiu. Seus músculos pareciam pedaços de trapo inertes.

— Olá — disse ele com voz rouca.

Tentou isso em todas as línguas que conhecia, mas nenhuma delas pareceu funcionar. Olhou nos rostos das pessoas ao seu redor. Eram humanas, mas essa palavra cobria tantas espécies diferentes pela galáxia que era motivo de debate permanente quem era e quem não era humano. Como com muitas outras questões, o consenso de opinião começava a se assemelhar ao que a Cultura tinha a dizer sobre o assunto. A Cultura estabelecia a lei (exceto, é claro, que a Cultura não tinha nenhuma lei verdadeira) sobre o que era ser humano, ou quão inteligente determinada espécie era (enquanto, ao mesmo tempo, deixava claro que a inteligência pura, por si só, não significava muito), ou por quanto tempo as pessoas deviam viver (embora só como um guia genérico, naturalmente), e as pessoas aceitavam essas coisas sem questionar, porque todo mundo acreditava na propaganda da própria Cultura de que ela era justa, imparcial, desinteressada, preocupada apenas com a verdade absoluta... e assim por diante.

Então aquelas pessoas ao seu redor eram realmente humanas? Elas tinham aproximadamente a mesma altura de Horza, pareciam ter, *grosso modo*, a mesma estrutura óssea, simetria bilateral e sistema respiratório; e seus rostos — embora cada um fosse diferente — todos tinham olhos, boca, nariz e orelhas.

Mas todos pareciam mais magros do que deveriam ser, e sua pele, independentemente de cor ou tonalidade, parecia de algum modo doente.

Horza ficou imóvel. Sentiu-se muito pesado outra vez, mas pelo menos estava em terra seca. Por outro lado, não parecia haver muita comida na ilha, a julgar pelo estado dos corpos à sua volta. Imaginou que fosse por isso que eram todos tão magros. Ergueu a cabeça, sem forças, e tentou olhar através dos amontoados de pernas na direção da nave de transporte que tinha visto mais cedo. Conseguiu ver apenas o topo da máquina, erguendo-se acima de uma das canoas grandes paradas nas areias. As portas traseiras estavam abertas.

Um cheiro chegou ao nariz de Horza e fez com que se sentisse enjoado. Ele baixou a cabeça até a areia outra vez, exausto.

A conversa parou, e as pessoas se viraram, seus corpos magros e bronzeados, ou de qualquer forma escuros, girando para olhar praia acima. Um espaço se abriu em suas fileiras logo acima da cabeça de Horza, e por mais que ele tentasse, não conseguia se erguer sobre um cotovelo ou virar a cabeça para ver o que ou quem se aproximava.

Ele ficou deitado e esperou, e então todas as pessoas à sua direita se afastaram, e uma fila de oito homens apareceu nesse lado, segurando um poste comprido nas mãos esquerdas, os outros braços estendidos para se equilibrarem. Era a liteira que ele tinha visto sendo carregada para a selva no dia anterior, quando o transporte havia sobrevoado a ilha. Ele observou para ver o que ela trazia. Duas filas de homens viraram a liteira para que ela ficasse de frente para Horza e a puseram no chão. Então todos os dezesseis se sentaram, parecendo exaustos. Horza olhava fixamente.

Na liteira estava o humano mais enorme e obscenamente gordo que Horza já vira.

Ele tinha confundido o gigante com uma pirâmide de areia amarela no dia anterior, quando havia visto a liteira e sua carga enorme do transporte da *TAL*. Agora podia ver que sua primeira impressão tinha passado perto da forma, mesmo que não da substância. Horza não sabia dizer se o vasto cone de carne humana pertencia a um homem ou a uma mulher; grandes dobras mamárias de carne nua se derramavam das partes intermediária e superior do peito da criatura, mas elas caíam por cima de ondas ainda maiores de gordura nua e sem pelos no torso, que jaziam parcialmente aninhadas nos grandes bifes das pernas curvadas e parcialmente transbordando por cima delas para cair sobre a superfície da lona na liteira. Horza não conseguia ver nenhuma roupa no monstro, mas também nenhum traço de genitália; o que quer que ela fosse, estava bem enterrada sobre dobras de carne marrom-dourado.

Horza olhou para a cabeça. Erguendo-se de um pescoço cônico e grosso, olhando das muralhas concêntricas de queixos, uma abóbada calva de carne gorda continha uma extensão inerte e sinuosa de lábios pálidos, um nariz pequeno em forma de botão e fendas onde deviam ficar os olhos. A cabeça ficava sobre as camadas de gordura do pescoço, do ombro e do peito como um grande sino dourado no alto de um templo de muitos andares. O gigante envolto em suor reluzente de repente mexeu as mãos, revirando-as na extremidade dos balões inchados de gordura de seus braços, até que os dedos meramente gorduchos se encontraram e se entrelaçaram o mais apertado que seu tamanho permitia. Quando a boca se abriu para falar, outro dos humanos magros, seus trapos um pouco menos esfarrapados que os dos outros, entrou no campo de visão de Horza, logo atrás e ao lado do gigante.

A cabeça em forma de sino se moveu alguns centímetros para um lado e girou, dizendo algo para o homem às suas costas que Horza não conseguiu captar. Então o gigante ergueu os braços com um esforço óbvio e olhou à sua volta para os humanos magros reunidos em torno de Horza. A voz soou como gordura congelante sendo derramada em um vidro; era uma voz esmagadora, pensou Horza, como uma coisa saída de um pesadelo. Ele ouviu, mas não conseguiu entender a língua usada. Olhou ao redor para ver que efeito as palavras do gigante tinham sobre a multidão de aparência famélica. Sua cabeça girou por um momento, como se seu cérebro se movesse enquanto o crânio ficava parado; de repente estava de volta no hangar da *Turbulência em Ar Límpido*, quando a Companhia estava olhando para ele, e tinha se sentido tão nu e vulnerável quanto se sentia agora.

— Ah, de novo, não — gemeu ele em marain.

— Oh, ho! — disseram as dobras douradas de carne, a voz se derramando sobre encostas de gordura em uma série hesitante de sons. — Que graça! Nosso butim do mar *fala*! — A cúpula calva daquela cabeça se virou mais na direção do homem parado ao seu lado. — Sr. Primeiro, isso não é maravilhoso? — borbulhou o gigante.

— O destino é bom para nós, Profeta — disse asperamente o homem.

*Pelo menos*, pensou Horza, *agora sei que é um homem. Seja lá para o que isso possa servir.*

— O destino favorece os amados, sim, sr. Primeiro. Ele afasta nossos inimigos e nos traz butim, butim do mar! Louvado seja o destino!

A grande pirâmide de carne se balançou quando os braços se ergueram mais, deixando uma trilha de dobras de carne mais pálida quando a cabeça semelhante a uma torre foi para trás, a boca se abrindo para expor um espaço escuro onde apenas algumas presas pequenas brilhavam como aço. Quando a voz borbulhante tornou a falar, foi na língua que Horza não entendia, mas era a mesma frase repetida inúmeras vezes. O resto da multidão rapidamente se juntou ao gigante, agitando as mãos no ar e cantando roucamente. Horza fechou os olhos, tentando acordar do que sabia não ser um sonho.

Quando abriu os olhos, os humanos magros ainda estavam cantando, mas estavam outra vez aglomerados ao seu redor, bloqueando sua vista do monstro marrom-dourado. Com rostos ávidos, dentes à mostra, as mãos estendidas como garras, a multidão de humanos cantando e faminta caiu sobre ele.

Eles tiraram seu short. Ele tentou resistir, mas eles o seguraram no chão. Em sua exaustão, ele provavelmente não era mais forte que nenhum deles, e eles não tiveram dificuldade para prendê-lo; viraram-no de bruços, puxaram suas mãos para as costas e as amarraram ali. Então amarraram seus pés juntos e puxaram as pernas para trás até seus pés quase tocarem as mãos, e os prenderam aos pulsos com uma pequena extensão de corda. Nu, amarrado como um animal pronto para o abate, Horza foi arrastado pela areia quente, passando por uma fogueira que ardia fracamente, então erguido e preso a uma estaca curta cravada na praia, de modo que ela passava por suas costas e seus membros amarrados. Seus joelhos se afundaram na areia, recebendo a maior parte de seu peso. O fogo queimava à sua frente, lançando fumaça acre de madeira em seus olhos, e o cheiro terrível voltou; ele parecia vir de várias panelas e potes espalhados em torno do fogo. Havia outras fogueiras e coleções de panelas espalhadas pela praia.

A enorme pilha de carne que o homem cujo nome era sr. Primeiro tinha chamado de "profeta" estava instalada perto do fogo. O sr. Primeiro estava parado ao lado do humano obeso, olhando para Horza com olhos fundos contidos em um rosto pálido e imundo. O gigante dourado na liteira bateu as mãos gorduchas juntas e disse:

— Estranho, dádiva do mar, bem-vindo. Eu... sou o grande profeta Fwi-Song.

A criatura vasta falava uma forma tosca de marain. Horza abriu a boca para dizer a eles seu nome, mas Fwi-Song prosseguiu.

— Você foi enviado para nós em nosso momento de teste, um bocado de carne humana na maré do nada, uma coisa colhida retirada das águas sem gosto da vida, uma carne doce para compartilhar e ser compartilhada em nossa vitória sobre a bile venenosa da descrença! Você é um sinal do destino, e por isso agradecemos!

Os braços enormes de Fwi-Song se ergueram; dobras de gordura nos ombros se agitaram dos dois lados daquela cabeça semelhante a uma torre, quase cobrindo as orelhas. Fwi-Song gritou em uma língua que Horza não conhecia, e a multidão repetiu a frase, entoando-a várias vezes.

Os braços cobertos de gordura se abaixaram outra vez.

— Você é o sal do mar, dádiva do oceano. — A voz xaroposa tinha mudado de volta para marain. — Você é um sinal, uma bênção do destino, você é o um que vai se transformar em muitos; o único a ser dividido; você será o presente benéfico, a beleza abençoada da transubstanciação!

Horza olhou fixamente, horrorizado, para o gigante dourado, incapaz de pensar em algo a dizer. O que se *podia* dizer para pessoas como aquelas? Horza limpou a garganta, ainda na esperança de dizer alguma coisa, mas Fwi-Song continuou.

— Saiba, então, dádiva do mar, que nós somos os Devoradores; os Devoradores de cinzas, os Devoradores de imundície, os Devoradores de areia e árvores e grama; os mais básicos, os mais amados, os mais reais. Trabalhamos para nos preparar para nosso dia de teste, e agora esse dia está gloriosamente próximo! — A voz do profeta de pele dourada ficou estridente; dobras de gordura se agitaram quando os braços de Fwi-Song se abriram. — Observe-nos, então, enquanto esperamos o momento de nossa ascensão deste plano mortal, com barrigas vazias e tripas esvaziadas e mentes famintas!

As mãos roliças de Fwi-Song se juntaram com um tapa, os dedos se entrelaçaram como larvas enormes e gordas.

— Se eu puder... — disse Horza com voz rouca, mas o gigante estava falando com as pessoas imundas outra vez, a voz borbulhando acima das areias douradas, das fogueiras de cozinhar e das pessoas estupidificadas e malnutridas.

Horza sacudiu um pouco a cabeça e olhou além da extensão de praia para o transporte de portas abertas a distância. Quanto mais olhava para a nave, mais certo ficava de que se tratava de uma máquina da Cultura.

Não era nada que ele pudesse identificar, mas ele ficava mais certo a cada momento que olhava para a máquina. Achou que tinha capacidade para quarenta ou cinquenta pessoas; grande o bastante para levar todos que ele vira na ilha. Não parecia especialmente nova nem rápida, e não parecia ter nenhuma arma, mas algo no modo como sua forma simples e utilitária tinha sido concebida falava da Cultura. Se a Cultura projetasse uma carroça de tração animal ou um automóvel, eles ainda compartilhariam algo em comum com a máquina na extremidade da praia, com todo o tempo entre as épocas que cada um representava. Teria ajudado se a Cultura tivesse usado algum tipo de emblema ou logomarca; mas, de forma desnecessariamente inútil e irrealista ao extremo, a Cultura se recusava a depositar sua confiança em símbolos. Ela mantinha que as coisas eram o que eram, e não tinham necessidade dessa representação externa. A Cultura era todos os humanos e máquinas individuais em seu interior, não apenas uma coisa. Como não podia se aprisionar com leis, empobrecer-se com dinheiro ou desencaminhar-se com líderes, ela não se deturpava com signos.

Mesmo assim, a Cultura tinha um conjunto de símbolos do qual tinha muito orgulho, e Horza não tinha dúvidas de que, se a máquina que estava vendo fosse uma nave da Cultura, ela teria alguma coisa escrita em marain sobre ou dentro dela.

Estaria ela de algum modo conectada com a massa de carne ainda falando com os humanos esqueléticos em torno do fogo? Horza duvidava. O marain de Fwi-Song era vacilante e mal ensinado. A própria compreensão de Horza da língua estava longe de ser perfeita, mas a conhecia o suficiente para perceber que Fwi-Song cometia alguma violência contra ela quando a usava. Enfim, a Cultura não tinha o hábito de emprestar seus veículos para doidos religiosos. Ela estava ali, então, para evacuá-los? Levá-los para segurança quando a merda de alta tecnologia da Cultura atingisse o ventilador giratório que era o Orbital Vavatch? Com um sentimento de tristeza, Horza percebeu que essa era provavelmente a resposta. Então não havia escapatória. Ou aqueles loucos iam sacrificá-lo ou fazer o que quer que estivessem dispostos a fazer com ele, ou seria uma viagem para o cativeiro, cortesia da Cultura.

Disse a si mesmo para não imaginar o pior. Afinal de contas, agora se parecia com Kraiklyn, e não era *tão* provável que as Mentes da Cultura tivessem feito todas as conexões corretas entre ele, a TAL e Kraiklyn. Nem a Cultura pensava em tudo. Mas... eles provavelmente sabiam que ele tinha estado na *Mão de Deus 137*; provavelmente sabiam que tinha escapado dela; provavelmente não sabiam que a TAL estava, na época, naquele volume. (Lembrou-se das estatísticas que Xoralundra tinha citado para o capitão da *Mão*; sim, a UGC devia ter vencido a batalha... Lembrou-se do motor de dobra problemático da TAL, provavelmente produzindo um rastro que qualquer UGC de respeito poderia localizar de séculos de distância...) Droga; ele não duvidaria de que eles fossem capazes. Talvez estivessem testando todo mundo que recolhessem de Vavatch. Eles saberiam em segundos, com apenas uma única célula de amostra; um fragmento de pele, um pelo; até onde sabia, poderiam já ter retirado amostras dele, um micromíssil enviado de um transporte próximo pegando um diminuto pedaço de tecido... Ele baixou a cabeça, seus músculos do pescoço doendo assim como todos os outros em seu corpo alquebrado, machucado e exausto.

*Pare com isso*, disse a si mesmo. *Pensando como um fracassado. Com muita pena de si mesmo. Saia dessa. Você ainda tem seus dentes e suas unhas... e seu cérebro. Só espere o momento oportuno...*

— Pois veja — gorjeou Fwi-Song —, os ímpios, os mais odiados, os desprezados pelos desprezados, os ateus, os anatemáticos, nos enviaram esse instrumento do Nada, do Vácuo, para nós... — Enquanto o gigante dizia essas palavras, Horza ergueu os olhos e viu Fwi-Song apontar para o transporte na praia. — Mas não vamos vacilar em nossa fé! Vamos resistir ao chamariz do Nada entre as estrelas onde os ímpios, os anatemáticos do Vácuo, existem! Vamos permanecer parte do que é parte de nós! Não vamos negociar com a grande blasfêmia do material. Vamos resistir como resistem as rochas e as árvores: firmes, enraizados, seguros, leais, inflexíveis!

Os braços de Fwi-Song se estenderam outra vez, e a voz berrou. O homem de voz áspera com a pele pálida suja gritou algo para a multidão que estava sentada, e eles gritaram em resposta. O profeta sorriu para Horza do outro lado do fogo. A boca de Fwi-Song era um buraco escuro, com quatro presas pequenas se projetando quando os lábios formaram um sorriso. Elas brilharam à luz do sol.

— É assim que você trata todos os seus convidados? — perguntou Horza, tentando não tossir até o fim da frase.

Ele limpou a garganta. O sorriso de Fwi-Song desapareceu.

— Convidado você não é, devasso do mar, dádiva do sal. Prêmio: nosso para guardar, meu para usar. Butim do mar e do sol e do vento, trazido até nós pelo destino. Hihi. — O sorriso de Fwi-Song voltou com um risinho infantil, e uma das mãos enormes se ergueu para cobrir os lábios pálidos. — O destino reconhece seu profeta, envia a ele iguarias saborosas! Justo quando alguns de meu rebanho estavam começando a duvidar, também! Hein, sr. Primeiro?

A cabeça de torre se voltou para a figura magra do homem mais pálido, parado com os braços cruzados ao lado do gigante. O sr. Primeiro assentiu:

— O destino é nosso jardineiro e nosso lobo. Ele elimina o fraco para honrar o forte. Assim falou o profeta.

— E a palavra que morre na boca vive no ouvido — disse Fwi--Song, virando a cabeça enorme para olhar para Horza.

— Poderoso Profeta — falou o sr. Primeiro.

Fwi-Song deu um sorriso mais amplo, mas continuou olhando para Horza. O sr. Primeiro continuou:

— A dádiva do mar deveria ver o destino que a aguarda. Talvez o covarde traiçoeiro do Vigésimo Sétimo...

— Ah, *sim*!

Fwi-Song juntou as mãos enormes, e um sorriso iluminou seu rosto. Por um segundo Horza pensou ter visto pequenos olhos brancos atrás das fendas que olhavam fixamente para ele.

— Ah, vamos, sim! Tragam o covarde, vamos fazer o que deve ser feito.

O sr. Primeiro falou em um tom retumbante com os humanos emaciados reunidos em torno do fogo. Alguns se levantaram e se afastaram por trás de Horza na direção da floresta. O resto começou a cantar.

Depois de alguns minutos, Horza ouviu um grito, então uma série de berros e gritos, aos poucos se aproximando. Finalmente as pessoas que tinham ido embora voltaram, carregando um tronco curto e grosso, muito parecido com aquele que estava prendendo Horza. Pendurado sob o tronco havia um jovem gritando na língua que Horza não entendia e se debatendo. Horza viu gotas de suor e saliva caírem do rosto do jovem e marcarem a areia. O tronco tinha uma extremidade afiada; essa ponta foi enterrada na areia em frente ao fogo no lado oposto ao de Horza, de modo que o jovem ficou de frente para o Transmutador.

— Este, minha libação dos mares — disse Fwi-Song para Horza, apontando para o jovem, que tremia e gemia, os olhos se revirando nas órbitas e os lábios salivando —, este é meu menino mau; chamado de Vigésimo Sétimo desde seu renascimento. Esse era um de nossos filhos respeitados e muito amados, um de nossos ungidos, um de nossos colegas bocados, um de nossos irmãos e companheiros de prova na grande língua da vida. — A voz de Fwi-Song deu uma gargalhada enquanto ele falava, como se ele soubesse o absurdo do papel que estava interpretando e não pudesse resistir a exagerar isso. — Essa lasca de nossa árvore, esse grão de nossa praia, esse depravado ousou correr na direção do veículo sete vezes amaldiçoado do vácuo. Ele rejeitou o presente do fardo com o qual o honramos; escolheu nos abandonar e fugir pelas areias quando o inimigo alienígena passou acima de nós ontem. Não confiou em nossa graça salvadora, em vez disso se tornou um instrumento de escuridão e vazio, na direção da sombra crescente dos desalmados, os anatemáticos.

Fwi-Song olhou para o homem que ainda tremia na estaca do outro lado do fogo, em frente a Horza. O rosto do profeta ficou severo e cheio de reprovação.

— Pelos desígnios do destino, o traidor que saiu correndo de nosso lado e pôs em risco a vida de seu profeta foi pego, para que possa aprender com seu triste erro e reparar esse crime terrível.

O braço de Fwi-Song abaixou. A cabeça enorme se sacudiu.

O sr. Primeiro gritou para as pessoas em torno do fogo. Elas olharam para o homem chamado de Vigésimo Sétimo e cantaram. O cheiro desagradável que Horza tinha sentido antes voltou, fazendo seus olhos nublarem e seu nariz formigar.

Enquanto as pessoas cantavam e Fwi-Song observava, o sr. Primeiro e duas das mulheres seguidoras escavaram pequenas sacas da areia. Delas, retiraram alguns pedaços finos de tecido que então envolveram em seus corpos. Enquanto o sr. Primeiro vestia seus trajes, Horza viu uma pistola de projétil grande e de aspecto desajeitado guardada em um coldre de fios por baixo da túnica imunda do homem. Horza supôs que aquela tivesse sido a arma disparada contra o transporte no dia anterior, quando ele e Mipp tinham sobrevoado a ilha.

O jovem abriu os olhos, viu as três pessoas em suas vestimentas e começou a gritar.

— Escutem como a alma aflita grita por sua lição, implora por seu butim de remorso, seu consolo de sofrimento refrescante.

Fwi-Song sorriu, olhando para Horza.

— Nosso filho Vigésimo Sétimo sabe o que o espera, e enquanto seu corpo, comprovadamente tão fraco, se rompe diante da tempestade, sua alma grita: "Sim! Sim! Poderoso Profeta! Ajude-me! Faça-me parte de você! Dê-me sua força! Venha a mim!". Não é um som doce e edificante?

Horza olhou nos olhos do profeta e não disse nada. O jovem continuava a gritar e a tentar se soltar da estaca. O sr. Primeiro estava ajoelhado ao seu lado, de cabeça baixa, murmurando consigo mesmo. As duas mulheres vestidas com os panos sem brilho preparavam tigelas de líquido fumegante das tinas e panelas em torno do fogo, esquentando algumas sobre as chamas. O cheiro atingiu Horza, revirando seu estômago.

Fwi-Song mudou para a outra língua e falou com as duas mulheres. Elas olharam para Horza, depois foram até ele com as tigelas. Horza afastou a cabeça quando elas empurraram os recipientes para baixo de seu nariz. Ele franziu o rosto com repulsa diante do que parecia e fedia como entranhas de peixe em um molho de excremento. As mulheres levaram a coisa horrível embora; ela deixou um fedor no nariz de Horza, que tentou respirar pela boca.

A boca do jovem era mantida aberta com blocos de madeira, e o tom de seus gritos engasgados mudou. Enquanto o sr. Primeiro o segurava, as mulheres usavam uma concha para despejar os líquidos das tigelas em sua boca. O jovem balbuciou e emitiu um lamento, engasgou e tentou cuspir. Gemeu, então vomitou.

— Deixe-me lhe mostrar meu arsenal, minha obra beneficente — disse Fwi-Song para Horza, então levou a mão às costas de seu corpo enorme.

Ele revelou uma trouxa de trapos, que começou a desdobrar. Brilhando à luz do sol, foram revelados dispositivos de metal que pareciam pequenas armadilhas para pegar animais. Fwi-Song levou um dedo aos lábios enquanto examinava a coleção, então pegou um dos pequenos aparelhos. Colocou-o na boca, encaixando as duas partes nos pinos que Horza tinha visto antes.

— Pgonto — falou Fwi-Song, erguendo a boca em um amplo sorriso na direção do Transmutador. — O que focê pensha deshtes?

Os dentes artificiais brilharam em sua boca; fileiras de pontas afiadas e serrilhadas.

— Ou deshes?

Fwi-Song trocou-os por outro conjunto, cheio de pequenas presas como agulhas, depois outro, com dentes em ângulo como anzóis farpados, então outro, com buracos.

— Bvom, hein?

Ele sorriu para Horza, deixando o último par. Então se virou para o sr. Primeiro.

— O que focê achta, segorr Pgimeigo? Hein? Ou...

Fwi-Song tirou o conjunto com os buracos e pôs um outro, que parecia feito de lâminas longas.

— Eshtes? Achto que vaum sher eshtes. Isho, vamush comechar com eles. Vamush pugnir eshe queridho malvadhu.

A voz de Vigésimo Sétimo estava ficando rouca. Uma de suas pernas foi erguida à sua frente, segurada por quatro homens ajoelhados. Fwi-Song foi erguido e carregado na liteira até ficar bem à frente do jovem; ele exibiu os dentes de lâminas, em seguida debruçou-se para a frente e, com um rápido movimento da cabeça, arrancou com uma mordida um dos dedos do pé de Vigésimo Sétimo.

Horza afastou os olhos.

Mais ou menos na meia hora seguinte, comendo em um ritmo tranquilo, o profeta enorme mordiscou vários pedaços do corpo de Vigésimo Sétimo, atacando as extremidades e os poucos depósitos de gordura restantes com seus vários pares de dentes. O jovem recuperava o fôlego com cada novo ponto da carnificina.

Horza observava e não observava, às vezes tentando se imaginar em uma espécie de desafio que lhe permitiria descobrir um jeito de dar o troco naquela distorção grotesca de ser humano, às vezes querendo apenas que todo aquele negócio horrendo terminasse. Fwi-Song deixou os dedos das mãos de seu ex-discípulo para o fim, então usou os dentes com buracos neles como descascadores de fios.

— Muicho 'ostoso — disse ele, limpando o rosto sujo de sangue com um antebraço gigantesco.

Vigésimo Sétimo foi solto, gemendo, coberto de sangue e apenas semiconsciente. Então foi amordaçado com um pedaço de pano, depois preso deitado na areia com o rosto para cima, com estacas de madeira através das palmas de suas mãos mutiladas e uma pedra enorme esmagando seus pés. Ele começou a gritar sem forças outra vez através da mordaça quando viu o profeta Fwi-Song em sua liteira ser levado em sua direção. Fwi-Song foi baixado quase em cima da forma que gemia, então mexeu em alguns cordões no lado de sua liteira até uma pequena aba sob seu volume enorme se abrir, em cima do rosto do humano amordaçado e sujo de sangue na areia abaixo. O profeta fez um sinal e foi descido sobre o homem, silenciando o som de gemidos. O profeta sorriu e se instalou com pequenos movimentos de seu corpo enorme, como um pássaro chocando seus ovos. Com o corpo vasto obliterando todos os traços ou formas do humano embaixo dele, Fwi-Song cantarolou consigo mesmo enquanto a multidão emaciada observava, cantando muito baixo e devagar, balançando junta ali de pé. Fwi-Song começou a balançar delicadamente para a frente e para trás, no início muito devagar, então mais rápido, e suor apareceu em gotas na cúpula dourada de seu rosto. Ele ofegava, e fez um gesto vago na direção das pessoas; as duas mulheres vestidas com os panos se aproximaram e começaram a lamber os filetes de sangue que tinham escorrido da boca do profeta, pelas dobras de seus queixos e descendo por seu peito como leite vermelho. Fwi-Song arquejou, pareceu fraquejar e ficou imóvel por um momento, e então, com um movimento surpreendentemente rápido e feroz, bateu nas cabeças das mulheres com seus braços fortes. As mulheres saíram correndo e se juntaram à multidão. O sr. Primeiro iniciou um cântico mais alto, que os outros acompanharam.

Finalmente Fwi-Song ordenou que fosse erguido novamente. Os carregadores da liteira levantaram a estrutura enorme no ar e revelaram o corpo esmagado de Vigésimo Sétimo, seus gemidos silenciados para sempre.

Eles o pegaram dali, decapitaram o corpo e removeram o topo do crânio. Comeram seu cérebro, e só então Horza vomitou.

— E agora nos transformamos um no outro — entoou Fwi-Song solenemente na direção da cabeça vazia do jovem, então jogou sua tigela sangrenta por cima do ombro no fogo. O resto do corpo foi levado até o mar e jogado nele.

— Só cerimônia e o amor do destino nos distinguem dos animais, oh, marca da devoção do destino — disse Fwi-Song para Horza enquanto o vasto corpo do profeta era limpo e perfumado pelas mulheres que o serviam. Amarrado a sua estaca, preso no chão, com a boca imunda, Horza respirou com cuidado e deliberadamente, e não tentou responder.

O corpo de Vigésimo Sétimo flutuou lentamente mar adentro. Fwi-Song foi seco com uma toalha. Os humanos muito magros ficaram sentados indiferentes ou cuidavam do líquido de cheiro horroroso nos tonéis borbulhantes. O sr. Primeiro e suas duas ajudantes retiraram os panos que os envolviam, ficando o homem com sua túnica imunda, mas inteira, e as mulheres em seus trapos esfarrapados. Fwi-Song fez com que sua liteira fosse posta na areia à frente de Horza.

— Veja, butim das ondas, colheita do oceano ondulante, meu povo se prepara para encerrar seu jejum.

O profeta fez um movimento com o braço cheio de gordura pendurada ao redor para indicar as pessoas cuidando das fogueiras e dos caldeirões. O cheiro de comida podre enchia o ar.

— Eles comem o que os outros deixam, o que os outros não tocam, porque querem estar mais perto do tecido do Destino. Eles comem a casca das árvores e o capim do chão e o musgo das pedras; comem a areia e as folhas e as raízes e a terra; comem as conchas e entranhas de animais marinhos e a carniça da terra e do oceano; comem seus produtos corporais e compartilham dos meus. Eu sou a fonte. Sou o manancial, o gosto em suas línguas.

"Você, bolha de espuma no oceano da vida, é um sinal. Colheita do oceano, você vai ver, antes da hora de sua ruína, que você é tudo o que comeu, e que comida é apenas excremento não digerido. Isso eu já vi; isso você vai ver."

Uma das mulheres que o serviam voltou do mar com os pares de dentes de Fwi-Song recém-limpos. Ele os pegou com ela e os guardou nos trapos às costas.

— Todos vão cair, menos nós, todos vão para suas mortes, suas ruínas. Apenas nós vamos ser construídos em nossa ruína, trazidos à glória de nossa realização suprema.

O profeta estava sentado sorrindo para Horza, enquanto ao seu redor, conforme as longas sombras da tarde se estendiam pelas areias, as pessoas emaciadas e de aspecto doentio se sentavam para comer suas refeições nauseabundas. Horza os observou tentar comer. Alguns fizeram isso, encorajados pelo sr. Primeiro, mas a maioria não conseguia segurar nada no estômago. Eles ofegavam e bebiam os líquidos, mas frequentemente vomitavam o que tinham acabado de se forçar a engolir. Fwi-Song olhou para eles com tristeza, sacudindo a cabeça.

— Você vê, nem meus filhos mais próximos estão prontos ainda. Precisamos rezar e rogar para que estejam prontos quando chegar a hora, como deve acontecer, dentro de alguns dias. Precisamos torcer para que a falta de força de seus corpos, de simpatia por todas as coisas, não os torne desprezados aos olhos e à boca de Deus.

*Seu gordo filho da mãe. Você está ao alcance, se ao menos você soubesse. Eu poderia cegá-lo daqui, cuspir em seus olhos pequenos e, talvez...*

Mas, pensou Horza, talvez não. Os olhos do gigante eram tão fundos dentro da pele mole de sua testa e suas bochechas que mesmo a saliva venenosa com a qual Horza poderia atingir o monstro dourado talvez não conseguisse chegar às membranas do olho. Mas isso foi tudo que Horza pôde encontrar para lhe dar consolo em sua situação. Ele poderia cuspir no profeta, só isso. Talvez chegasse um momento em que isso pudesse fazer alguma diferença, mas fazer isso agora seria burrice. Um Fwi-Song cego e enfurecido pareceu a Horza algo que deveria ser evitado ainda mais que um Fwi-Song com visão e sorridente.

Fwi-Song continuou a falar com Horza, nunca questionando, nunca sequer parando, repetindo-se com cada vez mais frequência. Ele falou sobre suas revelações e sua vida passada; como uma aberração de circo, depois como animal de estimação de um déspota alienígena em um meganavio, depois convertido a uma religião da moda em outro meganavio, onde ocorreu sua revelação, quando convenceu alguns convertidos a se juntarem a ele em uma ilha para esperar pelo Fim de Todas as Coisas. Mais seguidores tinham chegado quando a Cultura anunciou qual seria o destino do Orbital Vavatch. Horza estava apenas meio ouvindo, sua mente acelerada tentando pensar em uma saída.

— ... Nós esperamos o fim de todas as coisas, o último dia. Nós nos preparamos para nossa realização final misturando os frutos da terra e do mar e da morte com nossos corpos frágeis de carne, sangue e ossos. Você é nosso sinal, nosso aperitivo, nosso aroma. Deve se sentir honrado.

— Poderoso profeta — disse Horza, engolindo em seco e fazendo o possível para manter a voz calma.

Fwi-Song parou de falar, os olhos se estreitaram ainda mais e ele franziu o cenho. Horza continuou:

— Eu sou realmente seu sinal. Eu lhe trago a mim mesmo; sou o seguidor... o discípulo numerado Último. Vim para livrá-los da máquina do vácuo. — Horza olhou para o transporte da Cultura, parado com as portas traseiras abertas na extremidade da praia. — Sei como remover essa fonte de tentação. Deixe-me provar minha devoção fazendo esse pequeno serviço para sua grande pessoa majestosa. Então você saberá que sou seu último e mais fiel servo; aquele numerado Último, o que chegou antes da ruína para... reforçar seus seguidores para o teste vindouro e remover o dispositivo de tentação dos anatemáticos. Eu me misturei com as estrelas e o ar e o oceano, e lhes trago esta mensagem, este livramento.

Horza parou aí, a garganta e os lábios secos, os olhos escorrendo conforme o fedor altamente temperado da comida dos Devoradores pairava em uma brisa suave ao seu redor. Fwi-Song estava sentado bem imóvel em sua liteira, olhando para o rosto de Horza com os olhos ainda mais estreitos e sua fronte bulbosa franzida.

— Sr. Primeiro! — chamou Fwi-Song, voltando-se para onde o homem de pele pálida e de túnica massageava a barriga de um dos Devoradores enquanto o servidor desafortunado gemia no chão.

O sr. Primeiro se levantou e se aproximou do profeta gigante, que apontou para Horza com a cabeça e falou na língua que o Transmutador não conseguia entender. O sr. Primeiro fez uma leve reverência, então foi para trás de Horza, pegando algo de baixo de sua túnica enquanto saía do campo de visão do Transmutador. O coração de Horza disparou. Ele olhou desesperadamente outra vez para Fwi-Song. O que o profeta tinha dito? O que o sr. Primeiro ia fazer? Mãos surgiram acima da cabeça de Horza, segurando alguma coisa. O Transmutador fechou os olhos.

Um trapo foi amarrado apertado sobre sua boca. Ele fedia a comida nauseabunda. Sua cabeça foi empurrada para trás contra a estaca. Então o sr. Primeiro voltou até o Devorador que gemia de bruços. Horza olhou fixamente para Fwi-Song, que disse:

— Pronto. Agora, como eu estava dizendo…

Horza não ouviu. A fé cruel do profeta gordo era pouco diferente de um milhão de outras; só o grau de sua barbaridade a tornava incomum naqueles tempos supostamente civilizados. Outro efeito colateral da guerra, talvez; culpa da Cultura. Fwi-Song falava, mas não adiantava nada escutar.

Horza se lembrou de que a atitude da Cultura em relação a alguém que acreditasse em um deus onipotente era de pena e de não dar mais atenção à substância de sua fé do que se daria às falas de alguém que anunciasse ser o imperador do universo. A natureza da crença não era totalmente irrelevante — junto com as origens e a criação das pessoas, ela podia lhe dizer algo sobre o que tinha dado errado com elas — mas os pontos de vista dela não seriam *levados a sério*.

Era assim que Horza se sentia em relação a Fwi-Song. Ele tinha de tratá-lo como o maníaco que obviamente era. O fato de sua insanidade estar vestida com paramentos religiosos não significava nada.

Sem dúvida a Cultura discordaria, dizendo que havia muito em comum entre a insanidade e a crença religiosa, mas o que mais, afinal, poderia se esperar da Cultura? Os idiranos sabiam disso, e Horza, mesmo sem concordar com tudo o que defendiam os idiranos, respeitava suas crenças. Todo o seu modo de vida, praticamente todos os seus pensamentos, eram iluminados, guiados e governados por sua única religião/filosofia: uma crença em ordem, lugar e uma espécie de racionalidade sagrada.

Eles acreditavam na ordem porque tinham visto muito o contrário dela, primeiro no passado de seu próprio planeta, tomando parte na extraordinariamente feroz disputa evolucionária em Idir, e depois, quando finalmente entraram na sociedade de seu próprio aglomerado estelar, ao seu redor, entre e em meio a outras espécies. Tinham sofrido por essa falta de ordem; tinham morrido aos milhões em guerras estúpidas motivadas por ganância nas quais se envolveram sem ter culpa. Tinham sido ingênuos e inocentes, demasiado dependentes de os outros pensarem da mesma maneira calma e racional que eles sempre pensavam.

Eles acreditavam no destino do *lugar*. Certos indivíduos sempre pertenceriam a certos lugares — as terras altas, as terras férteis, as ilhas temperadas —, tivessem eles nascido ali ou não; e o mesmo se aplicava a tribos, clãs e raças (e até a espécies; a maioria dos textos sagrados antigos se mostrou suficientemente flexível e vaga para lidar com a descoberta de que os idiranos não estavam sozinhos no universo. Os textos que diziam o contrário foram logo descartados, e seus autores foram no início ritualmente amaldiçoados, e depois, totalmente esquecidos). Em seu aspecto mais mundano, a crença podia ser expressa como a certeza de que havia um lugar para tudo e de que tudo devia estar em seu lugar. Quando tudo estivesse no lugar, Deus ficaria feliz com o Universo, e paz e alegria eternas substituiriam o caos atual.

Os idiranos se viam como agentes nesse grande reordenamento. Eles eram os escolhidos — permitindo-se, inicialmente, a paz para entender o que Deus desejava, então sendo induzidos à ação em vez de à contemplação pelas mesmas forças da desordem contra as quais, aos poucos, entenderam que tinham de lutar. Deus tinha um propósito para eles além da compreensão. Eles tinham de encontrar seu próprio lugar, em toda a galáxia, pelo menos; talvez até fora dela, também. As espécies mais maduras podiam vislumbrar sua própria salvação; elas tinham de fazer suas próprias regras e encontrar sua própria paz com Deus (e era um sinal de Sua generosidade Ele ficar feliz com suas realizações mesmo quando eles O negavam). Mas as outras — povos populosos, caóticos e com dificuldades —, essas precisavam de orientação.

Havia chegado a hora de se livrar dos brinquedos dos esforços em interesse próprio. O fato de os idiranos entenderem isso era o sinal disso. Neles, e na Palavra que era sua herança do divino, o Encanto em sua herança genética, uma nova mensagem estava em circulação: *Cresçam. Comportem-se. Preparem-se.*

Horza não acreditava mais na religião dos idiranos do que Balveda tinha acreditado, e na verdade ele podia ver em seus ideais extremamente deliberados e planejados demais o tipo de forças constritoras da vida que tanto desprezava no etos inicialmente mais benigno da Cultura. Mas os idiranos confiavam em si mesmos, não em suas máquinas, e assim ainda eram parte da vida. Para ele, isso fazia toda a diferença.

Horza sabia que os idiranos nunca subjugariam todas as civilizações menos desenvolvidas da galáxia; seu sonhado dia do juízo nunca chegaria. Mas a própria certeza dessa derrota final deixava os idiranos seguros, tornava-os normais, tornava-os parte da vida geral da galáxia; apenas mais uma espécie, que cresceria e se expandiria e então, chegando à fase de platô a que todas as espécies não suicidas por fim chegam, se estabeleceria. Em dez mil anos os idiranos seriam apenas mais uma civilização cuidando de sua própria vida. A atual era de conquistas poderia ser lembrada com carinho, mas àquela altura seria irrelevante, descartada pela explicação de alguma tecnologia criativa. Eles tinham sido quietos e introspectivos antes; e assim seriam outra vez.

No fim, eles eram racionais. Davam ouvidos ao bom senso antes de suas próprias emoções. A única coisa em que acreditavam sem provas era que havia um propósito na vida, que havia algo que se traduzia na maioria das línguas como "Deus", e que esse Deus queria uma existência melhor para Suas criações. No momento, eles mesmos buscavam esse objetivo, acreditavam ser os braços e as mãos e os dedos de Deus. Mas quando chegasse a hora, seriam capazes de assimilar a conscientização de que tinham entendido errado, de que não cabia a eles produzir a ordem final. Eles mesmos ficariam calmos; encontrariam seu próprio lugar. A galáxia e suas muitas civilizações variadas os assimilariam.

A Cultura era diferente. Horza não conseguia ver um fim para sua política de interferência contínua e crescente. Ela podia facilmente crescer para sempre, porque não era governada por limites naturais. Como uma célula rebelde, um câncer sem botão de desligar em sua composição genética, a Cultura continuaria a se expandir enquanto lhe permitissem fazer isso. Não pararia por vontade própria, então tinha de *ser detida*.

Essa era uma causa à qual ele já havia decidido se dedicar muito tempo antes, disse a si mesmo Horza, ouvindo Fwi-Song, que continuava a falar. E também era uma causa à qual ele não serviria mais se não escapasse dos Devoradores.

Fwi-Song falou mais um pouco, então — depois de uma palavra do sr. Primeiro — fez com que sua liteira fosse virada para que ele pudesse se dirigir a seus seguidores. A maioria deles estava passando muito mal, ou parecia estar. Fwi-Song mudou para a língua local que Horza não conseguia entender e fez o que evidentemente era um sermão. Ele ignorou os vômitos eventuais de seu rebanho.

O sol desceu para mais próximo do oceano, e o dia esfriou.

Assim que o sermão terminou, Fwi-Song ficou sentado em silêncio em sua liteira enquanto, um a um, os Devoradores se aproximavam dele, faziam uma reverência e falavam francamente com ele. A cabeça em forma de cúpula do profeta tinha um grande sorriso estampado, e de vez em quando meneava com o que parecia ser aprovação.

Mais tarde, os Devoradores cantaram enquanto Fwi-Song era lavado e ungido pelas duas mulheres que o haviam ajudado a consumar a morte de Vigésimo Sétimo. Então, com seu corpo enorme brilhando sob os raios do sol poente, Fwi-Song foi levado, acenando alegremente, da praia para a pequena floresta sob a única montanha mirrada da ilha.

Eles atiçaram fogueiras e trouxeram madeira. Os Devoradores se dispersaram para suas tendas e fogueiras, ou saíram em pequenos grupos com cestos grosseiramente trançados, aparentemente para recolher dejetos frescos que, mais tarde, tentariam comer.

Perto do crepúsculo, o sr. Primeiro se juntou aos cinco Devoradores silenciosos que estavam sentados em torno da fogueira que Horza, àquela altura, não aguentava mais encarar. Os humanos emaciados prestavam pouca ou nenhuma atenção ao Transmutador, mas o sr. Primeiro chegou e se sentou perto do homem amarrado à estaca. Em uma das mãos ele segurava uma pedra pequena; na outra, alguns dos dentes artificiais que Fwi-Song tinha usado em Vigésimo Sétimo mais cedo naquele dia. O sr. Primeiro ficou sentado limando e polindo os dentes enquanto falava com os outros Devoradores. Depois que alguns deles foram para suas tendas, o sr. Primeiro foi até as costas de Horza e desamarrou a mordaça. Horza respirou pela boca para se livrar do gosto ruim e exercitou o maxilar. Ele se mexeu, tentando aliviar as dores acumuladas em seus braços e pernas.

— Confortável? — perguntou o sr. Primeiro, tornando a se abaixar. Ele continuou a amolar as presas de metal; elas brilhavam à luz do fogo.

— Já me senti melhor — respondeu Horza.

— Você também vai se sentir pior... amigo. — O sr. Primeiro fez com que essa última palavra parecesse uma maldição.

— Meu nome é Horza.

— Não me importa qual é seu nome. — O sr. Primeiro sacudiu a cabeça. — Seu nome não importa. *Você* não importa.

— Eu estava começando a ter essa impressão — admitiu Horza.

— Ah, estava? — disse o sr. Primeiro. Levantou-se e se aproximou do Transmutador. — Estava *mesmo*? — Atacou com os dentes de aço que tinha na mão, atingindo Horza na bochecha esquerda. — Você se acha esperto, hein? Você acha que vai sair dessa, não acha? — Ele chutou Horza na barriga. Horza arquejou e engasgou. — Viu? Você não importa. Você é só um pedaço de carne. Isso é tudo o que qualquer pessoa é. Só carne. E, de qualquer forma — tornou a chutar Horza —, a dor não é real. Só químicos e eletricidade e esse tipo de coisa, *certo*?

— Ah — gemeu Horza com voz rouca, suas feridas doendo por um momento. — É. Certo.

— Está bem. — O sr. Primeiro sorriu. — Lembre-se disso amanhã, está bem? Você é só um pedaço de carne, e o profeta é um ainda maior.

— Você... hã, não acredita em almas, então? — perguntou Horza com cautela, torcendo para que isso não levasse a outro chute.

— Que se foda sua alma, estranho. — O sr. Primeiro riu. — É melhor torcer para que uma coisa dessas não exista. Há pessoas que são devoradoras naturais e há aquelas que sempre vão ser devoradas, e não acho que suas almas sejam em nada diferentes, então como você obviamente é um daqueles que sempre vai ser devorado, é melhor torcer para que essa coisa não exista. Essa é sua melhor aposta, acredite em mim.

O sr. Primeiro sacou o pano que tinha tirado da boca de Horza e o amarrou outra vez, dizendo:

— Não... Não ter nenhuma alma seria a melhor coisa para você, amigo. Mas se por acaso você tiver uma, volte e me conte, para que eu possa dar umas boas risadas, certo?

O sr. Primeiro apertou o pano com força, puxando a cabeça de Horza contra a estaca de madeira.

O tenente de Fwi-Song terminou de afiar os pares de dentes reluzentes de metal, então se levantou e falou com os outros Devoradores sentados em volta do fogo. Depois de algum tempo, eles foram para uma das tendas pequenas, e logo todos tinham deixado a praia, restando apenas Horza para observar as fogueiras que se apagavam.

As ondas quebravam delicadamente na linha distante da arrebentação, as estrelas moviam-se lentamente em arco acima, e o lado do dia do orbital era uma linha cintilante de luz acima. Brilhando à luz das estrelas e do orbital, estava o volume silencioso, à espera, do transporte da Cultura, as portas traseiras abertas como uma caverna de escuridão segura.

Horza já tinha testado os nós que prendiam suas mãos e seus pés. Encolher os pulsos não ia funcionar; a corda, cipó ou o que quer que eles tivessem usado estava se apertando muito devagar, cada vez mais; ela iria simplesmente eliminar a folga tão depressa quanto ele pudesse produzi-la. Talvez ela encolhesse ao secar e estivesse molhada antes de o amarrem. Ele não sabia dizer. Podia intensificar o conteúdo ácido em suas glândulas de suor onde a corda tocava a pele, e isso sempre valia a pena tentar, mas mesmo a noite longa de Vavatch não seria tempo suficiente para o processo funcionar.

*A dor não é real*, disse ele a si mesmo. *Bobagem*.

Horza acordou ao amanhecer, com vários dos Devoradores, que caminhavam lentamente até a água para se lavar nas ondas. Estava com frio. Começou a tremer assim que acordou e podia dizer que sua temperatura corporal tinha caído muito durante a noite no transe leve exigido para alterar as células da pele em seus pulsos. Ele forçou as cordas, tentando ver se cediam, o menor rasgo de fibras ou fios. Não houve nada, só mais dor nas palmas das mãos onde algum suor havia escorrido sobre pele não transmutada e, portanto, desprotegida contra o ácido que suas glândulas de suor estavam produzindo. Preocupou-se com isso por um segundo, lembrando-se de que se algum dia fosse personificar Kraiklyn de forma adequada, precisaria obter as impressões dos dedos e das palmas das mãos do homem, e para isso precisaria de sua pele em perfeitas condições de Transmutação. Então riu de si mesmo por se preocupar com isso quando provavelmente nem veria o fim do dia.

Pensou vagamente em se matar. Era possível; com apenas um pouco de preparação interna, poderia usar um de seus próprios dentes para se envenenar. Mas enquanto ainda houvesse alguma chance, não conseguia pensar nisso seriamente. Ele se perguntou como as pessoas da Cultura encaravam a guerra; eles supostamente podiam *decidir* morrer, também, embora dissessem que isso era mais complicado que simples veneno. Mas como eles resistiam a essa escolha, aquelas almas delicadas e mimadas pela paz? Ele os imaginou em combate, praticando autoeutanásia quase no mesmo instante em que os primeiros disparos atingiam, as primeiras feridas começavam a aparecer. O pensamento o fez sorrir.

Os idiranos tinham um transe de morte, mas devia ser usado apenas em casos de extrema vergonha e desgraça, ou quando o trabalho da vida de uma pessoa estivesse completo, ou sob ameaça de uma doença incapacitante. E, ao contrário da Cultura — ou dos Transmutadores — eles sentiam totalmente sua dor, sem ser atenuada por inibidores autorreparados. Os Transmutadores viam a dor como uma ressaca semirredundante de sua evolução animal; a Cultura tinha apenas medo dela; mas os idiranos a tratavam com uma espécie de desprezo orgulhoso.

Horza olhou para a praia, para além de duas grandes canoas, na direção das portas abertas da nave. Um par de pássaros de cores vivas andava pelo teto, fazendo pequenos movimentos ritualizados. Horza os observou por algum tempo, enquanto o acampamento dos Devoradores despertava aos poucos e o sol da manhã ficava mais forte. Névoa se erguia na floresta rarefeita, e havia algumas nuvens altas no céu. O sr. Primeiro veio bocejando e se espreguiçando de sua tenda, então pegou a pesada pistola de projéteis de baixo da túnica e a disparou para o ar. Isso pareceu ser um sinal para todos os Devoradores acordarem e começarem a cuidar de seus afazeres do dia se ainda não tivessem feito isso.

O barulho da arma tosca assustou os dois pássaros no teto do transporte da Cultura; eles levantaram voo e planaram acima das árvores e arbustos ao redor da ilha. Horza os observou ir, então deixou seus olhos caírem, olhando fixamente para a areia dourada e respirando lenta e profundamente.

— Seu grande dia, estranho — disse o sr. Primeiro com um sorriso, aproximando-se do Transmutador.

Ele pôs a pistola no coldre de fios sob sua túnica. Horza olhou para o homem, mas não disse nada. *Outro banquete em minha homenagem*, pensou ele.

O sr. Primeiro andou em torno de Horza, olhando para ele. Horza o seguiu com os olhos até onde conseguiu e esperou que o homem visse qualquer dano que o suor ácido tivesse conseguido infligir à corda em torno de seus pulsos, mas o sr. Primeiro não percebeu nada, e quando reapareceu na visão de Horza ainda tinha um leve sorriso no rosto, meneando um pouco a cabeça, aparentemente satisfeito por o homem amarrado à estaca ainda estar preso o suficiente. Horza fez o possível para se esticar, forçando as amarras nos pulsos. Elas não deram nem sinal de ceder. Não tinha funcionado. O sr. Primeiro se afastou e foi supervisionar o lançamento de uma canoa de pesca.

Fwi-Song foi trazido da floresta em sua liteira pouco antes do meio-dia, quando a canoa de pesca estava voltando.

— Dádiva dos mares e do ar! Tributo da vasta riqueza do grande Mar do Círculo! Veja que dia maravilhoso o aguarda agora!

Fwi-Song fez com que o levassem até Horza e foi posto no chão ao lado do fogo. Ele sorriu para o Transmutador.

— A noite inteira você teve tempo para pensar no que o dia agora reserva; por toda a escuridão você foi capaz de olhar os frutos do vácuo. Viu os espaços entre as estrelas, quanto nada existe, como há pouco de tudo. Agora pode apreciar que honra está guardada para você; como tem sorte de ser meu sinal, minha oferenda!

Fwi-Song bateu palmas de prazer, e seu corpo enorme sacudiu para cima e para baixo. As mãos gorduchas foram até sua boca quando ele falou, e as dobras de carne sobre seus olhos se ergueram momentaneamente para revelar os brancos em seu interior.

— *Iuhuu!* Como vamos nos divertir!

O profeta fez um sinal, e os carregadores da liteira o levaram até o mar para ser lavado e ungido.

Horza observou os Devoradores prepararem sua comida; eles limparam os peixes, jogando a carne fora e ficando com entranhas, peles, cabeças e espinhas. Removeram as conchas dos animais em seu interior e jogavam os animais fora. Moeram as conchas com as algas e algumas lesmas marinhas de cores vivas. Horza observou tudo isso acontecer à sua frente e viu como os Devoradores estavam em péssimas condições; as cascas de ferida e chagas, as deficiências nutricionais e a fraqueza geral. Os resfriados e a tosse, a pele escamando e os membros parcialmente deformados, tudo denunciava uma dieta gradualmente fatal. A carne morta e os animais do mar foram devolvidos às ondas em grandes cestos encharcados de sangue. Horza observou tão atentamente quanto a distância e sua mordaça permitiram, mas nenhum dos Devoradores pareceu dar uma mordida sub-reptícia na carne crua enquanto a jogava dos cestos para as ondas.

Fwi-Song, sendo seco na areia da praia diante da linha da arrebentação, observou a comida ser jogada no mar e assentiu com aprovação, murmurando palavras de encorajamento para seu rebanho. Então bateu palmas, e a liteira foi lentamente carregada pela praia até o fogo e o Transmutador.

— Coisa de ofertório! Beneficência! Prepare-se! — chilreou Fwi-Song, instalando-se em sua liteira com pequenos movimentos que provocavam ondulações nas grandes dobras e extensões de seu corpo enorme.

A respiração de Horza ficou acelerada, ele sentiu seu coração disparar. Engoliu em seco e forçou novamente a corda que prendia suas mãos. O sr. Primeiro e as duas mulheres cavaram a areia em busca dos trajes leves em suas sacas enterradas.

Todos os Devoradores se reuniram em torno do fogo, de frente para Horza. Seus olhos pareciam vazios ou vagamente interessados, mais nada. Havia uma indiferença em suas ações e expressões que Horza achou ainda mais deprimente do que teriam sido ódio escancarado ou alegria sádica.

Os Devoradores começaram a cantar. O sr. Primeiro e as duas mulheres estavam envolvendo as faixas de tecido embotado em torno de seus corpos. O sr. Primeiro olhou para Horza e sorriu.

— Ah, momento feliz nos dias finais! — disse Fwi-Song, levantando a voz e as mãos, seus tons sufocados soando na direção do centro da ilha.

O cheiro da comida nauseabunda dos Devoradores passou flutuando pelo Transmutador outra vez.

— Que sua ruína e sua criação sejam um símbolo para nós! — continuou Fwi-Song, deixando os braços caírem em enormes ondas de carne branca.

As superfícies marrom-dourado reluziam à luz do sol enquanto o profeta entrelaçava os dedos.

— Que sua dor seja nosso prazer, assim como nossa ruína será nossa união; que seu esfolamento e sua consumação sejam nossa satisfação e nosso deleite!

Fwi-Song ergueu a cabeça e falou alto na língua que os outros entendiam. Seu cântico se alterou e ficou mais alto. O sr. Primeiro e as duas mulheres se aproximaram de Horza.

Horza sentiu o sr. Primeiro tirar a mordaça de sua boca. O homem de pele pálida falou com as duas mulheres, que foram até os potes fumegantes de líquido fétido. Horza sentia a cabeça bem leve; havia um gosto que ele conhecia muito bem no fundo de sua garganta, como se um pouco de ácido de seus pulsos tivesse de algum modo conseguido chegar a sua língua. Ele forçou novamente as amarras, sentindo os músculos tremerem. O cântico continuou; as mulheres serviam a sopa nauseante em tigelas. Seu estômago vazio já se revirava.

Há duas maneiras principais para escapar de amarrações além daquelas abertas a não Transmutadores [diziam as anotações da palestra da Academia]: por um pulso de suor ácido em um nível sustentado, onde o material da amarração é suscetível a tal ataque, e por afinamento preferencial maleável da extremidade do membro envolvido.

Horza tentou obter um pouco mais de força de seus músculos cansados.

O suor ácido excessivo pode danificar não apenas as superfícies de pele adjacentes, mas também o corpo como um todo por meio de desequilíbrios químicos perigosos. O excesso de afinamento apresenta o risco de os músculos ficarem tão desgastados e os ossos, tão enfraquecidos, que seu uso subsequente possa ficar severamente restrito na tentativa de fuga de curto e longo prazo.

O sr. Primeiro estava chegando com os blocos de madeira que ia encaixar na boca de Horza. Dois dos maiores Devoradores tinham se levantado perto da frente do grupo e avançado um pouco, prontos para ajudar o sr. Primeiro. Fwi-Song levou as mãos às costas. As mulheres começaram a se afastar dos potes borbulhantes.

— Abra bem, estranho — disse o sr. Primeiro, estendendo os dois blocos de madeira. — Ou nós usamos um pé de cabra? — O sr. Primeiro sorriu.

Os braços de Horza fizeram força. A parte superior de seu braço se mexeu. O sr. Primeiro viu o movimento e parou momentaneamente. Uma das mãos de Horza se soltou. Ela se moveu à frente em um instante, as unhas prontas para arranhar o rosto do sr. Primeiro. O homem de pele pálida recuou, não rápido o bastante.

As unhas de Horza atingiram a túnica e o traje do sr. Primeiro conforme eles se afastaram tremulando de seu corpo quando este se esquivou. Já se esforçando para se distanciar o máximo possível da estaca, Horza sentiu a mão em forma de garra rasgar as duas camadas de material sem atingir a carne por baixo. O sr. Primeiro cambaleou para trás, batendo em uma das mulheres que carregavam as tigelas de papa fedorenta e a derrubando de suas mãos. Uma das cunhas de madeira voou da mão do sr. Primeiro e caiu no fogo. O braço de Horza completou o movimento assim que os dois Devoradores à frente do grupo se aproximaram rapidamente e seguraram o Transmutador pela cabeça e pelo braço.

— Sacrilégio! — gritou Fwi-Song.

O sr. Primeiro olhou para a mulher em quem tinha esbarrado, para o fogo, para o profeta, então outra vez para o Transmutador, com uma expressão furiosa. Ele ergueu um braço para ver os rasgos em suas túnicas.

— A dádiva imunda profana nossas vestimentas! — berrou Fwi--Song.

Os dois Devoradores seguraram Horza, prendendo seu braço às costas onde ele tinha estado e a cabeça na estaca. O sr. Primeiro saiu na direção de Horza, sacando a arma de baixo da túnica e segurando-a pelo cano como se fosse um porrete.

— Sr. Primeiro! — disse rispidamente Fwi-Song, fazendo com que o homem de pele pálida parasse imediatamente. — Pgara tgrás! Espegue; gamos mostgrar a eshe impgestável pfcomo lhidamos com pessoas de sheu thipo!

O braço livre de Horza foi esticado à sua frente. Um dos Devoradores que o estavam segurando pôs a perna em torno da parte de trás da estaca, prendendo-se ali e mantendo a outra mão de Horza onde estava. Fwi-Song tinha um conjunto de dentes de aço brilhantes na boca, os com buracos. Ele olhou com raiva para o Transmutador enquanto o sr. Primeiro recuava, ainda segurando a pistola de projéteis. O profeta acenou com a cabeça para outros dois Devoradores na multidão; eles seguraram a mão de Horza e afastaram seus dedos, amarrando esse pulso em uma estaca. Horza sentiu todo o corpo estremecer. Ele cortou todas as sensações naquela mão.

— Foche égh um confifado muigtho mgau! — falou Fwi-Song.

Ele se inclinou para a frente, enterrou o indicador de Horza em sua boca, fechou os dentes e cortou a carne, então puxou rapidamente.

O profeta mastigou e engoliu, observando o rosto do Transmutador ao fazer isso e franzindo o cenho.

— *Ngão* mucho sagoghroso, gendiçaum das gorrentesh ofeânicash! — O profeta lambeu os lábios. — E gnaum tguenho shertheza de qgue gá shufichent de voshê, tambguém, ao qhe pareshe. Vamush guer o gue maish voshê...

Fwi-Song estava franzindo o cenho outra vez. Horza olhou além dos Devoradores que o seguravam com a mão esticada acima da estaca, um dedo desnudado, os ossos inertes, sangue pingando da extremidade fina.

Depois deles, Fwi-Song estava sentado de cenho franzido em sua liteira na areia. O sr. Primeiro estava ao seu lado, ainda olhando com raiva para Horza e segurando o cano da arma. Como o silêncio de Fwi-Song continuava, o sr. Primeiro olhou para o profeta. Fwi-Song disse:

— ... o gue maish vocshê... o gue maish...

Fwi-Song ergueu a mão e tirou os dentes desencapadores com dificuldade da boca. Ele os pôs à sua frente com o resto dos conjuntos no pano e levou uma mão gorducha ao pescoço, a outra ao vasto hemisfério de sua barriga. O sr. Primeiro continuou a olhar, então voltou-se para Horza, que fez o possível para sorrir. O Transmutador abriu as glândulas de seus dentes e sugou veneno.

— Sr. Primeiro... — começou Fwi-Song, então estendeu a mão que estava sobre a barriga na direção do outro homem.

O sr. Primeiro parecia não saber ao certo o que fazer. Ele transferiu a pistola de uma mão para a outra e pegou a mão esticada do profeta com a que estava livre.

— Acho que eu... eu... — disse Fwi-Song, quando seus olhos começaram a se abrir de fendas em pequenas formas ovaladas.

Horza já podia ver seu rosto mudando de cor. *Logo a voz, com a reação das cordas vocais.*

— Ajude-me, sr. Primeiro!

Fwi-Song pegou um monte de gordura em torno de seu pescoço como se tentasse afrouxar um cachecol apertado demais; enfiou os dedos na boca, na garganta, mas Horza sabia que isso não funcionaria; os músculos do estômago do profeta já estavam paralisados — ele não podia vomitar o veneno. Os olhos de Fwi-Song agora estavam arregalados, brilhando brancos; seu rosto estava ficando azul-acinzentado. O sr. Primeiro arregalou os olhos na direção do profeta, ainda segurando sua mão enorme; a dele estava enterrada em algum lugar no interior do grande punho dourado de Fwi-Song.

— So-cor-ro! — falou o profeta com voz esganiçada.

Então mais nada além de ruídos estrangulados. Os olhos brancos ficaram salientes, a estrutura enorme estremeceu, a cabeça de abóboda ficou azul.

Alguém na multidão começou a gritar. O sr. Primeiro olhou para Horza e ergueu a grande pistola. Horza ficou tenso, então cuspiu com toda a força.

A saliva se espalhou sobre o rosto do sr. Primeiro, da boca a uma orelha, em uma forma de foice que circundava um olho. O sr. Primeiro cambaleou para trás. Horza inspirou, sugou mais veneno, então cuspiu e soprou ao mesmo tempo, atingindo com saliva os olhos do sr. Primeiro. O sr. Primeiro levou a mão ao rosto, deixando cair a pistola. Sua outra mão ainda estava segura pela de Fwi-Song enquanto o profeta obeso estremecia e se agitava, seus olhos arregalados, mas sem ver nada. As pessoas que seguravam Horza hesitaram; ele pôde sentir isso nelas. Mais pessoas na multidão gritaram. Horza puxou o corpo e mostrou os dentes, cuspindo dessa vez em um dos homens que seguravam a estaca à qual sua mão estava amarrada. O homem deu um grito estridente e caiu para trás; os outros soltaram Horza ou a estaca e correram. Fwi-Song estava ficando azul do pescoço para baixo, ainda tremendo e segurando o pescoço com uma das mãos e o sr. Primeiro com a outra. O sr. Primeiro estava de joelhos, o rosto abaixado, gemendo enquanto tentava limpar o cuspe do rosto e remover a queimação insuportável dos olhos.

Horza olhou rapidamente ao redor; os Devoradores olhavam para seu profeta e seu principal discípulo, ou para o próprio Horza, mas não faziam nada para ajudá-los nem para detê-lo. Nem todos choravam ou gritavam; alguns ainda cantavam, rápida e temerosamente, como se algo que pudessem dizer fosse deter quaisquer coisas terríveis que estivessem acontecendo. Aos poucos, porém, eles recuaram, afastando-se do profeta e do sr. Primeiro e do Transmutador. Horza puxou e fez força com a mão amarrada à estaca; ela começou a se soltar.

— Aaaahhh! — O sr. Primeiro de repente levantou a cabeça, a mão ainda sobre um olho, e gritou a plenos pulmões; sua mão, ainda na do profeta, deu um puxão quando ele tentou se soltar.

Fwi-Song, porém, ainda o segurava em sua pegada, mesmo enquanto tremia de olhos vidrados e ficava azul. A mão de Horza se soltou; ele puxou as amarras às costas e fez o possível com a mão livre e decepada para desatar os nós. Os Devoradores agora gemiam, alguns ainda cantavam, mas estavam se afastando. Horza deu um grito — em parte para eles, em parte para os nós obstinados às suas costas. Vários na multidão correram. Uma das mulheres trajando as vestimentas esfarrapadas gritou, atirou a tigela de papa na direção dele, errou, então caiu chorando na areia.

Horza sentiu as cordas às suas costas cederem. Ele liberou o outro braço, então um pé. Levantou-se, trêmulo, observando Fwi-Song gorgolejar e sufocar, enquanto o sr. Primeiro uivava, sacudindo a cabeça de um lado para o outro e puxando e agitando a mão imobilizada que parecia presa ao simulacro monstruoso de um aperto de mão. Devoradores corriam para as canoas ou para o transporte, ou se jogavam na areia. Horza finalmente conseguiu se soltar e cambaleou na direção do duo muito desequilibrado de homens ligados pela mão. Ele saltou à frente e pegou a pistola caída na areia. Quando se abaixou e se levantou, Fwi-Song, como se tivesse de repente visto Horza outra vez, emitiu um último ruído gorgolejante e caiu lentamente para o lado do qual o sr. Primeiro estava puxando e forçando. O sr. Primeiro caiu de joelhos outra vez, ainda gritando enquanto o veneno queimava as membranas de seus olhos e atacava os nervos por trás. Quando Fwi--Song tombou e seu braço e sua mão ficaram frouxos, o sr. Primeiro se virou e ergueu os olhos, a tempo de ver através da dor o enorme volume do profeta caindo em sua direção. Ele uivou uma vez, inspirando quando finalmente conseguiu soltar a mão do agora azul grupo de dedos gorduchos; começou a se levantar, mas Fwi-Song rolou e caiu sobre ele, derrubando-o na areia. Antes que o sr. Primeiro pudesse emitir mais qualquer som, o profeta imenso tinha caído sobre seu discípulo, esmagando-o na areia da cabeça à bunda.

Os olhos de Fwi-Song se fecharam devagar. A mão em seu pescoço caiu sobre a areia e a borda externa da fogueira, onde começou a tostar.

As pernas do sr. Primeiro deixaram uma marca na areia enquanto os últimos dos Devoradores fugiam correndo, saltando tendas e fogueiras e correndo para as canoas, o transporte ou a floresta. Então as duas pernas magras que se projetavam de baixo do corpo do profeta foram reduzidas a espasmos, e depois de algum tempo pararam de se mover completamente. Nenhum de seus movimentos tinha conseguido mover o corpo de Fwi-Song nem um centímetro.

Horza soprou areia da pistola de pegada desajeitada e seguiu na direção do cheiro da mão do profeta queimando no fogo. Ele checou a arma, olhando ao redor da faixa deserta de praia em torno das fogueiras e tendas. As canoas estavam sendo lançadas. Devoradores estavam se aglomerando no transporte da Cultura.

O Transmutador esticou os membros doloridos, olhou para o osso do dedo, então deu de ombros, pôs a arma debaixo de um braço, colocou a mão boa em torno do grupo de ossos, puxou e girou. Os ossos inúteis saíram de seus encaixes e ele os jogou no fogo.

*A dor não é mesmo real*, disse a si mesmo, trêmulo, e partiu na direção do transporte da Cultura em uma corrida lenta.

Os Devoradores que estavam no transporte o viram chegando direto na direção deles e começaram a gritar outra vez. Eles saíram apressados. Alguns correram pela praia para entrar na água atrás das canoas em fuga; outros se espalharam pela floresta. Horza desacelerou para deixá-los ir, então olhou cautelosamente para as portas abertas da nave da Cultura. Pôde ver assentos no interior, além da pequena rampa, e luzes e uma divisória à frente. Respirou fundo, subiu a leve inclinação da rampa e entrou no transporte.

— Olá — disse uma voz toscamente sintetizada.

Horza olhou ao redor. O transporte parecia muito usado e velho. Era da Cultura, ele estava bem certo disso, mas não estava limpo e absolutamente novo como a Cultura gostava que seus produtos fossem.

— Por que aquelas pessoas estavam com tanto medo de você?

Horza ainda estava olhando ao redor, perguntando-se para onde e para que se dirigir.

— Não tenho certeza — respondeu ele, dando de ombros.

Ele estava nu e ainda segurando a arma, com apenas alguns pedaços de carne em um dedo, embora o sangramento tivesse parado rapidamente. Achou mesmo que devia parecer uma figura assustadora, mas talvez o transporte não pudesse ver isso.

— Onde está você? O que é você? — perguntou ele, decidindo fingir ignorância.

Ele olhou ao redor de um jeito muito óbvio, fazendo questão de demonstrar estar olhando para a frente, através de uma porta na divisória, para uma área de controle adiante.

— Eu sou o transporte. O cérebro dele. Como vai você?

— Bem — falou Horza. — Bem. Como está você?

— Muito bem, levando-se tudo em conta, obrigado. Eu não estive nada entediado, mas é bom finalmente ter alguém com quem conversar. Você fala marain muito bem, onde aprendeu?

— Ah... eu fiz um curso — disse Horza.

Ele olhou mais um pouco ao redor.

— Bem, não sei para onde olhar quando falo com você. Para onde eu devo olhar, hein?

— Haha — riu o transporte. — Acho melhor você olhar aqui para cima; para a frente, na direção da divisória.

Horza fez isso.

— Está vendo aquela coisinha redonda bem no meio, perto do teto? É um de meus olhos.

— Ah — falou Horza. Ele acenou e sorriu. — Oi. Meu nome é... Orab.

— Olá, Orab. Eu me chamo Tsealsir. Na verdade, isso é apenas parte de meu nome designado, mas pode me chamar assim. O que estava acontecendo lá fora? Não tenho observado as pessoas que estou aqui para resgatar; disseram para eu não fazer isso, porque poderia ficar preocupado, mas ouvi pessoas gritando quando se aproximaram e elas pareciam com medo quando entraram em mim. Então elas viram você e saíram correndo. O que é isso que você está segurando? É uma arma? Vou ter de lhe pedir para guardá-la por segurança. Estou aqui para resgatar pessoas que quiserem ser resgatadas quando o orbital for destruído, e não podemos ter armas perigosas a bordo, para ninguém se machucar, podemos? Esse dedo está machucado? Tenho um kit médico muito bom a bordo. Você gostaria de usá-lo, Orab?

— É, isso pode ser uma ideia.

— Bom. Está à esquerda do lado interno da porta que dá para meu compartimento dianteiro.

Horza passou pelas fileiras de assentos na direção da frente do transporte. Mesmo com toda a sua idade, o transporte cheirava a... ele não sabia ao certo. Todos os materiais sintéticos de que era feito, imaginou. Depois dos odores naturais, mas horrendos do último dia, Horza achou o transporte muito mais agradável, mesmo que fosse da Cultura, e portanto pertencesse ao inimigo. Horza tocou a arma que estava carregando como se estivesse fazendo alguma coisa com ela.

— Só colocando a trava de segurança — explicou para o olho no teto. — Não quero que ela dispare, mas aquelas pessoas lá fora estavam querendo me matar mais cedo, e eu me sinto mais seguro com ela na mão, sabe o que eu quero dizer?

— Bem, não exatamente, Orab — respondeu o transporte. — Mas acho que posso entender. Mas você vai ter de me entregar a arma antes de decolarmos.

— Ah, claro. Assim que você fechar aquelas portas traseiras.

Horza estava na porta entre o compartimento principal e a pequena área de controle. Era na verdade um corredor bem curto, menos de dois metros de comprimento, mas ele não conseguia ver outro olho. Viu uma grande placa se abrir perto da altura de seu quadril para revelar um kit médico abrangente.

— Bem, Orab, eu fecharia as portas para fazer com que você se sentisse um pouco mais seguro se pudesse, mas, sabe, estou aqui para resgatar pessoas que queiram ser resgatadas quando chegar a hora de destruir o orbital, e não posso fechar as portas até logo antes de partir, para que todo mundo que quiser possa subir a bordo. Na verdade, não consigo entender direito por que alguém não ia querer escapar, mas eles me disseram para não me preocupar se algumas pessoas ficassem para trás. Mas devo dizer que acho que isso seria uma tolice, não acha, Orab?

Horza estava revirando o kit médico, mas olhando acima dele, para outros contornos de portas nas paredes do corredor curto.

— Hã? Ah, é, seria. Quando mesmo o lugar vai explodir? — perguntou ele.

Ele enfiou a cabeça no interior do cockpit, olhando para outro olho instalado na posição correspondente à daquele no compartimento principal, mas virado para a frente do outro lado da parede grossa entre os dois. Horza sorriu e deu um pequeno aceno, então voltou a se abaixar.

— Oi. — O transporte riu. — Bem, Orab, infelizmente vamos ser forçados a destruir o orbital em 43 horas padrão. A menos, é claro, que os idiranos parem de se comportar de maneira tola, sejam razoáveis e retirem sua ameaça de usar Vavatch como base de guerra.

— Ah — disse Horza.

Ele estava olhando para o contorno de uma das portas acima daquela aberta de onde se projetava o kit médico. Até onde conseguia adivinhar, os dois olhos estavam de costas um para o outro, separados pela espessura da parede entre os dois compartimentos. A menos que houvesse um espelho que ele não pudesse ver, ele estava invisível para o transporte enquanto permanecesse no pequeno corredor.

Ele olhou para trás, através das portas traseiras abertas; o único movimento vinha do alto de algumas árvores distantes e da fumaça das fogueiras. Ele verificou a arma. Os projéteis pareciam estar escondidos em alguma espécie de magazine, mas um pequeno indicador circular com um ponteiro móvel registrava que havia apenas uma bala sobrando ou que apenas uma das doze havia sido disparada.

— É — disse o transporte. — É muito triste, é claro, mas essas coisas são necessárias em tempos de guerra, acho. Não que eu finja entender tudo. Sou apenas um humilde transporte, afinal de contas. Eu na verdade fui dado como presente para um dos meganavios, porque era muito antiquado e tosco para a Cultura, você sabe. Achei que eles pudessem me fazer um upgrade, mas não fizeram; só me deram. Enfim, agora eles precisam de mim, fico feliz em dizer. Nós temos um trabalho e tanto em nossas mãos, sabe, levar todo mundo que queira partir de Vavatch. Vou lamentar ver o fim do orbital; tive muitos momentos felizes aqui, pode acreditar em mim... Mas as coisas são simplesmente assim, eu acho. Por falar nisso, como está esse dedo? Quer que eu dê uma olhada nele? Traga o kit médico para um dos dois compartimentos para que eu possa dar uma olhada. Talvez eu consiga ajudar, sabia? Ah! Você está mexendo em um dos outros armários naquele corredor?

Horza estava tentando abrir a porta perto do teto usando o cano da arma.

— Não — respondeu ele, tentando forçá-la. — Não estou nem perto.

— Isso é estranho, tenho certeza de que posso sentir alguma coisa. Tem certeza?

— Claro que tenho certeza — mentiu Horza, jogando todo o seu peso por trás da arma. A porta cedeu, revelando tubos, rolos de fibra, frascos de metal e várias outras peças de unidades de maquinaria, de eletricidade, óticas e de campo.

— Ai! — reclamou o transporte.

— Ei! — gritou Horza. — Ela simplesmente se abriu! Tem alguma coisa em chamas aqui!

Ele ergueu a arma, segurando-a com as duas mãos. Mirou com cuidado; mais ou menos *ali*.

— *Fogo!* — berrou o transporte. — Mas isso não é possível!

— Você acha que não sei o que é *fumaça* quando eu vejo, sua maldita máquina maluca? — retrucou Horza.

Ele puxou o gatilho.

A arma explodiu, jogando suas mãos para o alto e o impulsionando para trás. O barulho da exclamação do transporte foi coberto pelo estampido e pela pancada da bala atingindo o interior e explodindo. Horza cobriu o rosto com o braço.

— Estou cego! — disse o transporte.

Agora havia mesmo fumaça saindo do compartimento que Horza tinha aberto. Ele entrou cambaleando no compartimento de controle.

— Você também está em chamas aqui! — alertou ele. — Tem fumaça saindo de todo lado.

— O quê? Mas isso não pode ser...

— Você está pegando fogo! Não sei como pode não sentir, nem sentir o cheiro! Você está queimando!

— Não confio em você! — berrou a máquina. — Guarde essa arma ou...

— Você precisa confiar em mim! — falou Horza, olhando por toda a volta da área de controle tentando descobrir onde o cérebro do transporte podia estar localizado.

Ele podia ver telas e assentos, telas com leituras e até o lugar onde deviam estar escondidos controles manuais; mas não havia indicação de onde ficava o cérebro.

— Tem fumaça saindo de todo lado! — repetiu ele, procurando parecer histérico.

— Aqui! Aqui tem um extintor! Estou ligando o meu! — gritou a máquina.

Uma unidade de parede girou, e Horza pegou o cilindro volumoso preso ao interior dela. Ele envolveu os quatro dedos bons de sua mão ferida em torno do cabo da pistola. Um ruído sibilante, e jatos que pareciam vapor apareceram de vários lugares do compartimento.

— Não está acontecendo nada! — disse Horza. — Tem muita fumaça negra e ela está... arrgh! — Ele fingiu tossir. — Aargh! Está ficando mais densa!

— De onde está vindo? Depressa!

— De toda parte! — berrou Horza, olhando em torno da área de controle. — De perto de seu olho... de baixo dos assentos, do alto das telas, de baixo das telas... Não consigo ver...!

— Continue! Agora também estou conseguindo sentir o cheiro de fumaça!

Horza olhou para a pequena nuvem cinza que penetrava na área de controle vinda do fogo hesitante no corredor curto onde ele atirara na nave.

— Está... vindo desses lugares, e daquelas telas de informação dos dois lados dos assentos da extremidade e... logo acima dos assentos, nas paredes laterais de onde aquele pedaço se projeta.

— O quê? — gritou o cérebro do transporte. — Na esquerda, virado para a frente?

— Isso!

— Apague esse primeiro! — berrou o transporte.

Horza largou o extintor e pegou novamente a arma com as duas mãos, apontando para a protuberância na parede acima do assento da esquerda. Ele puxou o gatilho: uma, duas, três vezes. A pistola disparou, sacudindo todo o seu corpo; fagulhas e fragmentos de destroços voaram dos buracos que as balas abriam no revestimento da máquina.

— EEEeee... — disse o transporte, então fez-se silêncio.

Um pouco de fumaça subiu da protuberância e se juntou àquela que vinha do corredor para formar uma camada tênue sob o teto. Horza abaixou a arma devagar, olhando ao redor e ouvindo.

— Idiota — falou ele.

*

Horza usou o extintor manual para apagar os pequenos focos de fogo na parede do corredor e onde antes ficava o cérebro do transporte, então saiu para a área de passageiros para se sentar perto das portas abertas enquanto a fumaça e os vapores se dissipavam. Não via nenhum Devorador na areia nem na floresta, e as canoas também estavam fora de vista. Ele procurou por algum controle da porta e o encontrou; as portas se fecharam com um chiado, e Horza sorriu.

Ele voltou para a área de controle e começou a apertar botões e a abrir partes do painel até conseguir alguma vida das telas. Todas de repente piscaram e se acenderam enquanto ele mexia com alguns botões no braço de um dos assentos semelhantes a sofás. O barulho das ondas no cockpit fez com que ele pensasse que as portas tinham se aberto outra vez, mas eram apenas alguns microfones externos transmitindo o barulho do lado de fora. Telas piscaram e se acenderam com números e linhas, e portinholas se abriram diante dos assentos; manches e alavancas de controle se ergueram suavemente e se encaixaram no lugar, prontos para serem manuseados e usados. Sentindo-se mais feliz do que tinha estado em muitos dias, Horza deu início a uma busca mais longa e mais frustrante, e por fim bem-sucedida, por alguma comida. Ele estava com muita fome.

Alguns insetos pequenos corriam em filas organizadas por cima do corpo enorme desabado na areia, uma das mãos do qual estava estendida, carbonizada e enegrecida nas chamas moribundas de uma fogueira.

Os pequenos insetos começaram comendo os olhos profundos, que estavam abertos. Eles mal perceberam quando o transporte levantou voo, oscilante, ganhou velocidade e fez uma volta deselegante acima da montanha, então saiu roncando através do ar do início da noite para longe da ilha.

# INTERLÚDIO EM ESCURIDÃO

A Mente tinha uma imagem para ilustrar sua capacidade de informação. Ela gostava de imaginar o conteúdo de sua memória escrito em cartões; pequenos pedaços de papel com letras diminutas sobre eles, grandes o suficiente para serem lidas por humanos. Se os caracteres tivessem alguns milímetros de altura e o papel fosse um quadrado de dez centímetros e escrito dos dois lados, então 10 mil caracteres podiam ser espremidos em cada cartão. Em uma gaveta de um metro de comprimento desses cartões, talvez mil deles — 10 milhões de elementos de informação — pudessem ser armazenados. Em uma sala pequena com alguns poucos metros quadrados, com um corredor no meio largo o bastante apenas para puxar por ele uma gaveta, talvez pudessem ser guardadas mil gavetas arrumadas em arquivos abarrotados: 10 bilhões de caracteres no total.

Um quilômetro quadrado dessas células amontoadas podia conter até 100 mil salas; mil desses andares produziriam um prédio de 2 mil metros de altura com 100 milhões de salas. Se você continuasse a construir essas torres baixas e espremesse bem umas junto às outras até que elas tivessem coberto a superfície de um grande mundo de gravidade padrão — talvez 1 bilhão de quilômetros quadrados —, teria um planeta com 1 trilhão de quilômetros quadrados de espaço, 100 quatrilhões de salas cheias de papel; trinta anos-luz de corredores e um número potencial de caracteres armazenados suficientemente grande para deixar a mente de qualquer um perplexa.

Em base 10, esse número seria um 1 seguido por 27 zeros, e mesmo essa quantidade enorme era apenas uma fração da capacidade da Mente. Para igualá-la, você precisaria de mil desses mundos; sistemas deles, um aglomerado de globos repletos de informação... e essa vasta capacidade estava contida em um espaço menor que uma única dessas salas, no interior da Mente...

*

No escuro, a Mente esperava.

Ela havia contado o quanto havia esperado até então; tinha tentado estimar por quanto tempo teria de esperar no futuro. Sabia até a menor fração imaginável de um segundo quanto tempo tinha passado nos túneis do Sistema de Comando, e com mais frequência que o necessário pensava sobre esse número, observava-o crescer em seu interior. Era uma forma de segurança, ela supunha; um pequeno fetiche; algo a que se agarrar.

Ela havia explorado os túneis do Sistema de Comando, inspecionando e examinando. Estava fraca, danificada, quase totalmente impotente, mas tinha valido a pena dar uma olhada pelo complexo labiríntico de túneis e cavernas só para tirar sua atenção do fato de que estava lá como refugiada. Para os lugares que não conseguia alcançar, enviou seu último drone remoto restante, para que ele desse uma olhada e visse o que houvesse para ver.

E tudo isso era ao mesmo tempo entediante e assustadoramente deprimente. O nível de tecnologia que tinham os construtores do Sistema de Comando era realmente muito limitado; tudo nos túneis funcionava mecânica ou eletronicamente. Engrenagens e volantes, cabos elétricos e cabos de luz; muito tosco mesmo, pensava a Mente, e nada pelo que ela pudesse possivelmente se interessar. Uma olhada em qualquer das máquinas e dispositivos no túnel era suficiente para conhecê-los exatamente — do que eram feitos, como tinham sido feitos, até para que tinham sido feitos. Nenhum mistério, nada em que empregar a mente.

Havia algo, também, sobre a falta de exatidão daquilo tudo que a Mente achava quase assustador. Ela podia olhar para alguma peça de máquina de metal ou algum pedaço de plástico cuidadosamente modelado e saber que para as pessoas que tinham construído o Sistema de Comando — aos olhos deles — essas coisas eram exatas e precisas, construídas com linhas retas, bordas perfeitas, superfícies lisas, ângulos retos imaculados... e assim por diante. Mas a Mente, mesmo com seus sensores danificados, podia ver as bordas grosseiras, a crueza das peças e dos componentes envolvidos. Eles tinham sido bons o bastante para as pessoas na época, e sem dúvida tinham preenchido o critério mais importante de todos: funcionavam...

Mas eles *eram* toscos, desajeitados, de projeto e fabricação imperfeitos. Por alguma razão, a Mente achava isso preocupante.

E teria de *usar* essa tecnologia antiga, rude, gasta. Teria de *se conectar* com ela.

Havia pensado sobre isso da melhor forma possível e decidido formular planos sobre o que fazer se os idiranos conseguissem fazer com que alguém passasse pela Barreira de Silêncio e ameaçassem descobri-la.

Ela iria se armar e criar um lugar onde se esconder. As duas ações implicavam danos ao Sistema de Comando, então ela não agiria até saber que estava certamente ameaçada. Quando soubesse que estava, seria forçada a arriscar a insatisfação dos Dra'Azon.

Mas poderia não chegar a isso. Ela esperava que não chegasse; planejar era uma coisa, executar era outra. Era improvável que tivesse muito tempo para se esconder ou se armar. Os dois planos necessariamente seriam implementados de modo tosco, especialmente porque ela só tinha um drone remoto e seus próprios campos muito danificados com os quais manipular as instalações de engenharia do Sistema.

Mas era melhor que nada. Ainda seria melhor ter problemas que deixar que a morte os erradicasse todos...

Havia, porém, outro problema menos imediatamente relevante, mas mais intrinsecamente preocupante que tinha descoberto, e estava implícito na pergunta: quem era ela?

Suas funções mais elevadas tiveram de ser encerradas quando ela se transferiu de um espaço de quatro dimensões para um de três. A informação da Mente era mantida em forma binária, em espirais compostas de prótons e nêutrons; e nêutrons — fora de um núcleo e também fora do hiperespaço — decaíam (em prótons, haha; pouco depois de entrar no Sistema de Comando, a grande maioria da memória teria consistido na mensagem incrivelmente esclarecedora: "0000000..."). Então havia congelado sua memória primária e suas funções cognitivas com sucesso, envolvendo-as em campos que impediam o decaimento e o uso. Em vez disso, estava trabalhando com o backup em picocircuitos, no espaço real, e usando luz do espaço real para pensar (que humilhação).

Na verdade, ela ainda podia acessar toda aquela memória armazenada (embora o processo fosse complicado e muito *lento*), então nem tudo estava perdido ali... Mas pensar, *ser ela mesma*, aquilo era outra questão completamente diferente. Não era mais ela mesma. Era uma cópia tosca e abstraída de si mesma, a mera planta da complexidade labiríntica de sua verdadeira personalidade. Era a cópia mais fiel possível que sua escala limitada era teoricamente capaz de produzir, e ainda assim era senciente; consciente até pelos padrões mais rigorosos. Mas um índice não era o texto, uma planta das ruas não era a cidade, um mapa não era a terra.

Então *quem era ela?*

Não a entidade que achava ser, essa era a resposta, e era uma resposta desconcertante. Porque ela sabia que a personalidade que era agora nunca poderia pensar em todas as coisas que sua velha personalidade teria podido. Sentia-se indigna. Sentia-se falível e limitada e... obtusa.

*Mas pense positivo. Padrões, imagens, a analogia reveladora... fazer o mal trabalhar para o bem. Só pense...*

Se não era ela mesma, então não *seria* ela mesma.

Assim como ela estava agora em relação ao que tinha sido antes, o drone remoto agora estava em relação a ela (bela conexão).

O drone remoto seria mais que seus olhos e ouvidos na superfície, dentro ou perto da base dos Transmutadores, ficando de vigia; mais que apenas seu assistente nos preparativos sem dúvida frenéticos para equipar e eliminar que ocorreriam se o drone soasse o alarme; mais. E menos.

*Olhe pelo lado bom, pense nas coisas boas. Ela havia sido inteligente? Havia, sim.*

Sua fuga da nave de guerra de peças de reposição tinha sido, embora ela mesma pensasse isso, incrivelmente habilidosa e brilhante. Seu uso corajoso da dobra espacial tão profundamente em um poço de gravidade teria sido extremamente temerário em qualquer coisa além das circunstâncias terríveis em que se encontrara, mas de qualquer forma havia sido extremamente hábil... e sua incrível transferência entre domínios, do hiperespaço para o espaço real, não fora simplesmente ainda mais brilhante e ainda mais corajosa que qualquer outra coisa que tivesse feito, era quase com certeza uma primeira vez; não havia nada em nenhum lugar em seu grande acervo de informação que indicasse que qualquer pessoa *algum dia* já tivesse feito aquilo. Ela estava orgulhosa.

Mas depois de tudo aquilo, ali estava ela, presa; uma aleijada intelectual, uma sombra filosófica de sua antiga personalidade.

Agora tudo o que podia fazer era esperar, torcendo para quem quer que viesse encontrá-la fosse amistoso. A Cultura devia saber; a Mente estava certa de que seu sinal havia funcionado e de que seria captado em algum lugar. Mas os idiranos também sabiam. Ela não achava que eles simplesmente tentariam invadir, porque sabiam tão bem quanto ela que antagonizar os Dra'Azon era má ideia. Mas e se os idiranos encontrassem um jeito de entrar e a Cultura não conseguisse? E se toda a região de espaço em torno do Golfo Sombrio estivesse agora sob domínio idirano? A Mente sabia que havia apenas uma coisa que podia fazer se caísse em mãos idiranas, mas não apenas não queria se autodestruir por razões puramente pessoais como na verdade não queria se destruir em nenhum lugar perto do Mundo de Schar, pelo mesmo motivo pelo qual os idiranos não chegariam atacando. Mas se *fosse* capturada no planeta, essa poderia ser a última vez que teria chance de se destruir. Quando fosse levada do planeta, os idiranos poderiam já ter encontrado um jeito de impedi-la de se destruir.

Talvez tivesse cometido um erro ao escapar. Talvez devesse ter apenas se destruído com o resto da nave e poupado toda aquela complicação e preocupação. Mas tinha parecido uma oportunidade de escapar quase enviada pelos céus — estar tão perto de um Planeta dos Mortos quando foi atacada. Ela queria viver, de qualquer forma, mas teria sido... um desperdício perder uma chance tão boa mesmo que não tivesse sido perfeitamente sanguínea em relação a sua própria sobrevivência ou destruição.

Bom, não havia nada a fazer em relação a isso agora. Ela estava ali e só tinha de esperar. Esperar e pensar. Considerar todas as opções (poucas) e possibilidades (muitas). Vasculhar aquelas memórias da melhor maneira possível à procura de alguma coisa que pudesse ser relevante, que pudesse ajudar. Por exemplo (e o detalhe realmente interessante *tinha de ser* um ruim), ela havia descoberto que os idiranos provavelmente tinham empregado um dos Transmutadores que realmente serviram na equipe de cuidadores no Mundo de Schar. Claro que talvez o homem estivesse morto ou ocupado com alguma outra coisa, ou longe demais, ou a informação estivesse errada desde o começo, e a seção de coleta de inteligência da Cultura tivesse entendido errado... Mas se não, então aquele homem seria a pessoa óbvia para enviar em busca de algo escondido nos túneis do Sistema de Comando.

Era parte da própria construção da Mente — em todos os níveis — acreditar que não houvesse algo como conhecimento ruim exceto em termos muito relativos, mas ela na verdade desejava não ter esse fragmento de informação em seus bancos de memória; da mesma forma, não teria sabido nada sobre esse homem, esse Transmutador que conhecia o Mundo de Schar e provavelmente trabalhava para os idiranos. (Perversamente, via-se desejando saber o *nome* desse homem.)

Mas com alguma sorte ele seria irrelevante, ou a Cultura chegaria lá primeiro. Ou o ser Dra'Azon reconheceria uma Mente irmã com problemas e ajudaria, ou... qualquer coisa.

Na escuridão, a Mente esperava.

... Centenas daqueles planetas estavam vazios; as 100 milhões de torres de salas estavam ali; as salinhas, os arquivos e as gavetas e os cartões e os espaços para os números e letras estavam ali; mas não havia nada escrito, nada guardado em nenhum dos cartões... (Às vezes a Mente gostava de se imaginar viajando pelos espaços estreitos entre os arquivos, um de seus drones remotos flutuando entre os arquivos de memória empilhados nos corredores estreitos de sala em sala, andar após andar, quilômetro atrás de quilômetro, sobre continentes enterrados de salas, oceanos cheios de salas, montanhas niveladas, florestas derrubadas, desertos cobertos de salas...) Todos aqueles sistemas de planetas escuros, aqueles trilhões de quilômetros quadrados de papel em branco, representavam o futuro da Mente, os espaços que preencheria em sua vida futura.

Se ela tivesse uma.

# 7

## UM JOGO DE DANO

— **DANO**... o jogo banido em todos os lugares. Esta noite, naquele prédio pouco atraente do outro lado da praça sob a cúpula, eles vão se reunir: os Jogadores da Véspera da Destruição... o grupo mais seleto de psicóticos ricos na galáxia humana, aqui para jogar o jogo que está para a vida real como as telenovelas estão para a alta tragédia.

"Esta é a cidade de porto duplo de Evanauth, Orbital Vavatch, o mesmo Orbital Vavatch que dentro de aproximadamente onze horas padrão vai ser explodido em seus átomos formadores no momento em que a guerra entre os idiranos e a Cultura nessa parte da galáxia, perto do Penhasco Cintilante e do Golfo Sombrio, alcança um novo pico em defender seus princípios independentemente de qualquer coisa e uma nova depressão em bom senso. Foi essa destruição iminente que atraiu esses abutres escatológicos aqui, não os famosos meganavios nem os milagres tecnológicos azul-anil do Mar do Círculo. Não, essas pessoas estão aqui porque todo o orbital está condenado a ser explodido em breve, e eles acham divertido jogar Dano — um jogo de cartas comum com alguns acréscimos para torná-lo atraente para os mentalmente perturbados — em lugares à beira da aniquilação.

"Eles jogaram em mundos prestes a sofrer gigantescos impactos por cometas, em caldeiras vulcânicas prestes a explodir, em cidades que sofreriam bombardeio nuclear em guerras rituais, em asteroides seguindo para o centro de estrelas, diante de penhascos de gelo ou lava em movimento, no interior de misteriosas espaçonaves alienígenas descobertas vazias e desertas e programadas em rotas que as levavam para buracos negros, em vastos palácios prestes a serem saqueados por multidões de androides e praticamente em todos os lugares que se possa pensar onde você *não* ia querer estar imediatamente após a partida dos jogadores. Pode parecer um jeito estranho de conseguir seus baratos, mas todos os tipos são necessários para se fazer uma galáxia, eu acho.

"Então eles vieram para cá, esses parasitas hiper-ricos, em suas naves alugadas ou em suas próprias naves de cruzeiro. Neste momento estão curando a bebedeira e se recuperando, passando por cirurgias plásticas ou terapia comportamental, ou os dois, para torná-los aceitáveis no que passa por sociedade normal, mesmo nesses círculos rarefeitos, depois de meses passados em qualquer devassidão ou perversão improvável que os atraia em especial ou por acaso esteja na moda no momento. Ao mesmo tempo, eles ou seus asseclas estão reunindo créditos aoish (todos verdadeiros, nada de notas) e procurando em hospitais, asilos e armazéns de congelamento por novas Vidas.

"Para cá vieram, também, os frequentadores habituais: as *groupies* do Dano, os caçadores de fortuna, os fracassados em jogos passados desesperados por mais uma chance, bastando conseguir o dinheiro e as Vidas... E o próprio tipo de entulho humano do Dano: os moties, vítimas do resultado do jogo; viciados mentais que só existem para pular em cima dos restos de êxtase e angústia que caem dos lábios de seus heróis, os jogadores.

"Ninguém sabe exatamente como todos esses grupos diferentes ficam sabendo do jogo ou mesmo como todos chegam aqui a tempo, mas a notícia alcança aqueles que realmente necessitam dela ou querem saber dela, e como mortos-vivos eles vêm, prontos para o jogo e a destruição.

"Originalmente, Dano era jogado nessas ocasiões porque só durante o colapso da lei e da moralidade, durante a confusão e o caos que em geral cercam eventos finais, o jogo podia ser realizado em qualquer coisa remotamente semelhante a uma parte da galáxia civilizada; da qual, acredite ou não, os jogadores gostam de achar que fazem parte. Agora a subsequente nova, explosão mundial ou outro cataclismo são vistos como uma espécie de símbolo metafísico da mortalidade de todas as coisas, e como todas as Vidas envolvidas em um jogo completo são voluntárias, muitos lugares, como o velho Vavatch permissivo e orientado para o prazer, permitem que o jogo seja realizado com a bênção oficial das autoridades. Algumas pessoas dizem que não é mais o jogo que costumava ser, até que se transformou em uma espécie de evento de mídia, mas *eu* digo que ainda é um jogo para os loucos e os maus; os ricos e os indiferentes, mas não os descuidados; os desvairados... mas bem conectados. Pessoas ainda morrem no Dano, e não apenas as Vidas, ou os jogadores.

"Já foi chamado de o jogo mais decadente da história. Praticamente tudo o que você pode dizer em defesa do jogo é que ele, em vez da realidade, ocupa as mentes tortuosas de algumas das pessoas mais pervertidas da galáxia; só os deuses sabem o que elas estariam fazendo se ele não existisse. E se o jogo faz algum bem além de nos lembrar, como se precisássemos de lembrete, de quanto a forma de carbono bípede e que respira oxigênio pode enlouquecer, ele de vez em quando remove um dos jogadores e assusta o resto por algum tempo. Nesses tempos discutivelmente insanos, *qualquer* redução ou atenuação da loucura talvez seja algo pelo que ser grato.

"Vou fazer outra transmissão em algum momento durante o desenrolar do jogo, de dentro do auditório, se eu conseguir entrar lá. Mas enquanto isso, até logo e se cuidem. Aqui é Sarble, o Olho, cidade de Evanauth, Vavatch."

A imagem na tela de pulso de um homem parado à luz do sol em uma praça se apagou; a face jovem, juvenil e meio mascarada desapareceu.

Horza guardou a tela do terminal de volta na manga. O mostrador de tempo piscava lentamente com a contagem regressiva para a destruição de Vavatch.

Sarble, o Olho, um dos mais famosos repórteres freelancers humanoides da galáxia, e também um dos mais bem-sucedidos em entrar em lugares onde não deveria estar, agora provavelmente estaria tentando entrar no salão de jogos — se já não tivesse entrado; a transmissão a que Horza havia acabado de assistir tinha sido gravada naquela tarde. Sem dúvida Sarble estaria disfarçado, por isso Horza agradeceu por ter pagado propina para entrar antes da transmissão do repórter e de os guardas de segurança em torno do salão ficarem ainda mais cautelosos; tinha sido difícil o suficiente como foi.

Horza, em sua nova aparência como Kraiklyn, tinha posado como um motie — um dos viciados emocionais que acompanhavam o progresso errático e secreto das principais séries de jogos em torno das bordas mais imorais da civilização, tendo descoberto que todos os lugares, exceto os mais caros, tinham se esgotado no dia anterior. Os cinco décimos de créditos aoish com os quais ele tinha começado a manhã agora estavam reduzidos a três; embora ele também tivesse algum dinheiro em alguns cartões de crédito que tinha comprado. O dinheiro perderia valor real, porém, à medida que a hora da destruição se aproximasse.

Horza respirou fundo de forma satisfatória e olhou ao redor pela grande arena. Ele tinha subido o máximo possível os degraus, rampas e plataformas escalonados usando o intervalo antes do início do jogo para ter uma visão geral da coisa toda.

A cúpula da arena era transparente, mostrando estrelas e a linha brilhante e reluzente que era o lado oposto do orbital, agora à luz do dia. As luzes dos transportes indo e vindo — a maioria indo — traçavam linhas através dos pontos imóveis. Abaixo da cobertura da cúpula pairava uma névoa enfumaçada, iluminada pela explosão de luzes de uma pequena exibição de fogos de artifício. O ar estava cheio, também, do cântico de vozes reunidas; um coro de scalecones estava reunido do lado oposto do auditório. Os humanoides que formavam o coro pareciam iguais em tudo, menos na estatura e nos tons que produziam de seus peitos estufados e pescoços compridos. Eles pareciam estar tornando o ambiente barulhento, mas enquanto olhava em torno da arena, Horza conseguiu ver as leves bordas roxas no ar onde outros campos sonoros mais localizados mantinham o controle, acima dos palcos menores onde dançarinos dançavam, cantores cantavam, strippers tiravam a roupa, boxeadores lutavam ou pessoas só ficavam por ali conversando.

Empilhada por toda a volta, a parafernália do jogo fervilhava como uma vasta tempestade. Talvez 10 ou 20 mil pessoas, a maioria humanoide, mas algumas totalmente diferentes, incluindo não poucas máquinas e drones, estavam sentadas, deitadas ou de pé, assistindo a mágicos, malabaristas, lutadores, imoladores, hipnotizadores, acasaladores, atores, oradores e uma centena de outros tipos de artistas, todos fazendo seus números. Tendas haviam sido armadas em alguns dos maiores terraços; fileiras de assentos e sofás permaneceram em outros; havia muitos palcos pequenos calcinados com luzes, fumaça e hologramas e soligramas reluzentes. Horza viu um labirinto em 3D se espalhar por vários terraços, cheio de tubos e ângulos, alguns transparentes, alguns opacos, alguns em movimento, alguns permanecendo imóveis. Sombras e formas se moviam em seu interior.

Um número de trapézio de animais em câmera lenta passava gradualmente em arco acima. Horza reconheceu os animais que se apresentavam; posteriormente aquele seria um número de combate.

Algumas pessoas passaram por Horza: humanoides altos em roupas fabulosas, cintilando como uma cidade enfeitada à noite vista do ar. Eles conversavam em vozes agudas praticamente inaudíveis, e de uma rede de tubos finos e de cor dourada se ramificando por toda a volta de seus rostos vermelhos e roxos-escuros, saíam pequenas nuvens de gás incandescente que envolviam seus pescoços semiescamosos e ombros nus, seguiam para suas costas e se dissipavam em um brilho laranja feroz. Horza os observou passar. Suas capas, fluindo às costas como se mal fossem mais pesadas que o ar pelo qual se moviam, tremeluziam com a imagem de um rosto alienígena, cada capa mostrando parte de uma enorme imagem em movimento, como se um projetor no alto estivesse focado nas capas do grupo. O gás laranja tocou as narinas de Horza, e sua cabeça girou por um segundo. Ele deixou suas glândulas de imunização lidarem com o narcótico e continuou a olhar em torno da arena.

O olho da tempestade, o ponto imóvel e silencioso, era tão pequeno que podia facilmente passar despercebido mesmo em um exame lento e atento do auditório. Não ficava no centro, mas disposto em uma das extremidades da elipsoide do térreo que formava o nível visível mais baixo da arena. Ali, sob um dossel de unidades de iluminação ainda escuras, havia uma mesa redonda, grande o suficiente apenas para acomodar ao seu redor dezesseis cadeiras grandes em estilos diferentes que davam, cada uma, para uma cunha de cor presa ao tampo da mesa. Havia um painel instalado na própria mesa de frente para cada cadeira, no qual correias e outros dispositivos restritivos estavam abertos. Atrás de cada um dos assentos havia uma área de espaço aberto na qual estavam posicionados assentos menores, doze no total. Uma pequena cerca os separava dos assentos grandes na frente, e outra cerca isolava o conjunto de doze assentos de uma área maior atrás onde as pessoas, a maioria delas moties, já esperavam em silêncio.

O jogo parecia ter sido atrasado. Horza se sentou no que era um assento com excesso de design ou uma escultura um tanto sem imaginação. Estava quase no nível mais alto dos terraços da arena, com uma boa vista para a maior parte do resto. Não havia ninguém por perto. Ele levou a mão bem fundo no interior de sua blusa pesada e arrancou um pouco de pele artificial do abdômen. Amassou a pele em uma bola e a jogou em um vaso grande com uma árvore pequena, logo atrás de onde estava sentado; então conferiu seus créditos de décimos aoish, o cartão de memória negociável, o terminal de bolso e a pistola leve de emissão de radiação linear que antes estava escondida pela barriga de pele falsa. Com o canto do olho, viu um homem pequeno e de roupas escuras se aproximar. O homem olhou para Horza com a cabeça inclinada, a cerca de cinco metros de distância, então se aproximou.

— Ei, você quer ser uma Vida?
— Não. Adeus — disse Horza.

O homem pequeno fungou e saiu andando, parando um pouco mais à frente na passarela para cutucar uma forma que estava perto da borda de um terraço estreito. Horza viu uma mulher ali erguer a cabeça de modo grogue, então sacudi-la lentamente, movendo mechas sinuosas de cabelo despenteado e sujo. Seu rosto surgiu brevemente à luz de uma luminária no teto; era bonita, mas parecia muito cansada. O homem pequeno falou com ela outra vez, mas ela sacudiu a cabeça e fez um movimento com uma das mãos. O homem pequeno foi embora.

O voo no transporte que pertencera à Cultura tinha sido relativamente tranquilo; depois de alguma confusão, Horza tinha conseguido se conectar com o sistema de navegação do orbital e descoberto onde estava em relação à última posição conhecida do *Olmedreca*, então partido para descobrir o que restava do meganavio. Ele havia acessado um serviço de notícias enquanto devorava as rações de emergência da Cultura e encontrado uma reportagem sobre o *Olmedreca* no índice. As imagens mostravam o navio, um pouco adernado e com a proa embicada para baixo, flutuando em um mar calmo cercado de gelo, o primeiro quilômetro de seu casco aparentemente enterrado no enorme iceberg tabular. Pequenas aeronaves e alguns transportes pairavam e voavam em torno do destroço gigantesco, como moscas em torno da carcaça de um dinossauro. O comentário que acompanhava o visual falava de uma misteriosa segunda explosão nuclear a bordo do navio. Também contava que, quando a nave policial chegara, o meganavio estava deserto.

Ao ouvir isso, Horza imediatamente alterou o destino do transporte, fazendo a volta com a nave para seguir para Evanauth.

Horza tinha três décimos de um crédito aoish. Havia vendido o transporte por cinco décimos. Fora absurdamente barato, especialmente levando-se em conta a destruição iminente do orbital, mas ele tinha pressa, e a negociante que aceitou a nave sem dúvida estava assumindo um risco ao lidar com a máquina; era muito obviamente um design da Cultura, o cérebro tinha de modo igualmente óbvio sido desconectado dela, então restava pouca dúvida de que fora roubada. A Cultura trataria a destruição da consciência da nave como assassinato.

Em três horas, Horza tinha vendido o transporte, comprado roupas, cartões, uma arma, alguns terminais e alguma informação. Tudo, menos a informação, tinha sido barato.

Horza agora sabia que havia uma nave que correspondia à descrição da *Turbulência em Ar Límpido* no orbital, ou melhor, abaixo dele, no interior do Veículo Geral de Sistemas que tinha sido da Cultura chamado *Os Fins da Invenção*. Ele achou difícil de acreditar, mas não podia ser outra nave. Segundo a agência de informação, uma nave que se encaixava na descrição da *TAL* tinha sido levada a bordo por um dos estaleiros do porto de Evanauth para reparos em suas unidades de dobra; tinha chegado a reboque dois dias antes, com apenas os motores de fusão funcionando. Ele não conseguiu, porém, descobrir seu nome nem sua localização exata.

Parecia a Horza que a *TAL* tinha sido usada para resgatar os sobreviventes do bando de Kraiklyn; ela devia ter ido além do muro do orbital no controle remoto, usando suas unidades de dobra. Devia ter resgatado a Companhia Livre e saltado de volta, danificando seus motores de dobra no processo.

Ele também não tinha sido capaz de descobrir quem poderia ter feito isso, mas supôs que Kraiklyn fosse um deles; mais ninguém podia ter trazido a TAL por cima do Muro Limite. Torcia para encontrar Kraiklyn no jogo de Dano. De qualquer jeito, Horza tinha decidido fazer uma tentativa de assumir a TAL depois. Ainda pretendia ir para o Mundo de Schar, e a *Turbulência em Ar Límpido* ainda era o meio com mais chances de chegar lá. Esperava que Yalson estivesse viva. Também torcia para que fosse verdade que *Os Fins da Invenção* estivesse totalmente desmilitarizada, e o volume em torno de Vavatch estivesse livre de naves da Cultura. Depois de todo esse tempo, não acharia impossível que as Mentes da Cultura tivessem descoberto sobre a TAL estar no mesmo volume de espaço que *A Mão de Deus 137* quando ela foi atacada e feito uma ou duas conexões.

Horza se recostou no assento — ou escultura — e relaxou, deixando que o padrão interno de motie deixasse sua mente e seu corpo. Precisava começar a pensar como Kraiklyn outra vez; fechou os olhos.

Alguns minutos depois, ouviu as coisas começando a acontecer nas áreas mais baixas da arena. Ele se compôs e olhou ao redor. A mulher de cabelo branco que estivera deitada no terraço próximo tinha se levantado; estava andando, um pouco cambaleante, na direção da arena, seu vestido longo e pesado se arrastando sobre os degraus. Horza se levantou também e desceu a escada rapidamente atrás dela, no rastro de seu perfume. Ela não olhou para ele quando ele passou por ela. Estava mexendo em uma tiara torta.

As luzes estavam acesas acima da mesa colorida onde o jogo aconteceria. Alguns dos palcos no auditório começavam a se fechar ou se apagar. As pessoas gradualmente gravitavam na direção da mesa de jogo, para os assentos, espreguiçadeiras e áreas onde ficar de pé que davam para ela. Sob o brilho das luzes acima, figuras altas em túnicas negras se moviam lentamente, verificando peças no equipamento de jogo. Eles eram os árbitros: ishlorsinami. A espécie era famosa por ser o grupo mais sem imaginação, sem humor, puritano, honesto e incorruptível da galáxia, e sempre arbitrava jogos de Dano porque praticamente não se podia confiar em mais ninguém.

Horza parou em uma barraca para se abastecer de comida e bebida; observou a mesa de jogo e as figuras ao seu redor enquanto o pedido era preparado. A mulher com o vestido pesado e o cabelo branco comprido passou por ele, ainda descendo os degraus. Sua tiara estava quase reta, embora o vestido comprido e solto estivesse amarrotado. Ela bocejou ao passar.

Ele pagou pela comida com um cartão, então seguiu a mulher novamente, indo na direção da multidão crescente de pessoas e máquinas que começavam a se aglomerar em torno do perímetro externo da área de jogo. A mulher olhou para ele com desconfiança quando ele passou por ela outra vez descendo a escada meio correndo, meio andando.

Horza conseguiu entrar por meio de propina em um dos melhores terraços. Pegou o capuz de sua blusa pesada de dentro da gola grossa e o puxou um pouco além da testa, de modo que seu rosto ficasse na sombra. Não queria que o verdadeiro Kraiklyn o visse agora. Aquele terraço se projetava acima dos mais baixos, inclinando-se com uma visão excelente da mesa em si e das pontes acima. A maioria das áreas cercadas em torno da mesa também estava visível. Horza se instalou em uma espreguiçadeira macia perto de um grupo extravagante vestido de trípodes que apupava muito e não parava de cuspir em um pote no centro de seu conjunto de sofás que balançavam delicadamente.

Os ishlorsinami pareciam satisfeitos por tudo estar funcionando e bem-preparado. Eles desceram uma rampa montada na superfície do piso elipsoide da arena. Algumas luzes se apagaram; um campo de silêncio lentamente eliminou os sons do resto do auditório. Horza deu uma olhada rápida ao redor. Alguns palcos e cenários ainda exibiam luzes, mas elas estavam se apagando. O número de trapézio em câmera lenta de animais, porém, ainda estava em andamento, bem alto na escuridão sob as estrelas; os enormes animais pesados balançavam pelo ar, os arneses de campo brilhando. Eles davam piruetas e giravam, mas agora, ao fazer isso, ao passarem uns pelos outros em pleno ar, estendiam suas patas com garras, tocando lenta e silenciosamente o pelo uns dos outros. Mais ninguém parecia estar assistindo.

Horza ficou surpreso ao ver a mulher por quem tinha passado duas vezes na escada passar por ele mais uma vez e se sentar em um sofá vazio que tinha sido reservado perto da frente do terraço. De algum modo, não tinha achado que ela fosse rica o suficiente para pagar por essa área.

Sem fanfarra nem apresentação, os Jogadores da Véspera da Destruição apareceram, subindo pela rampa no chão da arena, conduzidos por um único ishlorsinami. Horza verificou seu terminal; faltavam exatamente sete horas padrão para a destruição do orbital. Aplausos, vivas e, perto de Horza, pelo menos, apupos saudaram os competidores, embora os campos de silêncio abafassem tudo. Quando apareceram das sombras sobre a rampa, alguns dos jogadores saudaram a multidão que tinha ido vê-los jogar, enquanto outros a ignoraram totalmente.

Horza reconheceu alguns deles. Os que ele conhecia, ou de quem ao menos tinha ouvido falar, eram Ghalssel, Tengayet Doy-Suut, Wilgre e Neeporlax. Ghalssel dos Saqueadores de Ghalssel — provavelmente a mais bem-sucedida das Companhias Livres. Horza ouvira a nave mercenária chegar de cerca de onze quilômetros de distância, enquanto fazia o acordo com a vendedora do transporte. Ela congelou na hora; seus olhos ficaram vidrados. Horza não quis perguntar a ela se achava que o barulho era a Cultura chegando para destruir o orbital algumas horas antes ou apenas para pegá-la por comprar uma nave de transporte roubada.

Ghalssel era um homem de aparência comum, forte o bastante para ser obviamente de um planeta de gravidade mais alta, mas sem a aparência de força comprimida que a maioria dessas pessoas tinha. Estava vestido de maneira simples, e sua cabeça estava totalmente raspada. Supostamente só um jogo de Dano, onde essas coisas foram banidas, podia forçar Ghalssel a sair do traje que sempre vestia.

Tengayet Doy-Suut era alto, muito escuro e também estava vestido de maneira simples. O Suut era o jogador campeão de Dano, tanto em média por jogo quanto em ganhos e créditos máximos. Ele viera de um planeta recém-Contatado vinte anos antes, e tinha sido um campeão de jogos de azar e blefe por lá também. Foi lá que teve o rosto removido e uma máscara de aço inoxidável enxertada; só os olhos pareciam vivos; joias macias e sem expressão cravadas no metal esculpido. A máscara tinha um acabamento fosco para impedir que seus oponentes vissem as cartas refletidas no rosto dele.

Wilgre precisou da ajuda de alguns escravos de sua comitiva para subir a rampa. O gigante azul de Ozhleh, vestindo uma túnica espelhada, parecia quase ser rolado pela ladeira pelos humanos pequenos atrás, embora a barra de sua túnica se movesse de vez em quando e mostrasse onde suas quatro pernas gordas se esforçavam para impulsionar o corpo pela enorme rampa acima. Em uma de suas duas mãos, ele segurava um espelho grande; na outra, uma guia no fim da qual um rogothuyr cego — suas quatro patas incrustadas com metais preciosos, o focinho envolto por uma focinheira de platina e os olhos substituídos por esmeraldas — andava como um pesadelo ágil em branco puro. A cabeça gigante do animal movia-se de um lado para o outro enquanto ele usava seu sentido ultrassônico para mapear o ambiente. Em outro terraço, quase em frente ao de Horza, todas as 32 concubinas de Wilgre afastaram os véus de seus corpos e ficaram sobre os joelhos e cotovelos, adorando seu senhor. Ele acenou com o espelho para elas rapidamente. Praticamente todas as lentes e microcâmeras levadas escondidas para o auditório também giraram para focar nas 32 mulheres variadas, com a reputação de serem o melhor harém de um único sexo na galáxia.

Neeporlax apresentava uma espécie de contraste. O jovem era uma figura de andar bamboleante, magra e malvestida, piscando com as luzes da arena e apertando um brinquedo macio. O garoto talvez fosse o segundo maior jogador de Dano na galáxia, mas sempre doava o que ganhava; e um hotel com camas médias pensaria duas vezes em relação a hospedá-lo; ele era doente, meio cego, incontinente e albino. Sua cabeça era propensa a se sacudir descontroladamente em um momento ansioso do jogo, mas suas mãos seguravam cartas holográficas como se o plástico estivesse cravado em pedra. Ele também foi auxiliado para subir a rampa, por uma jovem que o ajudou a chegar até seu lugar, penteou seu cabelo e beijou seu rosto, então foi para a área atrás dos doze assentos dispostos imediatamente às costas da cadeira do jovem.

Wilgre ergueu uma das mãos gordas e azuis e jogou alguns centésimos para a multidão atrás das cercas; as pessoas disputaram as moedas. Ele sempre incluía alguns valores mais altos, também. Uma vez, em um jogo alguns anos antes no interior de uma lua a caminho de um buraco negro, tinha distribuído um bilhão em moedas, abrindo mão de talvez um milésimo de sua fortuna apenas com um movimento do pulso. Um vagabundo decrépito de um asteroide, que tinha sido recusado como Vida por ter apenas um braço, acabou comprando seu próprio planeta.

O resto dos jogadores era um grupo de aparência muito variada também; mas, com uma exceção, Horza não os reconheceu. Três ou quatro dos outros foram recebidos com gritos e alguns fogos de artifício, então supostamente eram bem conhecidos; o resto não era querido ou era desconhecido.

O último jogador a subir a rampa foi Kraiklyn.

Horza se encostou em sua espreguiçadeira, sorrindo. O líder da Companhia Livre havia feito uma pequena alteração facial temporária — provavelmente improvisada — e seu cabelo estava pintado, mas era mesmo ele. Usava um traje de pano de cor clara em uma única peça, estava bem barbeado e seu cabelo estava castanho. Talvez os outros na TAL não o tivessem reconhecido, mas Horza tinha estudado o homem — para ver como ele se comportava, como andava, como se moviam os músculos de seu rosto — e, para o Transmutador, Kraiklyn se destacava como um rochedo em um campo de seixos.

Quando todos os jogadores estavam sentados, suas Vidas foram levadas a se sentar nos assentos imediatamente atrás de cada um.

As Vidas eram todas humanas; a maioria já parecia mesmo meio morta, embora estivessem todas fisicamente inteiras. Uma a uma elas eram levadas para seus lugares, presas com correias e cobertas com um capacete. Os capacetes leves e negros cobriam o rosto, com a exceção dos olhos. A maioria se curvou para a frente ao ser presa; algumas se sentavam mais eretas, mas nenhuma ergueu os olhos nem olhou ao redor. Todos os jogadores regulares tinham todo o complemento de Vidas permitido; alguns as criavam especialmente, enquanto outros faziam com que seus agentes fornecessem tudo de que precisavam. Os jogadores não tão ricos e não tão conhecidos, como Kraiklyn, recebiam o lixo de prisões e asilos, e alguns pagavam deprimidos que atribuíam sua cota de qualquer faturamento a outra pessoa. Frequentemente, membros da seita dos Desesperados podiam ser convencidos a se tornar Vidas, de graça ou por uma doação a sua causa, mas Horza não conseguia ver nenhum de seus adornos de cabeça em camadas nem símbolos do olho sangrando.

Kraiklyn só tinha conseguido encontrar três Vidas; não parecia que ele ficaria no jogo por muito tempo.

A mulher de cabelo branco no assento reservado perto da frente do terraço se levantou, espreguiçou-se e saiu andando pelo terraço, em meio aos sofás e espreguiçadeiras, com uma expressão entediada no rosto. Quando chegou à altura do sofá de Horza, iniciou-se uma comoção em um terraço atrás deles. A mulher parou e olhou. Horza se virou. Mesmo através do campo de silêncio, pôde ouvir um homem gritando; o que parecia uma briga tinha começado. Dois guardas de segurança estavam tentando conter duas pessoas que rolavam pelo chão. A multidão no terraço tinha formado um círculo em torno da perturbação e estava assistindo, dividindo sua atenção entre os preparativos para o jogo de Dano e a troca de socos no terraço ao lado. Depois de algum tempo, as duas pessoas no chão foram erguidas de pé, mas em vez de ambos serem contidos, apenas um foi — um rapaz que parecia vagamente familiar a Horza, embora parecesse estar disfarçado com uma peruca loura que agora escorregava de sua cabeça.

A outra pessoa que estava brigando, outro homem, sacou algum tipo de cartão das roupas e o mostrou ao rapaz, que ainda estava gritando. Então os dois guardas uniformizados e o homem que tinha brandido o cartão levaram o rapaz embora. O homem com o cartão pegou algo pequeno de trás de uma das orelhas do rapaz enquanto ele era arrastado na direção do acesso a um túnel. A mulher jovem de cabelo branco comprido cruzou os braços e seguiu subindo pelo terraço. O círculo de pessoas no terraço acima tornou a se fechar, como um buraco em uma nuvem.

Horza observou a mulher seguir através de mais sofás até ela deixar o terraço e ele perdê-la de vista. Ele ergueu os olhos. Os animais duelistas ainda giravam e saltavam; seu sangue branco parecia brilhar quando manchava seu couro desgrenhado. Eles rosnaram baixo e atacaram um ao outro com seus membros compridos, mas a acrobacia e a pontaria deles tinham se deteriorado; estavam começando a parecer cansados e desajeitados; Horza tornou a olhar para o tabuleiro; estavam todos prontos, e o jogo estava prestes a começar.

*

Dano era apenas um jogo de cartas sofisticado: parte habilidade, parte sorte e parte blefe. O que o tornava interessante não eram apenas as grandes somas envolvidas, nem o fato de que sempre que um jogador perdia uma vida, ele perdia uma Vida — um humano vivo, respirando —, mas o uso de campos eletrônicos de alteração de consciência de mão dupla em torno da mesa de jogo.

Com as cartas que tivesse na mão, o jogador ou jogadora podia alterar as emoções de outro jogador, ou às vezes de vários outros. Medo, ódio, desespero, esperança, amor, camaradagem, dúvida, entusiasmo, paranoia; praticamente todo estado emocional que o cérebro humano era capaz de experimentar podia ser projetado em outro jogador ou usado em si mesmo. De certa distância, ou em um escudo de campo mais próximo, o jogo podia parecer um passatempo para os dementes ou os simplórios. Um jogador com uma mão obviamente forte podia jogá-la de repente; alguém sem nada podia apostar todo o crédito que tivesse; as pessoas começavam a chorar ou a rir descontroladamente; podiam gemer de amor por um jogador que fosse sabidamente seu pior inimigo ou atacar as correias que os prendiam para se lançar a um ataque assassino contra seu melhor amigo.

Ou eles podiam se matar. Jogadores de Dano nunca podiam se soltar de suas cadeiras (se fizessem isso, um ishlorsinami atiraria neles com uma arma pesada de atordoamento), mas eles podiam se destruir. Cada painel de jogo, do qual as unidades emotoras irradiavam as emoções relevantes, sobre o qual as cartas eram jogadas e onde os jogadores podiam ver o tempo e o número de Vidas que restava a cada um, continha um pequeno botão oco, dentro do qual uma agulha cheia de veneno estava pronta para injetá-lo em qualquer dedo que o apertasse.

Dano era um daqueles jogos em que não era sábio fazer inimigos demais. Só aqueles de vontade realmente forte podiam derrotar o impulso suicida implantado em seus cérebros por um ataque em conjunto de metade de uma mesa de jogadores.

No fim de cada mão de cartas, quando o dinheiro que tinha sido apostado era levado pelo jogador com maior pontuação, todos os outros jogadores que tivessem mantido suas apostas perdiam uma Vida. Quando não lhes restasse nenhuma, eles estavam fora do jogo, o mesmo ocorrendo se ficassem sem dinheiro. As regras diziam que o jogo terminava quando restassem Vidas a apenas um jogador, embora, na prática, terminasse quando os competidores restantes concordavam que se ficassem mais tempo provavelmente perderiam as próprias Vidas para qualquer desastre que estivesse prestes a acontecer. Podia ficar muito interessante no fim de um jogo, quando o momento de destruição estava muito perto, a mão já durava algum tempo, muito dinheiro tinha sido apostado nessa mão, e um ou vários jogadores não concordavam em encerrar o jogo; então os sofisticados eram realmente separados dos símios, e ele se tornava ainda mais um jogo de nervos. Muitos dos melhores jogadores de Dano tinham perecido tentando desafiar mais e permanecer mais tempo nessas circunstâncias.

Do ponto de vista de um espectador, o principal atrativo do Dano era que, quanto mais perto você estivesse da unidade emotora de qualquer jogador em particular, mais as emoções que ele estivesse experimentando também afetavam você diretamente. Toda uma subcultura de pessoas ligadas a esses sentimentos de terceira mão tinha crescido nas poucas centenas de anos desde que o Dano tinha se tornado um jogo tão seleto, mas popular: os moties.

Havia outros grupos jogando Dano. Os Jogadores da Véspera da Destruição eram simplesmente os mais famosos e mais ricos. Os moties podiam conseguir seu barato emocional em muitos lugares pela galáxia, mas só em um jogo completo, só à beira da aniquilação, só com os melhores jogadores (além de alguns outros esperançosos) era possível obter as experiências mais intensas. Foi um desses infelizes que Horza tinha personificado quando descobriu que um passe de acesso não podia ser obtido por menos que duas vezes a quantia que ele obtivera com o transporte. Subornar um guarda na porta tinha sido muito mais barato.

Os verdadeiros moties estavam aglomerados atrás da cerca que os separava das Vidas. Dezesseis aglomerados de pessoas suando e de aspecto nervoso — como os jogadores, a maioria homens — se acotovelavam e se empurravam para a frente, tentando chegar perto da mesa, perto dos jogadores.

Horza os observava enquanto as cartas eram distribuídas pelo ishlorsinami chefe. Moties pularam para cima e para baixo, tentando ver o que estava acontecendo, e guardas de segurança equipados com capacetes de aturdimento para evitar os pulsos emotores patrulhavam o perímetro da cerca, batendo seus aguilhões estimulantes na coxa ou na palma da mão e observando cautelosamente.

— ... Sarble, o Olho... — disse alguém ali perto, e Horza se virou para ver.

Um humano de aparência cadavérica deitado em um sofá atrás e à esquerda de Horza estava conversando com outro e apontando para cima, para o terraço onde a confusão tinha acontecido alguns minutos antes. Horza ouviu as palavras "Sarble" e "pego" mais algumas vezes de outros lugares ao seu redor à medida que a notícia se espalhava. Virou-se para assistir ao jogo quando os jogadores começavam a inspecionar suas mãos; as apostas começaram. Horza achou uma pena o repórter ter sido pego, mas isso podia significar que os guardas de segurança tinham relaxado um pouco, dando a ele uma chance melhor de que não lhe pedissem seu passe.

Horza estava sentado a bons cinquenta metros da jogadora mais próxima, uma mulher cujo nome tinha ouvido ser mencionado, mas havia esquecido. Com o progresso da primeira mão, apenas versões suaves do que ela estava sentindo e sendo levada a sentir se impuseram na consciência dele. Mesmo assim, ele não gostou da sensação e ligou o campo de atordoamento da espreguiçadeira, usando o pequeno controle em um dos braços do sofá. Se quisesse, poderia ter cancelado o efeito imediato da jogadora atrás de quem estava sentado e o substituído pelos efeitos de qualquer outra unidade emotora na mesa. O efeito não seria nada tão intenso quanto o que os moties ou as Vidas estavam experimentando, mas com certeza teria dado uma boa ideia daquilo pelo que os jogadores estavam passando. A maioria das outras pessoas à volta dele estava usando os controles de suas espreguiçadeiras assim, trocando de um jogador para outro em uma tentativa de julgar o estado geral do jogo. Horza se concentraria na transmissão de emoções de Kraiklyn depois, mas por enquanto só queria se instalar e obter a sensação geral do jogo.

Kraiklyn desistiu da primeira mão cedo o bastante para garantir que não perdesse uma Vida quando ela terminasse; com tão poucas Vidas, essa era a rota mais sábia, a menos que ele tivesse uma mão muito forte. Horza observou cuidadosamente enquanto o homem se encostava em sua cadeira e relaxava, sua unidade emotora adormecida. Kraiklyn lambeu os lábios e esfregou a testa. Horza decidiu que na mão seguinte ouviria pelo que Kraiklyn estava passando, só para ver como era.

A rodada terminou. Wilgre ganhou. Ele acenou, agradecendo pelos aplausos da multidão. Alguns moties já tinham desmaiado; na outra extremidade do elipsoide, em sua jaula, o rogothuyr rosnava. Cinco jogadores perderam Vidas; cinco humanos que estavam sentados desesperançados e desesperados enquanto os efeitos dos campos emotores ainda ressoavam neles ficaram de repente inertes em suas cadeiras quando seus capacetes enviaram um raio neural através de seus crânios forte o suficiente para atordoar as Vidas sentadas em torno deles e fazer os moties mais próximos e os jogadores a que cada Vida pertencia se encolherem.

Ishlorsimani soltaram as correias das cadeiras dos humanos mortos e os levaram embora pela rampa de acesso. As Vidas restantes aos poucos se recuperaram, mas permaneceram sentadas indiferentes como antes. Os ishlorsinami diziam que sempre verificavam se cada Vida voluntária era genuína, e que as drogas que davam a elas simplesmente impediam que ficassem histéricas, mas havia rumores de que sempre havia como burlar o sistema de exames dos ishlorsinami, e que algumas pessoas tinham conseguido se livrar de seus inimigos drogando-os ou hipnotizando-os e tornando-os "voluntários" para o jogo.

Quando a segunda rodada começou e Horza ligou o monitor de seu sofá para experimentar as emoções de Kraiklyn, a mulher de cabelo branco voltou pelo corredor e retomou seu lugar diante de Horza, à frente do terraço, derramando-se de um jeito cansado sobre a mobília, como se estivesse entediada.

Horza não sabia o suficiente sobre Dano como um jogo de cartas para conseguir acompanhar exatamente o que estava acontecendo com as cartas apenas lendo as várias emoções que passavam em torno da mesa ou analisando cada mão quando ela terminava — como a primeira mão já estava sendo analisada pelos trípodes barulhentos perto dele — momento em que as cartas, como tinham sido distribuídas e jogadas, apareciam nos circuitos internos de transmissão da arena. Mas ele sintonizou os sentimentos só para ver como eles eram.

O capitão da *Turbulência em Ar Límpido* estava sendo atacado de várias direções. Algumas emoções eram contraditórias, o que Horza achou significar que não havia esforço orquestrado sendo feito contra Kraiklyn; ele estava apenas recebendo o armamento secundário da maioria das pessoas. Havia uma necessidade urgente de gostar de Wilgre: aquela cor azul atraente... e com aqueles quatro pezinhos cômicos, ele realmente não podia ser tanta ameaça assim... Um pouco palhaço, com todo o seu dinheiro... A mulher sentada à direita de Kraiklyn, por outro lado, nua até a cintura, sem seios e com uma bainha para uma espada cerimonial pendurada sobre as costas nuas, ela sim merecia ser observada... Mas na verdade era tudo uma piada... *Na verdade, nada importa; tudo é apenas uma piada; a vida é, o jogo é... uma carta se parece muito com a outra quando você pensa nisso... Na verdade, podiam apenas jogar aquilo tudo para o ar...* Era quase a vez dele de jogar... Primeiro, aquela vadia de peito reto... cara, ele tinha uma carta com a qual ia atingir *aquela mulher...*

Horza tornou a desligar, sem saber ao certo se estava ouvindo os pensamentos do próprio Kraiklyn sobre a mulher ou outros que alguma outra pessoa estivesse tentando fazer com que ele pensasse sobre ela.

Ele captou os pensamentos de Kraiklyn mais tarde na rodada, quando a mulher estava fora e encostada na cadeira e relaxando, de olhos fechados. (Horza olhou rapidamente para a mulher de cabelo branco no sofá à sua frente; ela estava assistindo ao jogo, aparentemente, mas uma perna estava pendurada para o lado da espreguiçadeira, balançando para a frente e para trás, como se sua mente estivesse em outro lugar.) Kraiklyn estava se sentindo bem. Primeiro aquela vadia ao seu lado estava fora, e ele tinha certeza de que isso tinha acontecido por causa de algumas cartas que ele havia jogado, mas também havia uma espécie de alegria interior... Ali estava ele, jogando com os melhores jogadores da galáxia... os *jogadores*. Ele. Ele... (um pensamento inibidor repentino bloqueou um nome em que estava prestes a pensar)... e ele na verdade não estava se saindo tão mal... Estava acompanhando... Na verdade essa mão estava parecendo muito boa... Finalmente as coisas estavam dando certo... Ele ia ganhar alguma coisa... Coisas demais tinham... bom, era isso... *Pense nas cartas!* (de repente) *Pense sobre o aqui e agora! Isso, as cartas... Vamos ver... Posso atingir aquele gordo parvo azul com...* Horza tornou a desligar.

Ele estava suando. Não tinha percebido totalmente o grau de retorno da mente do jogador que estava envolvido. Tinha achado que eram apenas as emoções dirigidas a eles; não tinha sonhado que também *entraria* tanto na mente de Kraiklyn. Entretanto, isso era apenas uma amostra do que o próprio Kraiklyn estava recebendo com toda a força, e os moties e Vidas atrás dele. Verdadeiro retorno, no limite de seu controle, no limite de se tornar o equivalente emocional do grito de um alto-falante, em um crescendo rumo à destruição. Agora o Transmutador percebia o atrativo do jogo, e por que muita gente ficava louca enquanto o jogava.

Por menos que gostasse da experiência, Horza sentiu um novo respeito pelo homem que pretendia pelo menos remover e substituir, e muito provavelmente matar.

Kraiklyn tinha uma espécie de vantagem, pois os pensamentos e emoções dirigidos a ele emanavam pelo menos em parte de sua própria mente, enquanto as Vidas e os moties tinham de lidar com golpes muito poderosos do que era um modo de sentir as coisas totalmente de outra pessoa. Ao mesmo tempo, era necessária uma considerável força de caráter, ou uma quantidade enorme de treinamento duro, para conseguir lidar com aquilo com o que Kraiklyn estava obviamente lidando. Horza tornou a ligar e pensou: *Como os moties aguentam isso?* E: *Cuidado, talvez eles tenham começado assim.*

Kraiklyn perdeu a mão duas rodadas de apostas depois. O albino meio cego, Neeporlax, também foi derrotado, e o Suut recolheu seus ganhos, seu rosto de aço brilhando com a luz refletida dos créditos aoish à sua frente. Kraiklyn estava curvado na cadeira, sentindo-se, Horza sabia, como a morte. Ele foi tomado por uma pulsação de uma espécie de agonia resignada, quase agradecida, vinda de trás quando sua primeira Vida morreu, e Horza sentiu aquilo, também. Ele e Kraiklyn estremeceram.

Horza desligou e olhou as horas. Menos de uma hora tinha transcorrido desde que passara pelos guardas nas portas externas da arena.

Ele tinha um pouco de comida, em uma mesa baixa ao lado de sua espreguiçadeira, mas se levantou mesmo assim, afastou-se da mesa e subiu o terraço na direção da passarela mais próxima, onde as barracas de comida e os bares esperavam.

Guardas de segurança conferiam passes. Horza os viu irem de pessoa a pessoa no terraço. Ele manteve o rosto voltado para a frente, mas moveu os olhos de um lado para o outro, observando os guardas enquanto eles se moviam. Uma estava quase diretamente em seu caminho, curvando-se para questionar uma mulher de aspecto velho, que estava deitada em uma cama de ar que soprava vapores perfumados em torno de suas pernas magras e expostas. Ela estava sentada assistindo ao jogo com um grande sorriso no rosto e demorou um pouco para perceber a guarda. Horza apertou um pouco o passo, de modo que quando a guarda se levantasse ele estaria depois dela. A senhora mostrou seu passe e se voltou rapidamente outra vez para o jogo. A guarda estendeu um braço à frente de Horza.

— Posso ver seu passe, senhor?

Horza parou e olhou no rosto da mulher jovem e corpulenta. Ele olhou para a espreguiçadeira onde estava sentado.

— Desculpe, acho que o deixei ali embaixo. Eu volto em um segundo; posso lhe mostrar depois? Estou com um pouco de pressa. — Ele mudou o peso de um pé para o outro e se curvou um pouco na cintura. — Fiquei enrolado com a última mão ali. Bebi demais antes de o jogo começar; sempre a mesma coisa; nunca aprendo. Tudo bem?

Ele estendeu as mãos, pareceu um pouco encabulado e gesticulou como quem ia dar tapinhas no ombro da guarda. Alternou o peso outra vez. A guarda olhou para onde Horza tinha indicado ter deixado o passe.

— Por enquanto, senhor. Eu o vejo depois. Mas o senhor não deve deixá-lo jogado por aí. Não torne a fazer isso.

— Certo! Certo! Obrigado!

Horza riu e saiu andando em um passo apressado, pegou a passarela circular e foi até um banheiro, só para o caso de estar sendo observado. Lavou o rosto e as mãos, ouviu uma mulher bêbada cantar em algum lugar no ambiente ecoante, então saiu por outra saída e fez a volta para outro terraço, onde conseguiu outra coisa para comer e tomou uma bebida. Pagou outra vez com propina sua entrada em um terraço diferente, esse ainda mais caro do que aquele onde estivera originalmente, porque ficava ao lado daquele onde estavam as concubinas de Wilgre. Uma parede macia de material negro reluzente havia sido erguida nos fundos e nas laterais do terraço para afastar os olhos mais próximos, mas seus odores corporais pairavam fortes acima do terraço onde Horza agora estava. Generreparadas antes da concepção para serem incrivelmente atraentes para uma grande variedade de machos humanoides, as mulheres no harém também tinham feromônios afrodisíacos altamente acentuados. Antes que Horza percebesse o que estava acontecendo, estava com uma ereção e tinha começado a suar outra vez. A maioria dos homens e mulheres em torno dele estava em um estado de óbvia excitação sexual, e aqueles não ligados no jogo em algum tipo de arranjo duplo exótico estavam envolvidos em preliminares sexuais ou nas vias de fato. Horza fez suas glândulas de imunidade funcionarem outra vez e foi andando rigidamente até a frente do terraço, onde cinco sofás tinham sido deixados por dois homens e três mulheres, que estavam à frente rolando no chão, logo atrás da barreira restritiva. Havia roupas espalhadas pelo chão do terraço. Horza se sentou em um dos cinco sofás livres. Uma cabeça feminina, coberta de suor, apareceu do emaranhado de corpos arquejantes por tempo o bastante para olhar para Horza e dizer:

— Fique à vontade; e se você quiser...

Então seus olhos reviraram para cima e ela deu um gemido. Sua cabeça voltou a desaparecer.

Horza sacudiu a cabeça, xingou e saiu do terraço. Sua tentativa de recuperar o dinheiro que tinha gastado em propina para comprar sua entrada foi recebida com uma risada compassiva.

Acabou sentado em um banco diante de um bar e barraca de apostas. Pediu uma tigela de droga e fez uma pequena aposta na vitória de Kraiklyn na mão seguinte, enquanto seu corpo aos poucos se livrava dos efeitos das glândulas sudoríparas alteradas das concubinas. Seu pulso desacelerou e sua respiração ficou mais rasa; o suor parou de escorrer por sua testa. Ele bebeu da tigela de droga e aspirou os vapores, enquanto via Kraiklyn perder primeiro uma, depois outra mão, embora na primeira tivesse saído cedo o bastante para não perder uma Vida. Mesmo assim, agora estava reduzido a apenas uma Vida. Era possível que um jogador de Dano apostasse a própria vida se não lhe restasse outra às suas costas, mas era uma coisa rara, e em jogos onde os melhores se encontravam com os esperançosos, como nesse, os ishlorsinami tendiam a proibi-la.

O capitão da *Turbulência em Ar Límpido* não estava correndo riscos. Ele saía de cada jogada antes de perder uma Vida, obviamente esperando por uma mão que fosse quase invencível antes de apostar pelo que poderia ser sua última vez no jogo. Horza comeu. Horza bebeu. Horza cheirou. Às vezes tentava olhar para o terraço onde estivera inicialmente, onde estava a mulher de aparência entediada, mas não conseguia vê-lo com as luzes. De vez em quando erguia os olhos para os animais lutando nos trapézios. Eles agora estavam cansados e feridos. A coreografia elaborada de seus movimentos anteriores havia desaparecido, e eles estavam reduzidos a ficar pendurados terrivelmente no trapézio com um membro e atacando um ao outro com o outro braço sempre que ficavam perto o suficiente. Gotas de sangue branco caíam como neve esparsa e pousavam em um campo de força invisível vinte metros abaixo deles.

Aos poucos as Vidas morreram. O jogo continuava. O tempo, de acordo com quem você fosse, arrastava-se ou passava voando. O preço das bebidas e das drogas e da comida subia lentamente à medida que a hora da destruição se aproximava. Através da cúpula ainda transparente da velha arena, as luzes dos transportes que partiam brilhavam de vez em quando. Uma briga começou entre dois apostadores no bar. Horza se levantou e se afastou antes que os guardas chegassem para separá-los.

Horza contou o dinheiro. Tinha ainda dois décimos de crédito aoish, além de algum dinheiro creditado nos cartões negociáveis, que estavam ficando cada vez mais difíceis de usar à medida que os computadores que os aceitavam na rede financeira do orbital iam sendo desligados.

Ele se apoiou em uma barra de contenção em uma passarela, assistindo ao progresso do jogo na mesa abaixo. Wilgre estava ganhando; o Suut estava logo atrás. Os dois tinham perdido o mesmo número de Vidas, mas o gigante azul tinha mais dinheiro. Dois dos esperançosos tinham deixado o jogo, um deles depois de tentar sem sucesso convencer o árbitro ishlorsinami de que podia apostar a própria vida. Kraiklyn ainda estava lá; mas pelo close em seu rosto que Horza viu em um monitor em um bar de drogas pelo qual passou, o Homem estava achando o avanço difícil.

Horza brincou com um dos décimos de crédito aoish, desejando que o jogo acabasse ou pelo menos que Kraiklyn fosse eliminado. A moeda se grudou a sua mão e ele olhou para ela. Era como olhar em um tubo minúsculo e infinito iluminado por baixo. Ao aproximá-la de um olho, com o outro fechado, você podia experimentar vertigem.

Os aoish eram uma espécie banqueira, e seus créditos eram sua maior invenção. Eram o único meio de troca universalmente aceito que existia, e cada um permitia que seu proprietário convertesse uma moeda em um determinado peso de qualquer elemento estável, uma área em um orbital livre ou um computador de determinadas velocidade e capacidade. Os aoish garantiam a conversão e nunca davam calote, e embora a taxa de câmbio pudesse às vezes variar mais do que era oficialmente permitido — como tinha acontecido na guerra entre os idiranos e a Cultura —, em geral o valor real e teórico da moeda permanecia previsível o bastante para que ela fosse uma proteção segura contra termos incertos, em vez de o sonho de um especulador. Rumores — como sempre, contraditórios o bastante para ser suspeito acreditar neles — diziam que o grupo na galáxia que possuía o maior tesouro dessas moedas era a Cultura; a civilização mais militantemente desmonetizada na cena civilizada. Horza, porém, também não acreditava nesse rumor; na verdade, achava que era o tipo de rumor que a Cultura espalharia sobre si mesma.

Ele guardou as moedas em um bolso no interior da blusa quando viu Kraiklyn estender a mão até o centro da mesa de jogo e jogar algumas moedas na pilha que já estava ali. Assistindo agora com atenção, o Transmutador foi até o balcão mais próximo de troca de dinheiro, obteve oito centésimos por seu único décimo (uma taxa de comissão de câmbio exorbitante até para os padrões de Vavatch) e usou um pouco do troco para comprar sua entrada em um terraço com alguns sofás desocupados. Ali ele se conectou com os pensamentos de Kraiklyn.

*Quem é você?* A pergunta saltou em sua direção, entrou nele.

*

A sensação era de vertigem, uma tontura atordoante, o equivalente extremamente aumentado da desorientação que às vezes afeta os olhos quando eles se fixam em um padrão simples e regular e o cérebro confunde sua distância desse padrão, o foco falso parecendo atrair os olhos, músculos contra nervos, realidade contra suposições. A cabeça dele não girava; ela parecia estar afundando, inundando, debatendo-se.

*Quem é você? (Quem sou eu?) Quem é você?*

Blam, blam, blam: o som da barragem caindo; o som de portas se fechando; ataque e encarceramento, explosão e destruição juntas.

Só um pequeno acidente. Um pequeno erro. Uma dessas coisas. Um jogo de Dano e um impressionista de alta tecnologia... combinação infeliz. *Dois químicos inofensivos que, quando misturados...* Feedback, um uivo parecendo de dor, e algo se quebrando...

Uma mente entre espelhos. Ele estava se afogando em seu próprio reflexo (algo se quebrando), caindo. Uma parte dele que desaparecia — a parte que não dormia? Sim? Não? — gritava das profundezas do poço escuro enquanto caía: *Transmutador... Transmutador... Transmuta... (eee)...*

O som desapareceu, calado como um sussurro, transformou-se no gemido do vento de ar embolorado através de árvores mortas em um solstício estéril de meia-noite, o meio do inverno da alma em algum lugar tranquilo e duro.

Ele sabia...

(*Começar de novo...*)

*Alguém* sabia que em algum lugar um homem estava sentado em um assento, em um grande salão em uma cidade em... em um lugar grande, um lugar grande e ameaçado; e o homem estava jogando... jogando um jogo (um jogo que matava). O homem ainda estava ali, vivendo e respirando... Mas seus olhos não viam, seus ouvidos não ouviam. Ele tinha um sentido agora: este, aqui dentro, preso... aqui dentro.

Sussurro: *Quem sou eu?*

Houvera um pequeno acidente (*a vida uma sucessão do mesmo; a evolução dependente de adulteração; todo o progresso uma função de fazer as coisas do jeito errado*)...

Ele (*e esqueça quem esse "ele" é, apenas aceite o termo sem nome enquanto essa equação se resolve*)... ele é o homem na cadeira no salão no lugar grande, mergulhado em algum lugar dentro de si mesmo, em algum lugar no interior... outro. Um duplo, uma cópia, alguém fingindo ser ele.

... Mas tem alguma coisa errada com essa teoria...

(*Começar de novo...*)

*Reunir forças.*

*Preciso de pistas, pontos de referência, algo a que me agarrar.*

Memória de uma célula se dividindo, vista em imagem acelerada, o próprio início da vida independente, embora ainda dependente. *Segure essa imagem.*

*Palavras (nomes); preciso de palavras.*

*Ainda não, mas... algo em relação a se virar do avesso; um lugar...*

*O que estou procurando?*

Mente.

*De quem?*

(Silêncio)

*De quem?*

(Silêncio)

*De quem?*

(Silêncio)

*De quem?...*

(... *Começar de novo...*)

*Escute. Isso é um choque. Você foi atingido, com força. Isso é apenas uma forma de choque, e você vai se recuperar.*

*Você é o homem jogando o jogo (como somos todos nós)... Alguma coisa, porém, ainda está errada, algo ao mesmo tempo faltando e acrescentado. Pense naqueles erros vitais; pense naquela célula em divisão; o mesmo e não o mesmo; o lugar que está virado do avesso, o aglomerado de células se virando do avesso, parecendo um cérebro dividido (sem dormir, em movimento). Ouça alguém que está tentando falar com você...*

(Silêncio)

(Isso daquele mesmo poço de noite, nu na terra devastada, os gemidos do vento congelante sua única cobertura, sozinho na escuridão congelante sob um céu de obsidiana fria:)

*Quem tentou falar comigo? Quando foi que eu escutei? Quando fui alguém que não apenas eu mesmo, preocupado apenas comigo?*

*O indivíduo é o fruto do erro; portanto só o processo tem validade... então quem vai falar por ele?*

O vento uiva, desprovido de significado, uma umidade por calor, uma suspensão por esperança, distribuindo o calor exausto de seu corpo para os céus negros, dissolvendo a chama salgada de sua vida, gelando até o âmago, fluindo e desacelerando. Ele se sente cair outra vez, e sabe que dessa vez é um mergulho mais fundo, para onde o silêncio e o frio são absolutos, e nenhuma voz grita, nem esta.

(Uivado como o vento:) *Quem se preocupou o bastante para falar comigo?*

(Silêncio)

*Quem já se preocupou...*

(Silêncio)

*Quem...?*

(Sussurro:) *Escute: "O Jinmoti de..."*

*... Bozlen Dois.*

Dois. Alguém tinha falado uma vez. *Ele* era o Transmutador, ele era o erro, a cópia imperfeita.

Ele estava jogando um jogo diferente do outro (mas ainda pretendia tirar uma vida). Estava observando, sentindo o que o outro estava sentindo, mas sentindo mais.

Horza. Kraiklyn.

Agora ele sabia. O jogo era... Dano. O lugar era... um mundo onde uma fita da ideia original foi virada do avesso... um orbital: Vavatch. A Mente no Mundo de Schar. Xoralundra. Balveda. *A* (e descobrindo seu ódio, ele o jogou contra a parede do poço, como um gancho para uma corda) *Cultura*!

Uma abertura na parede da cela; águas invadindo; luz libertando; iluminação... levando ao

renascimento.

Peso e frio e uma luz muito brilhante...

*... Merda. Filhos da mãe. Perdi tudo por causa de um Poço de Insegurança triplo...* Uma onda de fúria desesperada se abateu sobre ele, e algo morreu.

*

Horza arrancou o fone de ouvido. Estava tremendo no sofá, com os olhos grudados e doendo, olhando fixamente para as luzes do auditório e os dois animais brancos lutadores pendurados semimortos nos trapézios acima. Ele fechou os olhos com força, então os abriu outra vez, para se afastar da escuridão.

Poço de Insegurança. Kraiklyn tinha sido atingido por cartas que faziam o jogador questionar sua própria identidade. Pelo conteúdo dos pensamentos de Kraiklyn antes que ele arrancasse o fone, Horza achou que Kraiklyn não tinha ficado muito aterrorizado com o efeito, só desorientado. Tinha sido suficientemente distraído pelo ataque para perder a mão, e isso era tudo o que os adversários queriam. Kraiklyn estava fora do jogo.

O efeito sobre *ele*, tentando ser Kraiklyn mas sabendo que não era, tinha sido mais severo. Isso era tudo. Qualquer Transmutador teria tido o mesmo problema; ele tinha certeza...

O tremor começou a desaparecer. Horza se ergueu sentado e jogou os pés para fora do sofá. Tinha de ir. Kraiklyn ia embora, então ele tinha de ir.

*Componha-se, homem.*

Ele olhou para a mesa de jogo. A mulher sem seios tinha ganhado. Kraiklyn olhava com raiva para ela enquanto ela recolhia seus ganhos e as corrcias que o prendiam eram soltas. Na saída da arena, Kraiklyn passou pelo corpo imóvel e ainda quente de sua última Vida quando ela foi liberada de sua cadeira.

Ele chutou o cadáver; a multidão vaiou.

Horza se levantou, virou-se e bateu em um corpo duro e firme.

— Posso ver aquele passe agora, senhor? — pediu a guarda para quem ele tinha mentido mais cedo.

Horza sorriu nervosamente, sabendo que ainda estava tremendo um pouco; seus olhos estavam vermelhos, e seu rosto estava coberto de suor. A guarda olhou com firmeza para ele, com o rosto inexpressivo. Algumas pessoas no terraço olhavam para eles.

— Me... desculpe... — falou lentamente o Transmutador, apalpando os bolsos com mãos trêmulas. A guarda estendeu a mão e segurou seu cotovelo esquerdo.

— Talvez seja melhor você...

— Olhe — disse Horza, se inclinando para mais perto dela. — Eu... eu não tenho passe. Uma propina serve? — Ele começou a procurar os créditos dentro da blusa. A guarda o golpeou com o joelho e torceu o braço esquerdo de Horza às costas dele. Tudo foi feito da maneira mais hábil, e Horza teve de pular para suportar a joelhada toleravelmente. Ele deixou o ombro esquerdo se desconectar e começou a desabar, mas não antes que sua mão livre tivesse arranhado de leve o rosto da guarda (e isso, percebeu ele ao cair, tinha sido uma reação instintiva, nada pensado; por algum motivo ele achou isso divertido).

A guarda pegou o outro braço de Horza e prendeu as duas mãos dele atrás das costas, usando sua luva-algema para segurá-las ali. Com a outra mão ela limpou o sangue do rosto. Horza se ajoelhou na superfície do terraço, gemendo como a maioria das pessoas teria gemido com um braço quebrado ou deslocado.

— Está tudo bem, pessoal; só um probleminha por causa de um passe. Por favor, continuem com sua diversão — disse a guarda.

Então ela ergueu o braço; a luva-algema também puxou Horza para cima. Ele gritou com dor fingida, então, de cabeça baixa, foi empurrado escada acima na direção da passarela.

— Sete três, sete três; homem código verde chegando pela passarela sete subindo — anunciou a guarda em seu microfone de lapela.

Horza a sentiu fraquejar assim que eles chegaram à passarela. Ele ainda não podia ver nenhum dos outros guardas. O ritmo da mulher às suas costas vacilou e desacelerou. Ele a ouviu arquejar, e dois bêbados debruçados sobre um bar automático olharam intrigados para eles; um girou a banqueta para observar.

— Sete... tr... — começou a guarda.

Então suas pernas cederam. Horza foi arrastado para o chão com ela, a luva-algema permanecendo apertada enquanto os músculos do corpo da mulher relaxavam. Conectou o ombro outra vez, girou e se ergueu; os filamentos de campo na luva cederam, deixando-o com hematomas lívidos já começando a se formar em seus pulsos. A guarda estava deitada de costas no chão da passarela; seus olhos se fecharam, sua respiração estava fraca. Horza a havia arranhado com uma unha de veneno não letal, ele pensou; enfim, ele não tinha tempo de esperar para ver. Eles certamente viriam à procura da guarda em breve, e ele não podia permitir que Kraiklyn ficasse muito à sua frente. Estivesse ele voltando para a nave, como Horza achava que fosse fazer, ou ficando para assistir mais ao jogo, Horza queria ficar perto.

Seu capuz tinha ido para trás durante a queda. Ele o puxou para a frente, então ergueu a mulher, arrastou-a até o bar onde os dois bêbados estavam sentados e a pôs numa banqueta, apoiando seus braços cruzados no balcão à frente e deixando que sua cabeça repousasse sobre eles.

O bêbado que tinha visto o que acontecera sorriu para o Transmutador. Horza tentou retribuir o sorriso.

— Cuide dela, está bem? — pediu ele.

Ele reparou em uma capa aos pés da banqueta de bar do outro bêbado e a pegou, sorrindo para seu dono, que estava ocupado demais pedindo mais uma bebida para perceber. Horza pôs a capa em torno dos ombros da guarda, escondendo seu uniforme.

— Caso ela sinta frio — disse ele ao primeiro bêbado, que assentiu.

Horza saiu andando em silêncio. O outro bêbado, que não tinha percebido a mulher até então, pegou sua bebida do balcão à frente, virou-se para falar com o amigo, percebeu a mulher jogada sobre o bar, cutucou-a e disse:

— Ei, você gostou da capa, hein? Que tal se eu lhe pagar um drinque?

Antes de deixar o auditório, Horza olhou para cima. Os animais lutadores não iam mais lutar. Abaixo da curva reluzente que era o lado distante de Vavatch — e, naquele momento, dia — jazia um dos animais, em uma poça grande e rasa de sague leitoso, alto no ar, sua enorme estrutura de quatro membros um X posicionado sobre a área abaixo, o pelo branco e a cabeça pesada cortados, sarapintados de branco. A outra criatura estava pendurada, balançando suavemente, em seu trapézio; ela gotejava sangue branco e girava lentamente, pendurada por um conjunto fechado e preso de garras, tão morta quanto seu adversário caído.

Horza vasculhou o cérebro, mas não conseguiu se lembrar do nome daqueles animais estranhos. Ele sacudiu a cabeça e saiu apressado.

*

Ele encontrou a área dos jogadores. Havia um ishlorsinami parado junto a portas duplas em um corredor muito abaixo da superfície da arena. Uma pequena multidão de pessoas e máquinas estava ali parada de pé ou sentada. Alguns faziam perguntas para o ishlorsinami silencioso; a maioria estava conversando entre si. Horza respirou fundo; então, acenando um de seus cartões negociáveis agora inúteis, abriu caminho com os cotovelos através da multidão, dizendo:

— Segurança; vamos, saiam do caminho. Segurança!

As pessoas protestaram, mas se moveram. Horza se plantou diante do ishlorsinami alto. Olhos de aço olharam para ele de um rosto magro e duro.

— Você — disse Horza, estalando os dedos. — Aonde aquele jogador foi? O que estava no traje leve de uma peça, cabelo castanho. — O humanoide alto hesitou. — Vamos lá, cara — insistiu Horza. — Estou perseguindo esse trapaceiro nas cartas por metade da galáxia. Não quero perdê-lo agora!

O ishlorsinami moveu a cabeça bruscamente na direção do corredor que levava à entrada principal da arena.

— Ele acabou de sair. — A voz do humanoide soou como dois pedaços de vidro quebrado sendo esfregados um no outro.

Horza se encolheu, mas assentiu rapidamente e, abrindo caminho de volta pela multidão, subiu trotando o corredor.

No vestíbulo do complexo da arena havia uma multidão ainda maior. Guardas, drones de segurança com rodinhas, guarda-costas particulares, motoristas de carro, pilotos de transporte, policiais da cidade; pessoas com expressões desesperadas acenando com cartões negociáveis; outras listando aqueles que compravam espaço nos ônibus e aeronaves de transporte que iam para a área do porto; pessoas simplesmente por ali esperando para ver o que ia acontecer ou torcendo para que um táxi solicitado estivesse prestes a aparecer; pessoas apenas circulando com expressões perdidas no rosto, suas roupas rasgadas e amarfanhadas; outras com sorrisos, cheias de confiança, agarradas a sacolas e bolsas volumosas e frequentemente acompanhadas pelo próprio guarda contratado: todos se misturavam na grande extensão de espaço barulhento e movimentado que levava do auditório propriamente dito até a praça no exterior, ao ar livre, sob as estrelas e a linha brilhante do lado oposto do orbital.

Puxando mais o capuz sobre o rosto, Horza abriu caminho através de uma barricada de guardas. Eles ainda pareciam preocupados em manter as pessoas do lado de fora, mesmo naquele estágio adiantado do jogo e da contagem regressiva para a destruição, e ele não foi incomodado. Olhou para a massa em turbilhão de cabeças, capas, capacetes, carenagens e ornamentação, perguntando-se como pegaria Kraiklyn em meio àquele grupo de pessoas, ou mesmo o veria. Um grupo de quadrúpedes uniformizados passou por ele abrindo caminho, um dignitário alto carregado em uma liteira no meio deles. Enquanto Horza ainda cambaleava, um pneu macio rolou por cima de seu pé quando um bar móvel anunciou sua mercadoria.

— Gostaria de um pote de coquetel de droga, senhor? — ofereceu a máquina.

— Vá se foder — disse Horza, e se virou para seguir o grupo de criaturas de quatro pernas que se dirigiam para as portas.

— Com certeza, senhor; seco, médio ou…?

Horza abriu caminho através da multidão atrás dos quadrúpedes. Ele os alcançou, e em seu rastro teve uma passagem fácil até as portas.

Do lado de fora estava surpreendentemente frio. Horza viu sua respiração à sua frente quando olhou rapidamente ao redor, tentando avistar Kraiklyn. A multidão fora da arena estava pouco menos aglomerada e turbulenta que a do interior. Pessoas anunciavam mercadorias, vendiam ingressos, cambaleavam sem rumo, andavam de um lado para o outro, tentavam mendigar dinheiro com estranhos, batiam carteiras, examinavam os céus ou olhavam para os espaços entre os prédios. Um fluxo constante e brilhante de máquinas aparecia, chegando roncando do céu ou voando sobre os bulevares, parava e, depois de embarcar pessoas, partia correndo outra vez.

Horza simplesmente não conseguia ver direito. Ele percebeu um guarda de aluguel enorme: um gigante de três metros de altura em um traje volumoso, segurando um fuzil grande e olhando ao redor com uma expressão vazia em um rosto largo e pálido. Mechas de cabelo vermelho forte saíam de baixo de seu capacete.

— Você está disponível para contratação? — perguntou Horza, fazendo uma espécie de braçada de peito para chegar ao gigante através de um aglomerado de gente que assistia a alguns insetos lutadores. O rosto largo assentiu gravemente, e o homem enorme lhe deu atenção.

— Estou, sim — trovejou a grande voz.

— Aqui tem um centésimo — disse Horza rapidamente, botando uma moeda na luva do homem, onde ela pareceu muito perdida. — Ponha-me em seus ombros. Estou procurando alguém.

— Está bem — falou o homem, depois de pensar por um segundo.

Ele se abaixou lentamente sobre um joelho, usando o fuzil em sua mão para se equilibrar, com a coronha no chão. Horza jogou as pernas por cima dos ombros do gigante. Sem que Horza pedisse, o homem se aprumou e se levantou outra vez, e Horza foi erguido bem acima da cabeça das pessoas na multidão. Ele puxou o capuz de sua blusa sobre o rosto outra vez e examinou a massa de gente à procura de uma figura em um traje leve de uma peça, embora soubesse que Kraiklyn podia ter se transformado a essa altura, ou mesmo partido. Uma sensação apertada e nervosa de desespero crescia no estômago de Horza. Tentou dizer a si mesmo que não importava muito se perdesse Kraiklyn agora, que ainda podia seguir seu caminho sozinho até a área portuária e assim para o vGs em que a *Turbulência em Ar Límpido* estava; mas seu instinto se recusava a se acalmar. Era como se a atmosfera do jogo, a excitação terminal do orbital, a cidade e a arena em suas últimas horas tivessem alterado sua própria química corporal. Ele poderia ter se concentrado nisso e se *forçado* a relaxar, mas não podia se dar ao luxo de fazer isso agora. Tinha de procurar por Kraiklyn.

Examinou a coleção chamativa de indivíduos aguardando em uma área cercada por transportes, então se lembrou do pensamento de Kraiklyn sobre ter desperdiçado muito dinheiro. Afastou os olhos e examinou o resto da multidão.

Então o viu. O capitão da *Turbulência em Ar Límpido* estava parado, seu traje parcialmente coberto por uma capa cinza, os braços cruzados e os pés afastados, em uma fila de pessoas esperando para pegar ônibus e táxis, a trinta metros de distância. Horza debruçou-se à frente e se abaixou até estar olhando no rosto de cabeça para baixo do guarda de aluguel.

— Obrigado. Você pode me colocar no chão agora.

— Eu não tenho troco — ribombou o homem enquanto se curvava; a vibração subiu pelo corpo de Horza.

— Tudo bem. Pode ficar.

Horza pulou dos ombros do guarda. O gigante deu de ombros enquanto Horza corria, desviando e se abaixando para passar pelas pessoas, na direção onde tinha visto Kraiklyn.

Ele estava com seu terminal preso ao pulso esquerdo; eram menos duas horas e meia. Horza se espremeu, empurrou e pediu licença e desculpas enquanto atravessava a multidão, e no caminho viu muita gente olhando para relógios, terminais e telas, ouviu muitas pequenas vozes sintetizadas gritarem a hora, e humanos nervosos a repetirem.

Ali estava a fila. Ela parecia surpreendentemente organizada, pensou Horza, então percebeu que estava sendo supervisionada pelos mesmos guardas de segurança que tinham estado dentro da arena. Kraiklyn estava perto do começo da fila agora, e um ônibus tinha quase terminado de se encher. Carros terrestres e aeronaves esperavam atrás dele. Kraiklyn apontou para um deles enquanto um guarda de segurança com uma tela de notas falava com ele.

Horza olhou para a fila de pessoas à espera e calculou que devia ter centenas delas. Se entrasse na fila, perderia Kraiklyn. Ele olhou rapidamente ao redor, perguntando-se que outra maneira poderia haver de segui-lo.

Alguém esbarrou em suas costas, e Horza se virou na direção do barulho de vozes gritando e de um grupo de pessoas reluzentemente vestidas. Uma mulher mascarada em um vestido prateado justo estava gritando e berrando com um homem pequeno de ar intrigado e cabelo comprido vestido apenas em pontos intricados de linha verde-escura. A mulher gritava incoerentemente com o homem pequeno e batia nele com as mãos abertas; ele recuou, sacudindo a cabeça. As pessoas observavam. Horza conferiu se não tinham lhe roubado nada quando bateram nele, então tornou a olhar ao redor à procura de algum transporte ou de um táxi clandestino.

Uma aeronave voou barulhentamente acima e jogou folhetos escritos em uma língua que Horza não entendia.

—... Sarble — disse um homem de pele transparente para um companheiro enquanto os dois se espremiam para sair da multidão próxima e passavam por Horza.

O homem estava tentando olhar para uma pequena tela de terminal enquanto andava. Horza captou um vislumbre de algo que o intrigou. Ele ligou seu próprio terminal no canal apropriado.

Estava vendo o que parecia ser o mesmo incidente que vira de verdade no auditório algumas horas antes: o distúrbio no terraço acima do seu quando ouviu que Sarble, o Olho tinha sido pego por guardas de segurança. Horza franziu o cenho e aproximou a tela do rosto.

*Era* o mesmo lugar, *era* o incidente, visto quase exatamente do mesmo ângulo e da mesma distância aparente dos quais ele o vira. Fez uma careta para a tela, tentando imaginar de onde a imagem que estava vendo podia ter sido feita. A cena terminou e foi substituída por imagens informais de vários seres de aparência excêntrica se divertindo no auditório, enquanto o jogo de Dano continuava em algum lugar ao fundo.

... *Se eu tivesse me levantado*, pensou Horza, *e me movido só um...*
Era a mulher.

A mulher de cabelo branco que ele tinha visto antes, parada na parte mais alta da arena, mexendo em uma tiara: ela estava naquele mesmo terraço, parada ao lado de sua espreguiçadeira, quando aconteceu o incidente no terraço acima. Ela era Sarble, o Olho. Provavelmente a tiara era a câmera, e a pessoa no terraço mais alto era apenas um despiste plantado.

Horza desligou a tela. Ele sorriu, então sacudiu a cabeça como se quisesse remover essa pequena revelação inútil do centro de sua atenção. Precisava arranjar transporte.

Saiu andando rapidamente pela multidão, abrindo caminho entre pessoas em grupos e filas, procurando um veículo livre, uma porta aberta, os olhos de algum cambista. Captou um vislumbre da fila em que estava Kraiklyn. O comandante da *TAL* estava na porta aberta de um carro terrestre vermelho, aparentemente discutindo com o motorista e duas outras pessoas na fila.

Horza se sentiu mal. Ele começou a suar; queria sair chutando, jogar todas as pessoas aglomeradas ao seu redor para fora de seu caminho, para longe dele. Decidiu retornar por onde tinha vindo. Teria de arriscar tentar subornar alguém para entrar na fila de Kraiklyn, na frente. Estava a cinco metros da fila quando Kraiklyn e as duas pessoas pararam de discutir e entraram no táxi, que foi embora. Quando virou a cabeça para vê-lo passar, com um nó no estômago, os punhos cerrados, Horza viu a mulher de cabelo branco outra vez. Ela estava usando uma capa azul com capuz, mas o capuz caiu para trás enquanto ela se espremia para sair da multidão e chegar à beira da rua, onde um homem alto passou o braço em torno de seus ombros e apontou para a praça. Ela tornou a puxar o capuz.

Horza levou a mão ao bolso e à arma, então caminhou adiante na direção do casal — exatamente no momento em que uma aeronave preta fosca saiu sibilando da escuridão e parou ao lado deles. Horza avançou rapidamente quando as portas da aeronave se abriram e a mulher que era Sarble, o Olho se curvou para embarcar.

Horza se aproximou e deu um tapinha no ombro da mulher. Ela girou para trás para olhar para ele. O homem alto partiu em sua direção, e Horza empurrou a mão para a frente no bolso, de modo que a arma se projetou. O homem parou, olhando para baixo, incerto; a mulher congelou, com um pé na soleira da porta.

— Acho que você está indo para o mesmo lugar que eu — disse Horza rapidamente. — Eu sei quem você é. — Ele apontou com a cabeça para a mulher. — Sei sobre aquela coisa que você tinha na cabeça. Tudo o que eu quero é uma carona para o porto. Só isso. Sem confusão.

Ele gesticulou com a cabeça na direção dos guardas na frente da fila principal.

A mulher olhou para o homem alto, então para Horza. Ela recuou, devagar.

— Está bem. Você primeiro.

— Não, você primeiro.

Horza gesticulou com a mão no bolso. A mulher sorriu, deu de ombros e entrou, seguida pelo homem alto e por Horza.

— O que *ele*...? — começou a motorista, uma mulher careca de aspecto feroz.

— Um convidado — interrompeu Sarble. — Apenas dirija.

A aeronave levantou voo.

— Direto em frente — instruiu Horza. — O mais rápido possível. Estou procurando um carro terrestre vermelho.

Ele sacou a arma do bolso e girou para ficar de frente para Sarble, o Olho e o homem alto. A aeronave acelerou.

— Eu *disse* a você que eles exibiram aquela transmissão cedo demais — sibilou o homem alto em uma voz rouca e aguda.

Sarble deu de ombros. Horza sorriu, olhando de vez em quando pela janela para o tráfego em torno do táxi, mas observando as outras duas pessoas pelo canto do olho.

— Só azar — disse Sarble. — Toda hora eu esbarrava com esse cara lá dentro, também.

— Você é mesmo Sarble, então? — perguntou Horza para a mulher. Ela não virou o rosto para ele nem respondeu.

— Olhe — falou o homem, voltando-se para Horza —, vamos levá-lo até o porto, se é para lá que esse carro vermelho está indo, mas não tente nada. Vamos lutar se for preciso. Não tenho medo de morrer.

O homem alto pareceu assustado e com raiva ao mesmo tempo; seu rosto branco-amarelado parecia o de uma criança prestes a chorar.

— Você me convenceu. — Horza sorriu. — Agora, por que não procuramos o carro vermelho? Três rodas, quatro portas, motorista, três pessoas atrás. Não tem como errar.

O homem alto mordeu o lábio. Horza gesticulou para ele olhar para a frente, com um pequeno movimento da pistola.

— É aquele? — indagou a pilota careca.

Horza viu o carro de que ela estava falando. Parecia ser ele.

— É. Siga-o, mas não perto demais.

A nave ficou um pouco para trás.

Eles entraram na área do porto. Guindastes e pontes rolantes estavam iluminados ao longe; havia veículos terrestres estacionados, aeronaves e até transportes leves espalhados dos dois lados da rua. O carro, agora, estava logo à frente, seguindo alguns ônibus aéreos lentos na subida de uma rampa baixa. O motor da aeronave trabalhava enquanto eles subiam.

O carro vermelho saiu da pista principal e seguiu por uma grande curva na estrada, água brilhando escura dos dois lados.

— Você *é* mesmo Sarble? — perguntou Horza para a mulher de cabelo branco, que ainda não tinha se virado para ele. — Era você mais cedo, fora do salão? Ou não? Sarble é mesmo várias pessoas?

As pessoas no carro não disseram nada. Horza apenas sorriu, observando-os cuidadosamente, mas assentindo e sorrindo para si mesmo. Fez-se silêncio na aeronave, apenas o vento roncando.

O carro deixou a pista e virou em um bulevar cercado que passava por pontes rolantes e as massas iluminadas de máquinas enormes, então acelerou por uma rua com armazéns escuros enfileirados dos dois lados. Começou a desacelerar ao lado de uma pequena doca.

— Recue — ordenou Horza.

A mulher careca desacelerou a aeronave enquanto o carro vermelho seguia ao longo das docas, sob as gaiolas quadradas das pernas de guindastes.

O carro vermelho chegou a um prédio bem iluminado. Um padrão de luzes em movimento no alto da construção dizia em várias línguas: "SUB-BASE ACESSO 54".

— Está bem. Pare — instruiu Horza. A aeronave parou, afundando sobre as laterais. — Obrigado.

Horza desembarcou, ainda olhando para o homem e a mulher de cabelo branco.

— Você tem sorte de não ter tentado nada — falou o homem com raiva, meneando rispidamente a cabeça, os olhos brilhando.

— Eu sei — disse Horza. — Adeus.

Ele piscou para a mulher de cabelo branco. Ela se virou e fez o que ele desconfiou ser um gesto obsceno com um dedo. A aeronave levantou voo, acelerou à frente, então fez uma curva e voltou pelo caminho por onde tinha vindo. Horza olhou para trás para a entrada do poço da subplaca, onde se podiam ver as silhuetas das três pessoas que tinham descido do carro contra a luz do interior. Uma delas pode ter olhado pela doca na direção de Horza; ele não teve certeza, mas se encolheu nas sombras do guindaste acima dele.

Duas das pessoas no tubo de acesso entraram no prédio e desapareceram. A terceira pessoa, que podia ser Kraiklyn, saiu andando na direção do lado da doca.

Horza tornou a guardar a arma no bolso e correu para baixo de outro guindaste.

Um ronco como aquele feito pela aeronave de Sarble quando se afastou dele, mas muito mais alto e profundo, veio do interior da doca.

Luzes e borrifos encheram a extremidade do mar da doca quando um enorme hovercraft similar, a princípio, mas muito maior do que a aeronave que Horza tinha pilotado, chegou da extensão negra de oceano. Iluminadas pela luz das estrelas, pelo brilho do lado da luz do dia do orbital e pelas luzes da própria aeronave, as ondas de borrifos se erguiam no ar com uma luminescência leitosa. A grande máquina movia-se lentamente entre as paredes da doca, seus motores gritavam. Além dela, saindo para o mar, Horza pôde ver outras duas nuvens, também iluminadas do interior por luzes piscantes. Fogos de artifício explodiram na nave principal quando ela se aproximou devagar da doca. Horza pôde ver uma grande área de janelas, e o que pareciam ser pessoas dançando no interior. Olhou novamente para as margens das docas; o homem que ele estava seguindo subia os degraus até uma ponte para pedestres que atravessava acima das docas. Horza correu em silêncio, abaixando-se atrás das pernas de guindastes e saltando por cima de extensões grossas de cabos. As luzes da aeronave brilharam sobre a superestrutura dos guindastes; o grito de jatos e propulsores ecoou entre paredes de concreto.

Como se destacasse a crueza comparativa da cena, uma pequena nave — escura e silenciosa, exceto pelo ruído violento que sua passagem fez através da atmosfera — passou veloz acima, afastando-se e desaparecendo no céu noturno, surgindo novamente como um ponto sobre a curva da superfície do dia do orbital. Horza deu uma olhada para ela, então observou a figura na pequena ponte, iluminada pelas luzes brilhantes da aeronave que ainda avançava lentamente pela doca abaixo. A segunda embarcação estava entrando em posição fora da doca para segui-la.

Horza chegou à escada que levava à passarela da estreita ponte suspensa. O homem, que andava como Kraiklyn e usava uma capa cinza, tinha atravessado até aproximadamente a metade. Horza não conseguia ver muito bem como era o terreno do outro lado da doca, mas achou que teria uma boa chance de perder sua presa se deixasse que ele chegasse ao outro lado antes que estivesse atrás dele. Provavelmente o homem — Kraiklyn, se fosse ele — tinha pensado nisso; Horza achou que ele sabia que estava sendo seguido. Ele partiu pela ponte. Ela balançou um pouco sob ele. O barulho e as luzes da aeronave gigante estavam quase abaixo; o ar se encheu de borrifos escuros e redemoinhantes, levantados das águas rasas da doca. O homem não olhou para trás para Horza, embora deva ter sentido os passos de Horza balançarem a ponte com seus próprios passos.

A figura deixou a ponte do outro lado. Horza o perdeu de vista e começou a correr, com a arma à sua frente e o hovercraft abaixo soprando lufadas de ar molhado ao seu redor, encharcando-o. Música alta vinha da aeronave, audível mesmo através do ronco dos motores. Horza correu pela ponte até o final e desceu apressado a escada em caracol até a doca.

Alguma coisa voou da escuridão abaixo da escada em caracol e atingiu seu rosto. Logo em seguida, algo bateu em suas costas e na parte de trás de seu crânio. Caiu sobre algo duro, perguntando-se, grogue, o que tinha acontecido, enquanto luzes passavam sobre ele, o ar em seus ouvidos não parava de roncar e música tocava em algum lugar. Uma luz forte brilhou direto em seus olhos, e o capuz sobre seu rosto foi jogado para trás.

Horza ouviu uma expressão de surpresa: a expressão de surpresa de um homem arrancando um capuz de um rosto só para ver seu próprio rosto olhando para ele. (*Quem é você?*) Se aquilo fosse o que era, então aquele homem agora estava vulnerável, chocado por apenas alguns segundos (*Quem sou eu?*)... Ele teve força suficiente para chutar forte com uma perna, forçando os braços para cima ao mesmo tempo e agarrando algum material, sua canela atingindo uma virilha. O homem passou por cima dos ombros de Horza, na direção da doca; então Horza sentiu seus próprios ombros serem agarrados e, enquanto o homem caía no chão ao lado e atrás dele, ele foi puxado junto...

Pela lateral da doca; o homem aterrissara bem na borda e caíra, arrastando Horza com ele. Eles estavam caindo.

Ele teve consciência de luzes, depois sombra, da pegada que tinha na capa ou no traje do homem de uma mão ainda em seu ombro.

Caindo: qual seria a profundidade da doca? O barulho de vento. Escute o som do...

Foi um impacto duplo. Ele atingiu água, então algo mais duro, em uma colisão confusa de fluido e corpo. Estava frio, e seu pescoço doeu. Ele se debatia, sem saber ao certo qual era o lado de cima e grogue dos golpes na cabeça; então alguma coisa o puxou. Ele socou e atingiu alguma coisa macia, então se ergueu e se viu de pé em pouco mais de um metro de água, cambaleando adiante. Era uma confusão — luz e som e borrifos por toda parte, e havia alguém agarrado a ele.

Horza se debateu outra vez. Os borrifos pararam momentaneamente, e ele viu a parede da doca alguns metros à sua direita e, diretamente à sua frente, a traseira do hovercraft gigantesco recuando lentamente a cinco ou seis metros de distância. Uma lufada poderosa de ar oleoso e feroz o derrubou, espirrando água outra vez. Os borrifos se fecharam sobre ele. A mão o soltou, e ele caiu novamente pela água, afundando.

Horza conseguiu se levantar a tempo de ver seu adversário atravessando os borrifos, seguindo a aeronave em movimento lento pela doca. Tentou correr, mas a água era funda demais; teve de forçar as pernas à frente em um movimento lento, a versão de pesadelo de uma corrida, inclinando o tronco para que seu peso o impulsionasse adiante. Com torções exageradas de seu corpo de um lado para o outro, ele seguiu atrás do homem na capa cinza, usando as mãos como remos em uma tentativa de ganhar velocidade. Sua cabeça girava; as costas, o rosto e o pescoço doíam terrivelmente, e sua visão estava borrada, mas pelo menos ele ainda estava na perseguição. O homem à frente parecia mais ansioso para escapar que para ficar e lutar.

O escapamento ruidoso da nave ainda em movimento abriu outro buraco nos borrifos na direção dos dois homens, revelando o volume da popa se erguendo acima da parede bulbosa da saia da máquina, curvando-se de três metros acima da superfície da água na doca. Primeiro o homem à frente, depois Horza foram jogados para trás pelo pulso de vapores quentes e sufocantes. A água estava ficando mais rasa. Horza descobriu que conseguia tirar as pernas da água o suficiente para chapinhar mais rápido. O barulho e os borrifos os cobriram novamente, e por um momento Horza perdeu a presa de vista; então a visão à frente ficou limpa, e ele pôde ver o grande hovercraft em uma área seca de concreto. As paredes da doca se erguiam altas dos dois lados, mas a água e as nuvens de borrifos tinham praticamente desaparecido. O homem à frente cambaleou na direção da rampa pequena que levava da água (agora apenas na altura do tornozelo) para o concreto, tropeçou e quase caiu, então começou a correr sem muita energia atrás do hovercraft, agora andando mais rápido pelo nível do concreto através do cânion da doca.

Horza finalmente saiu da água e correu atrás do homem, seguindo a capa cinza que tremulava molhada.

O homem tropeçou, caiu e rolou. Quando começou a se levantar, Horza colidiu contra ele, derrubando os dois. Ele atacou o rosto do homem, nas sombras da luz que vinha de trás dele, mas errou. O homem tentou acertar Horza com um chute, depois tentou escapar outra vez. Horza se jogou sobre as pernas do homem, derrubando-o de novo, a capa molhada caindo sobre sua cabeça. Conseguiu ficar de quatro e o rolou, deixando-o com o rosto para cima. *Era* Kraiklyn. Horza recuou a mão para dar um soco. O rosto pálido e barbeado embaixo dele estava retorcido de terror, posto nas sombras por algumas luzes vindas de trás de Horza, onde outro grande barulho trovejante estava... Kraiklyn deu um grito, olhando não para o homem que usava seu rosto verdadeiro, mas para trás dele, acima dele. Horza se virou.

Uma massa negra soprando borrifos corria na direção dele; luzes brilhavam no alto. Uma sirene soou, então o volume esmagador estava sobre ele, atingindo-o, derrubando-o estatelado, agredindo seus tímpanos com barulho e pressão, pressionando, pressionando, pressionando... Horza ouviu um som gorgolejante; ele estava sendo jogado contra o peito de Kraiklyn; os dois estavam sendo esfregados no concreto como se esmagados por um polegar gigante.

Um segundo hovercraft; o segundo na fila que ele tinha visto.

Abruptamente, com uma única grande pontada de dor atingindo-o dos pés à cabeça, como se um gigante estivesse tentando varrê-lo do chão com uma vassoura dura e enorme, o peso foi erguido. Em seu lugar houve completa escuridão, barulho suficiente para explodir crânios e uma pressão do ar violenta, turbulenta e esmagadora.

Eles estavam sob as saias do grande veículo. Ele estava bem acima deles, movendo-se lentamente adiante ou talvez — estava escuro demais para ver qualquer coisa — estacionado sobre a praça de manobra de concreto, talvez pronto para pousar no concreto, esmagando-os.

Como se fosse apenas outra parte do turbilhão de dor agressiva, um golpe soou surdo no ouvido de Horza, derrubando-o de lado na escuridão. Ele rolou sobre o concreto áspero, girando sobre um cotovelo assim que conseguiu e segurando uma das pernas enquanto atacava com a outra na direção de onde viera o soco; sentiu o pé atingir alguma coisa flexível.

Ele ficou de pé, mas se abaixou ao pensar nas lâminas do propulsor giratório logo acima. Os redemoinhos e vórtices de ar quente cheio de óleo o balançaram como um barquinho boiando em um mar agitado. Sentiu-se como uma marionete controlada por um bêbado. Cambaleou adiante, com braços estendidos, e acertou Kraiklyn. Eles começaram a cair outra vez, e Horza atacou, socando com toda a força o lugar onde achava que a cabeça do homem estaria. Seu punho atingiu osso, mas não sabia onde. Ele recuou, caso houvesse um chute ou soco em retaliação a caminho. Seus ouvidos estavam explodindo; sua cabeça parecia esmagada. Sentia os olhos vibrando em suas órbitas; achou que estivesse surdo, mas podia sentir a pulsação em seu peito e seu pescoço, deixando-o sem fôlego, fazendo-o sufocar e arquejar. Conseguia ver apenas uma sugestão de borda de luz por toda a sua volta, como se eles estivessem sob o meio do hovercraft. Viu alguma coisa, só uma área de escuridão naquela borda, e saltou em sua direção, chutando com o pé de baixo para cima. Mais uma vez ele acertou, e a parte escura da borda desapareceu.

Horza foi derrubado por uma rajada esmagadora de ar de cima para baixo e cambaleou pelo concreto, batendo em Kraiklyn onde ele estava caído no chão depois do último chute de Horza. Outro soco atingiu Horza na cabeça, mas foi fraco e quase não doeu. Horza procurou e encontrou a cabeça de Kraiklyn. Ele a ergueu e a bateu contra o concreto, então fez isso outra vez. Kraiklyn se debateu, mas suas mãos batiam inutilmente nos ombros e no peito de Horza. A área de luminosidade além da forma indistinta no chão estava aumentando, aproximando-se. Horza bateu a cabeça de Kraiklyn no concreto mais uma vez, então se deitou no chão. A parte traseira da saia raspou sobre ele; suas costelas doeram, e sentiu como se houvesse alguém de pé sobre seu crânio. Então terminou, e eles estavam em espaço aberto.

O grande hovercraft seguiu trovejante, deixando restos de borrifos em seu rastro. Havia outro a cinquenta metros na doca e seguindo em sua direção.

Kraiklyn estava deitado imóvel, a alguns metros de distância.

Horza se ergueu de quatro e rastejou até o outro homem. Olhou em seus olhos, que se mexeram um pouco.

— Eu sou Horza! *Horza!* — gritou, mas nem ele mesmo conseguiu se ouvir.

Horza sacudiu a cabeça e, com uma careta de frustração no rosto que na verdade não era o seu, e que foi a última coisa que o verdadeiro Kraiklyn viu, segurou a cabeça do homem deitado no concreto e torceu-a bruscamente, quebrando o pescoço, assim como havia quebrado o de Zallin.

Ele conseguiu arrastar o corpo para o lado da doca bem a tempo de sair do caminho do terceiro e último hovercraft. A saia alta do transporte se inflava a dois metros de distância de onde ele estava meio deitado, meio sentado, arfando e suando, com as costas apoiadas no concreto frio e molhado da doca, com a boca aberta e o coração disparado.

Horza despiu Kraiklyn, pegou a capa e o traje de dia de peça única e cor clara que ele estava usando, então tirou sua própria blusa rasgada e as pantalonas ensanguentadas e vestiu o que Kraiklyn estivera usando. Pegou o anel que Kraiklyn usava no mindinho da mão direita. Cutucou as próprias mãos, na parte da pele onde a palma se tornava pulso. Ela saiu facilmente, uma camada de pele se soltando de sua mão direita do pulso à ponta dos dedos. Esfregou a palma da mão direita de Kraiklyn em um pedaço úmido de pano, então pôs a pele sobre ela, apertando-a com força. Então ergueu a pele com delicadeza e a posicionou em sua própria mão. Depois repetiu a operação usando a mão esquerda.

Estava frio, e pareceu levar muito tempo e exigir muito esforço. Depois de algum tempo, enquanto os três grandes hovercrafts estavam parando e desembarcando passageiros meio quilômetro doca abaixo, Horza finalmente cambaleou até uma escada de degraus de metal na parede de concreto da doca e, com mãos e pés trêmulos, subiu até o topo.

Ele ficou deitado por algum tempo, então se levantou, subiu a escada em caracol até a pequena passarela, cambaleou por ela, desceu do outro lado e entrou no prédio circular de acesso. Pessoas bem-vestidas e animadas, recém-saídas dos grandes hovercrafts e ainda em clima de festa, calaram-se quando o viram esperando perto das portas do elevador pela cápsula que ia levá-los para baixo, para a área do espaçoporto meio quilômetro sob seus pés. Horza não conseguia ouvir muito, mas podia ver suas expressões ansiosas, sentir a estranheza que causava com seu rosto surrado e ensanguentado e suas roupas rasgadas e encharcadas.

Finalmente o elevador apareceu. Os frequentadores da festa entraram, e Horza, apoiando-se na parede, entrou cambaleante também. Alguém segurou seu braço e o ajudou, e ele agradeceu com um aceno de cabeça. Eles disseram algo que Horza ouviu como um ronco distante; tentou sorrir e assentir novamente. O elevador desceu.

O lado de baixo os recebeu com uma vastidão do que pareciam estrelas. Aos poucos, Horza percebeu que era só o teto sarapintado de luzes de uma nave espacial maior que qualquer coisa que ele já tivesse visto ou mesmo de que tivesse ouvido falar; tinha de ser a nave desmilitarizada da Cultura, *Os Fins da Invenção*. Ele não se importava com o nome, desde que pudesse subir a bordo e encontrar a TAL.

O elevador havia parado em um tubo transparente acima de uma área esférica de recepção, pendendo em forte vácuo cem metros abaixo da base do orbital. Da esfera, passarelas e túneis em forma de tubos se espalhavam em todas as direções, seguindo para as pontes rolantes de acesso e as docas abertas e fechadas da própria área do porto. As portas das docas fechadas, onde era possível trabalhar em naves sob condições pressurizadas, estavam todas abertas. As docas abertas propriamente ditas, onde as naves estavam simplesmente ancoradas e era necessário o uso de câmaras pressurizadas, estavam vazias. Substituindo-os todos, diretamente abaixo da área esférica da recepção, da mesma forma que estava diretamente abaixo de quase toda a área do porto, estava o Veículo Geral de Sistemas, ex-Cultura, *Os Fins da Invenção*. Seu topo largo e chato se estendia por quilômetro após quilômetro em todas as direções, bloqueando quase totalmente a vista do espaço e das estrelas além. Em vez disso, sua superfície cintilava com as próprias luzes onde várias conexões tinham sido feitas com os tubos e túneis de acesso do porto.

Ele se sentiu tonto outra vez, registrando a escala absurda da nave enorme. Nunca tinha visto um vgs antes, muito menos estado dentro de um. Tinha ouvido falar deles e sabia para que serviam, mas só agora apreciava a conquista que eles representavam. Esse teoricamente não pertencia mais à Cultura; ele sabia que estava desmilitarizado, esvaziado da maior parte de seu equipamento, e sem a Mente ou as Mentes que normalmente o controlavam; mas só a estrutura era suficiente para impressionar.

Veículos Gerais de Sistemas eram como mundos encapsulados. Eram mais que apenas espaçonaves muito grandes; eram habitats, universidades, fábricas, museus, estaleiros, bibliotecas, até centros de exposição móveis. Eles representavam a Cultura — eles eram a Cultura. Quase qualquer coisa que pudesse ser feita em qualquer lugar da Cultura podia ser feita em um vgs. Eles podiam produzir qualquer coisa que a Cultura fosse capaz de produzir, continham todo o conhecimento que a Cultura tinha acumulado, carregavam ou conseguiam construir equipamento especializado de todo tipo imaginável para qualquer eventualidade concebível e manufaturavam constantemente naves menores: normalmente Unidades Gerais do Contato, agora naves de guerra. Seus complementos eram medidos pelo menos em milhões. Eles tripulavam as naves que produziam com o aumento gradual de sua própria população. Autocontidos, autossuficientes, produtivos e, pelo menos em tempos de paz, trocando informação continuamente, eram os embaixadores da Cultura, seus cidadãos mais visíveis e suas grandes armas intelectuais e tecnológicas. Não havia necessidade de viajar das regiões longínquas da galáxia para algum planeta-lar distante da Cultura para se impressionar e se surpreender com a escala atordoante e o poder incrível da Cultura. Um vgs podia levar tudo isso até você.

Horza seguiu as multidões reluzentemente vestidas através da área movimentada da recepção. Havia poucas pessoas de uniforme, mas elas não estavam parando ninguém. Horza se sentiu em um transe, como se fosse apenas um passageiro em seu próprio corpo, e o titereiro bêbado que ele sentira no controle mais cedo agora estivesse um pouco sóbrio e o guiasse através das multidões de pessoas na direção das portas de outro elevador. Tentou organizar as ideias sacudindo a cabeça, mas doeu quando fez isso. Sua audição estava voltando muito devagar.

Ele olhou para as mãos, então tirou a pele impressora das palmas, esfregando-as em cada uma das lapelas do traje de dia até que se soltassem e caíssem no chão do corredor.

Quando saíram do segundo elevador, estavam em uma nave estelar. As pessoas se dispersaram por corredores largos com iluminação pastel e teto alto. Horza olhou para um lado e para o outro quando a cápsula do elevador retornou para cima na direção da esfera da recepção. Um pequeno drone flutuou em sua direção. Era do tamanho e da forma de uma mochila de traje padrão, e Horza olhou desconfiado para ele, sem saber ao certo se era ou não um dispositivo da Cultura.

— Com licença, você está bem? — disse a máquina. Sua voz era robusta, mas não hostil. Horza mal conseguia ouvi-la.

— Estou perdido — respondeu Horza, alto demais. — Perdido — repetiu, mais baixo, de modo que quase não se ouviu.

Ele estava consciente de que estava balançando um pouco enquanto ficava ali parado, e podia sentir água escorrendo para dentro de suas botas e pingando da capa encharcada na superfície macia e absorvente sob seus pés.

— Aonde você quer ir? — perguntou o drone.

— Para uma nave chamada... — Horza fechou os olhos em um desespero fatigado. Não ousou dizer o nome verdadeiro. — ... *O Blefe do Mendigo*.

O drone ficou em silêncio por um minuto, então falou:

— Infelizmente essa nave não está a bordo. Talvez esteja na zona portuária em si, mas não no *Fins*.

— É uma velha nave de ataque hronish — descreveu Horza, cansado, procurando algum lugar para se sentar.

Ele viu alguns assentos presos na parede a alguns metros de distância e seguiu na direção deles. O drone o seguiu, baixando quando Horza se sentou para ainda ficar ao nível de seus olhos.

— Cerca de cem metros de comprimento — continuou o Transmutador, sem se importar mais se estivesse entregando alguma informação. — Ela estava sendo consertada por algum estaleiro do porto; tinha problemas nas unidades de dobra.

— Ah. *Acho* que tenho a que você quer. Está mais ou menos em linha reta daqui. Não tenho registro do nome, mas parece a que você quer. Você consegue chegar lá sozinho ou quer que eu o leve?

— Não sei se consigo — disse Horza com sinceridade.

— Espere um momento.

O drone permaneceu flutuando em silêncio diante de Horza por um ou dois momentos; então falou:

— Siga-me, então. Tem um tubo de viagem logo aqui e um convés abaixo.

A máquina recuou e indicou a direção que eles deviam tomar estendendo um campo enevoado de sua lataria. Horza se levantou e a seguiu.

Eles desceram um poço de elevador antigravitacional, depois atravessaram uma grande área aberta onde alguns veículos com rodas ou saias usados no orbital tinham sido guardados; apenas alguns exemplos, explicou o drone, para a posteridade. O *Fins* já tinha um meganavio a bordo, guardado em uma de suas baias gerais, treze quilômetros abaixo, no fundo da nave. Horza não sabia se acreditava ou não no drone.

No outro lado do hangar eles chegaram a outro corredor, e ali entraram em um cilindro, com cerca de três metros de diâmetro e seis de comprimento, que girou e fechou a porta, moveu-se para um lado e foi instantaneamente sugado por um túnel escuro. Luzes suaves iluminavam o interior. O drone explicou que as janelas eram bloqueadas porque, a menos que você estivesse acostumado, a viagem em uma cápsula através de um VGS podia ser perturbadora, tanto por causa da velocidade quanto por causa das súbitas mudanças de direção, que o olho via, mas o corpo não sentia. Horza se sentou pesadamente em um dos assentos dobráveis no meio da cápsula, mas só por alguns segundos.

— Aqui estamos nós. Baia pequena 27492, caso você precise outra vez. Nível interno S-10-direita. Adeus.

A porta da cápsula desceu. Horza assentiu para o drone e saiu em um corredor com paredes retas e transparentes. A porta da cápsula se fechou, e a máquina desapareceu. O Transmutador teve uma breve impressão de percebê-la passar tremeluzente por ele, mas isso aconteceu tão depressa que ele podia estar errado. De qualquer modo, sua visão ainda estava turva.

Ele olhou para a direita. Através das paredes do corredor, olhou para o ar límpido. Quilômetros dele. Havia uma espécie de telhado muito acima, com apenas uma sugestão de nuvens tênues. Algumas naves pequenas se moviam. No nível dele, longe o bastante para a vista ser ao mesmo tempo enevoada e vasta, havia hangares: andar após andar após andar deles. Baias, docas, hangares — chame-os como você quiser; eles enchiam a visão de Horza por quilômetros quadrados, deixando-o atordoado com a escala enorme de tudo aquilo. Seu cérebro teve uma espécie de segunda reação, e ele piscou e se sacudiu, mas a visão não desapareceu. Naves se moviam, luzes se acendiam ou se apagavam, uma camada de nuvens muito abaixo tornava a vista nessa direção ainda mais enevoada, e alguma coisa passou zumbindo pelo corredor onde Horza estava: uma nave, com trezentos metros de comprimento. A nave passou pelo nível em que ele estava, mergulhou, e bem longe fez uma curva para a esquerda, inclinando-se lateral e graciosamente no ar para desaparecer em outro corredor vasto e iluminado que parecia passar em ângulos retos em relação àquele que Horza estava olhando. Na outra direção, de onde a nave surgira, havia uma parede, aparentemente vazia. Horza olhou com mais atenção e esfregou os olhos; viu que a parede tinha um pontilhado organizado de luzes em um grid sobre ela: milhares e milhares de janelas e luzes e balcões. Naves menores esvoaçavam à sua frente, e os pontos de cápsulas de tubos de viagem passavam rapidamente para cima e para baixo.

Horza não conseguia absorver muito mais. Ele olhou para a esquerda e viu uma rampa lisa que descia por baixo do tubo pelo qual a cápsula viajava. Desceu cambaleante por ela até o espaço pequeno e aconchegante de uma pequena baia de duzentos metros de comprimento.

\*

Horza queria chorar. A velha nave estava apoiada sobre três pernas curtas, bem no centro da baia, com algumas partes e peças de equipamento espalhadas ao redor. Não havia mais ninguém na baia que Horza pudesse ver, só maquinaria. A *TAL* parecia velha e surrada, mas intacta e inteira. Parecia que os reparos ou estavam terminados ou ainda não haviam começado. O elevador principal do compartimento de carga estava embaixo, descansando sobre o convés liso e branco da baia. Horza foi até lá e viu uma escada leve que levava para a área iluminada do próprio compartimento. Um pequeno inseto pousou brevemente em seu pulso. Ele abanou uma mão sobre o animal quando saiu voando. Que *sujeira* da Cultura, pensou distraidamente, permitir um inseto a bordo de uma de suas naves reluzentes. Mesmo assim, oficialmente, pelo menos, o *Fins* não era mais da Cultura. Cansado, Horza subiu a escada, atrapalhado pela capa úmida e acompanhado pelos ruídos de sucção vindos de suas botas.

O compartimento de carga tinha um cheiro familiar, embora parecesse estranhamente espaçoso sem nenhum transporte em seu interior. Não havia ninguém ali. Ele subiu a escada do compartimento de carga para a seção de acomodação. Seguiu pelo corredor na direção do refeitório, perguntando-se quem estaria vivo, quem estaria morto, que mudanças tinham sido feitas, se é que alguma tinha sido feita. Tinham se passado apenas três dias, mas sentia como se tivesse ficado longe por anos. Estava quase na cabine de Yalson quando a porta foi aberta rapidamente.

A cabeça de cabelo claro de Yalson saiu, uma expressão de surpresa, mesmo alegria, começando a se formar nela.

— Ei... — disse ela, então parou, franziu o cenho para ele, sacudiu a cabeça e murmurou alguma coisa, voltando a sua cabine. Horza tinha parado.

Ele ficou ali, pensando que estava feliz por ela estar viva, percebendo que não estivera caminhando corretamente — não como Kraiklyn. Seus passos soaram, em vez disso, como os seus próprios. Uma mão surgiu da porta de Yalson enquanto ela vestia um robe leve, então a mulher saiu e parou no corredor, olhando para o homem que ela achava ser Kraiklyn com as mãos nos quadris. Seu rosto magro e duro parecia um pouco preocupado, mas principalmente cauteloso. Horza escondeu a mão com um dedo faltando atrás das costas.

— O que raios aconteceu com você? — perguntou ela.

— Entrei em uma briga. O que parece? — Ele acertou a voz. Eles ficaram se olhando.

— Se você quiser alguma ajuda... — começou a dizer Yalson.

Horza sacudiu a cabeça.

— Eu me viro.

Yalson assentiu, com um meio sorriso, olhando para ele de alto a baixo.

— É, está bem, você se vira, então. — Ela apontou para trás com o polegar na direção do refeitório. — Sua nova recruta acabou de trazer suas coisas a bordo. Ela está esperando no refeitório, embora se você olhar agora ela talvez não ache uma ideia tão maravilhosa se juntar a nós.

Horza assentiu. Yalson deu de ombros, em seguida se virou e saiu andando pelo corredor, passando pelo refeitório na direção da ponte de comando. Horza foi atrás dela.

— Nosso glorioso capitão — falou ela para alguém na sala quando entrou. Horza hesitou na porta da cabine de Kraiklyn, então seguiu em frente e enfiou a cabeça pela porta do refeitório.

Havia uma mulher sentada à outra ponta da mesa do refeitório, de pernas cruzadas sobre uma cadeira à sua frente. A tela estava ligada acima dela como se ela estivesse assistindo; mostrava uma imagem de um meganavio sendo erguido fisicamente da água por centenas de pequenos rebocadores aglomerados embaixo e ao redor. Eles eram nitidamente máquinas antigas da Cultura. A mulher, porém, tinha tirado os olhos da imagem e estava olhando na direção de Horza quando ele espiou pela porta.

Era magra, alta e pálida. Parecia em forma, e seus olhos pretos estavam dispostos em um rosto que começava a mostrar uma surpresa preocupada diante da face alquebrada que olhava para ela da porta. Usava um traje leve, cujo capacete estava sobre a mesa à sua frente. Uma bandana vermelha estava amarrada na cabeça, abaixo do nível de seu cabelo ruivo aparado curto.

— Ah, capitão Kraiklyn — disse ela, tirando os pés do assento e se inclinando para a frente, seu rosto demonstrando choque e pena. — O que aconteceu?

Horza tentou falar, mas sua garganta estava seca. Não podia acreditar no que via. Seus lábios funcionaram e ele os lambeu com uma língua seca. A mulher começou a se levantar da mesa, mas Horza estendeu a mão e gesticulou para que ela ficasse onde estava. Ela tornou a se sentar lentamente, e ele conseguiu dizer:

— Eu estou bem. Vejo você depois. Só... só fique... aí.

Então se afastou da porta e desceu cambaleante o corredor até a cabine de Kraiklyn. O anel se encaixou na porta, e ela se abriu. Ele quase caiu para dentro.

Em algo semelhante a um transe, ele fechou a porta e ficou ali parado, olhando para a divisória em frente por algum tempo, então se sentou devagar, no chão.

Ele sabia que ainda estava atordoado, sabia que sua visão ainda estava turva e que não estava ouvindo perfeitamente. Sabia que era improvável — ou, se não fosse, então era mesmo má notícia, mas ele tinha certeza; certeza absoluta. Tanta certeza quanto tivera em relação a Kraiklyn assim que ele subira aquela rampa até a mesa de Dano, para a arena.

Como se não tivesse sofrido choques suficientes por uma noite, a visão da mulher sentada à mesa do refeitório o havia praticamente silenciado e feito sua mente parar de funcionar. O que ele iria fazer? Não conseguia pensar. O choque ainda ecoava por sua mente; a imagem parecia presa atrás de seus olhos.

A mulher no refeitório era Perosteck Balveda.

# 8

## OS FINS DA INVENÇÃO

**TALVEZ** *ela seja um clone*, pensou Horza. *Talvez seja coincidência.* Ele estava sentado no chão da cabine de Kraiklyn — sua cabine, agora — olhando fixamente para as portas do armário na parede em frente; consciente de que precisava fazer alguma coisa, mas sem saber ao certo o que devia ser. Seu cérebro não era capaz de assimilar todos os golpes e choques que sofrera. Ele precisava se sentar e pensar por um momento.

Tentou dizer a si mesmo que estava enganado, que na verdade não era ela, que ele estava cansado e confuso e ficando paranoico, vendo coisas. Mas sabia que era Balveda, embora suficientemente alterada para que provavelmente apenas um amigo próximo ou um Transmutador pudesse identificá-la, mas com certeza *ela*, viva e bem e provavelmente armada até os dentes...

Ele se levantou mecanicamente, ainda olhando fixamente à frente. Tirou as roupas molhadas, saiu da cabine e se dirigiu para a área de lavagem, onde deixou as roupas para secar e se limpou. De volta à cabine, encontrou um roupão e o vestiu. Começou a inspecionar o espaço pequeno e abarrotado e finalmente encontrou um pequeno gravador de voz, que ligou e ouviu.

— ... ahhhh... inclusive, ahh, Yalson — disse a voz de Kraiklyn no pequeno alto-falante da máquina —, que acho que estava, hmm... em um relacionamento com, ahh... Horza Gobuchul. Ela tem sido... bem abrupta, e não acho que tive apoio por parte dela... o que ela... o que eu devia fazer... Vou ter uma conversa com ela se isso continuar, mas, ahhh... por enquanto, durante os reparos e tudo mais... não parece fazer muito sentido... Não estou adiando... ah... Só acho que vamos ver como ela vai ficar depois que o orbital explodir e nós estivermos a caminho.

"Ahhh... agora, essa mulher nova... Gravant... ela é legal. Tenho a impressão de que ela poderia... ah, precisar... precisar receber ordens... parece precisar de disciplina... Não acho que ela vai ter, ah, muito conflito com ninguém. Com Yalson, especialmente, eu estava preocupado, mas não acho... ah, acho que vai ficar tudo bem. Mas nunca se sabe com mulheres, ah... claro, por isso... mas eu gosto dela... Acho que ela tem classe e, talvez... Não sei... talvez ela pudesse dar uma boa número dois se entrasse em forma.

"Eu preciso mesmo de mais gente... Hmm... As coisas não correram muito bem recentemente, mas acho que fui... eles me decepcionaram. Jandraligeli, obviamente... e não sei; vou ver se consigo fazer algo em relação a ele, porque... ele na verdade foi meio... ahh... ele me traiu; foi assim que... é isso o que eu acho; qualquer um concordaria. Então talvez eu tenha uma conversa com Ghalssel, no jogo, supondo que ele chegue... Não acho que o sujeito esteja realmente à altura do padrão, e vou dizer isso a Ghalssel porque estamos os dois... no mesmo, ah... negócio, e eu... eu sei que ele vai ter ouvido... bom, ele vai ouvir o que eu tenho a dizer, porque ele sabe das responsabilidades da liderança e... exatamente... ah... como eu.

"Enfim... vou recrutar mais um pouco depois do jogo, e depois que o VGS decolar vai haver algum tempo... temos tempo suficiente para correr para essa baia, e vou espalhar a informação. Deve haver... muita gente pronta para se alistar... Ah, ah, sim; não posso esquecer do transporte amanhã. Tenho certeza de que posso reduzir o preço. Eu podia simplesmente ganhar no jogo, é claro..." A pequena voz no alto-falante riu: um eco agudo. "E ficar incrivelmente rico e..." A risada soou outra vez, distorcida. "E não dar mais a mínima para essa droga... merda, simplesmente... ha... dar a *TAL*... bem, vendê-la... e me aposentar... Mas vamos ver..."

A voz se calou. Horza desligou a máquina no silêncio. Colocou-a onde a havia encontrado e esfregou o anel no mindinho da mão direita. Então tirou o roupão e vestiu o seu — o *seu* — traje. A roupa começou a falar com ele; ele lhe disse para desligar sua voz.

Horza olhou para si mesmo no campo reversor nas portas do armário, ajeitou-se, verificou se a pistola de plasma presa a sua coxa estava ligada, empurrou as dores e o cansaço para o fundo de sua mente, então saiu da cabine e pegou o corredor na direção do refeitório.

Yalson e a mulher que era Balveda estavam sentadas conversando no aposento comprido, na extremidade oposta da mesa embaixo da tela, que tinha sido desligada. Elas ergueram os olhos quando Horza entrou. Ele se aproximou e se sentou a algumas cadeiras de distância de Yalson, que olhou para seu traje e disse:

— Nós vamos a algum lugar?

— Talvez — respondeu Horza, olhando brevemente para ela, então desviando os olhos para a mulher Balveda, sorrindo e dizendo:

— Desculpe, srta. Gravant; mas infelizmente tive de reconsiderar seu interesse. Tenho de recusá-la. Desculpe, mas não há lugar para você na *TAL*. Espero que você entenda.

Ele agarrou a mesa com as mãos e sorriu outra vez. Balveda — quanto mais olhava, mais certeza tinha de que era ela — pareceu abatida. Sua boca se entreabriu; ela olhou de Horza para Yalson, depois de volta para ele. Yalson estava com o cenho muito franzido.

— Mas... — começou Balveda.

— Que droga você está dizendo? — disse Yalson com raiva. — Você não pode simplesmente...

— Sabe... — Horza sorriu. — Decidi que precisamos reduzir os números a bordo, e...

— O quê? — explodiu Yalson, batendo a mão espalmada sobre a mesa. — Assim restam apenas seis de nós! Que droga nós seis podemos fazer...? — Sua voz se calou, então retornou mais baixa e mais lenta, sua cabeça girando para um lado, seus olhos se estreitando enquanto olhava para ele. — Ou nós apenas demos sorte em... ah, um jogo de *azar*, talvez, e não queremos nos dividir em mais direções do que o absolutamente necessário?

Horza olhou brevemente para Yalson outra vez, sorriu e disse:

— Não, mas eu acabei de recontratar um de nossos antigos membros, e isso altera um pouquinho os planos... O lugar em que eu pretendia encaixar a srta. Gravant na tripulação da nave agora está preenchido.

— Você vai trazer Jandraligeli de volta depois do que o chamou? Yalson riu, esticando as costas no assento.

Horza sacudiu a cabeça.

— Não, minha querida — disse ele. — Como eu teria conseguido contar a você se não ficasse interrompendo, acabei de encontrar nosso amigo sr. Gobuchul em Evanauth, e ele está ansioso para voltar a se juntar a nós.

— Horza? — Yalson pareceu tremer um pouco, sua voz em um limite de tensão, e ele pode vê-la tentando se controlar.

*Ah, pelos deuses*, disse uma voz pequenina dentro dele. *Por que isso machuca tanto?*

— Ele está vivo? Você tem certeza de que era ele? Tem, Kraiklyn? — continuou Yalson.

Horza voltou rapidamente o olhar de uma mulher para a outra. Yalson estava debruçada sobre a mesa, os olhos reluzindo na luz do refeitório, os punhos cerrados. Seu corpo magro parecia tenso, a penugem dourada de sua pele escura brilhando. Balveda parecia estar confusa, sem entender. Horza viu quando ela começou a morder o lábio e parou.

— Eu não brincaria com isso com você, Yalson — garantiu ele. — Horza está vivo e bem, e não muito longe. — Olhou para a tela repetidora em seu pulso, onde aparecia a hora. — Na verdade, vou me encontrar com ele em uma das esferas de recepção do porto em... bem, logo antes da decolagem do vgs. Ele disse que tinha uma ou duas coisas para resolver na cidade antes. Mandou dizer que... ahhh... esperava que você ainda estivesse apostando nele... — Ele deu de ombros. — Alguma coisa assim.

— Você não está brincando! — falou Yalson, e seu rosto se franziu em um sorriso. Ela sacudiu a cabeça, passou a mão pelo cabelo, deu alguns tapas delicados na mesa. — Ah... — Então se encostou novamente no assento. Ela olhou da mulher para o homem e deu de ombros, em silêncio.

— Então, Gravant, você entende, você não é mais necessária agora — disse Horza a Balveda.

A agente da Cultura abriu a boca, mas foi Yalson quem falou primeiro, tossindo rapidamente e então dizendo:

— Ah, deixe que ela fique, Kraiklyn. Que diferença isso faz?

— A diferença, Yalson — começou Horza com cuidado, pensando muito em Kraiklyn —, é que eu sou o capitão desta nave.

Yalson pareceu prestes a dizer alguma coisa, mas em vez disso se voltou para Balveda e abriu as mãos. Ela se recostou, uma das mãos cutucando a borda da mesa, os olhos baixos. Estava tentando não sorrir demais.

— Bem, capitão — falou Balveda, levantando-se do assento —, você sabe o que melhor para você. Vou pegar meu equipamento.

Ela saiu rapidamente do refeitório. Seus passos se misturaram com outros, e Horza e Yalson ouviram algumas palavras abafadas. No momento seguinte, Dorolow, Wubslin e Aviger, alegremente vestidos e parecendo corados e felizes, entraram no refeitório, o homem mais velho com o braço em torno da mulher pequena e gorducha.

— Nosso capitão! — gritou Aviger.

Dorolow segurava uma das mãos dele em seu ombro. Ela sorriu. Wubslin acenou sonhadoramente; o engenheiro forte parecia bêbado.

— Vejo que esteve nas guerras — continuou Aviger, olhando fixamente para o rosto de Horza, que ainda tinha sinais de ter estado em uma luta, apesar de suas tentativas internas de minimizar o dano.

— O que Gravant fez, Kraiklyn? — perguntou Dorolow com voz esganiçada.

Ela também parecia alegre, e sua voz estava ainda mais aguda do que ele se lembrava.

— Nada — respondeu Horza, sorrindo para os três mercenários. — Mas estamos trazendo Horza Gobuchul de volta dos mortos, então decidi que não precisamos dela.

— *Horza?* — disse Wubslin, sua boca grande se abrindo muito em uma expressão quase exagerada de surpresa.

Dorolow olhou além de Horza para Yalson, a expressão em seu rosto dizendo "É verdade?" através do sorriso. Yalson deu de ombros e olhou alegre, esperançosa e ainda levemente desconfiada para o homem que ela achava ser Kraiklyn.

— Ele vai subir a bordo logo antes da partida do *Fins* — disse Horza. — Ele tinha algum tipo de negócio na cidade. Talvez alguma coisa obscura. — Horza sorriu do jeito condescendente que Kraiklyn às vezes sorria. — Quem sabe?

— É isso — falou Wubslin, olhando de forma incerta para Aviger acima da estrutura curvada de Dorolow. — Talvez aquele cara estivesse procurando por Horza. Talvez devêssemos alertá-lo.

— Que cara? Onde? — perguntou Horza.

— Ele está vendo coisas — disse Aviger, acenando com a mão. — Vinho de fígado demais.

— *Besteira!* — falou Wubslin em voz alta, olhando de Aviger para Horza e assentindo. — E um drone. — Ele ergueu as duas mãos à frente do rosto, espalmadas juntas, então afastou-as cerca de 25 centímetros. — Uma maquininha. Não maior que isso.

— Onde? — Horza sacudiu a cabeça. — Por que você acha que alguém pode estar atrás de Horza?

— Lá fora, embaixo do tubo de viagem — respondeu Aviger. Wubslin dizia:

— O jeito que ele saiu daquela cápsula, como se esperasse estar em uma luta a qualquer segundo, e... ah, eu simplesmente *sei*... aquele cara era... polícia... ou *alguma coisa*...

— E Mipp? — perguntou Dorolow. Horza ficou em silêncio por um segundo, de cenho franzido para nada e ninguém em particular. — Horza mencionou Mipp? — continuou Dorolow.

— Mipp? — disse ele, olhando para ela. — Não. — Ele sacudiu a cabeça. — Não, Mipp não escapou.

— Ah, sinto muito — falou Dorolow.

— Olhem — começou Horza, olhando fixamente para Aviger e Wubslin —, vocês acham que tem alguém por aí procurando por um de nós?

— Um homem. — Wubslin assentiu lentamente. — E um drone bem pequeno e de aparência *maligna*.

Com um calafrio, Horza se lembrou do inseto que tinha pousado momentaneamente em seu pulso na área da baia pequena logo antes de embarcar na TAL. A Cultura, ele sabia, tinha máquinas — insetos artificiais — daquele tamanho.

— Hum — disse Horza, franzindo os lábios. Ele assentiu para si mesmo, então olhou para Yalson. — Vá e se assegure de que Gravant desça da nave, depressa, está bem?

Ele se levantou e saiu do caminho quando Yalson se moveu. Ela desceu pelo corredor na direção das cabines. Horza olhou para Wubslin e acenou com os olhos para que o engenheiro se dirigisse para a ponte de comando.

— Vocês dois fiquem aqui — disse ele em voz baixa para Aviger e Dorolow.

Lentamente, eles largaram um ao outro e se sentaram em dois assentos. Horza foi para a ponte.

Ele indicou para Wubslin o assento do engenheiro e se sentou no do piloto. Wubslin deu um suspiro pesado. Horza fechou a porta, então repassou tudo o que tinha aprendido sobre os procedimentos na ponte de comando durante as primeiras semanas em que esteve a bordo da *TAL*. Estava estendendo a mão à frente para abrir os canais do comunicador quando alguma coisa se mexeu embaixo do painel, perto de seus pés. Ele congelou.

Wubslin olhou para baixo, então se curvou com um esforço audível e enfiou sua cabeça grande entre as pernas. Horza sentiu cheiro de bebida.

— Você *ainda* não acabou? — falou a voz abafada de Wubslin.

— Eles me levaram para outro serviço; acabei de voltar — entoou uma voz pequena, aguda e artificial.

Horza se encostou no assento e olhou embaixo do painel. Um drone, com cerca de dois terços do tamanho daquele que o escoltara do elevador na baia da *TAL*, estava se desembaraçando de um emaranhado de cabos que saíam de uma escotilha de inspeção aberta.

— O que — disse Horza — é *isso*?

— Ah — começou Wubslin de um jeito esgotado, arrotando. — O mesmo que estava aqui... você se lembra. Vamos lá, você — falou para a máquina. — O capitão quer fazer um teste de comunicação.

— Olhe — disse a máquina, a voz sintetizada cheia de irritação —, eu *terminei*. Só estou *arrumando* tudo.

— Bem, se apresse — falou Wubslin.

Ele tirou a cabeça de baixo do painel e olhou para Horza, desculpando-se.

— Desculpe, Kraiklyn.

— Tudo bem, tudo bem.

Horza acenou com a mão e ligou o comunicador.

— Ah...

Ele olhou para Wubslin.

— Quem está controlando os movimentos do tráfego por aqui? Eu me esqueci de perguntar. E se eu quiser as portas da baia abertas?

— Tráfego? Portas abertas?

Wubslin olhou para Horza com uma expressão intrigada. Ele deu de ombros e disse:

— Bom, só o controle de tráfego, acho, como quando chegamos.

— Certo — falou Horza.

Ele acionou a chave no painel e disse:

— Controle de tráfego, aqui é... — Sua voz se calou.

Ele não tinha ideia do nome pelo qual Kraiklyn tinha chamado a TAL em vez de seu nome verdadeiro. Não obtivera isso como parte da informação que havia comprado, e era uma das muitas coisas que pretendia aprender assim que tivesse terminado a tarefa mais imediata de fazer com que Balveda se retirasse da nave, e com sorte seguisse uma trilha falsa. Mas a notícia de que podia haver alguém à sua procura nessa baia — ou qualquer pessoa, na verdade — o havia abalado. Ele continuou:

— Aqui é a nave na baia pequena 27492. Quero liberação imediata para deixar a baia e o VGS; vamos deixar o orbital de forma independente.

Wubslin olhou fixamente para Horza.

— Aqui é o controle de tráfego portuário de Evanauth, seção temporária do VGS. Um momento, baia pequena 27492 — disseram os alto-falantes nos apoios de cabeça de Horza e Wubslin. Horza virou-se para Wubslin e desligou o botão de transmissão do comunicador.

— Essa coisa *está* pronta para voar, não está?

— O q...? Voar?

Wubslin parecia perplexo. Ele coçou o peito e olhou para baixo, para o drone ainda trabalhando para guardar os fios de volta embaixo do painel.

— Acho que está, mas...

— Ótimo.

Horza começou a ligar tudo, inclusive os motores. Percebeu o conjunto de telas mostrando informação sobre o laser de proa piscando junto com todo o resto. Pelo menos Kraiklyn tinha consertado aquilo.

— Voar? — repetiu Wubslin. Ele tornou a coçar o peito e se voltou para Horza. — Você disse "voar"?

— Disse. Estamos partindo.

As mãos de Horza passaram pelos botões e pelas chaves de sensores, ajustando os sistemas da nave que acordava como se realmente viesse fazendo aquilo por anos.

— Vamos precisar de um rebocador... — falou Wubslin.

Horza sabia que o engenheiro estava certo. A antigravidade da *TAL* era forte o suficiente apenas para produzir um campo interno; as unidades de dobra iam explodir tão perto de (na verdade, dentro de) uma massa tão grande como o *Fins*, e não era razoavelmente possível usar os motores de fusão em um espaço fechado.

— Vamos conseguir um. Vou dizer a eles que é uma emergência. Vou dizer que temos uma bomba a bordo ou algo assim.

Horza observou a tela principal se acender, enchendo a parede anteriormente vazia à frente dele e de Wubslin com uma vista da parte de trás da baia pequena.

Wubslin fez com que a tela de seu próprio monitor mostrasse um plano complicado que Horza acabou identificando como um mapa de seu nível no vasto interior do VGS. No início, apenas olhou para ele, então ignorou a vista da tela principal e observou com mais atenção o mapa, e finalmente pôs um holograma de todo o esquema interno do VGS na tela principal, memorizando rapidamente tudo o que podia.

— E...

Wubslin fez uma pausa, arrotou outra vez, esfregou a barriga através da túnica e disse:

— E Horza?

— Vamos pegá-lo depois — respondeu Horza, ainda estudando o esquema do VGS. — Organizei outras coisas para o caso de eu não poder me encontrar com ele quando combinamos.

Horza apertou o botão de transmissão outra vez.

— Controle de tráfego, controle de tráfego, aqui é a baia pequena 27492. Preciso de liberação de emergência. Repito, preciso de liberação de emergência e de um rebocador imediatamente. Estou com um gerador de fusão defeituoso. Não consigo fechá-lo. Repito, defeito em gerador de fusão crucial, ficando crítico.

— O quê?! — gritou uma voz aguda.

Alguma coisa bateu no joelho de Horza, e o drone que estava trabalhando embaixo do painel apareceu oscilando rapidamente, enfeitado com fios como um folião envolto em serpentina.

— O *que* você disse?

— Cale a boca e saia da nave. *Agora* — ordenou Horza, aumentando o ganho nos circuitos receptores.

Um ruído sibilante encheu a ponte de comando.

— Com prazer! — falou o drone, e se sacudiu para se livrar dos cabos enrolados em sua lataria. — Como sempre, sou o último a saber o que está acontecendo, mas sei que não quero ficar nesta... — Ele estava murmurando quando as luzes do hangar se apagaram.

No início Horza pensou que a tela tivesse pifado, mas aumentou o controle de comprimento de onda e uma silhueta obscura da baia reapareceu, mostrando sua aparência em infravermelho.

— Oh, oh — disse o drone, voltando-se primeiro para a tela, então olhando novamente para Horza. — Vocês pagaram o *aluguel*, não pagaram?

— Morto — anunciou Wubslin.

O drone se livrou dos últimos fios. Horza olhou abruptamente para o engenheiro.

— O quê?

Wubslin apontou para os controles do transceptor à sua frente.

— Morto. Alguém nos desconectou do controle de tráfego.

Um tremor percorreu a nave. Uma luz piscou, indicando que o elevador do compartimento de carga principal tinha acabado de subir automaticamente.

Um sopro agitou brevemente o ar no cockpit, então parou. Mais luzes começaram a piscar no painel.

— Merda — praguejou Horza. — E agora?

— Bem, até logo, parceiros — disse apressadamente o drone. Ele passou rápido por eles, abriu a porta e desceu apressado pelo corredor, seguindo para a escada do hangar.

— Queda de pressão? — perguntou Wubslin para si mesmo, coçando a cabeça para variar e franzindo as sobrancelhas enquanto olhava para as telas à sua frente.

— Kraiklyn! — chamou a voz de Yalson dos alto-falantes do apoio de cabeça do assento. Uma luz no painel indicava que ela estava chamando do hangar.

— O quê? — retrucou Horza.

— Mas que droga está acontecendo? — gritou Yalson. — Quase fomos esmagados! O ar está saindo da baia pequena e o elevador do hangar foi acionado de emergência para nós! O que está *acontecendo*?

— Vou explicar — disse Horza. Sua boca estava seca, e ele sentia como se houvesse uma pedra de gelo em suas entranhas. — A srta. Gravant ainda está com você?

— Claro que ela ainda está comigo, porra!

— Certo. Voltem para o refeitório imediatamente. Vocês duas.

— Kraiklyn... — começou a dizer Yalson, então outra voz interrompeu, começando à distância, mas se aproximando rapidamente do microfone.

— Fechada? Fechada? Por que a porta desse elevador está fechada? *O que* está acontecendo nessa nave? Alô, ponte de comando? Capitão?

Um ruído de *tap-tap* veio dos alto-falantes nos apoios de cabeça, e a voz sintetizada continuou:

— Por que estou sendo obstruído? Deixe-me sair desta nave em...

— Saia do caminho, idiota! — falou Yalson. — É aquele maldito drone outra vez.

— Você e Gravant, subam aqui — ordenou Horza. — Agora.

Horza fechou o circuito de comunicação do hangar. Ele saiu de seu assento e deu um tapinha no ombro de Wubslin.

— Aperte o cinto. Prepare tudo para partir. Tudo.

Então saiu pela porta aberta. Aviger estava no corredor, vindo do refeitório para a ponte. O homem abriu a boca para falar, mas Horza se espremeu e passou rapidamente por ele.

— Agora não, Aviger.

Ele pôs a luva direita junto à fechadura da porta do arsenal. Ela emitiu um estalido e se abriu. Horza olhou para dentro.

— Eu só ia perguntar...

— ... mas que droga está acontecendo? — Horza completou a frase do velho para ele enquanto erguia a maior pistola de atordoamento neural que encontrou, fechou as portas do arsenal, seguiu rapidamente pelo corredor, cruzando o salão do refeitório onde Dorolow dormia sentada em uma cadeira, e pegou o corredor através da seção de acomodações. Ele ligou a pistola, pôs o controle de força no máximo e a segurou às costas.

O drone apareceu primeiro, voando pelas escadas e disparando pelo corredor ao nível dos olhos.

— Capitão! Eu preciso mesmo prot...

Horza chutou uma porta para abri-la, então agarrou a parte frontal inclinada do drone quando ele vinha em sua direção e jogou a máquina no interior da cabine. Bateu e fechou a porta. Vozes subiam pela escada vindas do hangar. Ele segurou a maçaneta da porta da cabine, que foi puxada com força e sacudiu.

— Isso é um *ultraje*! — lamentou uma voz metálica e distante.

— Kraiklyn — disse Yalson, aparecendo no topo da escada.

Horza sorriu, preparando a arma que segurava às costas. A porta ressoou outra vez, estremecendo sua mão.

— Deixe-me *sair*!

— Kraiklyn, o que *está acontecendo*? — perguntou Yalson, chegando pelo corredor.

Balveda estava quase no alto da escada, carregando uma bolsa grande no ombro.

— Eu vou perder a *paciência*!

A porta estremeceu outra vez.

Um apito, agudo e urgente, veio de trás de Yalson, da bolsa de Balveda; então um crepitar semelhante a estática. Yalson não ouviu o apito estridente — que era um alarme. Horza, porém, estava distantemente consciente de Dorolow se movendo em algum lugar às suas costas no refeitório. Com a explosão de estática, que era uma mensagem comprimida ou algum tipo de sinal, Yalson começou a se virar outra vez na direção de Balveda. No mesmo instante, Horza deu um salto adiante, tirando a mão da maçaneta da porta da cabine e movendo a pesada arma de atordoamento para apontar para Balveda. A mulher da Cultura já estava largando a bolsa, movendo a mão rapidamente — tão rápido que Horza mal conseguiu acompanhar o movimento — até o lado do corpo. Horza se atirou no espaço entre Yalson e a parede do corredor, derrubando a mercenária de lado. Ao mesmo tempo, com a grande pistola de atordoamento apontada direto para o rosto de Balveda, puxou o gatilho. A arma zumbiu em sua mão enquanto ele continuava caindo para a frente. Ele tentou manter a arma apontada para a cabeça de Balveda enquanto caía. Horza atingiu o chão antes da agente cambaleante da Cultura.

Yalson ainda estava voltando aos tropeços depois de ser jogada contra a parede oposta. Horza, deitado no convés, olhou para os pés e as pernas de Balveda por um segundo, então se levantou rápido e viu Balveda se mover de forma grogue, sua cabeça ruiva se arrastando na superfície do convés, seus olhos escuros se abrindo brevemente. Ele puxou o gatilho da arma de atordoamento outra vez, mantendo-o pressionado e apontando a arma para a cabeça da mulher. Ela se agitou espasmodicamente por um segundo, saliva escorrendo de um canto da boca, então ficou imóvel. A bandana vermelha caiu de sua cabeça.

— Você está maluco? — gritou Yalson.

Horza se voltou para ela.

— O nome dela não é Gravant; é Perosteck Balveda, e ela é agente da seção de Circunstâncias Especiais da Cultura. Isso é o eufemismo deles para inteligência militar, caso você não saiba — disse ele.

Yalson tinha retrocedido quase até a entrada do refeitório, com os olhos cheios de medo, as mãos se agarrando à superfície da parede dos seus dois lados. Horza foi até ela. Yalson se encolheu, e ele a sentiu se preparando para atacar. Ele parou à frente dela, girou a arma de atordoamento e a entregou a ela, pela coronha.

— Se você não acreditar em mim, nós provavelmente vamos acabar mortos — disse ele, empurrando a arma à frente na direção das mãos dela. Ela acabou por pegá-la. — Estou falando sério. Reviste-a à procura de armas. Então leve-a para o refeitório e prenda-a a uma cadeira. Amarre as mãos bem apertado. E as pernas. Depois prenda-se ao cinto de segurança. Nós estamos partindo; eu explico depois. — Ele saiu andando e passou por ela, então se virou e a olhou nos olhos. — Ah, e continue a atordoá-la de vez em quando. Na força máxima. O pessoal das Circunstâncias Especiais é *muito* resistente.

Ele se virou e seguiu na direção do refeitório. Ouviu o estalido da arma de atordoamento.

— Kraiklyn — chamou Yalson.

Horza parou e se virou outra vez. Ela estava apontando a arma direto para ele, segurando-a com as duas mãos no nível de seus olhos. Horza deu um suspiro e sacudiu a cabeça.

— Não — falou ele.
— E Horza?
— Ele está em segurança. Eu juro. Mas ele vai morrer se não sairmos daqui agora. *E* se ela acordar.

Ele apontou com a cabeça para a forma longa e inerte de Balveda atrás de Yalson. Então se virou novamente e entrou no refeitório, a parte de trás de sua cabeça e a nuca formigando em antecipação.

Nada aconteceu. Dorolow ergueu os olhos da mesa e, quando Horza passou por ela, disse:

— O que foi aquele barulho?
— Que barulho? — retorquiu Horza enquanto seguia na direção da ponte.

Yalson observou as costas de Kraiklyn enquanto ele atravessava o refeitório. O capitão disse alguma coisa para Dorolow, então foi para a ponte. Ela abaixou a arma de atordoamento lentamente e a segurou em uma das mãos. Olhou pensativa para a arma e disse para si mesma, em voz baixa:

— Yalson, minha garota, há vezes em que acho que você é um pouco leal demais.

Ela tornou a erguer a arma quando a porta da cabine se entreabriu e uma voz contida disse:

— Já está *seguro* aí fora?

Yalson fez uma careta, abriu a porta e olhou para o drone, que estava recuando mais para o fundo da cabine. Ela gesticulou com a cabeça para o lado e disse:

— Venha cá e me dê uma ajuda com esse corpo, sua máquina covarde.

— Acorde!

Horza chutou a perna de Wubslin quando tornou a se sentar em sua cadeira. Aviger estava sentado no terceiro assento do cockpit, olhando ansiosamente para as telas e controles. Wubslin levou um susto, então olhou ao redor com olhos embaçados.

— Hein? — disse ele. — Eu estava só descansando os olhos.

Horza retirou os controles manuais da TAL de seu compartimento na borda do painel. Aviger olhou para eles com apreensão.

— Quão forte você bateu com a cabeça? — indagou a Horza.

Horza deu um sorriso frio para ele. Examinou as telas o mais rápido que pôde e ligou os controles de segurança dos motores de fusão da nave. Tentou o controle de tráfego outra vez. A baia pequena ainda estava escura. O medidor de pressão externo registrava zero. Wubslin falava consigo mesmo enquanto conferia os sistemas de monitoramento da nave.

— Aviger — falou Horza, sem olhar para o homem mais velho. — Acho que é melhor apertar os cintos.

— Por quê? — perguntou Aviger em voz baixa, sem pressa. — Não podemos ir a lugar nenhum. Não podemos nos mover. Estamos presos aqui até aparecer um rebocador para nos levar, não estamos?

— Claro que estamos — concordou Horza, ajustando e preparando os controles dos motores de fusão e pondo os controles de pernas no automático. Ele se virou e olhou para Aviger. — Sabe de uma coisa? Por que você não vai buscar a bolsa da recruta nova? Leve-a até o hangar e enfie-a em um vactubo.

— O quê? — falou Aviger, seu rosto já vincado ganhando mais rugas quando ele franziu o cenho. — Achei que ela estava indo embora.

— Ela estava, mas quem quer que esteja tentando nos manter aqui começou a retirar o ar da baia pequena antes que ela pudesse desembarcar. Agora quero que você pegue a bolsa dela e todas as outras coisas que ela possa ter deixado por aí e guarde em um vactubo, *está bem*?

Aviger se ergueu lentamente do assento, olhando para Horza com uma expressão tensa e preocupada no rosto.

— Está bem. — Ele saiu andando da ponte, então hesitou e tornou a olhar para Horza. — Kraiklyn, por que vou colocar a bolsa dela no vactubo?

— Porque quase com certeza tem uma bomba muito poderosa dentro dela, por isso. Agora vá lá para baixo e *faça isso*.

Aviger assentiu e saiu, parecendo ainda menos feliz. Horza se virou outra vez para os controles. Eles estavam quase prontos. Wubslin ainda falava sozinho e não tinha prendido direito o cinto de segurança, mas parecia estar fazendo a sua parte com competência suficiente, apesar dos frequentes arrotos e pausas para coçar o peito e a cabeça. Horza sabia que estava adiando a parte seguinte, mas ela teria de ser feita. Ele apertou o botão identificador.

— Aqui é Kraiklyn — disse ele, e tossiu.

— Identificação completa — anunciou imediatamente o painel de controle. Horza quis gritar, ou pelo menos relaxar de alívio em seu assento, mas não tinha tempo para fazer nada disso, e Wubslin teria achado um pouco estranho. O mesmo, na verdade, podia acontecer com o computador da nave: algumas máquinas eram programadas para observar sinais de alegria ou alívio depois do fim da identificação formal. Então ele não fez nada para comemorar, apenas colocou os iniciadores dos motores de fusão em temperatura operacional.

— Capitão! — O pequeno drone chegou correndo de volta à ponte, parando entre Wubslin e Horza. — Você vai me deixar sair desta nave e relatar as irregularidades que estão acontecendo a bordo imediatamente, ou...

— Ou o quê? — perguntou Horza, observando a temperatura nos motores de fusão da TAL subir. — Se você acha que consegue sair desta nave, tem toda a liberdade de tentar; provavelmente agentes da Cultura iriam explodi-lo em pedacinhos se você conseguisse sair.

— Agentes da Cultura? — disse a pequena máquina com escárnio na voz. — Capitão, para sua informação, este vGS é uma nave civil desmilitarizada sob o controle das autoridades do polo de Vavatch e dentro dos termos estabelecidos pelo tratado de conduta da guerra entre idiranos e a Cultura assinado pouco antes do início das hostilidades. Como...

— Então quem apagou as luzes e deixou que o ar escapasse, idiota? — falou Horza, voltando-se brevemente para a máquina. Ele olhou novamente para o painel, ligando o radar de proa o máximo possível e obtendo leituras através da parede nua dos fundos da baia pequena.

— *Eu* não sei — respondeu o drone. — Mas duvido que sejam agentes da Cultura. Do que ou de quem você acha que esses supostos agentes estão atrás? De você?

— E se estivessem?

Horza deu outra olhada para o mostrador holográfico do esquema interno do vGS. Ele aumentou brevemente o volume em torno da baia pequena 27492 antes de desligar a tela do repetidor. O drone ficou em silêncio por um segundo, então saiu pela porta.

— Ótimo. Estou trancado em uma antiguidade com um louco paranoico. Acho que vou procurar algum lugar mais seguro que isso.

— Faça isso! — gritou Horza pelo corredor atrás dele. Ele tornou a ligar o circuito do hangar. — Aviger?

— Terminei — anunciou a voz do velho.

— Certo. Volte depressa para o refeitório e prenda os cintos de segurança. — Horza tornou a desligar o circuito.

— Bem — começou Wubslin, tornando a se sentar em seu assento e coçando a cabeça, olhando para a série de telas à sua frente com sua variedade de números e gráficos. — Não sei o que você pretende fazer, Kraiklyn, mas seja o que for, estamos preparados como nunca para isso.

O engenheiro corpulento olhou de lado para Horza, levantou-se levemente do assento e puxou os cintos de segurança sobre o corpo. Horza sorriu para ele, tentando parecer confiante. Seus próprios cintos de segurança eram um pouco mais sofisticados, e Horza só precisava apertar um botão para os braços acolchoados o envolverem e os campos de inércia serem acionados. Ele puxou o capacete da posição presa por dobradiças sobre a cabeça e ouviu o chiado dele se fechando.

— Ai, meu Deus — disse Wubslin, afastando lentamente os olhos de Horza para olhar fixamente para a parede dos fundos praticamente nua da baia pequena mostrada na tela principal. — Eu espero muito que você não vá fazer o que estou pensando que vai.

Horza não respondeu. Ele apertou o botão para falar com o refeitório.

— Tudo bem?

— Até está, Kraiklyn, mas... — falou Yalson.

Horza desligou esse circuito também. Ele lambeu os lábios, segurou os controles com as mãos enluvadas, inspirou fundo, então acionou os botões dos três motores de fusão da TAL. Pouco antes de o barulho começar, ouviu Wubslin dizer:

— Ah, meu Deus, você vai...

A tela piscou, ficou escura, então se acendeu outra vez. A imagem da parede dos fundos da baia pequena estava iluminada por três jatos de plasma explodindo de baixo da nave. Um barulho de trovão encheu a ponte de comando e reverberou pela nave inteira. Os dois motores externos eram o principal impulso, com vetores reduzidos no momento; eles lançaram fogo sobre o convés da baia pequena, espalhando o maquinário e o equipamento embaixo e em torno da nave, jogando-os contra a parede e o teto enquanto os jatos cegantes de chamas se consolidavam sob a nave. O motor interno no nariz, apenas para decolagem, disparou primeiro irregularmente, então se estabeleceu depressa, começando a queimar seu próprio buraco através da camada fina de material ultradenso que cobria o piso da baia pequena. A *Turbulência em Ar Límpido* se remexeu como um animal gigantesco acordando, gemendo e rangendo e se retorcendo. Na tela, uma sombra enorme passou pela parede e pelo teto à frente enquanto a luz infernal do motor de fusão da proa ardia sob a nave; nuvens revoltas de gás da maquinaria queimando começavam a nublar a visão. Horza ficou impressionado por as paredes da baia pequena resistirem. Ele acionou o laser de proa, ao mesmo tempo aumentando a força do motor de fusão.

Luz explodiu na tela. A porta à frente se abriu como uma flor vista em *time-lapse*, pétalas enormes se jogando na direção da nave e um milhão de pedaços de destroços e detritos passando pelo bico da nave na onda de choque de ar entrando pelo outro lado da parede atingida por laser. Ao mesmo tempo, a *Turbulência em Ar Límpido* decolou. As leituras do peso nas pernas de pouso pararam no zero, então se apagaram quando as pernas, vermelhas pelo calor, se recolheram no interior do casco. Sistemas de resfriamento de emergência dos trens de pouso entraram em ação com um ruído estridente. A nave começou a virar para um lado, estremecendo com sua própria força e com o impacto dos destroços que giravam ao seu redor. A visão à frente clareou.

Horza estabilizou a nave, então acionou os motores traseiros, jogando um pouco de sua força para trás, na direção das portas da baia pequena. Uma tela na traseira mostrava que eles estavam brilhando, brancos, com o calor. Horza teria gostado muito de seguir nessa direção, mas retroceder e atacar as portas com a TAL provavelmente seria suicida, e virar a nave em espaço tão pequeno era impossível. Só seguir adiante já seria difícil o bastante...

O buraco não era grande o suficiente. Horza o viu se aproximar e soube imediatamente. Ele usou um dedo trêmulo no controle de dispersão de raio laser instalado no semivolante dos controles, deixando a dispersão no máximo e então atirando mais uma vez. A tela se banhou de luz novamente, por todo o perímetro do buraco. A TAL enfiou o bico e depois o corpo no interior de outra baia pequena. Horza esperou que algo atingisse os lados ou o teto daquela abertura branca calcinante, mas nada aconteceu; eles seguiram em frente sobre seus três pilares em chamas, jogando luz e destroços e ondas de fumaça e gás à sua frente. As ondas escuras se projetaram sobre naves de transporte; toda a baia pequena pela qual se moviam lentamente agora estava cheia de naves de transporte de todas as formas e descrições. Eles flutuavam acima delas, atingindo-as e derretendo-as com seu fogo.

Horza tinha consciência de Wubslin sentado no assento ao seu lado, os olhos presos na imagem à frente, as pernas erguidas o máximo possível de modo que os joelhos se projetavam acima da borda do painel de controle, e os braços cruzados em uma espécie de quadrado acima da cabeça, cada mão segurando o bíceps do outro braço. Seu rosto era uma máscara de medo e incredulidade quando Horza se virou para olhar para ele e sorriu. Wubslin apontou freneticamente para a tela principal.

— Olhe! — gritou ele acima da confusão.

A *TAL* tremia e quicava, agitada pela torrente de matéria superaquecida que se derramava de baixo do casco. Ela estava usando a atmosfera ao seu redor para produzir plasma, agora que havia ar disponível, e no espaço relativamente confinado das baias pequenas, a turbulência criada era suficiente para sacudir fortemente a nave.

Havia outra parede à frente, aproximando-se mais rápido do que Horza gostaria. Eles também estavam virando um pouco, lentamente; ele estreitou o ângulo do laser e disparou, virando a nave ao mesmo tempo. A parede piscou uma vez em torno de suas bordas; o teto e o chão da baia pequena brilharam em colunas de chamas onde o laser os atingia, e dezenas de transportes estacionados à frente deles pulsaram com luz e calor.

A parede à frente começou a cair lentamente para trás, mas a *TAL* se aproximava mais rápido do que ela desmoronava. Horza arquejou e tentou retroceder; ouviu o grito de Wubslin quando o bico da nave atingiu o centro ileso da parede. A imagem na tela principal se inclinou quando a nave bateu contra o material da parede. Então o bico desceu, a *Turbulência em Ar Límpido* estremeceu como um animal sacudindo água do pelo, e eles entraram balançando e dando guinadas em outra baia pequena. Essa estava totalmente vazia. Horza aumentou um pouco a potência do motor, deu alguns disparos de laser contra a parede seguinte, então observou, perplexo, quando ela, em vez de cair para trás como a última, desabou na direção deles como uma enorme ponte levadiça de um castelo, caindo com força em uma única peça ardente no convés da baia pequena vazia. Em uma fúria de vapor e gás, uma montanha de água apareceu acima da parede que desmoronava e se derramou em uma onda enorme na direção da nave.

Horza se ouviu gritar. Ele acionou os controles dos motores no máximo e manteve o botão de disparo do laser apertado com força.

A *TAL* deu um salto à frente. Ela brilhou acima da água cascateante, calor de plasma suficiente atingindo sua superfície líquida para encher instantaneamente todo o espaço das baias pequenas que sua passagem havia criado com uma nuvem fervente de vapor. Conforme a torrente de água continuava a se derramar da baia pequena inundada e a *TAL* voava ruidosamente acima dela, o ar em torno da nave se encheu de vapor superaquecido. O medidor externo de pressão subiu, rápido demais para os olhos acompanharem; o laser produziu ainda mais vapor da água à frente, e, com uma explosão como o fim do mundo, a parede seguinte foi detonada diante da nave — enfraquecida pelo laser e finalmente explodida pela pura pressão do vapor. A *Turbulência em Ar Límpido* saiu veloz do túnel de baias pequenas conectadas como uma bala sai de uma pistola.

Com motores chamejantes, em meio a uma nuvem de gás e vapor da qual rapidamente se afastou, ela entrou roncando no desfiladeiro, um espaço cheio de ar entre as paredes altas das portas das baias e seções abertas de acomodação, iluminando quilômetros de parede e nuvem, gritando com suas três gargantas cheias de chamas e aparentemente trazendo atrás de si uma onda enorme de água e uma nuvem semelhante à de um vulcão de vapor, gás e fumaça. A água caía, transformando-se de uma onda sólida em algo como arrebentações pesadas, então borrifos, então apenas chuva e vapor de água, seguindo a enorme folha da porta da baia que desabava pelo ar. A *TAL* conseguiu dar a volta, girando e virando através do ar em uma tentativa de conter sua carreira na direção da parede oposta de portas de baias pequenas que estava à sua frente, do outro lado do vasto desfiladeiro interno. Então seus motores hesitaram e se apagaram. A *Turbulência em Ar Límpido* começou a cair.

Horza acionou os controles, mas os motores de fusão estavam mortos. A tela mostrava a parede de portas para outras baias de um lado, depois ar e nuvens, depois a parede de portas para as baias do outro lado. Eles estavam rodopiando. Horza olhou para Wubslin enquanto lutava com os controles. O engenheiro estava olhando fixamente para a tela principal com uma expressão vidrada no rosto.

— Wubslin! — gritou Horza.

Os motores de fusão permaneceram mortos.

— Aaaah!

Wubslin pareceu ter acordado para o fato de que estavam caindo, fora de controle; ele saltou para os controles à sua frente.

— Apenas pilote! — gritou ele. — Vou tentar os iniciadores! Teve ter dado excesso de pressão nos motores!

Horza lutava com os controles enquanto Wubslin tentava reiniciar os motores. Na tela, paredes giravam loucamente ao seu redor, e as nuvens abaixo deles se aproximavam depressa — abaixo deles, logo abaixo deles, uma camada opaca e lisa de nuvens. Horza moveu os controles.

O motor do nariz ganhou vida com um estrondo; gorgolejando loucamente, jogando a nave que girava na direção de um lado do penhasco artificial de portas de baias e paredes. Horza desligou o motor. Tentou conduzir o giro usando as superfícies de controle da nave, e não os motores, então apontou a nave inteira para baixo e pôs os dedos novamente sobre os botões do laser. As nuvens surgiram e se encontraram com a nave. Ele fechou os olhos e apertou os controles do laser.

*Os Fins da Invenção* era tão grande que era construído em três níveis quase completamente separados, cada um com mais de três quilômetros de profundidade. Eram níveis de pressão, pois do contrário o diferencial entre o fundo e o topo da nave gigante teria sido a mesma diferença entre o nível do mar padrão e um cume de montanha em algum lugar na tropopausa. Na verdade, havia uma diferença de 3.500 metros entre a base e o teto de cada nível de pressão, tornando viagens repentinas por tubo de viagem de um para o outro desaconselháveis. Na imensa caverna aberta que era o centro vazio do VGS, os níveis de pressão eram marcados por campos de força, não por nada material, de modo que fosse possível passar de um nível para outro sem ter de sair da nave, e era na direção de um desses limites, marcado pela nuvem, que a *Turbulência em Ar Límpido* estava caindo.

Disparar o laser não adiantou nada, embora Horza não soubesse disso na hora. Havia sido um computador de Vavatch, que tinha assumido o monitoramento e o controle interno das próprias Mentes da Cultura, que abrira um buraco no campo de força para permitir a passagem da nave em queda. Ele fez isso sob a suposição equivocada de que menos dano seria causado ao *Fins da Invenção* se permitisse que a nave rebelde passasse em vez de deixar que tivesse um impacto.

No centro de um redemoinho repentino de ar e nuvem, em seu próprio pequeno furacão, a TAL irrompeu do ar denso no fundo de um nível de pressão para a atmosfera rarefeita do alto daquele abaixo. Um vórtice de ar enevoado soprava atrás dela como uma explosão invertida. Horza tornou a abrir os olhos e viu com alívio o chão distante do interior cavernoso do VGS e os números crescentes nas telas de monitor dos principais motores de fusão. Tentou acionar os propulsores outra vez, deixando em paz o motor dianteiro. Os dois motores principais pegaram, empurrando Horza com força em seu assento contra a pegada desagradável dos campos que o restringiam. Ele puxou o bico da nave que mergulhava para cima, vendo o chão distante abaixo gradualmente desaparecer de vista ao ser substituído pela imagem de outra parede de portas de baia abertas. As portas eram muito maiores que as das baias pequenas no nível de onde tinham acabado de sair, e as poucas naves que Horza pôde ver entrando ou aparecendo sob as grandes extensões de luz dos hangares enormes eram naves estelares grandes.

Horza observou a tela, pilotando a *Turbulência em Ar Límpido* exatamente como uma aeronave. Eles estavam viajando depressa ao longo de um corredor vasto com mais de um quilômetro de largura, com a camada de nuvens cerca de 1.500 metros acima deles. Naves estelares se moviam lentamente através do mesmo espaço, algumas em seus próprios campos antigravitacionais, a maioria puxada por rebocadores leves. Todo o resto se movia devagar e sem confusão; só a TAL perturbava a calma do interior gigantesco do veículo, gritando através do ar impulsionada por duas espadas de chamas brilhantes que pulsavam de câmaras de plasma calcinantes. Outra parede de enormes portas de hangar estava à frente deles. Horza olhou ao redor para a curva na tela principal e puxou a *TAL* para o lado em uma curva longa e inclinada para a esquerda, mergulhando um pouco ao mesmo tempo para seguir abaixo por um cânion mais largo. Eles passaram por cima de um clipper em movimento lento que estava sendo rebocado na direção de uma baia principal distante e aberta, agitando a nave estelar em seu rastro de ar superaquecido. A parede de portas e entradas abertas se inclinava na direção deles enquanto Horza apertava a curva. À frente, ele viu o que parecia uma nuvem de insetos: centenas de pequenos pontos pretos flutuando no ar.

Muito além deles, talvez a cinco ou seis quilômetros, um quadrado de mil metros de escuridão, bordejado por uma faixa de luz branca amortecida que piscava lentamente, era a saída do *Fins da Invenção*. Era uma linha reta.

Horza suspirou e sentiu todo o corpo relaxar. A menos que fossem interceptados, eles tinham conseguido. Com um pouco de sorte, agora, eles poderiam até escapar do próprio orbital. Ele aumentou a força dos motores, seguindo para o quadrado negro à distância.

Wubslin de repente chegou para a frente no assento, contra a força da aceleração, e apertou alguns botões. A tela repetidora no painel de controle ampliou a seção central da tela principal, mostrando a vista à frente.

— Eles são pessoas! — gritou ele.

Horza franziu o cenho na direção do homem.

— O quê?

— Pessoas! Aquilo são pessoas! Elas devem estar em arneses antigravitacionais! Vamos passar direto através delas!

Horza olhou rapidamente para a tela repetidora de Wubslin. Era verdade; a nuvem negra que quase enchia a tela era feita de humanos. Voando lentamente em trajes ou roupas comuns. Havia milhares deles, viu Horza, menos de um quilômetro à frente, e se aproximando rápido. Wubslin estava com os olhos fixos na tela, acenando com a mão para as pessoas.

— Saiam do caminho! Saiam do caminho! — berrava.

Horza não conseguia ver nenhum caminho ao redor, por cima ou por baixo da massa de pessoas voando. Estivessem jogando algum jogo aéreo de massa curioso ou apenas se divertindo, elas eram numerosas demais, estavam perto demais e espalhadas demais.

— Merda! — disse Horza.

Ele se preparou para desligar os motores de plasma traseiros antes que a *Turbulência em Ar Límpido* entrasse na nuvem de humanos. Com sorte eles conseguiriam atravessar antes que ele tivesse de religá-los, e assim não incinerariam pessoas demais.

— Não! — gritou Wubslin.

Ele arrancou os cintos de segurança, saltou na direção de Horza e mergulhou sobre os controles. Horza tentou afastar o engenheiro corpulento, mas não conseguiu. Os controles foram arrancados de suas mãos, e a imagem na tela principal se inclinou e girou, apontando o bico da nave em velocidade para longe do quadrado negro da saída do VGS, para longe da enorme nuvem de pessoas aerotransportadas e na direção do penhasco de entradas fortemente iluminadas de baias principais. Horza bateu com o braço na cabeça de Wubslin, jogando o homem no chão, atônito. Ele tornou a pegar os controles dos dedos relaxados do engenheiro, mas era tarde demais para desviar. Horza se preparou e apontou. A *Turbulência em Ar Límpido* disparou na direção de uma baia principal aberta; passou pela entrada aberta e pelo esqueleto de uma nave estelar que estava sendo reconstruída na baia, a luz dos motores da TAL iniciando fogo, chamuscando cabelo, carbonizando roupas e cegando olhos desprotegidos.

Horza viu Wubslin caído inconsciente no chão pelo canto do olho, balançando delicadamente enquanto a TAL corria através dos quinhentos metros de extensão da baia principal. As portas para a baia seguinte estavam abertas, e as seguintes e as seguintes. Eles estavam voando por um túnel de dois quilômetros, correndo acima das instalações de reparos e atracação de um dos estaleiros deslocados de Evanauth. Horza não sabia o que havia no final, mas pôde ver que antes de chegarem lá teriam de voar por cima de uma espaçonave grande que preenchia quase toda a terceira baia. Horza projetou o fogo de fusão à frente para que eles começassem a desacelerar. Fachos gêmeos de chamas se iluminaram dos dois lados da tela principal enquanto a força da fusão impulsionava adiante. O corpo de Wubslin, solto dos cintos, deslizou para a frente no chão da ponte, espremido sob o painel e seu próprio assento. Horza ergueu o bico da *TAL* à medida que o focinho largo da espaçonave estacionada ali na baia à frente se aproximava.

A *Turbulência em Ar Límpido* disparou na direção do teto da baia principal, passou entre ele e a superfície da nave, então mergulhou do outro lado e, embora ainda desacelerando, percorreu correndo a última baia principal e entrou em outro corredor de espaço ao ar livre. Era estreito demais. Horza mergulhou com a nave outra vez, viu o chão se aproximando e disparou os lasers. A *TAL* atravessou uma nuvem ascendente de destroços reluzentes, quicando e se sacudindo, e a estrutura atarracada de Wubslin deslizou de baixo do console e flutuou de volta na direção da porta traseira da ponte de comando.

Horza achou que eles tinham finalmente saído, mas não tinham; estavam no que a Cultura chamava de uma baia geral.

A *TAL* mergulhou mais uma vez, então tornou a se nivelar. Ela estava em um espaço que parecia ainda maior que o interior principal do *VGS*. Estava voando através da baia onde eles haviam guardado o meganavio: o mesmo meganavio que Horza tinha visto na tela sendo erguido da água por uns cem rebocadores antigos da Cultura.

Horza teve tempo para olhar ao redor. Havia bastante espaço, muito espaço e tempo. O meganavio estava no chão da baia gigantesca, parecendo nitidamente uma pequena cidade localizada em uma grande laje de metal. A *Turbulência em Ar Límpido* passou voando pela popa do meganavio, por túneis cheios de pás de hélices com dezenas de metros de diâmetro, deu a volta em seu estabilizador mais traseiro, onde barcos de passeio em solo esperavam para voltar para a água, por cima das torres e espiras de sua superestrutura, depois além de suas proas. Horza olhou adiante. As portas, se é que eram portas, da baia geral o encaravam a dois quilômetros de distância. Elas tinham duas vezes esse tamanho de cima a baixo, e duas vezes isso de largura. Horza deu de ombros e verificou o laser outra vez. Ele estava ficando, percebeu, quase *blasé* em relação àquilo tudo. *Que diabos?*, pensou.

Os lasers perfuraram um buraco na parede de material à frente, abrindo um vão que crescia devagar, para o qual Horza apontou diretamente. Um vórtice de ar redemoinhante começava a se formar em torno do buraco; quando a *TAL* se aproximou, foi pega por um pequeno ciclone horizontal de ar e começou a girar. Então atravessou e chegou ao espaço.

\*

Em uma bolha de ar e cristais de gelo que se dispersava rapidamente, a nave saiu bruscamente do corpo do Veículo Geral de Sistemas e mergulhou finalmente no vácuo e na escuridão banhada em estrelas. Atrás dela, um campo de força cobriu o buraco que sua passagem havia criado nas portas da baia geral. Horza sentiu os motores de plasma engasgarem com o desaparecimento de seu fornecimento de ar externo; então os tanques internos assumiram a folga. Ele estava prestes a desligá-los e passar suavemente para os procedimentos de inicialização dos motores de dobra espacial da nave quando os alto-falantes em seu apoio de cabeça crepitaram.

— Aqui é a Polícia Portuária de Evanauth. Está bem, seu filho da puta, continue nessa direção e desacelere agora. Polícia Portuária para nave infratora: pare de avançar. Um...

Horza puxou os controles, acelerando a *TAL* em um grande arco acima da popa do *VGS*, passando veloz pelo exterior daquela saída de um quilômetro quadrado para onde estivera se dirigindo mais cedo. Wubslin, agora gemendo, quicou pelo interior da nave quando a *TAL* ergueu o bico para se dirigir para o alto, na direção do labirinto de docas e guindastes que era o porto de Evanauth. Ao avançar, ela girou, ainda rodando um pouco por causa do impulso pego no vórtice de ar que saía com força da baia geral. Horza deixou que ela girasse, firmando-a só quando se aproximaram do alto da curva, as instalações do porto se aproximando rápido, então deslizando por baixo quando a nave se nivelou.

— Nave infratora! Este é seu último aviso! — gritaram os alto-falantes. — Pare agora ou vamos explodi-la! Meu Deus, ele está seguindo para...

A transmissão foi interrompida. Horza sorriu para si mesmo. Ele estava realmente indo para o vão entre a parte de baixo do porto e o alto do *VGS*. A *Turbulência em Ar Límpido* passou veloz pelos espaços entre conexões de tubos de viagem, poços de elevadores, instalações para reparos em docas, áreas de trânsito, naves de transporte que chegavam e torres de guindastes. Horza conduziu a nave pelo labirinto com os motores de fusão ainda em potência máxima, lançando a pequena nave através das poucas centenas de metros de espaço abarrotado entre o Orbital e o Veículo Geral de Sistemas. O radar traseiro emitiu um sinal, captando ecos posteriores.

Duas torres, penduradas sob o orbital como arranha-céus de cabeça para baixo, entre as quais Horza apontava a *TAL*, de repente explodiram em luz, espalhando destroços. Horza se encolheu em seu assento ao enfiar a nave em parafuso no espaço entre as duas nuvens de detritos.

— Essas foram perto da proa — crepitaram outra vez os alto-falantes. — As próximas vão ser direto no seu rabo, garoto corredor.

A *TAL* disparava acima da planície cinza e baça de material envergado que era o início do bico do *Fins*. Horza fez uma curva com a *TAL* e mergulhou, seguindo a inclinação das proas da enorme nave. O sinal do radar traseiro parou brevemente, então reapareceu.

Ele girou a nave outra vez. Wubslin, com os braços e as pernas se movendo sem forças, foi jogado no teto da ponte da *TAL* e ficou preso ali como uma mosca enquanto Horza percorria parte de um círculo no exterior.

A nave ia acelerada, afastando-se da área portuária do orbital e do grande vGs, seguindo para o espaço. Horza se lembrou do equipamento de Balveda e rapidamente levou a mão ao painel de controle, fechando dali o circuito do vactubo. Uma tela mostrou que todos os vactubos tinham passado por rotação. A tela traseira mostrava algo queimando no interior das colunas gêmeas de fogo de plasma. O radar traseiro bipava insistentemente.

— Adeus, *idiota*! — disse a voz nos alto-falantes do descanso de cabeça.

Horza jogou a nave para um lado.

A tela traseira ficou branca, depois preta. A tela principal pulsava com cores e linhas quebradas. Os alto-falantes no capacete de Horza, assim como os instalados no assento, uivaram. Todos os instrumentos no painel de controle piscaram e se mexeram.

Horza achou por um segundo que eles tivessem sido atingidos, mas os motores ainda estavam funcionando, a tela principal começava a se limpar, e os outros instrumentos também estavam se recuperando. Os medidores de radiação bipavam e piscavam. A tela traseira permanecia preta. Um monitor de dano indicava que os sensores tinham sido derrubados por um pulso muito forte de radiação.

Horza começou a perceber o que tinha acontecido quando o radar traseiro não começou a bipar outra vez depois de se recuperar. Ele jogou a cabeça para trás e riu.

Havia mesmo uma bomba na bolsa de Balveda. Se ela havia explodido por ter sido pega pelo escapamento de plasma da TAL ou porque alguém — quem quer que estivesse tentando manter a nave a bordo do VGS — a havia detonado remotamente no instante em que a nave em fuga estava longe o bastante do *Fins* para não causar muito dano, Horza não sabia. Não importava; a explosão parecia ter pegado as naves da polícia que os perseguiam.

Gargalhando furiosamente, Horza virou a TAL mais para longe do grande círculo do orbital brilhantemente iluminado, seguindo direto na direção das estrelas e preparando os motores de dobra para substituírem os motores de plasma. Wubslin, de volta ao convés, uma perna presa no braço de sua própria cadeira, gemia com voz distante.

— Mãe — falou ele. — Mãe, diga que isto é apenas um sonho...

Horza riu ainda mais alto.

— Seu lunático — disse Yalson, sacudindo a cabeça. Os olhos dela estavam arregalados. — Isso foi a coisa mais maluca que eu já vi você fazer. Você está louco, Kraiklyn. Vou embora. Eu me demito a partir de agora... Merda! Eu devia ter ido com Jandraligeli para Ghalssel... Você pode me deixar no primeiro lugar a que chegarmos.

Horza estava sentado, cansado, na cadeira à cabeceira da mesa do refeitório. Yalson estava na outra extremidade, embaixo da tela, que estava sintonizada na tela principal da ponte de comando. A TAL avançava em dobra total, após duas horas de viagem desde Vavatch. Não houvera mais perseguição após a destruição da nave da polícia, e agora a TAL estava aos poucos voltando para o curso que Horza havia determinado, para dentro da zona de guerra, na direção do Penhasco Cintilante, na direção do Mundo de Schar.

Dorolow e Aviger estavam sentados, nitidamente ainda abalados, de um dos lados de Yalson. A mulher e o homem de idade olhavam fixamente para Horza como se ele estivesse lhes apontando uma arma. Suas bocas estavam abertas, seus olhos, vidrados. Do outro lado de Yalson, a forma inerte de Perosteck Balveda estava inclinada para a frente, de cabeça baixa, seu corpo forçando os cintos de segurança do assento.

O refeitório estava caótico. A TAL não tinha sido preparada para manobras violentas, e nada havia sido guardado. Pratos e recipientes, alguns sapatos, uma luva, algumas fitas e bobinas parcialmente desenroladas e várias outras coisinhas estavam agora espalhadas pelo chão do refeitório. Yalson tinha sido atingida por alguma coisa, e um pequeno filete de sangue tinha secado em sua testa. Horza não tinha deixado ninguém se mexer, exceto por visitas breves ao banheiro, pelas últimas duas horas; ele tinha dito a todo mundo para ficar onde estava pelos alto-falantes da nave enquanto a TAL se afastava de Vavatch em um curso retorcido e errático. Tinha mantido os motores de plasma e os lasers quentes e prontos, mas não houve mais nenhuma perseguição. Agora considerava que estavam seguros e longe o bastante para seguir adiante em dobra.

Ele havia deixado Wubslin na ponte de comando, cuidando dos sistemas surrados e abusados da *Turbulência em Ar Límpido* da melhor maneira possível. O engenheiro havia se desculpado por agarrar os controles e ficado muito acuado, sem olhar nos olhos de Horza, mas limpando um ou dois pedaços de detritos soltos na ponte e guardando alguns dos fios soltos de volta embaixo do painel de controle. Horza disse a Wubslin que o homem quase tinha matado todos eles, mas, por outro lado, ele havia feito o mesmo, então dessa vez eles iam esquecer aquilo; tinham escapado ilesos. Wubslin assentiu e disse que não sabia como; ele não conseguia acreditar que a nave estivesse praticamente intacta. Wubslin não estava intacto: tinha hematomas por toda parte.

— Infelizmente — disse Horza para Yalson quando se sentou e pôs os pés para cima —, nosso primeiro porto de escala é um tanto desolado e pouco povoado. Não tenho certeza de que você vai querer ser deixada lá.

Yalson colocou a pesada pistola de atordoamento sobre a mesa.

— E para onde raios nós estamos indo? O que está *acontecendo*, Kraiklyn? O que foi toda aquela loucura no VGS? O que ela está fazendo aqui? Por que a Cultura está envolvida?

Yalson apontou para Balveda com a cabeça enquanto falava, e Horza continuou olhando para a agente inconsciente da Cultura quando Yalson parou de falar, esperando uma resposta. Aviger e Dorolow também olhavam para ele com expectativa.

Antes que Horza pudesse responder, o pequeno drone apareceu vindo do corredor que dava para a seção de acomodação. Ele entrou flutuando, olhou ao redor do refeitório, então se sentou fisicamente na mesa do meio.

— Eu ouvi alguma coisa sobre ser hora das explicações? — perguntou. Ele estava olhando para Horza.

Horza tirou os olhos de Balveda e olhou para Aviger e Dorolow, em seguida para Yalson e o drone.

— Bem, vocês devem saber que agora estamos seguindo para um lugar chamado Mundo de Schar. É um Planeta dos Mortos.

Yalson pareceu intrigada. Aviger disse:

— Já ouvi falar neles. Mas não vão nos deixar entrar.

— Isso está piorando — falou o drone. — Se eu fosse você, capitão Kraiklyn, voltaria para o *Fins da Invenção* e me entregaria lá. Tenho certeza de que você teria um julgamento justo.

Horza ignorou a máquina. Então deu um suspiro, olhando ao redor para o refeitório, esticou as pernas e bocejou.

— Desculpe por vocês todos estarem sendo levados, talvez contra sua vontade, mas eu preciso chegar lá e não posso me dar ao luxo de parar em qualquer lugar para deixá-los. Vocês todos têm de vir.

— Ah, nós temos, é? — ironizou o pequeno drone.

— Têm — respondeu Horza, olhando para ele. — Receio que sim.

— Mas nós não vamos conseguir chegar nem perto desse lugar — protestou Aviger. — Eles não deixam ninguém entrar. Há alguma espécie de zona em torno deles na qual não deixam que as pessoas entrem.

— Vamos ver isso quando chegarmos lá. — Horza sorriu.

— Você não está respondendo as minhas perguntas — disse Yalson. Ela tornou a olhar para Balveda, então para a arma em cima da mesa.

— Tenho atirado nessa pobre vadia toda vez que ela pisca um olho e quero saber por que estou fazendo isso.

— Vai demorar um pouco para explicar, mas a verdade é que há uma coisa no Mundo de Schar que tanto a Cultura quanto os idiranos querem. Eu tenho... um contrato, uma comissão dos idiranos para chegar lá e encontrar essa coisa.

— Você é mesmo um paranoico — acusou o drone, incrédulo. Ele decolou da mesa e se virou para olhar para os outros. — Ele é mesmo um lunático!

— Os idiranos estão *nos* contratando, contratando *você*, para ir atrás de alguma coisa? — A voz de Yalson estava cheia de descrença.

Horza olhou para ela e sorriu.

— Você está dizendo que esta mulher — disse Dorolow, apontando para Balveda — foi enviada pela Cultura para se juntar a nós, se infiltrar... Você está falando sério?

— Estou falando sério. Balveda estava à minha procura. E também de Horza Gobuchul. Ela queria chegar ao Mundo de Schar ou impedir que nós chegássemos lá. — Horza olhou para Aviger. — *Havia* uma bomba no equipamento dela, por falar nisso; ela explodiu logo depois que fiz a rotação nos tubos. Explodiu as naves de polícia. Todos recebemos uma onda de radiação, mas nada letal.

— E Horza? — perguntou Yalson, olhando de cara fechada para ele. — Aquilo foi algum truque, ou você realmente se encontrou com ele?

— Ele está vivo, Yalson, e tão seguro quanto qualquer um de nós.

Wubslin apareceu na porta para a ponte, ainda com uma expressão arrependida no rosto. Ele acenou com a cabeça para Horza e se sentou perto.

— Tudo parece bem, Kraiklyn.

— Bom — aprovou Horza. — Eu estava acabando de explicar para todo mundo sobre nossa viagem ao Mundo de Schar.

— Ah — disse Wubslin. — É.

Ele deu de ombro para os outros.

— Kraiklyn — falou Yalson, inclinando-se para a frente sobre a mesa e olhando avidamente para Horza —, você quase matou todos nós não sei quantas vezes lá atrás. Você provavelmente *matou* algumas pessoas durante aquelas... acrobacias aéreas em espaço fechado. Você nos impôs uma agente secreta da Cultura. Está praticamente nos sequestrando para nos levar na direção de um planeta no meio de uma zona de guerra, onde ninguém nem tem permissão para entrar, para procurar por *alguma coisa* que os dois lados querem o suficiente para... Bom, se os idiranos estão contratando um bando dizimado de mercenários de segunda classe, devem estar morrendo de medo de violar a neutralidade do *Fins* e desrespeitar algumas de suas preciosas regras de guerra.

"Você pode achar que sabe o que está acontecendo e achar que o risco vale a pena, mas eu não, e não gosto nada dessa sensação de ser mantida no escuro. Seu histórico recente tem sido um lixo, vamos encarar. Arrisque sua própria vida se você quiser, mas você não tem nenhum direito de arriscar as nossas também. Não mais. Talvez nem todos de nós queiram se aliar aos idiranos, mas mesmo que nós os preferíssemos à Cultura, nenhum de nós se alistou para começar a lutar no meio da guerra. Merda, Kraiklyn, nós não somos... equipados nem *treinados* bem o bastante para enfrentar esses caras."

— Sei de tudo isso — concordou Horza. — Mas não devemos encontrar nenhuma força de batalha. A Barreira de Silêncio em torno do Mundo de Schar se estende tão longe que é impossível vigiar tudo. Nós vamos entrar de uma direção aleatoriamente escolhida e, quando formos vistos, não vai haver nada que ninguém possa fazer a respeito, não importa o tipo de nave que eles tenham. Uma Frota Principal de Batalha não conseguiria nos impedir de entrar. Quando sairmos, vai ser a mesma coisa.

— O que você está tentando dizer é... — disse Yalson, recostando-se na cadeira. — ... "entrar fácil, sair fácil".

— Talvez. — Horza riu.

— Ei — falou Wubslin de repente, olhando para a tela de seu terminal, que tinha acabado de tirar do bolso. — Está quase na hora!

Ele se levantou e desapareceu pelas portas que levavam à ponte. Em alguns segundos, a tela no refeitório mudou, a vista girando até mostrar Vavatch. O grande orbital pairava no espaço, escuro e brilhante, cheio de noite e dia, azul e branco e preto. Todos olharam para a tela.

Wubslin voltou e se sentou novamente. Horza estava cansado. Seu corpo queria descanso, e muito. Seu cérebro ainda estava zumbindo com a concentração e a quantidade de adrenalina necessários para pilotar a TAL através do *Fins da Invenção* e para fora dele, mas ele ainda não podia descansar. Não conseguia decidir a melhor coisa a fazer. Será que devia lhes dizer quem era, contar a verdade, que era um Transmutador, que tinha matado Kraiklyn? O quanto qualquer um deles era leal ao líder que eles ainda nem sabiam que estava morto? Yalson era a mais, talvez; mas com certeza ia gostar de saber que *ele* estava vivo... No entanto, foi ela quem disse que talvez eles não estivessem todos do lado dos idiranos... Ela nunca havia mostrado nenhuma simpatia pela Cultura antes, pelo tempo que ele a conhecera, mas talvez tivesse mudado de ideia.

Horza até poderia se Transmutar de volta; havia uma viagem longa, agora, durante a qual deveria ser possível para ele, talvez com a ajuda de Wubslin, alterar as fidelidades no computador da TAL. Mas devia contar a eles, devia permitir que soubessem? E Balveda? O que faria com ela? Ele havia pensado em usá-la para negociar com a Cultura, mas parecia que, agora, eles haviam escapado, e a próxima parada era o Mundo de Schar, onde ela seria, na melhor das hipóteses, um problema. Deveria matá-la agora, mas sabia, antes de tudo, que isso podia não cair bem com os outros, especialmente Yalson. Também sabia, embora não gostasse de admitir, que acharia especialmente doloroso matar a agente da Cultura. Eles eram inimigos, os dois tinham chegado muito perto da morte e o outro tinha feito pouca coisa ou nada para intervir, mas na verdade matá-la seria muito difícil.

Ou talvez ele só quisesse fingir que acharia muito difícil; talvez não fosse incômodo nenhum, e o tipo de camaradagem falsa por fazer o mesmo trabalho, embora em lados diferentes, era apenas isso: falso. Ele abriu a boca para pedir a Yalson que atordoasse outra vez a agente da Cultura.

— Agora — disse Wubslin.

Com isso, o Orbital Vavatch começou a se desintegrar.

Sua imagem na tela do refeitório era uma versão hiperespacial compensada, por isso, embora já estivessem fora do sistema de Vavatch, estavam assistindo a ela praticamente ao vivo. Exatamente na hora marcada, o Veículo Geral de Sistemas invisível, sem nome e ainda em grande parte desmilitarizado que estava em algum lugar nas proximidades do sistema planetário de Vavatch começou o bombardeio. Era quase certamente um VGS classe Oceano, o mesmo que tinha enviado a mensagem à qual todos tinham assistido alguns dias antes na tela do refeitório, quando seguiam na direção de Vavatch. Isso faria com que a nave de guerra fosse muito menor que o enorme *Os Fins da Invenção*, que era — para propósitos de guerra — obsoleto. Uma nave de classe Oceano podia caber em qualquer baia geral do *Fins*, mas enquanto a nave maior — àquela altura a uma hora do orbital — estava cheia de gente, a de classe Oceano estaria cheia de outras naves de guerra e armamentos.

Disparos de grade atingiram o orbital. Horza fez uma pausa e observou a tela quando ela se iluminou repentinamente, piscando uma vez em toda a superfície até que os sensores lidaram com o aumento repentino de brilho e o compensaram. Por algum motivo, Horza achou que a Cultura ia apenas despejar disparos de grade por todo o enorme orbital e então destruir os restos com AMC, mas não foi o que fizeram; em vez disso, uma única linha estreita de luz branca cegante apareceu bem em cima da extensão do lado do dia do orbital, uma lâmina fina e causticante de destruição silenciosa que foi imediatamente cercada pela cobertura mais baça, mas ainda perfeitamente branca das nuvens. Aquela linha de luz era parte da própria grade, o tecido de energia pura que havia por baixo de todo o universo, separando este do um pouco mais novo e um pouco menor universo de antimatéria abaixo. A Cultura, como os idiranos, podia agora controlar parcialmente aquele poder incrível, pelo menos o suficiente para usá-lo para propósitos de destruição. Uma linha dessa energia, sacada do nada e fatiando a face do universo tridimensional, estava lá embaixo: sobre o orbital e no interior dele, fervendo o Mar do Círculo, derretendo os 2 mil quilômetros de muro transparente, aniquilando o próprio material de base, direto sobre sua largura de 35 mil quilômetros.

Vavatch, aquele aro de 14 milhões de quilômetros, estava começando a se abrir. Como uma corrente, havia sido cortado.

Não restava nada, agora, que o mantivesse inteiro; sua própria rotação, fonte tanto de seu ciclo de dia e noite quanto de sua gravidade artificial, era agora a própria força que o destruía. A cerca de 130 quilômetros por segundo, Vavatch se lançava na direção do espaço exterior, desenrolando-se como uma mola liberada.

A linha lívida de fogo apareceu outra vez, outra vez e outra vez, seguindo seu caminho metodicamente em torno do orbital onde o disparo original o havia atingido, quase recortando o orbital inteiro em quadrados com 35 mil quilômetros de lado, cada um contendo um sanduíche de trilhões sobre trilhões de toneladas de material de base ultradenso, água, terra e ar.

Vavatch estava ficando branco. Primeiro os disparos de grade ferveram a água em uma fronteira de nuvens; então, o ar que escapava, derramando-se de cada um dos imensos quadrados achatados como vapores pesados emanando de uma mesa, transformou sua carga de vapor de água em gelo. O oceano propriamente dito, não mais seguro pela força centrípeta, estava se mexendo, derramando-se com uma lentidão infinita pela borda de cada placa de material de base rompido, transformando-se em gelo e partindo em espirais na direção do espaço.

A linha precisa e brilhante de fogo seguiu em frente, voltando na direção oposta ao giro, dissecando de forma limpa as seções ainda curvas e ainda girando do orbital com seus clarões repentinos e letais de luz — luz de fora do tecido normal da realidade.

Horza se lembrou de como Jandraligeli o chamara, na época em que Lenipobra estava entusiasmado com a destruição: "O armamento do fim do universo", dissera o mondlidiciano. Horza observou a tela e entendeu o que o homem quisera dizer.

Tudo estava desaparecendo. Tudo. Os destroços do *Olmedreca*, o iceberg tabular com o qual ele havia colidido, os destroços do transporte da TAL, o corpo de Mipp, o de Lenipobra, o que quer que restasse dos cadáveres de Fwi-Song e do sr. Primeiro... os corpos vivos dos outros Devoradores — se eles não tivessem sido resgatados, ou se ainda tivessem recusado... a arena do jogo de Dano, as docas e o corpo Kraiklyn, o hovercraft... animais e peixes, aves, germes, tudo: tudo queimado ou congelado rapidamente, de repente sem peso, girando para o espaço, avançando, morrendo.

A linha implacável de fogo completou seu circuito do orbital, de volta praticamente aonde tinha começado. O orbital agora era uma roseta de quadrados chatos brancos afastando-se lentamente uns dos outros na direção das estrelas: quatrocentas placas separadas de água congelando rapidamente, limo, terra e material de base, flutuando acima ou abaixo do plano dos planetas do sistema, elas mesmas como mundos achatados e quadrados.

Houve um momento de graça, então, enquanto Vavatch morria em esplendor solitário e flamejante. Depois, em seu centro escuro, outro fragmento flamejante de estrela se ergueu, explodindo branco quando o polo foi atingido pela mesma energia que havia destruído o próprio mundo.

Como um alvo, então, Vavatch ardeu.

Quando Horza achou que a Cultura ficaria satisfeita com aquilo, a tela se iluminou mais uma vez. Cada um daqueles cartões achatados e o polo do orbital destruído flamejaram uma vez com um ardor congelado e cintilante, como se um milhão de pequenas estrelas estivessem brilhando através de cada pedaço estilhaçado.

A luz esmaeceu, e aquelas quatrocentas extensões de mundos achatados com seu polo central desapareceram, substituídas por uma grade de formas cúbicas, cada uma explodindo para longe das outras assim como para longe do resto do orbital que desintegrava.

Aqueles pedaços brilharam, também, explodindo lentamente com um bilhão de pontos de luz que, quando se apagaram, deixaram destroços quase pequenos demais para identificar.

Vavatch agora era um disco inchado e espiralado de estilhaços brilhantes e cintilantes, expandindo-se muito lentamente contra as estrelas distantes como um anel de poeira reluzente. O centro luminoso e fulgurante fazia com que ele parecesse um enorme olho sem pálpebras que não piscava.

A tela se iluminou uma última vez. Nenhum ponto de luz pôde ser visto dessa vez. Era como se toda a imagem agora vaga, mas inchada, do mundo circular estilhaçado brilhasse com algum calor interno formando uma nuvem em forma de toro, um halo de luz branca com uma íris esmaecendo no centro. Então o espetáculo terminou, e só o sol iluminava o nimbo crescente do mundo aniquilado.

Em outros comprimentos de onda, provavelmente ainda haveria muito para ver, mas a tela do refeitório estava em luz normal. Só Mentes, só naves estelares veriam toda a destruição perfeitamente; só elas poderiam apreciá-la em tudo o que tinha a oferecer. De toda a extensão do espectro eletromagnético, o olho humano sem auxílio podia ver pouco mais de um por cento: uma única oitava de radiação de um teclado imensamente longo de tons. Os sensores em uma nave estelar veriam tudo, através daquele espectro, com muito mais detalhe e em uma velocidade aparente muito mais lenta. Todo o espetáculo que foi a destruição do orbital com toda a sua grandiosidade perceptível por humanos, era um tanto desperdiçado para o olho animal. Um espetáculo para as máquinas, pensou Horza; era apenas isso. Uma atração de circo para as malditas máquinas.

— Chicel... — murmurou Dorolow.

Wubslin exalou alto e sacudiu a cabeça. Yalson se virou e olhou para Horza. Aviger permaneceu com a cabeça voltada para a tela.

— É incrível o que se pode conseguir quando se empenha a mente, hein... Horza?

No início, estupidamente, ele achou que Yalson tinha dito isso, mas é claro que fora Balveda.

Ela ergueu a cabeça devagar. Seus olhos profundos e escuros estavam abertos; ela parecia grogue, e seu corpo ainda estava inerte contra a teia de cintos de segurança. A voz, porém, fora clara e firme.

Horza viu Yalson estender a mão para a arma de atordoamento. Ela puxou a arma para mais perto, mas a manteve sobre a mesa. Estava olhando com desconfiança para a agente da Cultura. Aviger, Dorolow e Wubslin estavam olhando fixamente para ela também.

— As baterias dessa arma de atordoamento estão acabando? — perguntou Wubslin.

Yalson ainda olhava para Balveda, com os olhos apertados.

— Você está um pouco confusa, Gravant, ou seja lá quem você for — disse Yalson. — Esse é Kraiklyn.

Balveda sorriu para Horza, que permaneceu inexpressivo. Não sabia o que fazer. Estava exausto, esgotado. Era esforço demais. Que o que tivesse de acontecer acontecesse. Ele estava cansado de decidir.

— Bem — falou Balveda —, você vai contar a eles ou eu conto?

Ele não disse nada. Apenas observou o rosto de Balveda. A mulher inspirou fundo e disse:

— Ah, está bem, eu conto. — Ela se voltou para Yalson. — O nome dele é Bora Horza Gobuchul, e ele está personificando Kraiklyn. Horza é um Transmutador de Heibohre e trabalha para os idiranos. Ele faz isso há seis anos. Ele se Transmutou para *se tornar* Kraiklyn. Imagino que seu verdadeiro líder esteja morto. Horza provavelmente o matou, ou pelo menos o deixou em algum lugar dentro ou perto de Evanauth. Sinto muito.

Ela olhou para os outros, inclusive o pequeno drone.

— Mas, a menos que eu esteja muito enganada, nós todos estamos fazendo uma pequena viagem para um lugar chamado Mundo de Schar. Bem, vocês, pelo menos, estão. Tenho a sensação de que minha própria viagem pode ser um pouco mais curta; e infinitamente mais longa. — Balveda sorriu ironicamente para Horza.

— Dois? — falou o drone sobre a mesa para ninguém em particular. — Estou preso em uma peça de museu cheia de vazamentos com *dois* lunáticos paranoicos?

— Você não é — dizia Yalson, ignorando a máquina e olhando para Horza. — Você não é, é? Ela está mentindo.

Wubslin se virou e olhou para ele. Aviger e Dorolow trocaram olhares. Horza suspirou e tirou os pés de cima da mesa, sentando-se um pouco mais reto em seu assento. Inclinou-se para a frente, pôs os cotovelos sobre a mesa e o queixo nas mãos. Estava observando, sentindo, tentando avaliar o estado de ânimo das várias pessoas ali. Ele estava consciente da distância entre eles, da tensão em seus corpos e do tempo de que precisaria para sacar a pistola de plasma em seu quadril direito. Ergueu a cabeça e olhou para todos eles, detendo seu olhar em Yalson.

— Sim — confessou ele. — Sou eu.

Silêncio preencheu o refeitório. Horza esperou uma reação. Em vez disso, o som de uma porta se abrindo veio do corredor pela seção de acomodações. Todos olharam para a porta.

Neisin apareceu, vestindo apenas um short sujo e manchado. O cabelo dele estava completamente bagunçado, seus olhos eram fendas, a pele misturava áreas secas e úmidas e o rosto estava muito pálido. Um cheiro de bebida aos poucos entrou no refeitório. Ele olhou em torno do aposento, bocejou, assentiu para eles, apontou vagamente para alguns destroços ali que ainda não tinham sido limpos e disse:

— Este lugar está quase tão bagunçado quanto minha cabine. Parece até que estivemos fazendo manobras ou algo assim. Desculpem. Achei que fosse hora de comer. Acho que vou voltar para a cama.

Ele tornou a bocejar e saiu. A porta se fechou.

Balveda estava rindo baixo. Horza podia ver algumas lágrimas nos olhos dela. Os outros apenas pareciam confusos. O drone disse:

— Bem, o sr. Observador ali é provavelmente a única pessoa neste asilo móvel com uma mente tranquila no momento. — A máquina girou sobre a mesa, arranhando a superfície enquanto olhava diretamente para Horza. — Você está mesmo dizendo ser um desses fabulosos personificadores humanos? — perguntou com certo escárnio na voz.

Horza olhou para a mesa, então para os olhos cautelosos e carrancudos de Yalson.

— É o que eu sou.

— Eles estão extintos — falou Aviger, sacudindo a cabeça.

— Eles não estão extintos — discordou Balveda, sua cabeça magra e belamente modelada voltando-se rapidamente para o velho. — Mas são parte da esfera idirana, agora; absorvidos. Alguns deles sempre apoiaram os idiranos, o resto partiu ou decidiu que podia tentar a sorte com eles. Horza é um do primeiro grupo. Não suporta a Cultura. Está levando todos vocês para o Mundo de Schar para sequestrar uma Mente que sofreu um acidente para seus mestres idiranos. Uma Mente da Cultura. De modo que a galáxia se livre da interferência humana e os idiranos tenham caminho aberto para...

— Está bem, Balveda — interrompeu Horza.

Ela deu de ombros.

— *Você é* Horza — disse Yalson apontando para ele, que assentiu. Ela sacudiu a cabeça. — Não acredito. Estou começando a pensar como o drone; vocês dois são loucos. Você levou um golpe feio na cabeça, Kraiklyn, e você, dona — ela olhou para Balveda —, teve seu cérebro embaralhado por esta coisa.

Yalson pegou a arma de atordoamento, então a soltou outra vez.

— Não sei — opinou Wubslin, coçando a cabeça e olhando para Horza como se ele fosse algum tipo de objeto em exposição. — Achei que o capitão parecia um pouco estranho. Não podia imaginá-lo fazendo o que ele acabou de fazer no VGS.

— O que você fez, Horza? — perguntou Balveda. — Pareço ter perdido alguma coisa. *Como* você escapou?

— Voando, Balveda. Usei os motores de fusão e o laser e explodi o caminho para a saída.

— Sério? — Balveda riu outra vez, jogando a cabeça para trás. Ela continuou a rir, mas a risada era um pouco alta demais, e as lágrimas chegavam rápido demais aos seus olhos. — Ha, ha. Bem, estou impressionada. Achei que tivéssemos pegado você.

— Quando você descobriu? — perguntou ele em voz baixa.

Ela fungou e tentou limpar o nariz no ombro.

— O quê? Que você não era Kraiklyn?

Ela apoiou a língua no lábio superior.

— Ah, logo antes de você vir a bordo. Nós tínhamos um microdrone fingindo ser uma mosca. Estava programado para pousar em qualquer um que se aproximasse da nave enquanto ela estava na baia pequena e levar com ele uma célula de pele ou cabelo. Nós identificamos você a partir de seus próprios cromossomos. Havia outro agente lá fora; ele deve ter usado seu efetuador nos controles das baias quando monitorou você se preparando para partir. Eu deveria… fazer qualquer coisa que conseguisse se você aparecesse. Matá-lo, capturá-lo, incapacitar a nave: qualquer coisa. Mas eles não me contaram até ser tarde demais. Sabiam que alguém poderia ouvir se eles me alertassem, mas devem ter começado a ficar preocupados.

— Esse foi o barulho que você ouviu da bolsa dela — explicou Horza a Yalson. — Pouco antes de eu atirar nela. — Ele tornou a olhar para Balveda. — Ah, por falar nisso, eu me livrei de seu equipamento, Balveda. Joguei tudo fora pelos vactubos. Sua bomba explodiu.

Balveda pareceu se curvar um pouco mais no assento. Ele achou que ela talvez esperasse que suas coisas estivessem a bordo. No mínimo poderia esperar que a bomba ainda fosse ser acionada e que, mesmo que ela morresse, não morreria em vão, nem sozinha.

— Ah, sim — disse ela, olhando para a mesa. — Os vactubos.

— E Kraiklyn? — perguntou Yalson.

— Está morto — revelou Horza. — Eu o matei.

— Ah, bem — reprovou Yalson, e tamborilou os dedos na superfície da mesa. — É isso. Não sei se vocês dois são mesmo loucos ou se estão dizendo a verdade; as duas possibilidades são muito ruins.

Ela olhou de Balveda para Horza, erguendo as sobrancelhas para o homem e dizendo:

— Por falar nisso, se você é mesmo Horza, é muito menos agradável ver você de novo do que eu pensei que seria.

— Desculpe — falou ele.

Ela olhou para o outro lado.

— Ainda acho que a melhor coisa a fazer é voltar para o *Fins da Invenção* e expor a coisa toda para as autoridades. — O drone ergueu-se minimamente acima da superfície da mesa e olhou ao redor para todos eles. Horza se inclinou para a frente e bateu na lataria. Ele olhou para Horza.

— Máquina — disse Horza —, nós vamos para o Mundo de Schar. Se você quiser voltar para o VGS, será meu prazer botá-lo em um vactubo e deixar que siga seu próprio caminho de volta. Mas se você falar em voltar e ter um julgamento justo mais uma vez, vou explodir a porra de seu cérebro sintético, entendeu?

— Como você *ousa* falar comigo desse jeito? — berrou o drone. — Fique sabendo que sou um construto livre credenciado, certificado como senciente pela Lei do Livre-Arbítrio pela Administração de Padrões Morais Unificados do Grande Vavatch e com cidadania plena da heterocracia de Vavatch. Estou prestes a pagar minha Dívida Incorrida de Geração, e então serei livre para fazer *exatamente* o que quiser, e já fui aceito em um curso de parateologia aplicada na Universidade de…

— Você quer calar seu maldito… alto-falante e *escutar*? — gritou Horza, interrompendo o monólogo da máquina ofegante. — Não estamos em Vavatch e não me importo com quão inteligente você é ou quantas qualificações tem. Você cstá nesta nave e vai fazer o que eu mandar. Quer descer? Desça agora e flutue de volta para o que quer que reste da porra do seu orbital precioso. Fique, e obedeça às ordens. Ou vou me livrar de você.

— Essas são as minhas opções?

— São. Use um pouco de seu livre-arbítrio credenciado e decida agora mesmo.

— Eu… — O drone se ergueu da mesa, então tornou a descer. — Hum — ponderou ele. — Está bem. Vou ficar.

— E obedecer a todas as ordens.

— E obedecer a todas as ordens...

— Bom, em...

— ... dentro do razoável.

— Máquina — disse Horza, levando a mão à pistola de plasma.

— Ah, meu Deus, homem! — exclamou o drone. — O que você quer? Um *robô*? — A voz dele era de escárnio. — Eu não tenho botão de desligar em minhas funções de raciocínio; não posso escolher *não* ter livre-arbítrio. Poderia muito bem jurar obedecer a todas as ordens independentemente das consequências; poderia jurar sacrificar minha vida por você se você me pedisse; mas eu estaria mentindo para poder viver.

"Juro ser tão obediente e leal quanto qualquer um de sua tripulação humana... na verdade, como o *mais* obediente e leal deles. Pelo amor de Deus, homem, em nome de toda a razão, o que mais você pode pedir?"

*Canalha sorrateiro*, pensou Horza.

— Bem — falou ele —, acho que isso vai ter de servir. Agora você pode...

— Mas sou obrigado a informar imediatamente que, sob os termos de meu Acordo Retrospectivo de Construção, meu Acordo de Dívida Incorrida de Geração e meu Contrato de Trabalho, minha remoção à força de meu local de trabalho torna você o responsável pelo pagamento dessa dívida até meu retorno, assim como há o risco de processos civis e criminais...

— Mas que merda, drone — interrompeu Yalson. — Tem certeza de que não era direito que você ia estudar?

— Eu assumo toda a responsabilidade, máquina — disse Horza. — Agora *cale*...

— Bem, eu espero que você tenha um bom seguro — murmurou o drone.

— ... *a boca!*

— Horza? — chamou Balveda.

— O que foi, Perosteck?

Ele se virou para ela com uma sensação de alívio. Os olhos dela estavam brilhando. Ela tornou a lamber o lábio superior, então voltou a olhar para a superfície da mesa, de cabeça baixa.

— E eu?

— Bem — disse ele lentamente —, passou pela minha mente explodir você daqui em um vactubo...

Ele viu que ela ficou tensa. Yalson também: ela se virou no assento para ficar de frente para ele, cerrando os punhos e abrindo a boca. Horza prosseguiu.

— Mas você ainda pode ter alguma utilidade e... ah, chame de sentimentalismo. — Ele sorriu. — Você vai ter de se comportar, é claro.

Balveda olhou para ele. Havia esperança nos olhos dela, mas também aquela tristeza dos que não querem ter esperança cedo demais.

— Espero que esteja falando sério — falou ela em voz baixa.

Horza assentiu.

— Estou. Eu não poderia de jeito nenhum me livrar de você antes de descobrir como você escapou da *Mão de Deus*.

Balveda relaxou, respirando fundo. Quando riu, foi de um jeito delicado. Yalson estava olhando para Horza com uma expressão amarga e ainda tamborilava com os dedos na mesa.

— Yalson — disse Horza. — Quero que você e Dorolow levem Balveda e... tirem as roupas dela. Tirem o traje e todo o resto.

Horza estava consciente de todos olhando para ele. Balveda arqueava as sobrancelhas com falsa surpresa. Ele prosseguiu:

— Quero que vocês peguem o equipamento de cirurgia e façam todo tipo de teste que puderem assim que ela estiver nua, para garantir que ela não tenha nenhuma bolsa de pele, implantes ou próteses; usem o equipamento de ultrassom, o de raio-X, o de ressonância magnética e todo o resto que temos. Quando terminarem com isso, podem encontrar algo para ela vestir. Coloquem o traje dela em um vactubo e o descartem, assim como qualquer joia ou outros bens pessoais de qualquer tipo ou tamanho, independentemente de quão inocentes possam parecer.

— Você a quer lavada e ungida, vestida em uma túnica branca e posta em um altar de pedra também? — perguntou Yalson com acidez.

Horza sacudiu a cabeça.

— Eu a quero limpa de qualquer coisa, qualquer coisinha, que possa ser usada como arma ou que possa se transformar em uma. Os dispositivos mais recentes da Cultura para as Circunstâncias Especiais incluem coisas chamadas memoriformes; eles podem parecer uma insígnia ou um medalhão... — Ele sorriu para Balveda, que assentiu sarcasticamente em resposta. — Ou qualquer outra coisa. Mas façam certas coisas com eles, como tocá-los no lugar certo, molhá-los, dizer determinada palavra, e se tornam um comunicador, uma pistola ou uma bomba. Não quero arriscar haver nada mais perigoso que a própria srta. Balveda a bordo.

— E quando chegarmos ao Mundo de Schar? — questionou Balveda.

— Vamos lhe dar roupas quentes. Se você se enrolar direito, vai ficar bem. Nada de traje, nada de armas.

— E o resto de nós? — perguntou Aviger. — O que devemos fazer quando chegarmos a esse lugar? Supondo que nos deixem entrar, o que duvido.

— Ainda não tenho certeza — respondeu Horza honestamente. — Talvez vocês tenham de vir comigo. Vou ter de ver o que fazer em relação às fidelidades da nave. Possivelmente todos vocês vão poder permanecer a bordo; talvez tenham todos de ir ao solo comigo. Entretanto, há outros Transmutadores lá, pessoas como eu, mas não trabalhando para os idiranos. Eles devem conseguir cuidar de vocês se eu me ausentar por algum período. Claro — ele olhou para Yalson —, se algum de vocês quiser vir comigo, tenho certeza de que poderemos tratar isso como uma operação normal em termos de cotas e assim por diante. Quando eu terminar com a *TAL*, os que desejarem podem ficar com ela, comandá-la do jeito que quiserem; vendê-la, se quiserem; é com vocês. De qualquer modo, vocês todos estarão livres para fazer o que quiserem assim que eu terminar minha missão no Mundo de Schar, ou pelo menos fizer o possível para isso.

Yalson estava olhando para ele, mas então afastou os olhos, sacudindo a cabeça. Wubslin estava olhando para o convés. Aviger e Dorolow olhavam fixamente um para o outro. O drone estava em silêncio.

— Agora — continuou Horza, levantando-se com movimentos rígidos —, Yalson e Dorolow, se vocês não se importarem de cuidar da srta. Balveda...

Demonstrando alguma relutância, Yalson suspirou e se levantou. Dorolow começou a soltar alguns dos cintos de segurança em torno do corpo da agente da Cultura.

— E tomem *muito* cuidado com ela — alertou Horza. — Mantenham uma bem afastada com a arma apontada na direção dela o tempo inteiro, enquanto a outra faz o trabalho.

Yalson murmurou alguma coisa em voz baixa e se inclinou para pegar a pistola de atordoamento da mesa. Horza se virou para Aviger.

— Acho que alguém deve contar a Neisin sobre toda a animação que ele perdeu, não acha?

Aviger hesitou, então assentiu.

— Certo, Kraik... — Ele parou, hesitou, então não disse mais nada.

Levantou-se do assento e seguiu rapidamente pelo corredor na direção das cabines.

— Acho que vou abrir os compartimentos dianteiros e dar uma olhada no laser, Kraiklyn, se estiver tudo bem por você — disse Wubslin. — Ah, quero dizer, Horza.

O engenheiro se levantou, franzindo a testa e coçando a cabeça. Horza assentiu. Wubslin encontrou um copo limpo e inteiro e pegou uma bebida gelada da prateleira, então seguiu pelo corredor através da seção de acomodações.

Dorolow e Yalson tinham soltado Balveda. A mulher alta e pálida da Cultura se alongou, fechando os olhos e arqueando o pescoço. Ela passou a mão pelo cabelo ruivo curto. Dorolow observava cautelosa. Yalson segurava a pistola de atordoamento. Balveda flexionou os ombros, então indicou que estava pronta.

— Certo — falou Yalson, gesticulando com a arma para que Balveda se aproximasse. — Vamos fazer isso na minha cabine.

Horza se levantou para deixar as três mulheres passarem. Quando Balveda passou, com o passo longo e fácil não atrapalhado pelo traje leve, ele perguntou:

— Como você escapou da *Mão de Deus*, Balveda?

Ela parou e respondeu:

— Eu matei o guarda, então me sentei e esperei, Horza. A UGC conseguiu levar o cruzador intacto. Depois de algum tempo, alguns simpáticos drones soldados chegaram e me resgataram. — Ela deu de ombros.

— Desarmada, você matou um idirano com armadura completa de batalha e portando um laser? — disse Horza com ceticismo.

Balveda deu de ombros outra vez.

— Horza, eu não disse que foi fácil.

— E Xoralundra? — perguntou Horza de trás de um sorriso.

— Seu velho amigo idirano? Deve ter escapado. Alguns deles conseguiram. De qualquer forma, ele não estava entre os mortos nem os capturados.

Horza assentiu e acenou para ela. Seguida por Yalson e Dorolow, Perosteck Balveda foi pelo corredor até a cabine de Yalson. Horza olhou para o drone parado sobre a mesa.

— Você acha que pode ser útil em alguma coisa, máquina?

— Suponho que, já que você obviamente pretende nos manter todos aqui e nos levar para essa bola de rocha de nome desagradável na borda do nada, posso fazer o que puder para tornar essa viagem o mais segura possível. Vou ajudar com a manutenção da nave, se você quiser. Eu, porém, preferiria que me chamasse por meu nome, e não apenas por essa palavra que você consegue fazer com que soe como um expletivo: "máquina". Eu *me chamo* Unaha-Closp. É pedir demais que você se dirija a mim assim?

— Bem, sem dúvida não, Unaha-Closp — respondeu Horza, tentando parecer e soar suficientemente falso em sua rejeição. — Eu vou com toda a certeza me assegurar de chamá-lo assim no futuro.

— Pode parecer — disse o drone, erguendo-se da mesa até o nível dos olhos de Horza — divertido para você, mas importa para mim. Não sou apenas um computador, sou um drone. Sou consciente e tenho uma identidade individual. Portanto, tenho um nome.

— Eu disse a você que vou usá-lo — assegurou Horza.

— Obrigado. Vou ver se seu engenheiro precisa de alguma ajuda para inspecionar o compartimento do laser.

Ele flutuou até a porta. Horza o observou ir embora.

Estava sozinho. Sentou-se e olhou para a tela, no outro extremo do refeitório. Os detritos do que tinha sido Vavatch reluziam com um brilho estéril; aquela vasta nuvem de material ainda era visível. Mas estava esfriando, morta e girando para longe; tornando-se menos real, mais fantasmagórica, cada vez menos substancial.

Ele se recostou e fechou os olhos. Esperaria um pouco antes de ir dormir. Queria dar tempo aos outros para pensar sobre o que tinham descoberto. Eles, então, seriam mais fáceis de ler; ele saberia se estava momentaneamente seguro ou se teria de vigiar todos eles. Também queria esperar até que Yalson e Dorolow tivessem terminado com Balveda. A agente da Cultura estava ganhando tempo, agora que achava que viveria um pouco mais, mas ainda podia tentar alguma coisa. Ele queria estar acordado caso ela tentasse. Ainda não tinha decidido se a mataria agora ou não, mas pelo menos agora teria tempo para pensar.

*

A *Turbulência em Ar Límpido* completou sua última correção de curso programada, virando o nariz na direção da face do Penhasco Cintilante; não na direção precisa da estrela do Mundo de Schar, mas para a área em geral.

Atrás dela, ainda em expansão, ainda irradiando, ainda lentamente se dissolvendo no sistema ao qual tinha dado seu nome, os incontáveis fragmentos cintilantes do orbital chamado Vavatch explodiam na direção das estrelas, pairando em um vento estelar que soava e redemoinhava com a fúria da destruição do mundo.

Horza ficou sentado no refeitório um pouco mais, observando os restos se dissiparem.

Luz contra escuridão, um toro distante de nada, apenas detritos. Um mundo inteiro simplesmente eliminado. Não meramente destruído — o primeiro corte das energias da grade teria sido suficiente para fazer isso —, mas obliterado, destroçado com cuidado, precisão e arte; aniquilação transformada em uma experiência. A graça arrogante disso, o zero absoluto da frieza daquela perversidade sofisticada... impressionava quase tanto quanto horrorizava. Até ele admitia certa admiração relutante.

A Cultura não tinha desperdiçado sua lição para os idiranos e o resto da comunidade galáctica. Havia transformado até aquele desperdício horrendo de esforço e habilidade em algo de beleza... Mas era uma mensagem da qual se arrependeria, pensou Horza, enquanto a hiperluz corria e a luz comum rastejava pela galáxia.

Era isso o que a Cultura oferecia, esse era o sinal, sua propaganda, seu legado: caos a partir da ordem, destruição a partir da construção, morte a partir da vida.

Vavatch seria mais que seu próprio monumento; iria celebrar, também, a manifestação final e pavorosa do idealismo letal da Cultura, o reconhecimento tardio de que ela não só não era melhor que qualquer outra sociedade; era muito, muito pior.

Eles desejavam retirar a injustiça da existência, remover os erros na mensagem transmitida da vida que dava a ela qualquer ponto de avanço (uma memória de escuridão passou por Horza, e ele estremeceu)... Mas o erro deles foi o definitivo, o erro final, e seria seu fim.

Horza pensou em ir até a ponte para mudar a imagem da tela para o espaço real e assim ver o orbital intacto outra vez, como estivera algumas semanas antes, quando a luz real através da qual a TAL estava viajando agora tinha deixado o lugar. Mas sacudiu a cabeça lentamente, embora não houvesse ninguém ali para ver, e observou, em vez disso, a tela silenciosa na outra extremidade do refeitório bagunçado e deserto.

# SITUAÇÃO ATUALIZADA: DOIS

O iate lançou âncora em uma baía cercada por florestas. A água era translúcida, e dez metros abaixo das ondas cintilantes, o solo arenoso da ancoragem era visível. Sempre-azuis altas estavam espalhadas em forma de meia-lua em torno da pequena enseada, suas raízes de aparência empoeirada às vezes visíveis no arenito ocre ao qual se agarravam. Havia algumas pequenas falésias da mesma rocha, salpicadas de flores coloridas e com vista para praias douradas. O iate branco, cujo longo reflexo tremeluzia na água como uma chama silenciosa, balançava as velas altas e ondulava lentamente sob a brisa suave que vinha de um dos braços da floresta e cobria a baía cercada.

As pessoas pegaram pequenas canoas ou botes para a praia, ou saltaram nas águas cálidas e nadaram. Alguns dos ceerevells, que tinham escoltado o iate em sua viagem desde seu porto de origem, ficaram para brincar na baía; seus corpos longos e vermelhos deslizavam pela água por baixo e ao redor do casco do barco, e sua respiração bufada ecoava nos penhascos baixos que davam para a água. Às vezes tocavam os barcos que estavam a caminho da praia, e alguns dos nadadores brincavam com os animais esguios, mergulhando para nadar com eles, tocá-los, segurar-se neles.

Os gritos das pessoas nos botes foram se afastando gradualmente. Elas puseram o pequeno barco na praia e desapareceram na floresta, saindo para explorar a ilha desabitada. As pequenas ondas daquele recôndito do mar lambiam a areia perturbada.

Fal 'Ngeestra suspirou e, depois de dar uma volta no iate, sentou-se perto da popa em um assento acolchoado. Brincou distraidamente com uma das cordas amarradas entre os balaústres, esfregando-a com a mão. O rapaz com quem conversara pela manhã, quando o iate navegava lentamente do continente na direção das ilhas, viu-a sentada ali e foi falar com ela.

— Você não vai ver a ilha? — perguntou ele.

Ele era muito magro e de aparência leve. Sua pele era de um amarelo profundo, quase dourado. Havia um brilho ao seu redor que fazia com que Fal pensasse em um holograma, porque parecia de algum modo mais profundo do que seus braços e pernas eram grossos.

— Não estou com vontade — respondeu Fal.

Não quisera que o rapaz falasse com ela mais cedo e não queria falar com ele agora. Estava arrependida de ter concordado em ir naquele cruzeiro.

— Por que não? — disse o garoto.

Ela não conseguia lembrar o nome dele. Não estava prestando atenção quando ele começara a falar com ela e não tinha nem certeza se ele tinha lhe dito seu nome, embora supusesse que sim.

— Simplesmente não quero.

Ela deu de ombros. Não estava olhando para ele.

— Ah — falou ele.

Ele ficou em silêncio por um tempo. Ela estava consciente da luz do sol refletida em seu corpo, mas mesmo assim não se virou para olhar para ele. Observou as árvores distantes, as ondas, os corpos rubros dos ceerevells que surgiam na superfície da água quando subiam para respirar e então mergulhavam de novo. O rapaz disse:

— Sei como você se sente.

— Sabe? — perguntou ela, e virou-se para olhar para ele. Ele pareceu um pouco surpreso, então assentiu.

— Você está cansada de tudo, não é?

— Talvez — respondeu ela, afastando os olhos outra vez. — Um pouco.

— Por que aquele drone velho segue você por toda parte?

Fal lançou um olhar para o rapaz. Jase estava nos conveses inferiores naquele momento, pegando uma bebida para ela. Ele tinha subido a bordo no porto com ela e permanecido não muito longe o tempo inteiro — do jeito adejante e protetor que sempre fazia. Ela tornou a dar de ombros e observou um bando de pássaros se erguer do interior da ilha. Eles gritaram, mergulharam e giraram no ar.

— Ele cuida de mim — disse ela.

Ela olhou fixamente para as mãos, observando a luz do sol se refletir em suas unhas.

— Você precisa de cuidado?

— Não.

— Então por que ele cuida de você?

— Não sei.

— Você é muito misteriosa, sabia? — falou ele.

Fal não estava olhando, mas achou ter ouvido um sorriso na voz dele. Ela deu de ombros, sem dizer nada.

— Você é como esta ilha — declarou ele. — Estranha e misteriosa como ela.

Fal bufou e tentou parecer mordaz; então viu Jase aparecer de uma porta carregando um copo. Ela se levantou rapidamente, seguida pelo rapaz, caminhou pelo convés e se encontrou com o velho drone, pegando o copo com ele e sorrindo agradecida. Enfiou o rosto no copo e tomou a bebida, olhando através dele para o garoto.

— Ora, olá, meu jovem — cumprimentou Jase. — Você não vai dar uma olhada na ilha?

Fal teve vontade de chutar a máquina por causa de sua voz animada e do jeito como disse quase a mesma coisa que o rapaz tinha dito a ela.

— Talvez — respondeu o garoto, olhando para ela.

— Você deveria — aconselhou Jase, começando a flutuar na direção da popa.

A velha máquina estendeu um campo curvo, como uma sombra sem algo para projetá-la, para fora de sua lataria e em torno dos ombros do garoto.

— Por falar nisso, não consegui deixar de ouvi-lo quando vocês estavam conversando mais cedo — continuou ele, conduzindo lentamente o jovem pelo convés.

A cabeça dourada se virou para trás para olhar para Fal, que ainda estava tomando a bebida muito devagar e começava a seguir Jase e o garoto, apenas alguns passos atrás. O rapaz tirou os olhos dela e os dirigiu para o drone ao seu lado, que dizia:

— Você estava falando sobre não entrar no Contato...

— Isso mesmo. — A voz do jovem de repente ficou na defensiva. — Eu estava falando sobre isso, e daí?

Fal continuava a andar atrás do drone e do rapaz. Ela estalou os lábios. Gelo tilintou no copo.

— Você parecia amargo — disse Jase.

— *Não* estou amargo — falou o rapaz rapidamente. — Só acho que não é justo, só isso.

— Você não ter sido escolhido? — perguntou Jase.

Eles estavam se aproximando dos assentos em torno da popa onde Fal estivera sentada alguns minutos antes.

— Bom, é. É tudo o que eu sempre quis, e acho que eles cometeram um erro. Eu sei que seria bom. Pensei que com a guerra e tudo o mais eles precisariam de mais pessoas.

— Bem, eles vão precisar. Mas o Contato tem muito mais inscritos do que pode usar.

— Mas achei que uma das coisas que eles levavam em conta era o quanto você queria entrar, e sei que ninguém poderia querer mais que eu. Desde que me lembro eu já queria...

A voz do garoto se calou quando eles chegaram aos assentos. Fal se sentou; o rapaz fez o mesmo. Ela agora estava olhando para ele, mas sem ouvir. Estava pensando.

— Talvez eles achem que você ainda não é maduro o suficiente.

— Eu *sou* maduro!

— Humm. Eles muito raramente aceitam pessoas tão novas, sabia? Até onde sei, estão procurando um tipo especial de imaturidade quando aceitam pessoas da sua idade.

— Bom, isso é besteira. Quero dizer, como você pode saber o que fazer quando eles não lhe dizem o que querem? Como você pode se preparar? Acho que é tudo muito injusto.

— De certa forma acho que é para ser assim mesmo — retrucou Jase. — Eles têm tantas pessoas se inscrevendo que não podem aceitar todos, nem mesmo os melhores, porque há muitos *deles*, então escolhem aleatoriamente. Você sempre pode voltar a se inscrever.

— Não sei — disse o garoto, chegando para a frente no assento e apoiando os cotovelos nos joelhos e a cabeça nas mãos, olhando fixamente para a madeira lustrada do convés. — Às vezes acho que dizem isso só para que você não se sinta mal quando é rejeitado. Acho que talvez peguem os melhores de todos. Mas acho que cometeram um *erro*. Mas como eles não lhe dizem por que fracassou, o que você pode *fazer* em relação a isso?

... Ela também estava pensando em fracasso.

Jase a havia parabenizado pela ideia para encontrar o Transmutador. Bem naquela manhã, quando eles estavam descendo da hospedaria pelo antigo funicular a vapor, tinham ouvido sobre os acontecimentos em Vavatch, em que o Transmutador chamado Bora Horza Gobuchul tinha aparecido e escapado na nave pirata, levando a agente da Cultura Perosteck Balveda com ele. A intuição de Fal estivera correta, e Jase foi efusivo em seus elogios, observando não ter sido por culpa dela que o homem havia escapado. Mas estava deprimida. Às vezes, estar certa, pensar a coisa certa, prever com precisão a deprimia.

Tudo tinha parecido muito óbvio para ela. Não tinha sido uma profecia sobrenatural nem nada bobo assim quando Perosteck Balveda de repente apareceu (no UGC *Energia Nervosa* danificado pela batalha, mas vitorioso, que estava rebocando a maior parte de um cruzador idirano capturado), mas pareceu muito... muito *natural* que Balveda fosse a pessoa a ir em busca do Transmutador desaparecido. Àquela altura, eles tinham mais informação sobre o que ocorria naquele volume de espaço quando aquele duelo em especial estava acontecendo; e os movimentos relatados, possíveis e prováveis de várias naves tinham apontado (mais uma vez, pensou ela, de forma um tanto óbvia) para a nave corsária chamada *Turbulência em Ar Límpido*. Havia outras possibilidades, e elas também foram verificadas, até onde os recursos já esticados das Circunstâncias Especiais do Contato permitiram, mas ela sempre esteve certa de que, se alguma das ramificações de possibilidades renderia frutos, seria a conexão de Vavatch. O capitão da *Turbulência em Ar Límpido* se chamava Kraiklyn; ele jogava Dano. Vavatch era o lugar mais óbvio para um jogo total de Dano em anos. Portanto, o lugar mais provável para interceptar a nave — além do Mundo de Schar, se o Transmutador já tivesse o controle — era Vavatch. Tinha se arriscado ao insistir que Vavatch era o lugar mais provável, e que aquela agente Balveda devia ser uma das pessoas a ir para lá, e agora tudo isso tinha se tornado verdade e Fal percebeu que não fora ela que havia se arriscado. Ela havia colocado Balveda em risco.

Mas o que mais poderia ser feito? A guerra estava acelerando através de um volume imenso; havia muitas outras missões urgentes para os poucos agentes das Circunstâncias Especiais, e de qualquer forma Balveda era a única realmente boa ao alcance. Havia um jovem que eles tinham enviado com ela, mas ele era apenas promissor, não experiente. Fal sempre soubera que, se fosse necessário, Balveda arriscaria a própria vida, não a do jovem, caso se infiltrar entre os mercenários fosse a única chance de chegar ao Transmutador e, por meio dele, até a Mente. Era corajoso, mas, Fal desconfiava, equivocado. O Transmutador conhecia Balveda; ele poderia muito bem reconhecê-la, por mais que ela tivesse alterado sua própria aparência (e não houvera tempo para que Balveda fosse submetida a uma mudança física radical). Se o Transmutador percebesse quem ela era (e Fal desconfiava de que ele tinha percebido), Balveda teria muito menos chance de completar sua missão que mesmo o mais inexperiente e nervoso novato acima de qualquer suspeita. *Perdoe-me, senhora*, pensou Fal consigo mesma. *Eu teria feito mais por você se pudesse...*

Ela tentara odiar o Transmutador durante todo aquele dia, tentara imaginá-lo e odiá-lo, porque ele provavelmente tinha matado Balveda, mas além do fato de que achava difícil imaginar alguém quando não tinha a menor ideia de qual seria sua aparência (a do capitão da nave, Kraiklyn?), por alguma razão o ódio não se materializava. O Transmutador não parecia real.

Ela gostava de como Balveda soava; era corajosa e ousada, e Fal torcia muito para que a outra mulher vivesse, para que de alguma forma sobrevivesse àquilo tudo e um dia, talvez, talvez, elas pudessem se encontrar, quem sabe depois da guerra...

Mas isso também não parecia real.

Ela não conseguia acreditar naquilo; não conseguia imaginar do jeito que tinha imaginado, digamos, Balveda encontrando o Transmutador. Tinha visto isso em sua mente, e desejara que acontecesse... Em sua versão, é claro, era Balveda que vencia, não o Transmutador. Mas não conseguia imaginar se encontrar com Balveda, e de algum modo isso era assustador, como se ela tivesse começado a acreditar tanto em

338

sua própria presciência que a incapacidade de imaginar algo com clareza suficiente significasse que nunca aconteceria. De uma forma ou de outra, era deprimente.

Que chance tinha a agente de sobreviver à guerra? Não muita, no momento, Fal sabia disso, mas mesmo supondo que Balveda de algum modo tivesse se salvado dessa vez, quais as chances de ela acabar morta de qualquer jeito mais tarde? Quanto mais durasse a guerra, mais provável isso era. Fal sentia, e era a opinião geral de consenso entre as Mentes mais informadas, que a guerra iria durar décadas em vez de anos.

Com uma margem de erro de alguns meses, é claro. Fal franziu a testa e mordeu o lábio. Não conseguia vê-los chegar à Mente; o Transmutador estava ganhando, e ela estava praticamente sem ideias. Tudo em que pensara recentemente era um modo de — talvez, apenas talvez — atrasar Gobuchul: provavelmente não um meio de detê-lo completamente, mas possivelmente um jeito de tornar seu trabalho mais difícil. Mas ela não estava otimista, mesmo que o Comando de Guerra do Contato tivesse concordado com um plano tão perigoso, ambíguo e potencialmente custoso...

— Fal? — chamou Jase.

Ela percebeu que estava olhando para a ilha sem vê-la. O copo estava ficando quente em sua mão, e Jase e o garoto olhavam para ela.

— O quê? — disse ela, e bebeu.

— Eu estava perguntando o que você pensa sobre a guerra — falou o garoto.

Ele estava franzindo o cenho, olhando para ela com os olhos estreitos, a luz do sol direto em seu rosto. Fal olhou para o rosto largo e aberto dele e se perguntou quantos anos ele teria. Mais velho que ela? Mais novo? Será que ele sentia o mesmo que ela — querer ser mais velho, ansiar por ser tratado como alguém responsável?

— Não entendo. O que você quer dizer? Pensar sobre ela de que jeito?

— Bem — disse o garoto —, quem vai ganhar?

Ele parecia irritado. Fal desconfiou que tinha ficado muito óbvio que ela não estava prestando atenção. Olhou para Jase, mas a velha máquina não disse nada, e sem campo de aura não havia como saber o que estava pensando ou como estava se sentindo. Estaria se divertindo? Preocupado? Fal engoliu o resto da bebida fria.

— *Nós* vamos, é claro — respondeu ela apressadamente, olhando do rapaz para Jase.

O garoto sacudiu a cabeça.

— Não tenho tanta certeza — opinou ele, esfregando o queixo. — Não tenho certeza se temos a força de vontade.

— A *força de vontade*? — indagou Fal.

— É. O desejo de lutar. Acho que os idiranos são lutadores naturais. Nós não somos. Quero dizer, olhe para nós...

Ele sorriu, como se fosse muito mais velho e se achasse muito mais sábio que ela, então girou a cabeça e acenou preguiçosamente com a mão na direção da ilha, onde os barcos estavam adernados sobre a areia.

A cinquenta ou sessenta metros de distância, Fal viu o que parecia um homem e uma mulher acasalando nas águas rasas no sopé de uma pequena falésia; eles estavam boiando para cima e para baixo, as mãos escuras da mulher em torno do pescoço mais claro do homem. Era em relação a isso que o garoto estava sendo tão educado?

Minha nossa, o fascínio do sexo.

Sem dúvida era muito divertido, mas como as pessoas podiam levar aquilo tão *a sério*? Às vezes ela sentia uma inveja culta dos idiranos; eles tinham superado aquilo; depois de algum tempo, não importava mais. Eles eram hermafroditas duais, cada metade do casal engravidando a outra, e cada um em geral dando à luz gêmeos. Depois de uma ou às vezes duas gestações — e desmames — eles mudavam de seu estágio reprodutivo fértil e se tornavam guerreiros. Dividiam-se opiniões sobre se a inteligência deles aumentava ou se apenas passavam por uma alteração de personalidade. Sem dúvida se tornavam mais astutos, mas com a mente menos aberta; mais lógicos, mas menos imaginativos; mais implacáveis, menos compassivos. Eles cresciam mais um metro; seu peso quase dobrava; sua cobertura de queratina se tornava mais grossa e mais dura; seus músculos cresciam em volume e densidade; e seus órgãos internos se alteravam para acomodar essas mudanças que aumentavam sua força. Ao mesmo tempo, seus corpos absorviam seus órgãos reprodutivos e eles se tornavam assexuados. Tudo muito linear, simétrico e limpo, em comparação com a abordagem de livre escolha da Cultura.

É, ela podia ver por que aquele idiota alto e magro sentado à sua frente com seu sorriso superior e nervoso achava os idiranos impressionantes. Jovem tolo.

— É assim... — Fal estava irritada o suficiente para ficar um pouco sem palavras. — É assim que somos agora. Não evoluímos... nós mudamos muito, *nos* modificamos muito, mas não evoluímos nada desde a época em que saíamos por aí nos matando. Quero dizer, uns aos outros.

Fal inspirou, agora irritada consigo mesma. O garoto estava sorrindo para ela de forma tolerante. Ela se sentiu corar.

— Nós ainda *somos* animais — insistiu ela. — Somos lutadores naturais tanto quanto os idiranos.

— Então por que eles estão ganhando?

O garoto deu um sorriso malicioso.

— Eles saíram na frente. Nós só começamos a nos preparar de forma apropriada para a guerra no último instante. A guerra se tornou um modo de vida para eles; ainda não somos tão bons nisso porque há centenas de gerações não temos mais de fazer isso. Não se preocupe — disse ela, olhando para o copo vazio e baixando um pouco a voz. — Estamos aprendendo bem rápido.

— Bom, espere só para ver — falou o garoto, assentindo para ela. — Acho que vamos sair da guerra e deixar que os idiranos continuem com sua expansão, ou como quer que você queira chamar isso. A guerra tem sido meio empolgante, e causou uma mudança, mas agora já faz quase quatro anos, e... — Tornou a acenar com a mão. — ... nós ainda não *ganhamos* muita coisa. — Ele riu. — Tudo o que fazemos é fugir!

Fal se levantou rapidamente, virando-se caso começasse a chorar.

— Ah, merda — disse o garoto para Jase. — Acho que agora eu disse alguma coisa... Ela tinha um amigo ou um parente...?

Ela caminhou pelo convés, mancando um pouco quando a perna recém-curada começou a doer com um latejar distante e incômodo.

— Não se preocupe — falou Jase para o garoto. — Deixe-a em paz, e ela vai ficar bem...

Fal pôs o copo no interior de uma das cabines escuras e vazias do iate, então continuou em frente, seguindo na direção da superestrutura na parte da frente.

Subiu uma escada até a sala do timão, então outra até o telhado, sentou-se ali com as pernas cruzadas (a perna recém-quebrada doía, mas ela a ignorou) e olhou para o mar.

Ao longe, quase no limite da névoa, uma cordilheira branca reluzia no ar quase imóvel. Fal 'Ngeestra exalou de forma longa e triste e se perguntou se as formas brancas — provavelmente visíveis apenas porque estavam muito altas, no ar mais claro — eram cumes nevados de montanhas. Talvez fossem apenas nuvens. Não conseguia se lembrar bem o bastante da geografia local para saber.

Ela ficou ali sentada, pensando naqueles picos. Lembrou-se de quando, uma vez, no alto de uma encosta onde um pequeno riacho de montanha se nivelava em um platô pantanoso por cerca de um quilômetro, fazendo um arco, uma curva e virando pela terra encharcada e coberta de juncos como um atleta se esticando e flexionando entre jogos, havia encontrado algo que tornara aquela caminhada em um dia de inverno memorável.

O gelo se formava em lâminas transparentes e quebradiças nos lados do riacho que corria. Ela havia passado algum tempo caminhando alegremente pelas partes rasas da água, triturando o gelo fino com as botas e observando-o flutuar rio abaixo. Não estava escalando naquele dia, apenas caminhando; usava roupa à prova d'água e carregava pouco equipamento. De algum modo, o fato de não estar fazendo nada perigoso nem fisicamente exigente tinha feito com que se sentisse criança outra vez.

Ela chegara a um lugar onde o riacho corria por uma laje de pedra, de um nível da charneca para outro, e ali um poço havia se escavado na pedra logo abaixo da corredeira. A água tinha menos de um metro, e o riacho era estreito o bastante para saltar: mas Fal se lembrou daquele riacho e daquele poço porque ali, na água que a circundava, abaixo das corredeiras e seus borrifos, flutuava um círculo congelado de espuma.

A água era naturalmente suave e turfada, e uma espuma branco- -amarelada às vezes se formava nos riachos de montanha da área, soprada pelos ventos e aprisionada nos juncos, mas ela nunca a tinha visto reunida em um círculo e congelada. Fal riu quando a viu. Chapinhou pela água e a pegou com cuidado. Tinha um diâmetro um pouco maior que a distância entre seu polegar esticado e o mindinho, e alguns centímetros de espessura, não tão frágil quanto temera inicialmente.

As bolhas espumantes tinham congelado no ar frio e na água quase congelante, formando o que parecia um modelo diminuto de uma galáxia: uma galáxia em espiral razoavelmente comum, como aquela, como a dela. Ela ergueu a estrutura de água e ar e produtos químicos em suspensão e a girou nas mãos, sentindo seu cheiro e colocando a língua para fora para lambê-la, olhando para o fraco sol de inverno através dela, dando um peteleco para ver se ela soava.

Observou sua pequena galáxia de cristais de gelo começar a derreter, muito devagar, e viu sua própria respiração soprar sobre ela, uma imagem breve de seu calor no ar.

Finalmente a pôs onde a havia encontrado, girando lentamente no poço de água na base da pequena corredeira.

A imagem da galáxia ocorrera a ela então, e na época ela havia pensado na semelhança das forças que davam forma tanto ao pequeno quanto ao vasto. Fal pensara: *E qual realmente é o mais importante?*, mas então se sentira envergonhada por pensar uma coisa dessas.

De vez em quando, porém, ela voltava a esse pensamento, e sabia que um era exatamente tão importante quanto o outro. Então, mais tarde, voltava a repensar a questão e se sentia envergonhada outra vez.

Fal 'Ngeestra respirou fundo e se sentiu um pouco melhor. Ela sorriu e ergueu a cabeça, fechando os olhos por um momento e observando o brilho vermelho do sol por trás das pálpebras. Então passou a mão pelo cabelo louro cacheado e se perguntou outra vez se as formas distantes, hesitantes e incertas acima da água cintilante eram nuvens ou montanhas.

# O MUNDO DE SCHAR

**IMAGINE** um oceano vasto e reluzente visto de uma grande altura. Ele se estende até o limite nítido e curvo de todos os ângulos do horizonte, o sol ardendo em um bilhão de ondas pequeninas. Agora imagine um cobertor macio de nuvens acima do oceano, uma concha de veludo negro suspensa acima da água e também se estendendo até o horizonte, mas mantenha o brilho do mar apesar da falta de sol. Acrescente à nuvem muitas luzes precisas e pequeninas, espalhadas na base da cobertura negra como olhos cintilantes: sozinhas, em pares ou em grupos maiores, cada uma posicionada longe, muito longe de qualquer outro grupo.

Essa é a visão que uma nave tem no hiperespaço enquanto voa como um inseto microscópico, livre entre a grade de energia e o espaço real.

As luzes pequenas e brilhantes na superfície inferior da cobertura de nuvens são estrelas; as ondas no mar são irregularidades na grade nas quais uma nave viajando no hiperespaço encontra tração com seus motores de campo, enquanto essa centelha é sua fonte de energia. A grade e a planície do espaço real são curvas, de forma semelhante à que teriam o oceano e as nuvens em torno de um planeta, mas menos. Buracos negros aparecem como brotos finos e retorcidos das nuvens para o mar; supernovas, como raios compridos nas nuvens. Rochas, luas, planetas, orbitais, até anéis e esferas, quase não aparecem...

As duas Unidades Ofensivas Rápidas da classe Assassina *Superávit Comercial* e *Revisionista* corriam pelo hiperespaço, reluzindo sob a teia do espaço real como feixes esguios e cintilantes em um lago profundo e imóvel. Elas desviavam de sistemas e estrelas, mantendo-se abaixo dos espaços vazios onde teriam menos chances de serem localizadas.

Seus motores eram focos de energia quase além da imaginação, abrigando força suficiente dentro de seus duzentos metros para igualar, talvez, um por cento da energia produzida por um pequeno sol, lançando as duas naves através do vazio de quatro dimensões em uma velocidade equivalente no mundo real a pouco menos de dez anos-luz por hora. Na época, isso era considerado especialmente rápido.

Elas sentiram o Penhasco Cintilante e o Golfo Sombrio à frente. Alteraram sua corrida adiante para se colocar em ângulo profundamente dentro da zona de guerra, apontando para o sistema que continha o Mundo de Schar.

Ao longe, elas conseguiam ver o grupo de buracos negros que havia criado o Golfo. Aquelas colunas de energia em mergulho tinham passado por aquela área milênios antes, limpando um espaço de estrelas consumidas às suas costas, criando um braço galáctico artificial enquanto seguiam em uma espiral longa para perto do centro da ilha de estrelas e nebulosas que girava lentamente: a galáxia.

O grupo de buracos negros era comumente conhecido como a Floresta, de tão perto que estavam agrupados, e as duas naves da Cultura em alta velocidade tinham instruções para tentar forçar seu caminho entre aqueles troncos retorcidos e letais se fossem vistas e perseguidas. O gerenciamento de campos da Cultura era considerado superior ao dos idiranos, então achava-se que elas teriam uma chance melhor de passar, e qualquer nave em perseguição poderia até desistir em vez de arriscar se emaranhar na Floresta. Era um risco terrível até de se vislumbrar, mas as duas UORS eram preciosas; a Cultura ainda não tinha construído muitas, e todo o possível devia ser feito para garantir que as naves voltassem em segurança ou, se o pior acontecesse, que fossem completamente destruídas.

Elas não encontraram nenhuma nave hostil. Correram através da face interna da Barreira de Silêncio em segundos e despejaram suas cargas prescritas em duas detonações rápidas, então fizeram a volta e saíram dali em velocidade máxima, através das estrelas esparsas e além do Penhasco Cintilante, nos céus vazios do Golfo Sombrio.

Registraram uma nave hostil estacionada perto do sistema do Mundo de Schar partindo em sua perseguição, mas foram vistas tarde demais, e rapidamente se distanciaram dos raios laser de rastreamento e sondagem. Estabeleceram seu curso para o lado oposto do Golfo, sua estranha missão agora completa. As Mentes a bordo e a pequena tripulação de humanos que cada nave levava (que estavam ali mais porque queriam estar que por sua utilidade) não tinham sido informadas por que estavam explodindo espaço vazio com ogivas de guerra caras, disparando TRUPEs nos drones de alvo um do outro, despejando nuvens de AMC e gás comum e liberando pequenas naves de sinalização sem propulsão que eram pouco mais que transportes sem piloto repletos de equipamento de transmissão. Todo o efeito dessa operação seria produzir alguns brilhos e clarões espetaculares e um espalhamento de cápsulas de radiação e sinais de banda larga antes que os idiranos limpassem os destroços e explodissem ou capturassem a nave de sinalização.

Tinham pedido a eles que arriscassem a vida em uma maldita e tola missão de pânico que parecia projetada para convencer ninguém em especial de que houvera uma batalha espacial no meio do nada quando não houvera nenhuma. E tinham conseguido!

Aonde a Cultura estava chegando? Os idiranos pareciam adorar missões suicidas. Tinha-se facilmente a impressão de que eles consideravam qualquer outro tipo de missão uma espécie de insulto. Mas a *Cultura*? Onde mesmo nas forças de guerra a palavra "disciplina" era vista como tabu, onde as pessoas sempre queriam saber *por que* isso e *por que* aquilo?

As coisas tinham saído na verdade muito bem.

As duas naves corriam pelo Golfo, discutindo. A bordo, debates acalorados ocorriam entre membros de suas tripulações.

Levou 21 dias para a *Turbulência em Ar Límpido* fazer a viagem de Vavatch até o Mundo de Schar.

Wubslin tinha passado o tempo realizando os reparos que podia na nave, mas ela precisava mesmo era de uma reforma geral. Enquanto estruturalmente ainda era sólida, e o suporte de vida funcionava quase normalmente, tinha sofrido uma degradação geral de seus sistemas, embora nenhuma falha catastrófica. As unidades de dobra espacial funcionavam um pouco pior que antes, os motores de fusão não podiam ser usados sustentavelmente em uma atmosfera — eles iam levá-los até o Mundo de Schar e de volta, mas não podiam fornecer muito mais tempo de voo — e os sensores da nave tinham sido reduzidos em número e eficiência a um nível não muito acima do mínimo operacional.

Eles ainda tinham escapado sem muitos problemas, pensou Horza.

Com a *TAL* sob seu controle, Horza conseguiu desligar os circuitos de identificação do computador. Também não tinha de enganar a Companhia Livre, então, com o passar dos dias, ele se Transmutou lentamente para se assemelhar um pouco mais com seu velho eu. Isso era para Yalson e os outros membros da Companhia Livre. Ele estava na verdade cumprindo dois terços de um compromisso entre Kraiklyn e o eu que ele tinha sido na *TAL* antes de ela chegar a Vavatch. Havia ali outro terço, que ele deixou crescer e aparecer em seu rosto para ninguém a bordo, mas para uma Transmutadora de cabelo ruivo chamada Kierachell. Torcia para que ela reconhecesse essa parte de sua aparência quando eles tornassem a se encontrar, no Mundo de Schar.

*

— Por que você achou que ficaríamos com raiva? — perguntou Yalson certo dia no hangar da *TAL*.

Eles tinham armado uma tela de alvo em uma extremidade para treinar com seus lasers. O projetor embutido da tela mostrava rapidamente imagens para eles atirarem. Horza olhou para a mulher.

— Ele era seu líder.

Yalson riu.

— Ele era um gerente; quantos deles são queridos por sua equipe? Isto é um negócio, Horza, e nem mesmo um negócio de sucesso. Kraiklyn conseguiu fazer com que a maioria de nós se aposentasse prematuramente. Merda! A única pessoa que você tinha de enganar era a nave.

— Tinha isso — disse Horza, apontando para uma figura humana que atravessava a tela correndo.

O ponto do laser era invisível, mas a tela o sentia e piscava com uma luz branca onde tinha sido atingida. A figura humana, atingida na perna, cambaleou, mas não caiu: meio ponto.

— Eu precisava enganar a nave. Mas não queria arriscar que alguém fosse leal a Kraiklyn.

Era a vez de Yalson, mas ela estava olhando para Horza, não para a tela.

As fidelidades da nave tinham sido canceladas, e agora tudo de que era preciso para comandá-la era um código numérico, que só Horza sabia, e o pequeno anel que ele usava, que tinha sido de Kraiklyn. Havia prometido que, quando chegassem ao Mundo de Schar, se não houvesse outro jeito de sair do planeta, ele iria programar o computador da *TAL* para se liberar de todas as limitações de fidelidade depois de algum tempo, de modo que, se Horza não voltasse dos túneis do Sistema de Comando, a Companhia Livre não ficaria presa.

— Você teria nos contado — falou Yalson. — Não teria, Horza? Quero dizer, você teria contado em algum momento.

Horza sabia que ela queria dizer: contado *a ela*? Ele baixou a arma e a olhou nos olhos.

— Quando eu tivesse certeza — respondeu ele. — Certeza sobre as pessoas, certeza sobre a nave.

Era a resposta honesta, mas Horza não sabia ao certo se era a melhor. Ele queria Yalson, queria não apenas seu calor na noite vermelha da nave, mas sua confiança, seu carinho. Mas ela ainda estava distante.

Balveda estava viva; talvez não estivesse se Horza não quisesse o respeito de Yalson. Ele sabia disso, e era um pensamento amargo, que fazia com que se sentisse vulgar e cruel. Mesmo saber que era uma coisa definitiva teria sido melhor que ficar incerto. Não podia dizer com certeza se a lógica fria daquele jogo ditava que a mulher da Cultura devia morrer ou ser deixada viva, ou mesmo se, sendo a primeira opção confortavelmente óbvia, poderia tê-la matado a sangue frio. Tinha pensado muito nisso e ainda não sabia. Só esperava que nenhuma das mulheres soubesse que aquilo havia passado por sua cabeça.

Kierachell era outra preocupação. Era absurdo, ele sabia, estar preocupado com seus próprios assuntos num momento daqueles, mas não conseguia parar de pensar na Transmutadora; quanto mais eles se aproximavam do Mundo de Schar, mais se lembrava dela, mais reais ficavam suas lembranças. Tentou não projetar demais, tentou se lembrar do tédio do solitário posto avançado no planeta e da inquietude que tinha sentido ali na companhia de Kierachell, mas sonhava com seu sorriso lento e se lembrava de sua voz baixa em toda a sua graça fluida com a dor do primeiro amor de um jovem. De vez em quando, pensava que Yalson também podia perceber isso, e algo dentro dele parecia se encolher de vergonha.

Yalson deu de ombros, apoiou a arma em um dos ombros e disparou em uma figura de quatro patas na tela de treinamento. Ela parou imediatamente e caiu, parecendo se dissolver na linha de solo sombreado no pé da tela.

*

Horza dava palestras.

Isso fazia com que se sentisse um professor visitante em uma faculdade, mas era o que ele fazia. Sentia que tinha de explicar aos outros por que estava fazendo o que estava fazendo, por que os Transmutadores apoiavam os idiranos, por que acreditava naquilo pelo que estavam lutando. Chamava-as de *briefings*, e eram ostensivamente sobre o Mundo de Schar e o Sistema de Comando, sua história, geografia e assim por diante, mas Horza sempre (de forma bem intencional) acabava falando sobre a guerra em geral ou sobre aspectos totalmente diferentes dela sem qualquer relação com o planeta do qual estavam se aproximando.

O *briefing* era uma boa desculpa para manter Balveda confinada na cabine enquanto ele andava de um lado para o outro no convés do refeitório falando com os membros da Companhia Livre; não queria que suas falas se transformassem em um debate.

Perosteck Balveda não tinha sido problema. Seu traje e seus poucos itens de joias e outros objetos aparentemente inofensivos foram expelidos por um vactubo. Ela havia sido examinada com todos os itens que o limitado equipamento do compartimento médico podia fornecer e estava limpa, e parecia bem satisfeita em ser uma prisioneira bem-comportada, confinada à nave como estavam todos eles e, exceto à noite, trancada em sua cabine apenas de vez em quando. Horza não deixava que ela se aproximasse da ponte, só por garantia, mas Balveda não demonstrava nenhum sinal de tentar conhecer a nave especialmente bem — do jeito que ele tinha feito quando chegara a bordo.

Sequer tentava convencer nenhum dos mercenários a pensar como ela sobre a guerra e a Cultura.

Horza se perguntava quão segura ela se sentia. Balveda era agradável e não parecia preocupada, mas ele olhava para ela de vez em quando e pensava vislumbrar, brevemente, uma tensão interior, até mesmo desespero. Isso de certa forma o aliviava, mas de outra dava a ele aquela mesma sensação ruim e cruel que experimentava quando pensava exatamente sobre por que a agente da Cultura ainda estava viva. Às vezes ele ficava simplesmente com medo de chegar ao Mundo de Schar, mas cada vez mais, à medida que a viagem se arrastava, passou a gostar da perspectiva de um pouco de ação e de um fim para os pensamentos.

Horza chamou Balveda à sua cabine um dia, depois que todos tinham comido no refeitório. A mulher chegou e se sentou no mesmo assento pequeno em que ele havia se sentado quando Kraiklyn o havia convocado logo após ter se juntado à nave.

O rosto de Balveda estava calmo. Ela estava sentada elegantemente no pequeno assento, sua estrutura alongada ao mesmo tempo relaxada e aprumada. Seus olhos escuros profundos olhavam para Horza da cabeça magra e de formas suaves, e seu cabelo ruivo — agora ficando preto — brilhava sob as luzes da cabine.

— Capitão Horza?

Ela sorriu, cruzando as mãos de dedos longos sobre o colo. Estava usando um vestido azul comprido, a coisa mais simples que conseguira encontrar na nave, algo que antes pertencera à mulher Gow.

— Olá, Balveda — disse Horza.

Ele se recostou na cama. Estava usando uma túnica folgada. Nos primeiros dias, havia mantido seu traje, mas, embora permanecesse admiravelmente confortável, era volumoso e desajeitado dentro da *Turbulência em Ar Límpido*, então Horza o descartou para a viagem.

Estava prestes a oferecer a Balveda algo para beber, mas de algum modo, por ter sido o que Kraiklyn havia feito com ele, não pareceu a coisa certa a fazer.

— O que foi, Horza? — perguntou Balveda.

— Eu só queria... ver como você estava — respondeu ele.

Tinha tentado ensaiar o que ia dizer; assegurar que não estava em perigo, que gostava dela e que tinha certeza de que dessa vez o pior que aconteceria com ela seria uma internação em algum lugar e, talvez, uma troca, mas as palavras não saíam.

— Estou bem — falou ela, passando a mão pelo cabelo, os olhos brilhando brevemente em torno da cabine. — Estou tentando ser uma prisioneira-modelo para você não ter nenhuma desculpa para me descartar.

Ela sorriu, mas mais uma vez ele sentiu certa raiva no gesto. Mesmo assim ficou aliviado.

— Não. — Ele riu, jogando a cabeça para trás. — Não tenho nenhuma intenção de fazer isso. Você está segura.

— Até chegarmos ao Mundo de Schar? — disse ela calmamente.

— Depois disso, também — assegurou ele.

Balveda piscou lentamente, olhando para baixo.

— Humm, bom.

Ela olhou nos olhos dele.

Ele deu de ombros.

— Tenho certeza de que você faria o mesmo por mim.

— Acho que eu... provavelmente faria — admitiu ela, e ele não soube dizer se ela estava mentindo ou não. — Só acho uma pena estarmos em lados diferentes.

— É uma pena estarmos *todos* em lados diferentes, Balveda.

— Bem — começou ela, entrelaçando as mãos sobre o colo outra vez —, há uma teoria de que o lado em que cada um de nós pensa estar é aquele que vai acabar triunfando de qualquer modo.

— O que é isso? — Ele sorriu. — Verdade e justiça?

— Na verdade, nenhum dos dois. — Balveda também sorriu, sem olhar para ele. — É só... — Ela deu de ombros. — Só a vida. A evolução da qual você falou. Você disse que a Cultura estava em um atoleiro, um beco sem saída. Se estivermos... talvez percamos no final das contas.

— Droga, eu ainda vou levar você para o lado dos mocinhos, Perosteck — disse ele, com apenas um pequeno excesso de entusiasmo.

Ela deu um sorriso fraco e abriu a boca para dizer algo, então pensou melhor e tornou a fechá-la. Olhou para as mãos. Horza se perguntou o que dizer em seguida.

$*$

Uma noite, a seis dias do destino — a estrela do sistema já estava bem brilhante no céu à frente da nave, mesmo com visão normal —, Yalson foi à cabine dele.

Horza não esperava, e a batida na porta o arrancou de um estado entre desperto e adormecido com uma frieza enervante que o deixou desorientado por alguns momentos. Ele a viu na tela da porta e a deixou entrar. Ela entrou rapidamente, fechando a porta às suas costas, e então o abraçou, abraçou-o com força, sem fazer nenhum som. Ele ficou ali parado, tentando despertar e entender como aquilo tinha acontecido. Parecia não haver razão para aquilo, nenhum aumento de tensão de nenhum tipo entre eles, nenhum sinal, nenhuma pista: nada.

Yalson tinha passado o dia no hangar, conectada a pequenos sensores e fazendo exercícios. Ele a havia visto ali, malhando, suando, se exaurindo, olhando para leituras e mostradores com olhos críticos, como se seu corpo fosse uma máquina como a nave e ela o estivesse testando ao limite da destruição.

Eles dormiram juntos. Mas, como se para confirmar o esforço ao qual ela havia se submetido durante o dia, Yalson dormiu quase imediatamente quando eles se deitaram; nos braços dele, enquanto ele a beijava e tocava com o rosto, inspirando o cheiro de seu corpo outra vez depois do que pareciam meses. Horza ficou acordado e ouviu a respiração dela, sentiu-a se mexer muito levemente em seus braços e sentiu a pulsação de seu sangue cada vez mais lenta enquanto ela mergulhava em um sono profundo.

De manhã, eles fizeram amor, e depois ele perguntou a ela, enquanto estavam abraçados, o suor secava e os corações desaceleravam:

— Por quê? O que fez com que você mudasse de ideia?

A nave zumbia de forma distante ao redor deles.

Ela o agarrou, abraçando com ainda mais força, e sacudiu a cabeça.

— Nada — disse ela. — Nada em especial, nada importante.

Ele a sentiu dar de ombros, e ela afastou os olhos de seu rosto para dentro de seu braço, na direção da parede que zumbia. Com uma voz baixinha, Yalson disse:

— Tudo; o Mundo de Schar.

\*

A três dias de distância, no hangar, ele observava os membros da Companhia Livre se exercitarem e praticarem tiro com suas armas na tela. Neisin não podia praticar porque ainda se recusava a usar lasers depois do que tinha acontecido no Templo da Luz. Ele tinha estocado magazines de microprojéteis durante os poucos momentos em que estivera sóbrio em Evanauth.

Depois da prática de tiro, Horza fez com que cada um dos mercenários testasse seus arneses antigravitacionais. Kraiklyn tinha comprado um lote barato deles e insistiu para que os membros da Companhia Livre que ainda não tinham uma unidade antigravitacional em seu traje comprassem dele um arnês pelo que ele alegava ser preço de custo. Horza, no início, ficara desconfiado, mas as unidades AG pareciam estar em boas condições, e sem dúvida poderiam ser úteis para revistar os túneis mais profundos do Sistema de Comando.

Horza ficou satisfeito por saber que os mercenários o seguiriam, se fosse preciso, até o interior do Sistema de Comando. O longo atraso desde a empolgação de Vavatch e a rotina entediante da vida na *Turbulência em Ar Límpido* tinham feito com que eles ansiassem por algo mais interessante. Como Horza tinha — honestamente — descrito, o Mundo de Schar não parecia tão ruim. Pelo menos era improvável que eles se vissem em meio a um tiroteio, e ninguém, inclusive a Mente que eles podiam acabar ajudando Horza a procurar, começaria a explodir as coisas, não com um Dra'Azon com quem acertar as contas.

O sol do sistema do Mundo de Schar brilhava forte à frente deles agora, a coisa mais brilhante no céu. O Penhasco Cintilante não era uma característica visível do céu à frente, porque ainda estavam no interior do braço espiralado e olhando para fora, mas era perceptível que todas as estrelas à frente estavam ou muito perto ou muito distantes, sem nada no espaço entre elas.

Horza tinha alterado a rota da TAL várias vezes, mas a mantivera em um rumo geral que, a menos que eles se desviassem, os levaria para um ponto a menos de dois anos-luz do planeta. Ele viraria a nave e seguiria em frente no dia seguinte. Até agora, a viagem tinha corrido sem incidentes. Eles tinham voado através das estrelas esparsas sem encontrar nada fora do comum: nenhuma mensagem ou sinal, nenhum clarão distante de batalhas, nenhum rastro de dobra espacial. A área em torno deles parecia calma e imperturbada, como se tudo o que estivesse acontecendo fosse o que sempre acontecia: só as estrelas nascendo e morrendo, a galáxia em revoluções, os buracos se retorcendo, os gases redemoinhando. A guerra, naquele silêncio apressado, em seu ritmo falso de dia e noite, parecia algo que todos tinham imaginado, um pesadelo inexplicável que de algum modo eles tinham compartilhado, do qual tinham até escapado.

Horza, porém, deixou a nave em alerta, pronta para dar o alarme ao menor sinal de problema. Era improvável que eles encontrassem alguma coisa antes de chegarem à Barreira de Silêncio, mas, se tudo estava pacífico e sereno como o nome sugeria, ele pensou que podia não entrar direto como uma flecha. Idealmente, gostaria de se encontrar com as unidades da frota idirana que, supostamente, estavam à espera por perto. Isso resolveria a maior parte de seus problemas. Ele iria entregar Balveda, assegurar que Yalson e o resto dos mercenários estivessem em segurança — que eles ficassem com a TAL — e pegar o equipamento especializado que Xoralundra tinha lhe prometido.

Essa situação também faria com que se encontrasse com Kierachell sozinho, sem a distração da presença dos outros. Ele conseguiria ser seu velho eu sem fazer nenhuma concessão ao eu que a Companhia Livre e Yalson conheciam.

A dois dias de distância, o alarme da nave disparou. Horza estava cochilando na cama; ele saiu correndo da cabine na direção da ponte de comando.

No volume de espaço à frente deles, todo o inferno parecia à solta. Luz de aniquilação derramou-se sobre eles; era a radiação da explosão de armas, registrada pura e mesclada nos sensores da nave, indicando onde as ogivas tinham explodido totalmente sozinhas ou em contato com alguma outra coisa. O tecido do espaço tridimensional corcoveou e se sacudiu com a explosão das cargas de dobra, forçando os sistemas automáticos da TAL a desligar seus motores em intervalos de alguns segundos para impedir que fossem danificados nas ondas de choque. Horza prendeu os cintos de segurança e ligou todos os sistemas subsidiários. Wubslin entrou pela porta vindo do refeitório.

— O que é?

— Algum tipo de batalha — disse Horza, observando as telas.

O volume de espaço afetado estava mais ou menos diretamente no lado interno do Mundo de Schar; a rota direta desde Vavatch passava por esse caminho. A *TAL* estava a um ano-luz e meio de distância dos distúrbios, longe demais para ser avistada por qualquer coisa além de um raio estreito de um scanner de rastreamento e, portanto, quase certamente em segurança; mas Horza observava as explosões distantes de radiação e sentia a *TAL* surfar as ondas do espaço perturbado com uma sensação de náusea, até mesmo derrota.

— Cápsula de mensagem — anunciou Wubslin, apontando para uma tela com a cabeça.

Ali, separando-se do ruído da radiação, surgiu gradualmente um sinal, as palavras se formando algumas letras de cada vez, como um campo de plantas crescendo e florescendo. Depois de algumas repetições do sinal (e o ruído de fundo do campo de batalha o estava obstruindo, não apenas interferindo nele), ele ficou completo o suficiente para ser lido.

NAVE *TURBULÊNCIA EM AR LÍMPIDO*,
ENCONTRE UNIDADES DA 93ª FROTA
DESTINO/S.591134.45 MID. TUDO SEGURO.

— Droga — reclamou Horza.

— O que isso significa? — perguntou Wubslin. Ele arrastou os números da tela para o computador de navegação da *TAL*. — Ah — falou o engenheiro, recostando-se no assento. — É uma das estrelas próximas. Acho que eles querem se encontrar com você a meio caminho entre ela e...

Ele olhou para a tela principal.

— É — disse Horza, olhando insatisfeito para o sinal.

Tinha de ser falso. Não havia nada que provasse que era dos idiranos: nenhum número de mensagem, código de classe, origem da nave, assinatura; absolutamente nada genuíno.

— Isso é dos caras com três pernas? — indagou Wubslin.

Ele abriu um mostrador holográfico em outra tela, mostrando estrelas cercadas por grades esféricas de linhas verdes finas.

— Ei, nós não estamos assim tão longe de lá.

— É mesmo? — disse Horza.

Ele observou as explosões contínuas das luzes da batalha. Digitou alguns números nos sistemas de controle da TAL. A nave virou o nariz, seguindo na direção do sistema do Mundo de Schar. Wubslin olhou para Horza.

— Você não acha que é deles?

— Não — respondeu Horza. A radiação estava diminuindo. O confronto parecia ter terminado, ou a ação fora interrompida. — Acho que podemos aparecer ali e encontrar uma UGC à nossa espera. Ou uma nuvem de AMC.

— AMC? O que… aquela coisa com a qual eles pulverizaram Vavatch? — falou Wubslin, e assoviou. — Não, obrigado.

Horza desligou a tela com a mensagem.

Menos de uma hora depois, aconteceu tudo outra vez: cápsulas de radiação, distúrbios de dobra espacial e, dessa vez, duas mensagens, uma dizendo à TAL para ignorar a primeira mensagem, a outra dando um novo ponto de encontro. As duas pareciam genuínas; as duas traziam em anexo a palavra "Xoralundra". Horza, ainda mastigando a comida que estava comendo quando o alarme soou pela segunda vez, xingou. Uma terceira mensagem apareceu, dizendo a ele pessoalmente para ignorar aqueles dois sinais e conduzir a TAL para uma outra área de encontro.

Horza gritou de raiva, cuspindo fragmentos molhados de comida em arco sobre a tela da mensagem. Ele desligou completamente o comunicador de banda larga, então voltou para o refeitório.

— Quando chegaremos à Barreira de Silêncio?

— Mais algumas horas. Meio dia, talvez.

— Você está nervoso?

— Não estou nervoso. Já estive lá antes. E você?

— Se você diz que vai ficar tudo bem, acredito em você.

— Deve ficar.

— Você conhece alguém que está lá?

— Não sei. Faz alguns anos. Eles não trocam o pessoal com frequência, mas as pessoas saem. Não sei. Vou ter de esperar para ver.

— Você não vê ninguém de seu povo há algum tempo, não é?

— Não. Desde que eu parti daqui.

— Está ansioso por isso?

— Talvez.

— Horza... olha, eu sei que eu disse a você que não perguntávamos uns aos outros sobre... sobre tudo antes de virmos a bordo da TAL, mas isso foi... antes de muita coisa mudar...

— Mas é como nós temos agido, não é?

— Você quer dizer que não quer falar sobre isso agora?

— Talvez. Não sei. Você quer me perguntar sobre...

— Não.

Ela levou as mãos aos lábios dele. Ele as sentiu ali na escuridão.

— Não. Tudo bem. Está tudo bem, deixe para lá.

Ele estava sentado no assento do centro. Wubslin estava na cadeira do engenheiro à direita de Horza, Yalson à sua esquerda. O resto tinha se amontoado atrás deles. Ele havia deixado Balveda observar; havia pouca coisa que pudesse acontecer que ela pudesse afetar, agora. O drone flutuava perto do teto.

A Barreira de Silêncio se aproximava. Surgia como um campo espelhado diretamente à frente deles, com cerca de meio dia-luz de diâmetro. Tinha aparecido de repente na tela quando eles estavam a uma hora da barreira. Wubslin ficara preocupado que aquilo entregasse a posição deles, mas Horza sabia que o campo espelhado só existia nos sensores da TAL. Não havia nada ali para mais ninguém ver.

A cinco minutos de distância, todas as telas ficaram pretas. Horza os tinha alertado sobre isso, mas mesmo ele se sentiu ansioso e cego quando aconteceu.

— Tem certeza de que era para isso acontecer? — perguntou Aviger.

— Eu estaria preocupado se não acontecesse — respondeu Horza.

O velho se dirigiu para algum lugar atrás dele.

— Acho que isso é incrível — disse Dorolow. — Essa criatura é praticamente um deus. Tenho certeza de que ela pode sentir nossos estados de ânimo e pensamentos. Já posso sentir isso.

— Na verdade, é só uma coleção de autorreferências...

— Balveda — interrompeu Horza, virando-se para olhar para a mulher da Cultura.

Ela parou de falar e levou uma das mãos à boca, com um brilho nos olhos. Ele se voltou novamente para a tela vazia.

— Quando essa coisa vai... — começou Yalson.

NAVE SE APROXIMANDO, disse a tela em uma variedade de línguas.

— Lá vamos nós — falou Neisin. Ele foi silenciado por Dorolow.

— Respondo — declarou Horza em marain em seu comunicador de raio estreito. As outras línguas desapareceram da tela.

VOCÊ ESTÁ SE APROXIMANDO DO PLANETA CHAMADO DE MUNDO DE SCHAR, UM PLANETA DOS MORTOS DOS DRA'AZON. O PROGRESSO ALÉM DESTE PONTO É RESTRITO.

— Eu sei. Meu nome é Bora Horza Gobuchul. Eu gostaria de voltar para o Mundo de Schar por algum tempo. Peço isso com todo o respeito.

— Fala mansa — disse Balveda.

Horza olhou brevemente para ela. O comunicador só transmitia o que ele dizia, mas não queria que a mulher se esquecesse de que era uma prisioneira.

VOCÊ JÁ ESTEVE AQUI ANTES.

Horza não soube dizer se era uma pergunta ou não.

— Eu já estive no Mundo de Schar antes — confirmou ele. — Eu era um dos Transmutadores sentinelas.

Parecia não haver necessidade de dizer à criatura quando isso tinha acontecido; os Dra'Azon chamavam todo o tempo de "agora", embora sua língua usasse tempos verbais. A tela ficou vazia, então repetiu.

VOCÊ JÁ ESTEVE AQUI ANTES.

Horza franziu o cenho e se perguntou o que dizer. Balveda murmurou:

— Obviamente irrecuperavelmente senil.

— Eu já estive aqui antes — afirmou Horza.

Será que o Dra'Azon queria dizer que, como ele já tinha estado ali, não podia voltar?

— Eu posso sentir, posso sentir a presença dele — sussurrou Dorolow.

HÁ OUTROS HUMANOS COM VOCÊ.

— Muito obrigado — disse o drone, Unaha-Closp, de algum lugar perto do teto.

— Estão vendo? — perguntou Dorolow, sua voz quase choramingando.

Horza ouviu Balveda bufar. Dorolow cambaleou um pouco; Aviger e Neisin tiveram de segurá-la para impedir que caísse.

— Eu não consegui deixá-los em lugar nenhum — explicou Horza. — Peço sua indulgência. Se necessário, eles ficarão a bordo desta nave.

ELES NÃO SÃO SENTINELAS. SÃO OUTRA ESPÉCIE HUMANOIDE.

— Só eu preciso pousar no Mundo de Schar.

A ENTRADA É RESTRITA.

Horza suspirou.

— Só eu peço permissão para pousar.

POR QUE VOCÊ VEIO PARA CÁ?

Horza hesitou. Ele ouviu Balveda bufar baixo. Então disse:

— Estou em busca de alguém que está aqui.

O QUE OS OUTROS ESTÃO BUSCANDO?

— Nada. Eles estão comigo.

ELES ESTÃO AQUI.

— Eles...

Horza lambeu os lábios. Todo o ensaio, todos os seus pensamentos sobre o que diria naquele momento pareceram inúteis.

— Eles não estão aqui por escolha. Mas eu não tive alternativa. Tive de trazê-los. Se você desejar, eles vão permanecer a bordo desta nave em órbita em torno do Mundo de Schar, ou mais longe, no interior da Barreira de Silêncio. Eu tenho um traje, posso...

ELES ESTÃO AQUI CONTRA A VONTADE.

Horza não sabia que o Dra'Azon interrompia. Ele não podia imaginar que fosse um bom sinal.

— As... circunstâncias são... complicadas. Certas espécies na galáxia estão em guerra. As escolhas se tornam limitadas. Uma pessoa faz coisas que normalmente não faria.

AQUI HÁ MORTE.

Horza olhou para as palavras escritas na tela. Sentiu-se hipnotizado por elas. Houve silêncio na ponte de comando por um instante. Então ele ouviu algumas pessoas se movimentarem desconfortavelmente.

— O que isso significa? — falou o drone Unaha-Closp.

— Aqui... aqui há? — perguntou Horza.

As palavras permaneceram na tela, escritas em marain. Wubslin apertou alguns botões de seu lado do painel de controle, botões que normalmente controlariam a imagem nas telas à frente dele, todas as quais agora repetiam as palavras na tela principal. O engenheiro estava sentado em sua cadeira, parecendo desconfortável e tenso. Horza limpou a garganta e então disse:

— Houve uma batalha, um conflito aqui perto. Logo antes de chegarmos aqui. Pode ainda estar acontecendo. Pode haver mortes.

AQUI HÁ MORTE.

— Oh… — murmurou Dorolow, e desabou nos braços de Neisin e Aviger.

— É melhor nós a levarmos para o refeitório — sugeriu Aviger, olhando para Neisin. — Colocá-la deitada.

— Ah, está bem — concordou Neisin, olhando rapidamente para o rosto da mulher. Dorolow parecia estar inconsciente.

— Eu talvez consiga… — começou Horza, então respirou fundo. — Se há morte aqui, eu posso ser capaz de detê-la. Posso ser capaz de impedir mais morte.

BORA HORZA GOBUCHUL.

— Sim? — disse Horza, engolindo em seco.

Aviger e Neisin carregaram o corpo inerte de Dorolow pela porta para o corredor que levava ao refeitório. A tela mudou:

VOCÊ ESTÁ PROCURANDO A MÁQUINA REFUGIADA.

— Ha, ha — zombou Balveda, afastando o olhar com um sorriso no rosto e levando uma das mãos à boca.

— Merda! — xingou Yalson.

— Parece que nosso deus não é tão idiota — observou Unaha-Closp.

— Estou — disse Horza bruscamente. Não parecia, agora, haver algum sentido em mentir. — Estou, sim. Mas acho que…

VOCÊ PODE ENTRAR.

— O quê? — exclamou o drone.

— Bom, iuhuu! — comemorou Yalson, cruzando os braços e se recostando na parede.

Neisin voltou pela porta. Ele parou quando viu a tela.

— Isso foi rápido — falou ele para Yalson. — O que ele disse?

Yalson apenas sacudiu a cabeça. Horza se sentiu ser tomado por uma onda de alívio. Olhou para uma palavra na tela de cada vez, como se temeroso que a mensagem curta pudesse de algum modo esconder uma negativa oculta. Ele sorriu e disse:

— Obrigado. Eu devo descer sozinho até o planeta?

VOCÊ PODE ENTRAR.
HÁ MORTE AQUI.
O AVISO ESTÁ DADO.

— Que morte? — perguntou Horza. O alívio se esvaiu; as palavras do Dra'Azon sobre morte lhe deram um calafrio. — Onde há morte? De quem?

A tela mudou novamente, e as duas primeiras linhas desapareceram. Agora ela simplesmente dizia:

O AVISO ESTÁ DADO.

— Eu não estou gostando — disse Unaha-Closp lentamente — nem um pouco disso.

Então as telas ficaram vazias. Wubslin suspirou e relaxou. O sol do sistema do Mundo de Schar brilhava forte à frente deles, a menos de um ano-luz padrão. Horza verificou os números no computador de navegação enquanto sua tela piscava e voltava à normalidade junto com o resto, exibindo números, gráficos e hologramas. Então o Transmutador se sentou novamente.

— Nós passamos, tudo bem — falou ele. — Nós passamos pela Barreira de Silêncio.

— Então nada pode nos atingir agora, hein? — quis saber Neisin.

Horza olhou para a tela, a única estrela anã amarela aparecendo como um ponto luminoso e firme no centro, os planetas ainda invisíveis. Ele assentiu.

— Nada. Pelo menos, nada de fora.

— Ótimo. Acho que vou beber alguma coisa para comemorar.

Neisin assentiu para Yalson, então levou seu corpo pela porta.

— Você acha que ele quis dizer que só você pode descer ou todos nós? — perguntou Yalson.

Ainda olhando fixamente para a tela, Horza sacudiu a cabeça.

— Não sei. Vamos entrar em órbita, então fazer uma transmissão para a base dos Transmutadores pouco antes de tentarmos descer com a TAL. Se o sr. Adequado não gostar, ele vai nos dizer.

— Você decidiu que é homem, então — comentou Balveda, no momento em que Yalson disse:

— Por que não os contatar agora?

— Não gostei daquela parte sobre haver morte aqui.

Horza se voltou para Yalson. Balveda estava ao lado dela; o drone tinha descido um pouco até o nível dos olhos. Horza olhou para Yalson.

— Só por precaução. Não quero entregar nada cedo demais.

Ele voltou o olhar para a mulher da Cultura.

— Segundo fiquei sabendo, a transmissão regular devia ter saído da base no Mundo de Schar alguns dias atrás. Acho que você não ouviu se ela foi recebida, ouviu?

Horza sorriu para Balveda de um jeito que devia mostrar que ele não esperava resposta, ou pelo menos não uma resposta verdadeira. A alta agente da Cultura olhou para o chão, pareceu dar de ombros, então olhou Horza nos olhos.

— Ouvi — respondeu ela. — Estava atrasada.

Horza continuou olhando para ela. Balveda não desviou os olhos. Yalson olhava de um para o outro. Depois de algum tempo, o drone Unaha-Closp disse:

— Francamente, nada disso inspira confiança. Meu conselho seria... — Parou de falar quando Horza olhou feio para ele. — Humm. Bem, esqueça isso, por enquanto.

Ele flutuou lateralmente até a porta e saiu.

— Parece estar tudo ok — anunciou Wubslin, sem se dirigir a ninguém em particular. Ele se afastou do painel de controle, assentindo para si mesmo. — É, a nave agora está de volta ao normal.

Então se virou e sorriu para os outros três.

*Eles vieram atrás dele. Ele estava em uma sala de jogos jogando flutball. Achava que estava em segurança ali, cercado de amigos por todos os lados (eles pareceram flutuar como uma nuvem de moscas diante dele por um segundo, mas ele riu daquilo, pegou a bola, arremessou-a e marcou um ponto).*

*Mas eles vieram buscá-lo. Ele os viu se aproximando, dois deles, de uma porta disposta em uma chaminé estreita da sala de jogos esférica com vigas semelhantes a costelas. Usavam capas sem cor e foram diretamente até ele. Ele tentou se afastar flutuando, mas seu arnês de força estava morto. Ficou preso em pleno ar, sem conseguir avançar em nenhuma direção. Estava tentando voar pelo ar e se esforçava para sair de seu arnês de modo que pudesse se jogar sobre eles — talvez para acertar, sem dúvida para se jogar na direção oposta — quando o pegaram.*

*Nenhuma das pessoas ao seu redor pareceu notar, e ele percebeu de repente que eles não eram seus amigos, que na verdade não conhecia nenhum deles. Seguraram seus braços e, em um instante, sem passar por ou através de nada, ainda assim de algum modo fazendo-o sentir como se tivessem virado uma esquina invisível para um lugar que sempre estivera ali, mas fora de vista, eles estavam em uma área de escuridão. Suas capas sem cor apareceram no escuro quando ele afastou os olhos. Estava impotente, trancado em pedra, mas podia ver e respirar.*

*— Me ajudem!*

*— Não é para isso que estamos aqui.*

*— Quem são vocês?*

*— Você sabe.*

*— Não sei.*

*— Então não podemos dizer.*

*— O que vocês querem?*

*— Queremos você.*

*— Por quê?*

*— Por que não?*

*— Mas por que eu?*

*— Você não tem ninguém.*

*— O quê?*

*— Você não tem ninguém.*

*— O que você quer dizer com isso?*

*— Não tem família. Nenhum amigo...*

*— ... nenhuma religião. Nenhuma crença.*

*— Isso não é verdade!*

*— Como você pode saber?*

*— Eu acredito em...*

— *No quê?*
— *Mim!*
— *Isso não é o suficiente.*
— *Enfim, você nunca vai encontrar.*
— *O quê? Encontrar o quê?*
— *Chega. Vamos fazer agora.*
— *Fazer o quê?*
— *Pegar seu nome.*
— *Eu...*
*E eles, juntos, levaram a mão ao interior de seu crânio e pegaram seu nome.*

*Então ele gritou.*
— Horza!

Yalson estava sacudindo sua cabeça, que batia na parede no alto da cama pequena. Ele acordou confuso, o lamento morrendo em seus lábios, o corpo tenso por um instante, então relaxado.

Estendeu as mãos e tocou a pele peluda da mulher, que pôs as mãos atrás da cabeça dele e o abraçou junto ao peito. Ele não disse nada, mas seu coração desacelerou até o ritmo do dela. Ela balançava delicadamente o corpo dele com o dela, então afastou a cabeça dele, curvou-se e beijou seus lábios.

— Estou bem agora — disse ele. — Só um pesadelo.
— O que foi?
— Nada — respondeu ele.

Ele encostou a cabeça outra vez em seu peito, aninhando-a entre os seios dela como um se fosse um ovo enorme e delicado.

Horza estava usando o traje. Wubslin estava em seu assento habitual. Yalson ocupava a cadeira do copiloto. Estavam todos com seus trajes. O Mundo de Schar enchia a tela diante deles, os sensores da barriga da TAL olhando diretamente para a esfera de branco e cinza abaixo e a ampliando.

— Mais uma vez — disse Horza.

Wubslin transmitiu a mensagem gravada pela terceira vez.

— Talvez eles não usem mais esse código — sugeriu Yalson.

Ela observava a tela com seus olhos abaixo de sobrancelhas pronunciadas. Tinha cortado o cabelo a aproximadamente um centímetro do crânio, pouco maior que a penugem que cobria seu corpo. O efeito ameaçador era prejudicado pelo tamanho pequeno de sua cabeça projetando-se pela gola larga do traje.

— É tradicional; mais uma língua cerimonial que um código — explicou Horza. — Eles vão saber se a escutarem.

— Tem certeza de que estamos transmitindo para o lugar certo?

— Tenho — assegurou Horza, tentando permanecer calmo.

Eles estavam em órbita havia menos de meia hora, estacionários acima do continente onde ficavam os túneis subterrâneos do Sistema de Comando. Quase todo o planeta estava coberto de neve. O gelo trancava a península de um quilômetro onde o sistema de túneis estava firme dentro do próprio mar. O Mundo de Schar tinha entrado em outra de suas eras glaciais periódicas sete mil anos antes, e só em uma faixa relativamente estreita em torno do equador — entre os trópicos hesitantes do planeta — havia oceano aberto. Ele aparecia como um cinturão cinza-aço em torno do mundo, às vezes visível através de redemoinhos de nuvens de tempestade.

Estavam a 25 mil quilômetros da superfície encrostada de neve do planeta, seu comunicador transmitindo para uma área circular de algumas poucas dezenas de quilômetros de diâmetro em um local a meio caminho entre os dois braços congelados de mar que davam à península uma leve cintura. Era ali que ficava a entrada dos túneis; era ali que viviam os Transmutadores. Horza sabia que não tinha cometido um erro, mas não havia resposta.

*Há morte aqui*, ele não parava de pensar. Um pouco do frio do planeta pareceu penetrar em seus ossos.

— Nada — disse Wubslin.

— Certo — falou Horza, pegando os controles manuais com as mãos enluvadas. — Vamos descer.

A *Turbulência em Ar Límpido* projetou seus campos de dobra ao longo da curva suave do poço de gravidade do planeta, descendo cuidadosamente em torno dele. Horza desligou os motores e deixou que eles voltassem para seu modo pronto para emergências. Eles não deviam precisar deles agora, e logo não conseguiriam usá-los, conforme aumentasse o gradiente de gravidade.

A *TAL* caía com velocidade cada vez maior na direção do planeta, os motores de fusão prontos. Horza observou mostradores nas telas até estar satisfeito por estarem na rota; então, com o planeta parecendo girar um pouco abaixo da nave, ele soltou os cintos de segurança e voltou para o refeitório.

Aviger, Neisin e Dorolow estavam sentados, vestidos em seus trajes, afivelados nos assentos do refeitório. Perosteck Balveda também estava presa pelos cintos de segurança; usava uma jaqueta grossa e calça combinando. Sua cabeça estava exposta acima dos babados delicados de uma camisa branca. A volumosa jaqueta de pano estava fechada em torno de seu pescoço. Usava botas quentes e havia um par de luvas de couro na mesa à sua frente. A jaqueta tinha até um pequeno capuz, que estava pendurado às suas costas. Horza não sabia ao certo se Balveda tinha escolhido aquela imagem macia e inútil de um traje espacial para dizer alguma coisa a ele ou inconscientemente, por medo e uma necessidade de segurança.

Unaha-Closp estava sentado em uma cadeira, preso com cintos a seu encosto, apontando diretamente para o céu.

— Acredito — disse ele — que não vamos ter o mesmo trabalho de circo aéreo pelo qual tivemos de passar na última vez que você pilotou essa pilha de entulho.

Horza o ignorou.

— Não temos nenhuma notícia do sr. Adequado, então parece que todos vamos desembarcar — anunciou ele. — Quando chegarmos lá, vou entrar sozinho para verificar as coisas. Quando eu voltar, vamos decidir o que fazer.

— Quer dizer, *você* vai decidir... — começou o drone.

— E se você não voltar? — perguntou Aviger.

O drone emitiu um ruído sibilante, mas ficou quieto. Horza olhou para a figura do velho usando traje. Parecia um brinquedo.

— Eu vou voltar, Aviger — assegurou ele. — Tenho certeza de que todo mundo na base vai estar bem. Vou fazer com que eles esquentem alguma comida para nós. — Horza sorriu, mas sabia que não era especialmente convincente. — Enfim — prosseguiu —, no evento improvável de que haja alguma coisa errada, eu volto imediatamente.

— Bem, esta nave é nosso único jeito de sair deste planeta; lembre-se disso, Horza — alertou Aviger.
Os olhos dele pareciam assustados. Dorolow tocou o braço de seu traje.
— Confie em Deus — falou Dorolow. — Vamos ficar bem. — Ela olhou para Horza. — Não vamos, Horza?
Horza assentiu.
— Vamos. Vamos ficar bem. Vamos todos ficar bem.
Ele se virou e voltou para a ponte de comando.

Eles estavam parados nas neves altas das montanhas, observando o sol de verão se pôr em seus próprios mares vermelhos de ar e nuvem. Um vento frio soprava o cabelo dela em seu rosto, vermelho sobre branco, e ele ergueu a mão, sem pensar, para tornar a afastá-lo. Ela se virou para ele, sua cabeça aninhada na mão em concha dele, com um pequeno sorriso no rosto.
— Grande dia de verão — disse ela.
O dia tinha sido razoável, ainda bem abaixo do congelamento, mas suave o bastante para que eles tirassem as luvas e puxassem seus capuzes para trás. A nuca dela estava quente contra a palma da mão dele, e o cabelo vermelho e lustroso caiu sobre as costas de sua mão quando ela olhou para ele, a pele branca como neve, branca como osso.
— Essa expressão outra vez — falou ela com delicadeza.
— Que expressão? — perguntou ele na defensiva, embora soubesse.
— A distante — respondeu ela, tomando sua mão e a levando até a boca, beijando-a, acariciando-a como se fosse um animal pequeno e indefeso.
— Bom, é disso que você a chama.
Ela desviou os olhos na direção da bola vermelha lívida que era o sol, descendo por trás da cordilheira distante.
— É isso o que eu vejo — disse ela. — Eu agora conheço suas expressões. Conheço todas e o que elas significam.
Ele sentiu uma pontada de raiva por ser considerado tão óbvio, mas sabia que ela estava certa, pelo menos em parte. O que ela não sabia sobre ele era só o que ele não sabia sobre si mesmo (mas isso, disse

a si mesmo, ainda era muita coisa). Talvez ela o conhecesse melhor do que ele próprio.

— Não sou responsável pelas minhas expressões — falou ele após um momento, para fazer piada. — Elas me surpreendem, também, às vezes.

— E o que você faz? — perguntou ela, o brilho do crepúsculo lançando cor falsa sobre seu rosto pálido e magro. — Você vai se surpreender quando for embora daqui?

— Por que você sempre supõe que eu vou embora? — retrucou ele, irritado, enfiando as mãos nos bolsos grossos da jaqueta e olhando fixamente para o hemisfério da estrela que desaparecia. — Sempre digo a você, eu sou feliz aqui.

— É — falou ela. — Você sempre me diz.

— Por que eu ia querer ir embora?

Ela deu de ombros, passou o braço pelo dele, apoiou a cabeça em seu ombro.

— Luzes brilhantes, grandes multidões, tempos interessantes; outras pessoas.

— Estou feliz aqui com você — disse ele, e passou os braços em torno dos ombros dela. Mesmo dentro do volume do tecido da jaqueta, ela parecia magra, quase frágil.

Ela não disse nada por um momento, e então, com um tom bem diferente:

— ... e deveria estar. — Ela se virou para olhar para ele, sorrindo. — Agora me beije.

Ele a beijou e abraçou. Olhando para o chão por cima do ombro dela, viu algo pequeno e vermelho se movimentar pela neve pisoteada perto dos pés dela.

— Olhe! — exclamou ele, afastando-se e se abaixando.

Ela se agachou ao lado dele e, juntos, eles observaram o inseto pequenino, semelhante a um graveto, rastejar lentamente, arduamente, pela superfície da neve: mais uma coisa viva e em movimento na face vazia do mundo.

— Esse é o primeiro que eu vejo — falou ele.

Ela sacudiu a cabeça, sorrindo.

— Você simplesmente não olha — repreendeu ela.

Ele estendeu a mão em concha e pegou o inseto na palma, antes que ela pudesse detê-lo.

— Ah, *Horza...* — disse ela, com um leve toque de desespero.

Ele olhou, sem entender, para a expressão aflita dela, enquanto a criatura da neve morria devido ao calor de sua mão.

*

A *Turbulência em Ar Límpido* mergulhou na direção do planeta, circulando as camadas brilhantes com gelo de sua atmosfera desde o dia até a noite e outra vez até o dia, inclinando-se sobre o equador e os trópicos enquanto descia em espiral.

Gradualmente, encontrou essa atmosfera — íons e gases, ozônio e ar. Seguiu pelo invólucro fino do mundo com uma voz de fogo, brilhando como um meteorito grande e firme através do céu noturno, depois descendo pelo limite do amanhecer, acima de mares cinza-aço, icebergs tabulares, platôs de gelo, gelo flutuante e blocos de gelo, costas congeladas, geleiras, cadeias de montanhas, tundra em permafrost, mais gelo compactado e, finalmente, enquanto descia sobre seus pilares de chamas, terra outra vez: terra em uma península de mil quilômetros se projetando no mar congelado como algum membro fraturado monstruoso envolto em gesso.

— Ali está — disse Wubslin, observando a tela do sensor de massa.

Uma luz piscante e brilhante percorria lentamente o mostrador. Horza olhou para lá.

— A Mente? — perguntou ele.

Wubslin assentiu.

— Densidade certa. Cinco quilômetros de profundidade...

Ele apertou alguns botões e olhou atentamente para os números que desciam pela tela.

— Do lado oposto do sistema em relação à entrada... e em movimento.

O ponto de luz na tela desapareceu. Wubslin ajustou os controles, então se encostou na cadeira, sacudindo a cabeça.

— Esse sensor precisa de uma revisão; o alcance está muito baixo. — O engenheiro coçou o peito e deu um suspiro. — Desculpe pelos motores, também, Horza.

O Transmutador deu de ombros. Se os motores estivessem funcionando corretamente, ou o alcance do sensor de massa fosse adequado, alguém poderia permanecer na *TAL*, pilotando-a se necessário e transmitindo a posição da Mente para os outros nos túneis. Wubslin parecia se sentir culpado por nenhum dos reparos que ele tinha tentado fazer ter melhorado significativamente o desempenho dos motores nem do sensor.

— Não se preocupe — disse Horza, observando o deserto de gelo e neve passando abaixo deles. — Pelo menos agora sabemos que a coisa está aí dentro.

A nave os guiou para a área certa, embora Horza fosse reconhecê-la de qualquer forma das vezes que tinha pilotado a única pequena aeronave da base. Ele procurou a aeronave quando fizeram sua aproximação final, caso alguém porventura a estivesse utilizando.

A planície coberta de neve estava cercada por montanhas; a *Turbulência em Ar Límpido* atravessou uma passagem entre dois picos, estilhaçando o silêncio e arrancando poeira de neve dos cumes e penhascos irregulares das rochas estéreis dos dois lados. Ela desacelerou ainda mais, aproximando-se com o bico para cima sobre seu tripé de fogo de fusão. A neve na planície abaixo inicialmente se ergueu e se agitou como se estivesse irrequieta. Então, quando a nave chegou mais perto, a neve foi soprada, então arrancada do solo congelado abaixo e lançada em vastas colunas revoltas de ar aquecido misturando neve e água, vapor e partículas de plasma, em uma nevasca uivante que viajou pela planície, ganhando força conforme a nave descia.

Horza colocou a *TAL* no manual. Ele observou a tela adiante, viu o vento falso criado de nuvens de neve tempestuosa e vapor à frente, e depois dele, a entrada do Sistema de Comando.

Era um buraco negro disposto em um promontório irregular de rocha que descia dos penhascos mais altos como um pedaço de encosta rochosa solidificado. A tempestade de neve redemoinhava em torno da entrada escura como névoa. A tempestade ia ficando marrom conforme a chama de fusão aquecia o próprio solo congelado da planície e o arrancava, espirrando terra.

Praticamente sem solavancos e se ajustando um pouco quando as pernas afundaram na superfície agora encharcada da vasta planície, a *TAL* tocou o solo do Mundo de Schar.

Horza olhou diretamente à frente para a entrada do túnel. Era como um olho escuro e profundo, olhando em resposta.

Os motores desligaram; vapor emanava. Neve perturbada voltou a cair, e alguns novos flocos se formaram quando a água suspensa no ar congelou novamente. A *TAL* emitiu estalos e cliques enquanto esfriava do calor produzido tanto pela fricção da reentrada quanto por seus próprios jatos de plasma. Água gorgolejou, virando lama, sobre a superfície marcada da planície.

Horza colocou o laser de proa da *TAL* em pausa. Não havia movimento nem sinal vindo do túnel. A vista agora estava clara, a neve e o vapor terminados. Era um dia claro, ensolarado e sem vento.

— Bem, aqui estamos nós — falou Horza, e imediatamente se sentiu tolo.

Yalson assentiu, ainda olhando para a tela.

— É — assentiu Wubslin, verificando telas. — Os pés afundaram cerca de meio metro. Vamos ter de lembrar de acionar os motores por algum tempo antes de tentarmos decolar quando formos embora. Eles vão congelar e ficar sólidos em meia hora.

— Humm — disse Horza.

Ele observava a tela. Nada se mexia. Não havia nuvens no céu azul-claro, nenhum vento para mover a neve. O sol não era quente o bastante para derreter o gelo e a neve, por isso não havia água corrente, nem mesmo uma avalanche nas montanhas distantes.

Com a exceção dos mares — que ainda continham peixes, porém mais nenhum mamífero —, as únicas coisas que se mexiam no Mundo de Schar eram algumas centenas de espécies de pequenos insetos, líquen em lenta dispersão sobre pedras perto do equador e as geleiras. A guerra dos humanoides, ou a era glacial, tinha acabado com todo o resto.

Horza tentou a mensagem codificada mais uma vez. Não houve resposta.

— Certo — falou ele, levantando-se do assento. — Vou sair e dar uma olhada.

Wubslin assentiu, e Horza se voltou para Yalson.

— Você está muito quieta — disse ele.

Yalson não olhou para ele. Estava olhando fixamente para a tela e o olho sempre aberto da entrada do túnel.

— Cuidado — advertiu ela. Então olhou para ele. — Só tenha cuidado, está bem?

Horza sorriu para ela, pegou o fuzil de laser de Kraiklyn no chão, então foi até o refeitório.

— Descemos — anunciou ao passar.

— Viu? — disse Dorolow para Aviger.

Neisin bebeu de sua garrafinha. Balveda deu um leve sorriso para o Transmutador enquanto ele ia de uma porta a outra. Unaha-Closp resistiu à tentação de dizer qualquer coisa e se remexeu para se soltar dos cintos de segurança de seu assento.

Horza desceu para o hangar. Ele se sentia leve ao caminhar; eles haviam mudado para gravidade ambiente enquanto sobrevoavam as montanhas, e o Mundo de Schar produzia menos atração que a gravidade padrão usada na TAL. Horza seguiu pelo piso em declive do hangar até o pântano que agora voltava a congelar, onde a brisa era fresca, cortante e limpa.

— Espero que tudo esteja bem — falou Wubslin enquanto ele e Yalson observavam a pequena figura chapinhar pela neve na direção do promontório rochoso à frente. Yalson não disse nada, mas observava a tela sem piscar. A figura parou, tocou o pulso, então ergueu-se no ar e flutuou lentamente acima da neve.

— Ha — disse Wubslin, rindo um pouco. — Eu tinha me esquecido de que podíamos usar AG aqui. Tempo demais naquele maldito O.

— Não vai ser de muita utilidade na porra desses túneis — murmurou Yalson.

*

Horza pousou bem ao lado da entrada do túnel. Pelas leituras que já fizera enquanto voava sobre a neve, sabia que o campo da porta do túnel estava desligado. Normalmente ele mantinha o túnel no interior protegido da neve e do frio do lado de fora, mas não havia campo ali, e Horza pôde ver que um pouco de neve tinha sido soprado no túnel e agora estava em forma de leque sobre o chão. O interior do túnel era frio, não quente como deveria ser, e seu olho negro e profundo parecia mais uma boca enorme, agora que ele estava perto.

Ele olhou para trás, para a TAL, a duzentos metros de distância, uma interrupção de metal brilhante na área gelada, agachada sobre uma marca marrom provocada pelo pouso.

— Vou entrar — disse ele para a nave, apontando diretamente para ela em vez de ampliar o sinal.

— Está bem — falou Wubslin em seu ouvido.

— Não quer alguém aí para cobrir você? — perguntou Yalson.

— Não — respondeu Horza.

Ele seguiu pelo túnel, mantendo-se perto da parede. Na primeira baia de equipamentos havia alguns trenós de gelo e equipamento de resgate, aparato de rastreamento e faróis sinalizadores. Era tudo muito como ele se lembrava.

Na segunda baia, onde deveria estar a aeronave, não havia nada. Ele continuou para a seguinte: mais equipamento. Tinha entrado cerca de quarenta metros no túnel agora, dez metros antes da curva para a direita que levava à galeria maior e segmentada onde ficavam as acomodações da base.

A boca do túnel era um buraco branco quando Horza se virou para olhar para ela. Ele amplificou o raio da transmissão.

— Nada ainda. Estou prestes a ver a área de acomodação. Mandem um bipe e não respondam mais nada.

Os alto-falantes do capacete emitiram um bipe.

Antes de fazer a curva, ele soltou o sensor remoto de seu traje da lateral do capacete e esticou as pequenas lentes em torno da curva de rocha esculpida. Em uma tela interna, viu a curta extensão do túnel, a aeronave no chão e, alguns metros depois, a parede de placas de plástico que enchia o túnel e mostrava onde começava a seção de acomodação da base dos Transmutadores.

Ao lado da pequena aeronave estavam quatro corpos.

Não havia movimento.

Horza sentiu a garganta se fechar. Ele engoliu em seco, então colocou o sensor remoto outra vez na lateral do capacete. Seguiu pelo piso de rocha compacta até os corpos.

Dois estavam vestidos com trajes leves, sem armadura. Eram ambos homens, e ele não os reconheceu. Um tinha sofrido um disparo de laser, que rasgara o traje de um jeito que os metais e plásticos derretidos tinham se misturado com as entranhas e a carne no interior; o buraco tinha meio metro de diâmetro. O outro homem de traje não tinha cabeça. Seus braços estavam esticados rigidamente à frente, como se para abraçar alguma coisa.

Havia outro homem, vestindo roupas leves e soltas. Seu crânio tinha sido esmagado pelas costas, e pelo menos um braço estava quebrado. Ele estava deitado de lado, tão congelado e morto quanto os outros dois. Horza tinha consciência de que sabia o nome do homem, mas na hora não conseguiu lembrar.

Kierachell devia estar dormindo. O corpo dela estava esticado, dentro de uma camisola azul; seus olhos estavam fechados; seu rosto, pacífico.

Seu pescoço tinha sido quebrado.

Horza olhou para ela por algum tempo, então tirou uma luva e se abaixou. Havia gelo nos cílios dela. Ele tinha consciência do lacre de pulso no interior de seu traje apertando firme seu antebraço e do ar frio e rarefeito ao qual sua mão estava exposta.

A pele dela estava dura. Seu cabelo ainda estava macio, e Horza deixou que escorresse entre seus dedos. Estava mais ruivo do que ele se lembrava, mas podia ser apenas o efeito do visor do capacete intensificando a luz fraca do túnel escurecido. Talvez devesse tirar o capacete, também, para vê-la melhor, e usar as luzes do capacete...

Ele sacudiu a cabeça e afastou o olhar.

Horza abriu a porta da seção de acomodação — com cuidado, depois de tentar ouvir qualquer barulho que viesse através da parede.

Na área aberta e abobadada onde os Transmutadores guardavam suas roupas para o ar livre, trajes e alguns equipamentos menores, pouca coisa mostrava que o lugar tinha sido tomado. Mais para dentro da unidade de acomodação, ele encontrou traços de uma luta: sangue seco; queimaduras de laser; na sala de controle, onde os sistemas da base eram monitorados, houvera uma explosão. Parecia que uma granada pequena tinha explodido embaixo do painel de controle. Isso explicaria a falta de aquecimento e a luz de emergência. Parecia que alguém estava tentando consertar o dano, a julgar por algumas ferramentas, peças sobressalentes de equipamentos e cabos pelo chão.

Em duas cabines ele encontrou traços de ocupação idirana. Os quartos foram despidos de tudo; símbolos religiosos foram queimados nas paredes. Em outro quarto, o chão tinha sido coberto com algum tipo de revestimento macio e profundo como gelatina seca. Havia seis mossas compridas no material, e o lugar cheirava a medjel. No quarto de Kierachell, só a cama estava desarrumada. Fora isso, tinha mudado pouco.

Ele saiu dali e foi até a extremidade oposta da unidade de acomodação, onde outra parede de placas de plástico marcava o início dos túneis.

Abriu a porta com cautela.

Havia um medjel morto do lado de fora, seu corpo comprido aparentemente apontando o caminho pelo túnel até os poços de serviço. Horza olhou para ele por algum tempo, monitorou seu corpo por um momento (morto, imóvel, congelado), então o empurrou e finalmente atirou em sua cabeça, só por garantia.

Ele usava o uniforme padrão da força de solo da frota e tinha sido ferido algum tempo atrás, seriamente. Parecia que, anteriormente, também tinha sofrido queimaduras pelo frio, antes de morrer em decorrência de seus ferimentos e congelado. Era um macho, grisalho, sua pele verde-amarronzada coriácea com a idade; seu rosto com focinho comprido e suas mãos pequenas e de aspecto delicado traziam rugas profundas.

Horza olhou para o túnel escuro.

Chão liso, paredes arqueadas lisas, o túnel seguia para o interior da montanha. Portas de segurança formavam costelas ao longo das laterais do túnel, trilhos e fendas entalhados no chão e no teto. Ele conseguia ver as portas do poço do elevador e o ponto de embarque para as cápsulas dos tubos de serviço. Seguiu em frente, passando pelos conjuntos de portas de segurança, até chegar aos poços de acesso. Os elevadores ficavam todos no fundo; o tubo de trânsito estava fechado e trancado. Nenhuma energia parecia correr por nenhum dos sistemas. Ele fez a volta e foi novamente até a seção de acomodação, atravessou-a, passando pelos corpos e pela aeronave sem sequer olhar para eles, e acabou saindo em campo aberto.

Ele se sentou ao lado da entrada do túnel, na neve, encostado na pedra. Eles o viram da *TAL*, e Yalson disse:

— Horza! Você está bem?

— Não — respondeu ele, desligando o fuzil de laser. — Não, não estou.

— Qual o problema? — disse rapidamente Yalson.

Horza tirou o capacete do traje e o apoiou sobre a neve ao seu lado. O ar frio sugou o calor de seu rosto, e ele teve de se esforçar para respirar na atmosfera rarefeita.

— Há morte aqui — falou ele para o céu sem nuvens.

# 10

## O SISTEMA DE COMANDO: BATÓLITO

— **CHAMA-SE** batólito: uma intrusão granítica que se ergueu como uma bolha derretida no interior das rochas sedimentares e metamórficas que já estavam aqui 100 milhões de anos atrás.

"Onze mil anos atrás, os locais construíram o Sistema de Comando, na esperança de usar a cobertura de rocha para se proteger de ogivas de fusão.

"Eles construíram nove estações e oito trens. A ideia era que os políticos e chefes militares fossem em um trem, os segundos em comando e os vices em outro, e durante uma guerra todos os oito trens seriam embaralhados pelos túneis, parando em uma estação para serem conectados através de canais duros de comunicação com os pontos dos transceptores na superfície imediata e através do estado, de modo que eles pudessem tocar a guerra. O inimigo teria dificuldade para rachar o granito tão fundo, atingir algo tão pequeno como uma estação seria ainda mais difícil, eles nunca poderiam ter certeza de que haveria um trem nela ou que ele estivesse tripulado, e além disso teriam de derrubar tanto o trem secundário quanto o principal.

"Uma arma biológica matou todos eles, e em algum momento entre isso e 10 mil anos atrás, os Dra'Azon chegaram, bombeando ar para fora dos túneis e substituindo-o por gás inerte. Sete mil anos atrás, começou uma nova era glacial, e cerca de quatro mil anos depois disso o lugar ficou tão frio que o sr. Adequado retirou o argônio e deixou que a própria atmosfera do planeta tornasse a entrar; ela está tão ressecada que há três milênios nada enferruja nos túneis.

"Cerca de 3,5 mil anos atrás, os Dra'Azon chegaram a um acordo com a maior parte das Federações Galácticas rivais que permitia que naves com problemas atravessassem a Barreira de Silêncio. Espécies politicamente neutras e relativamente pouco poderosas tiveram permissão de montar pequenas bases na maioria dos Planetas dos Mortos para fornecer ajuda para aqueles com problemas e, imagino, oferecer uma concessão às pessoas que sempre quiseram saber como eram os planetas; com certeza, no Mundo de Schar, o sr. Adequado nos deixava dar uma boa olhada no sistema todo ano e fingia não ver quando descíamos de forma extraoficial. Entretanto, ninguém nunca tirou gravações decodificadas de qualquer tipo dos túneis.

"A entrada em que estamos é aqui: na base da península, acima da estação quatro, uma das três estações principais — as outras são a um e a sete —, onde há instalações de reparos e manutenção. Não há trens estacionados na quatro, na três nem na cinco. Há dois trens na estação um, dois na sete, e um trem em cada uma das restantes. Pelo menos é onde eles deveriam estar; os idiranos podem tê-los movido, embora eu duvide disso.

"As estações estão afastadas de 25 a 35 quilômetros, ligadas por conjuntos gêmeos de túneis que só se unem em cada uma das estações. Todo o sistema está a cerca de cinco quilômetros de profundidade.

"Vamos levar lasers... e um atordoante neural, além de granadas para proteção, nada mais pesado. Neisin pode levar seu fuzil de projéteis; as balas que ele tem são apenas explosivos leves... Mas nenhum canhão de plasma nem microdispositivos nucleares. Eles seriam mesmo muito perigosos nos túneis, Deus sabe disso, mas também poderiam despertar a ira do sr. Adequado, e nós *não* queremos isso.

"Wubslin conectou o sensor de anomalia de massa da nave em um dispositivo portátil, para que possamos localizar a Mente. Além disso, tenho um sensor de massa no meu traje, então não devemos ter nenhum problema em encontrar aquilo que estamos procurando, mesmo se ela estiver se escondendo.

"Presumindo que os idiranos não tenham seus próprios comunicadores, eles estarão utilizando os dos Transmutadores. Nossos transceptores cobrem a frequência deles e mais, então nós podemos escutá-los, mas eles não podem nos escutar.

"Então esses são os túneis. A Mente está aí dentro em algum lugar, e também, supostamente, alguns idiranos e medjel."

Horza estava de pé no refeitório, à cabeceira da mesa, embaixo da tela. Na tela, um diagrama dos túneis estava sobreposto a um mapa da península. Os outros olhavam para ele. O semitraje vazio do medjel que ele tinha encontrado estava no centro da mesa.

— Você quer que *todos* nós entremos? — indagou o drone Unaha-Closp.

— Quero.

— E a nave? — questionou Neisin.

— Ela pode se cuidar sozinha. Vou programar seus sistemas automáticos para que nos reconheça e se defenda de qualquer outra pessoa.

— E você vai levá-la? — perguntou Yalson, apontando a cabeça para Balveda, que estava sentada à sua frente.

Horza olhou para a mulher da Cultura.

— Prefiro ter Balveda onde eu possa vê-la — falou ele. — Eu não me sentiria seguro de deixá-la aqui com nenhum de vocês.

— Ainda não vejo por que *eu* tenho de ir — disse Unaha-Closp.

— Porque — explicou Horza — também não confio em você a bordo. Além disso, quero que você carregue coisas.

— O quê? — O drone soava irritado.

— Não sei se você está sendo completamente honesto, Horza — comentou Aviger, sacudindo a cabeça com tristeza. — Você diz que os idiranos e medjel... bem, que você está do lado deles. Mas eles estão aqui e já mataram quatro de seu próprio povo, e você acha que estão em algum lugar andando pelo interior desses túneis... E eles, supostamente, são as melhores tropas de solo da galáxia. Você quer *nos* enviar contra eles?

— Primeiro de tudo... — Horza suspirou. — Eu estou do lado deles. Estamos atrás da mesma coisa. Em segundo lugar, me parece que eles não têm muitas armas, do contrário o medjel com certeza estaria armado. Provavelmente, tudo o que eles têm aqui são as armas dos Transmutadores. Também parece, pelo traje que conseguimos desse medjel — gesticulou para o aparato tecido no meio da mesa, que ele e Wubslin estavam estudando desde que o levaram a bordo —, que muito de seu equipamento foi explodido. Só as luzes e os aquecedores nessa coisa estavam funcionando. Todo o resto derreteu. Meu palpite é que tudo deve ter acontecido quando eles vieram pela Barreira de Silêncio. Eles foram lançados *dentro* dos chuy-hirtsi, e seu equipamento de batalha estragou. Se aconteceu a mesma coisa com as armas e os trajes, eles estão praticamente desarmados e com muitos problemas. Com todos esses arneses antigravitacionais e lasers sofisticados, estamos muito mais bem equipados, mesmo no caso improvável de que se chegue a uma luta.

— O que é muito provável, considerando que eles não vão ter mais nenhum comunicador — observou Balveda. — Você nunca vai chegar perto o suficiente para dizer a eles. E mesmo que chegasse, como eles vão saber que você é quem diz ser? Se eles são do mesmo grupo que você acha que são, chegaram aqui logo depois da Mente; nem vão ter ouvido falar de você. Com certeza não vão acreditar em você. — A agente da cultura olhou ao redor para os outros. — Seu capitão substituto está levando vocês para a morte.

— Balveda — disse Horza. — Estou fazendo uma gentileza permitindo que você participe de tudo isso; não me irrite.

Balveda arqueou as sobrancelhas e ficou em silêncio.

— Como sabemos que eles *são* o mesmo grupo que chegou aqui dentro desse animal estranho, afinal de contas? — perguntou Neisin, olhando desconfiado para Horza.

— Eles não podem ser outro grupo — respondeu Horza. — Tiveram muita sorte por terem sobrevivido ao que o Dra'Azon fez com eles, e nem os idiranos arriscariam enviar outras forças depois de ver o que aconteceu com esse grupo.

— Mas isso significa que eles estão aqui há meses — disse Dorolow. — Como devemos encontrar algo se eles estão aqui há todo esse tempo e não encontraram nada?

— Talvez tenham encontrado — falou Horza, abrindo os braços e sorrindo para a mulher, com um traço de sarcasmo na voz. — Mas, se não tiverem, é muito possível que seja porque não têm nenhum equipamento de trabalho com eles. Teriam de revistar todo o Sistema de Comando.

"Além disso, se aquele animal de dobra estiver tão danificado quanto eu ouvi falar que ficou, eles não vão ter tido muito controle sobre ele. Muito provavelmente caíram a centenas de quilômetros de distância e tiveram de andar até aqui pela neve. Nesse caso, podem estar aqui há apenas alguns dias."

— Não acredito que o deus deixaria isso acontecer — disse Dorolow, sacudindo a cabeça e olhando para a superfície da mesa à sua frente.

— Deve haver mais alguma coisa nisso tudo. Eu pude sentir seu poder e... e *bondade* quando passamos pela Barreira. Ele não deixaria aquelas pobres pessoas serem mortas assim.

Horza revirou os olhos.

— Dorolow — falou ele, inclinando-se para a frente e plantando os nós dos dedos no tampo da mesa —, os Dra'Azon mal sabem que tem uma guerra acontecendo. Eles na verdade não dão a mínima para os indivíduos. Reconhecem morte e deterioração, mas não esperança e fé. Enquanto os idiranos, ou nós, não destruírem o Sistema de Comando nem explodirem o planeta, eles não vão dar a mínima para quem vive ou morre.

Dorolow se encostou no assento, em silêncio, mas não convencida. Horza se aprumou. Suas palavras haviam sido boas; ele tinha a impressão de que os mercenários iam segui-lo, mas por dentro, mais fundo que o lugar de onde vinham as palavras, não se sentia mais amoroso nem mais vivo que a planície coberta de neve do lado de fora.

Ele, Wubslin e Neisin tinham voltado aos túneis. Tinham investigado a seção de acomodação e encontrado mais indícios de habitação idirana. Parecia que uma pequena força — um ou dois idiranos e talvez meia dúzia de medjel — tinha ficado por algum tempo na base dos Transmutadores depois de tomá-la.

Aparentemente, tinham levado um grande suprimento de comida liofilizada de emergência com eles, os dois fuzis a laser e as poucas pistolas pequenas permitidos na base dos Transmutadores e os quatro comunicadores portáteis do depósito.

Horza tinha coberto os Transmutadores mortos com a película refletora que eles haviam encontrado na base, e eles tinham removido o semitraje do medjel morto. Examinaram a aeronave para ver se ainda estava funcionando. Não estava; sua micropilha tinha sido parcialmente removida e muito danificada no processo. Como quase todo o resto na base, estava sem energia. Novamente a bordo da *Turbulência em Ar Límpido*, Horza e Wubslin tinham dissecado o traje do medjel e descoberto o dano sutil, mas irreparável que tinha sido infligido a ele.

O tempo todo, sempre que Horza não estava preocupado com suas chances e suas escolhas, a cada momento em que ele parava de se concentrar no que estava olhando ou pensando, via um rosto duro e congelado, em ângulos retos com o corpo ao qual estava preso, com gelo nos cílios.

Ele tentava não pensar nela. Não havia sentido; nada que ele pudesse fazer. Tinha de seguir em frente, levar aquilo a cabo, ainda mais agora.

Tinha pensado por muito tempo sobre o que poderia fazer com o resto das pessoas na *Turbulência em Ar Límpido*, e decidira que não tinha escolha a não ser levá-los todos com ele para o Sistema de Comando.

Balveda era um problema; não se sentiria seguro nem deixando toda a tripulação para vigiá-la, e queria os melhores lutadores com ele, não presos na nave. Poderia ter contornado esse problema simplesmente matando a agente da Cultura, mas os outros tinham ficado muito acostumados com ela, tinham passado a gostar dela um pouco demais. Se a matasse, iria perdê-los.

— Bem, eu acho uma insanidade descer nesses túneis — disse Unaha-Closp. — Por que simplesmente não esperar aqui até os idiranos reaparecerem, com ou sem essa Mente preciosa?

— Primeiro de tudo — falou Horza, observando as expressões nos rostos dos outros à procura de qualquer sinal de concordância com o drone —, se eles não a encontrarem, provavelmente não vão reaparecer; eles são idiranos, e um esquadrão cuidadosamente selecionado deles. Vão ficar lá embaixo para sempre.

Ele olhou para o sistema de túneis desenhado na tela, então novamente para as pessoas e a máquina em torno da mesa.

— Eles poderiam procurar por mil anos lá dentro, especialmente se a energia estiver desconectada e eles não souberem como tornar a conectá-la, o que suponho que não saibam.

— E você sabe, é claro — disse a máquina.

— Sei — confirmou Horza. — Sei, sim. Podemos ligar a energia em uma de três estações: esta, a número sete ou a número um.

— Ainda funciona? — Wubslin parecia cético.

— Bom, estava funcionando quando eu parti. Energia geotérmica profunda, produzindo eletricidade. As colunas de força estão enterradas a cerca de cem quilômetros através da crosta.

"Enfim, como eu ia dizendo, há muito espaço lá embaixo para esses idiranos e medjel terem esperança de uma busca adequada sem algum tipo de dispositivo de detecção. Um sensor de anomalia de massa é o único que vai funcionar, e eles não podem ter um. Nós temos dois. É por isso que temos de entrar.

— E lutar — completou Dorolow.

— Provavelmente não. Eles levaram comunicadores; vou entrar em contato com eles e explicar quem eu sou. Naturalmente, não posso contar a vocês os detalhes, mas conheço o suficiente do sistema militar idirano, suas naves e até alguns de seus funcionários para conseguir convencê-los de que sou quem digo ser. Não vão me conhecer pessoalmente, mas disseram a eles que, posteriormente, enviariam um Transmutador.

— Mentiroso — acusou Balveda.

Sua voz estava fria. Horza sentiu a atmosfera no refeitório mudar, ficar tensa. A mulher da Cultura estava olhando para ele, seus traços firmes, determinados, até resignados.

— Balveda — falou ele com delicadeza —, não sei o que contaram a você, mas recebi informações sobre *A Mão de Deus*, e Xoralundra me contou que a força de solo idirano no chuy-hirtsi sabia que eu tinha sido enviado — continuou ele com calma. — Está bem?

— Não foi isso o que eu ouvi — disse Balveda, mas ele sentiu que ela não estava totalmente segura de si. Tinha arriscado muito ao dizer aquilo, provavelmente na esperança de que Horza fosse ao menos ameaçá-la ou fazer algo que voltasse os outros contra ele. Não tinha funcionado.

Horza deu de ombros.

— Não posso fazer nada se a seção das Circunstâncias Especiais não lhe dá informação precisa, Perosteck — falou ele com um leve sorriso.

Os olhos da agente da Cultura se afastaram do rosto do Transmutador e foram para a mesa, depois se dirigiram a cada uma das pessoas sentadas em torno dela, como se as estivesse testando para ver em quem cada uma delas acreditava.

— Olhem — disse Horza com sua voz mais honesta e razoável, estendendo as mãos. — Não quero morrer pelos idiranos, e Deus sabe por que, mas eu passei a *gostar* de vocês. Eu não iria levá-los lá para dentro em uma missão suicida. Nós vamos ficar bem. Se o pior acontecer, sempre podemos nos retirar. Levamos a TAL de volta pela Barreira de Silêncio e seguimos para algum lugar neutro. Vocês podem ficar com a nave; eu vou ter uma agente capturada da Cultura. — Ele olhou para Balveda, que estava sentada em seu assento com as pernas cruzadas, os braços cruzados e a cabeça baixa. — Mas não acho que vá chegar a isso. Acho que vamos encontrar esse computador glorioso e vamos ser recompensados por isso.

— E se a Cultura tiver ganhado a batalha no exterior da Barreira e eles estiverem nos esperando quando nós sairmos, com ou sem a Mente? — perguntou Yalson.

Ela não parecia hostil, apenas interessada. Era a única na qual ele sentia que podia confiar, embora achasse que Wubslin também o seguiria. Horza assentiu.

— Isso é improvável. Não consigo ver a Cultura retrocedendo por todo esse volume, mas esperando aqui fora; mas mesmo que estivessem, na verdade teriam de ter muita sorte para nos pegar. Eles só podem ver o interior da barreira no espaço real, não se esqueçam, por isso não seriam alertados de nossa saída. Isso não é problema.

Yalson se encostou, aparentemente convencida. Horza sabia que parecia calmo, mas por dentro estava tenso, esperando que o estado de ânimo do resto ficasse claro. Sua última resposta tinha sido verdadeira, mas o resto ou não era completamente verdade, ou era mentira.

Ele precisava convencê-los. Tê-los do seu lado. Não havia outro jeito de realizar sua missão, e tinha chegado longe demais, feito demais, matado gente demais, investido muito de seu próprio propósito e de sua determinação na tarefa para recuar agora. Ele *tinha* de encontrar a Mente, *tinha* de descer ao Sistema de Comando, com ou sem idiranos, e *tinha* de ter o resto do que havia sido a Companhia Livre de Kraiklyn com ele. Olhou para eles: Yalson, severa e impaciente, querendo que a conversa acabasse e que o trabalho começasse, sua sombra de cabelo fazendo com que parecesse muito jovem, quase infantil, e dura ao mesmo tempo; Dorolow, seus olhos incertos, olhando para os outros, coçando nervosamente uma das orelhas enroladas; Wubslin, largado confortavelmente em seu assento, comprimido, sua estrutura corpulenta irradiando relaxamento. O rosto de Wubslin dera sinais de interesse quando Horza descrevera o Sistema de Comando, e o Transmutador imaginava que o engenheiro achasse toda aquela ideia de um trem gigantesco fascinante.

Aviger parecia muito desconfiado de todo o empreendimento, mas Horza achava que, como agora havia deixado claro que ninguém teria permissão de ficar na nave, o velho aceitaria isso em vez de se dar ao trabalho de discutir. Em relação a Neisin, não tinha certeza. Ele vinha bebendo muito, como sempre, mais quieto do que Horza se lembrava, mas, embora não gostasse de receber ordens nem que lhe dissessem o que podia ou não fazer, obviamente estava cansado de ficar trancado na *Turbulência em Ar Límpido* e já tinha saído para dar uma caminhada na neve enquanto Wubslin e Horza examinavam o traje do medjel. O tédio, no mínimo, iria fazê-lo seguir.

Horza não estava preocupado com a máquina Unaha-Closp; ela faria o que lhe dissessem, como máquinas sempre faziam. Só que a Cultura deixava que elas fossem tão sofisticadas que realmente pareciam ter vontade própria.

Em relação a Perosteck Balveda, ela era sua prisioneira; era simplesmente assim.

— Entrar fácil, sair fácil... — disse Yalson. Ela sorriu, deu de ombros e, olhando ao redor para os outros, completou. — Dane-se; é alguma coisa a fazer, não é?

Ninguém discordou.

Horza estava reprogramando mais uma vez as fidelidades da TAL, inserindo as novas instruções do computador através de uma placa de toque velha, mas que ainda funcionava, quando Yalson entrou no cockpit. Ela se sentou na cadeira do copiloto e observou o homem enquanto ele trabalhava; o monitor iluminado da placa de toque projetou as sombras de caracteres marain sobre o rosto dele.

Depois de algum tempo, ela disse, olhando para as marcas na placa iluminada:

— Marain, hein?

Horza deu de ombros.

— É a única língua precisa que eu e essa antiguidade temos em comum. — Digitou mais instruções. — Ei. — Voltou-se para ela. — Você não devia estar aqui enquanto eu faço isso. — Ele sorriu, para mostrar a ela que não estava falando sério.

— Você não confia em mim? — perguntou Yalson, retribuindo o sorriso.

— Você é a única em quem confio — respondeu Horza, voltando-se para a placa outra vez. — Mas, de qualquer forma, para essas instruções isso não importa.

Yalson o observou por mais um tempo.

— Ela significava muito para você, Horza?

Ele não ergueu os olhos, mas suas mãos pararam acima da placa de toque. Olhou fixamente para os caracteres iluminados.

— Quem?

— Horza... — falou Yalson com delicadeza.

Ele ainda não olhava para ela.

— Éramos amigos — disse ele, como se estivesse falando com a placa de toque.

— Bem, é — continuou ela após uma pausa. — Acho que, de qualquer maneira, deve ser muito difícil quando é sua própria gente...

Horza assentiu, ainda sem erguer os olhos.

Yalson o estudou um pouco mais.

— Você a amava?

Ele não respondeu imediatamente; seus olhos pareciam inspecionar cada uma das formas precisas e compactas à sua frente, como se uma delas ocultasse a resposta. Ele deu de ombros.

— Talvez — disse Horza. — No passado. — Ele limpou a garganta, olhou brevemente para Yalson, então se debruçou outra vez sobre a placa de toque. — Isso foi há muito tempo.

Yalson então se levantou, enquanto ele voltava para sua tarefa, e pôs as mãos nos ombros dele.

— Sinto muito, Horza.

Ele tornou a assentir e pôs uma das mãos sobre a dela.

— Nós vamos pegá-los — assegurou ela. — Se for o que você quer. Você e...

Ele sacudiu a cabeça e olhou para ela.

— Não. Nós vamos atrás da Mente, só isso. Se os idiranos entrarem no caminho, não vou me importar, mas... não, não faz sentido arriscarmos mais que o necessário. Mas obrigado.

Yalson assentiu devagar.

— Tudo bem.

Ela se abaixou, beijou-o rapidamente e então saiu. O homem olhou para a porta fechada por alguns momentos, então se voltou para a placa cheia de símbolos alienígenas.

Ele programou o computador da nave para disparos de alerta, então tiros mortais de laser em qualquer um ou qualquer coisa que se aproximasse, a menos que pudessem ser identificados pela assinatura característica de emissão eletromagnética de seus trajes como um dos membros da Companhia Livre. Além disso, era necessário o anel de identidade de Horza — de Kraiklyn — para fazer o elevador da TAL funcionar e, depois de estar a bordo, para assumir o controle da nave. Horza se sentiu seguro o suficiente ao fazer isso; só o anel permitiria que eles assumissem a nave, e ele tinha confiança de que ninguém poderia tomá-lo dele, não com um risco maior para si mesmo do que até um esquadrão de idiranos malvados e famintos podia oferecer.

Mas era possível que ele fosse morto e os outros sobrevivessem. Especialmente por Yalson, queria que eles tivessem algum tipo de rota de escape que não dependesse totalmente dele.

Eles retiraram algumas placas de plástico da base dos Transmutadores para que, se encontrassem a Mente, pudessem levá-la por ali. Dorolow queria enterrar os Transmutadores mortos, mas Horza se recusou. Levou cada um deles até a entrada do túnel e os deixou ali. Ia levá-los com ele quando partissem; devolvê-los a Heibohre. O freezer natural da atmosfera do Mundo de Schar iria preservá-los até lá. Ele olhou por um momento para o rosto de Kierachell, à luz decrescente do final da tarde, enquanto uma massa de nuvens vinda do mar congelado se amontava sobre as montanhas distantes e o vento ficava mais fresco.

Ele pegaria a Mente. Estava determinado e sentia isso em seus ossos. Mas, se ocorresse um tiroteio com as pessoas que tinham feito aquilo, não iria evitá-lo. Talvez até gostasse. Talvez Balveda não entendesse, mas havia idiranos e idiranos. Xoralundra era um amigo e um oficial simpático e humano — ele imaginava que o velho Querl seria considerado um moderado —, e Horza conhecera outros entre os militares e em missões diplomáticas de quem gostava. Mas havia idiranos que eram verdadeiros fanáticos, que desprezavam todas as outras espécies.

Xoralundra não teria matado os Transmutadores; teria sido desnecessário e deselegante... mas, pensando bem, não se enviavam moderados em missões como aquela. Enviavam-se fanáticos. Ou um Transmutador.

Horza voltou para os outros. Ele tinha chegado até a aeronave defeituosa, agora cercada pelas placas de plástico que eles tinham removido e voltada para o buraco na seção de acomodação como se estivesse prestes a entrar em uma garagem, quando ouviu tiros.

Ele correu até o corredor que levava à extremidade da seção, preparando sua arma.

— O que é? — perguntou no microfone de seu capacete.

— Laser. No túnel. Vindo dos poços — disse a voz de Yalson.

Horza correu até a área de armazenagem aberta onde estavam os outros. O buraco que eles tinham aberto no revestimento plástico tinha cerca de quatro a cinco metros de diâmetro. Assim que chegou vindo pelo corredor, chamas jorraram da parede ao seu lado, e ele viu o ar brevemente brilhante de disparos de laser ao lado de seu traje, conduzindo até a abertura na parede e pelo túnel. Obviamente quem quer que estivesse atirando podia vê-lo. Ele rolou para um lado e chegou aonde estavam Dorolow e Balveda, abrigadas ao lado de um grande guincho portátil. Buracos explodiam através das paredes de placas de plástico, brilhando fortemente, então se apagando. O barulho dos disparos de laser ecoava pelos túneis.

— O que aconteceu? — perguntou Horza, olhando para Dorolow.

Ele olhou em torno da área de armazenamento. Todo o resto estava ali, abrigando-se onde podia, menos Yalson.

— Yalson foi... — começou Dorolow.

Então a voz de Yalson interveio.

— Cheguei pelo buraco na parede e fui atingida. Estou deitada no chão. Estou bem, mas gostaria de saber se há algum problema em atirar de volta. Não vou destruir nada, vou?

— Atire! — gritou Horza quando outro leque de rastros brilhantes marcou uma linha de crateras fumegantes na parede interna do salão de armazenagem. — Atire de volta!

— Obrigada — falou Yalson.

Horza ouviu a arma da mulher disparar, então o eco da alteração da frequência da onda de som produzida pelo ar superaquecido. Explosões vinham do fundo do túnel.

— Hum — disse Yalson.

— Acho que ele acertou... — começou Neisin do outro lado da área de armazenamento. Sua voz se calou quando mais disparos atingiram a parede atrás dele. A parede ficou pontilhada com buracos escuros e borbulhantes.

— Filho da mãe! — praguejou Yalson. Ela atirou de volta com rajadas curtas e rápidas.

— Faça com que ele fique de cabeça baixa — ordenou Horza. — Estou avançando até a parede. Dorolow, fique aqui com Balveda.

Ele se levantou e correu até a borda do buraco nas placas de plástico. Buracos fumegantes no material mostravam como ele fornecia pouca proteção, mas mesmo assim Horza se ajoelhou ali, ao seu abrigo. Podia ver os pés de Yalson a alguns metros no interior do túnel, esparramados no piso liso. Ouviu a arma dela disparar, então disse:

— Está bem. Pare por tempo o bastante para que eu consiga ver de onde está vindo, então atire outra vez.

— Certo.

Yalson parou de atirar. Horza esticou a cabeça para fora, sentindo-se incrivelmente vulnerável, e viu algumas centelhas pequeninas no fundo do túnel, para um lado. Ergueu a arma e disparou continuamente; Yalson também recomeçou. Seu traje emitiu um sinal; uma tela se iluminou junto de seu rosto, mostrando que tinha sido atingido na coxa. Ele não conseguia sentir nada. A lateral do túnel, distante nos poços dos elevadores, pulsou com mil centelhas de luz.

Neisin apareceu do outro lado da abertura nas placas, ajoelhando-se como Horza e disparando seu fuzil de projéteis. A lateral do túnel explodiu com clarões e fumaça; ondas de choque estouraram pelo túnel, abalando as placas de plástico e apitando nos ouvidos de Horza.

— Chega! — gritou ele.

Ele parou de atirar. Yalson parou. Neisin deu uma última rajada, então também parou. Horza saiu correndo pelo chão de pedra escura do túnel do lado de fora até a parede lateral. Ele se espremeu ali, conseguindo alguma proteção da pequena protuberância da borda de uma porta de segurança que ficava mais ao fundo do túnel.

Onde tinha estado o alvo, havia lascas baças espalhadas pelo chão do túnel, esfriando do calor amarelo dos disparos de laser que as haviam arrancado da parede. Na visão noturna do capacete, Horza podia ver uma série de ondas agitadas de fumaça quente e gás flutuando silenciosamente sob o teto do túnel vindas da área danificada.

— Yalson, venha para cá — disse ele.

Yalson rolou e rolou até bater contra a parede logo atrás dele. Ela se levantou rapidamente e se espremeu ao seu lado.

— Acho que acertamos — transmitiu Horza.

Neisin, ainda ajoelhado na borda do buraco no revestimento, olhou para fora, o fuzil de fogo rápido de microprojéteis movendo-se de um lado para o outro como se seu dono esperasse mais ataques vindos das paredes do túnel.

Horza saiu andando adiante, mantendo as costas junto da parede. Ele chegou à borda da porta antiexplosão. A maior parte de seu volume de um metro de espessura ficava armazenada em um recesso na parede, mas cerca de meio metro se projetava. Horza olhou pelo túnel outra vez. Os destroços ainda estavam brilhantes, como carvão em brasa espalhado pelo chão. A onda de fumaça preta passava acima deles, erguendo-se lentamente pelo túnel. Horza olhou para seu outro lado. Yalson o havia seguido.

— Fique aqui — ordenou ele.

Foi andando ao lado da parede até o primeiro poço de elevador. Eles tinham disparado no terceiro e último, a julgar pelo grupo de crateras e marcas em torno de suas portas abertas e retorcidas. Horza viu uma carabina a laser parcialmente derretida jogada no meio do chão do túnel. Ele olhou, afastando a cabeça da parede e franzindo o cenho.

Bem na borda do poço do elevador, entre as portas marcadas e esburacadas, cercadas por um mar de destroços baços e vermelhos, Horza teve certeza de ver duas mãos — enluvadas, com dedos grossos e curtos, feridas (faltava um dedo na luva mais próxima a ele), mas mãos, sem dúvida. Parecia que alguém estava pendurado pelas pontas dos dedos no interior do poço. Ele concentrou as ondas de seu comunicador, apontando na direção em que estava olhando.

— Alô? — falou ele em idirano. — Medjel? Medjel no poço do elevador? Você está me ouvindo? Responda imediatamente.

As mãos não se mexeram. Ele se aproximou lentamente.

— O que foi? — A voz de Wubslin veio pelo comunicador.

— Só um momento — disse Horza.

Aproximou-se, o fuzil pronto. Uma das mãos se moveu um pouco, como se tentasse conseguir uma pegada melhor na borda do piso do túnel. O coração de Horza disparou. Ele seguiu na direção das portas altas abertas, seus pés triturando detritos quentes. Viu braços parcialmente vestidos com trajes ao se aproximar, então o alto de um capacete comprido e com marcas de laser...

Com um ruído rouco que ouvira medjel fazerem quando atacavam durante uma batalha, uma terceira mão — ele sabia que era um pé, mas parecia uma mão e estava segurando uma pistola pequena — surgiu do poço do elevador ao mesmo tempo que a cabeça do medjel surgiu e olhou diretamente para ele. Horza começou a se abaixar. A pistola explodiu, seu raio de plasma errando por apenas alguns centímetros.

Horza atirou rápido, abaixando-se e indo para um lado. Fogo explodia por toda a volta da borda do elevador, atingindo as luvas. Com um grito, as mãos enluvadas desapareceram. Luz piscou brevemente no poço circular. Horza correu adiante, enfiou a cabeça entre as portas e olhou para baixo.

A forma opaca do medjel que caía era iluminada pelo fogo hesitante ainda queimando nas luvas de seu traje. De algum modo, ainda segurava a pistola de plasma; enquanto caía, gritando, ele disparou a pequena arma, os estrondos de seus tiros e os clarões dos raios se afastando cada vez mais conforme a criatura que a segurava e a disparava girava, agitando seus seis membros, rumo à escuridão.

— Horza! — gritou Yalson. — Você está bem? Que merda foi essa?

— Estou bem — disse ele.

O medjel era uma forma pequenina e agitada no fundo do túnel de noite vertical do poço. Seus gritos ainda ecoavam, as fagulhas microscópicas de suas mãos em chamas e a pistola de plasma que disparava ainda brilhando. Horza afastou os olhos. Alguns pequenos baques registraram o contato da criatura infeliz com as laterais do poço ao cair.

— O que é esse *barulho*? — perguntou Dorolow.

— O medjel ainda estava vivo. Ele atirou em mim, mas eu o acertei — contou Horza a eles, afastando-se das portas abertas do elevador. — Ele caiu... ainda está caindo pelo poço do elevador.

— Merda! — exclamou Neisin, ainda ouvindo os ecos dos gritos fracos que desapareciam. — Qual a profundidade disso?

— Dez quilômetros, se nenhuma das portas antiexplosão estiver fechada — respondeu Horza.

Ele olhou para os controles externos dos outros dois elevadores e para a entrada da cápsula. Eles tinham escapado mais ou menos ilesos. As portas que levavam aos tubos de trânsito estavam abertas. Elas estavam fechadas quando Horza tinha inspecionado a área mais cedo.

Yalson pendurou a arma no ombro e saiu andando pelo túnel na direção de Horza.

— Bom — falou ela. — Vamos botar essa operação para a frente.

— É — concordou Neisin. — Que merda! Esses caras não são durões, afinal de contas. Um já caiu.

— É, caiu bem fundo — disse Yalson.

Horza inspecionou o dano a seu traje enquanto os outros vinham pelo túnel. Havia uma queimadura na coxa direita, com um milímetro de profundidade e alguns dedos de largura. Tirando a chance improvável de outro tiro atingir o mesmo lugar, não tinha danificado o traje.

— Se querem saber, foi um bom começo — murmurou o drone enquanto se aproximava pelo túnel com os outros.

Horza voltou para as portas altas, perfuradas e retorcidas do poço do elevador e olhou para baixo. Com o ampliador no máximo, ele mal conseguia ver uma fagulha diminuta muito, muito no fundo. Os microfones externos do capacete captaram um barulho, mas, a uma distância tão grande e com tanto eco, não parecia mais que o vento começando a gemer através de uma cerca.

Eles se aglomeraram diante das portas abertas de um poço de elevador, não aquele em que o medjel caíra. As portas tinham duas vezes a altura de qualquer um deles, fazendo com que todos parecessem menores, como se fossem crianças. Horza tinha aberto aquelas portas, dado uma boa olhada, descido flutuando com a unidade antigravitacional do traje e voltado. Tudo parecia seguro.

— Eu vou primeiro — disse ele ao grupo reunido. — Se encontrarmos algum problema, lancem algumas granadas e voltem para cá. Vamos até o nível principal do sistema, cerca de cinco quilômetros abaixo. Quando passarmos pelas portas, estaremos mais ou menos na estação quatro. Dali vamos conseguir ligar a energia, algo que os idiranos não conseguiram fazer. Depois disso, vamos ter transporte na forma de cápsulas de tubos de trânsito.

— E os trens? — perguntou Wubslin.

— Os tubos de trânsito são mais rápidos — falou Horza. — Talvez tenhamos de ligar um trem se capturarmos a Mente; vai depender exatamente de qual for o tamanho dela. Além disso, a menos que os tenham mudado de lugar desde que eu estava aqui, os trens mais próximos vão estar na estação dois ou na seis, não aqui. Mas tem um túnel em espiral na estação um pelo qual podemos trazer para cá um trem do sistema.

— E o tubo de trânsito aqui em cima? — perguntou Yalson. — Se foi assim que o medjel apareceu de repente, o que vai impedir um outro de subir pelo túnel?

Horza deu de ombros.

— Nada. Não quero lacrar as portas, caso queiramos voltar pelo mesmo caminho depois de pegarmos a Mente, mas se um deles vier por esse caminho, e daí? Vai ser um a menos lá embaixo com quem nos preocupar. De qualquer modo, alguém pode ficar aqui em cima até descermos em segurança o poço do elevador, então nos seguir. Mas eu não acho que vai haver outro seguindo aquele tão de perto.

— É, aquele que você não conseguiu convencer a acreditar que vocês dois estavam do mesmo lado — observou o drone com petulância.

Horza se acocorou para olhar para o drone; ele estava invisível do alto, por causa do pallet de equipamento que estava carregando.

— Aquele — disse ele — não tinha comunicador, tinha? Enquanto qualquer idirano lá embaixo seguramente vai ter aqueles que eles pegaram da base, não é? E medjel fazem o que os idiranos mandam, certo?

Esperou pela resposta da máquina e, quando ela não veio, ele repetiu:

— Certo?

Horza teve a impressão de que, se o drone fosse humano, teria cuspido.

— O que disser, *senhor* — assentiu o drone.

— E o que eu faço, Horza? — indagou Balveda, parada em seu agasalho de tecido, usando por cima uma jaqueta de pele. — Você pretende me jogar pelo poço e dizer que se esqueceu de que eu não tinha nenhuma unidade antigravitacional, ou eu tenho de ir andando pelo túnel de trânsito?

— Você vem comigo.

— E se encontrarmos problema, você vai... o quê? — perguntou Balveda.

— Não acho que vamos encontrar nenhum problema — respondeu Horza.

— Tem certeza de que não havia nenhum arnês antigravitacional na base? — questionou Aviger.

Horza assentiu.

— Se houvesse, você não acha que um dos medjel que encontramos até agora o estaria usando?

— Talvez os idiranos os estejam usando.

— Eles são pesados demais.

— Eles poderiam usar dois — insistiu Aviger.

— Não havia nenhum arnês — disse Horza entredentes. — Nunca nos autorizaram a ter. Nós não devíamos entrar no Sistema de Comando a não ser nas inspeções anuais, quando podíamos ligar tudo. Nós entrávamos, descíamos a escada em espiral até a estação quatro, como aquele medjel deve ter subido, mas não devíamos fazer isso nem tínhamos permissão para usar arneses antigravitacionais. Com eles, teria sido fácil demais descer até lá.

— Droga, vamos *descer* — falou Yalson com impaciência, olhando para os outros.

Aviger deu de ombros.

— Se o meu AG der problema com todo esse lixo que estou carregando... — começou a dizer o drone, sua voz abafada pelo pallet sobre sua superfície.

— Se você deixar qualquer uma dessas coisas cair por esse poço, é melhor você cair atrás, máquina — ameaçou Horza. — Agora poupe sua energia para flutuar, não falar. Você vem atrás de mim; fique quinhentos ou seiscentos metros acima. Yalson, você fica aqui em cima até abrirmos as portas?

Yalson assentiu.

— O resto de vocês — ele olhou ao redor para eles — vem atrás do drone. Não se aglomerem demais, mas não se separem. Wubslin, fique no mesmo nível da máquina, e esteja com granadas prontas.

Horza estendeu a mão para Balveda.

— Madame?

Ele abraçou Balveda junto a si; ela apoiou os pés nas botas dele, de costas para ele; então Horza entrou no poço, e eles desceram juntos para as profundezas escuras como a noite.

— Vejo vocês lá no fundo — disse Neisin nos alto-falantes do capacete.

— Nós não vamos até o fundo, Neisin. — Horza suspirou, movendo de leve o braço em torno da cintura de Balveda. — Vamos até o nível do sistema principal. Vejo você lá.

— É, está bem, seja onde for.

Eles caíram com suas unidades AG sem incidentes, e Horza forçou a abertura das portas no nível do sistema cinco quilômetros abaixo na rocha.

Houve apenas uma conversa com Balveda na descida, aproximadamente um minuto depois que eles começaram:

— Horza?

— O quê?

— Se algum tiroteio começar... de lá de baixo, ou se alguma coisa acontecer e você tiver de soltar... quero dizer, *me* soltar...

— *O quê*, Balveda?

— Me mate. Estou falando sério. Atire em mim. Prefiro morrer a cair por toda essa distância.

— Nada me daria mais prazer — disse Horza depois de um momento de reflexão.

Eles desceram pelo interior silencioso e imóvel de pedra da garganta negra do túnel, abraçados como amantes.

— *Droga* — falou Horza em voz baixa.

Ele e Wubslin estavam parados em uma sala perto da câmara escura e ecoante que era a estação quatro. Os outros estavam à espera do lado de fora. As luzes nos trajes de Horza e Wubslin iluminavam um espaço cheio de equipamento elétrico; as paredes eram cobertas de telas e controles. Cabos grossos serpenteavam pelo teto e ao longo das paredes, e placas de piso de metal cobriam conduítes cheios de mais equipamento elétrico.

Havia um cheiro de queimado na sala. Uma cicatriz completa e chamuscada tinha sido impressa em uma das paredes, acima de cabos carbonizados e derretidos.

Eles tinham percebido o cheiro enquanto caminhavam pelos túneis de conexão do poço até a estação. Horza o havia sentido e sentido bile subir por sua garganta; o odor era suave e não revolveria os estômagos mais sensíveis, mas ele sabia o que aquilo significava.

— Acha que podemos consertar? — perguntou Wubslin.

Horza sacudiu a cabeça.

— Provavelmente não. Isso aconteceu uma vez em um teste anual quando eu estava aqui, antes. Nós ligamos na sequência errada e explodimos os cabos; se eles fizeram o que fizemos, vai haver danos piores mais à frente, nos níveis mais profundos. Levamos semanas para consertar. — Horza sacudiu a cabeça. — Droga.

— Acho que foi bem inteligente da parte daqueles idiranos entender o tanto que entenderam — falou Wubslin, abrindo o visor para levar a mão a seu interior e coçar a cabeça de um jeito estranho. — Quero dizer, chegar tão longe.

— É — concordou Horza, chutando um transformador grande. — Inteligente demais.

Eles fizeram uma busca rápida no complexo da estação, então se reuniram outra vez na caverna principal e se aglomeraram em torno do sensor de massa improvisado que Wubslin tinha removido da *Turbulência em Ar Límpido*. Fios e fibras óticas estavam emaranhados ao seu redor, e presa ao topo da máquina havia uma tela canibalizada da ponte de comando da nave, agora plugada diretamente no sensor.

A tela se acendeu. Wubslin mexeu com seus controles. O holograma da tela mostrou uma representação diagramática de uma esfera, com três eixos mostrados em perspectiva.

— São cerca de quatro quilômetros — disse Wubslin. Ele parecia estar falando com o sensor de massa, não com as pessoas ao redor dele. — Vamos tentar oito...

Ele tornou a tocar os controles. O número de linhas nos eixos dobrou. Uma mancha muito fraca de luz piscou perto da borda do mostrador.

— É isso? — perguntou Dorolow. — É lá que ela está?

— Não — respondeu Wubslin, mexendo outra vez nos controles, tentando fazer com que a pequena área de luz ficasse mais clara. — Não é denso o bastante.

Wubslin dobrou o alcance mais uma vez, mas só o traço único permaneceu, submerso em várias coisas inúteis.

Horza olhou ao redor, orientando-se conforme o padrão de grade na tela.

— Essa coisa seria enganada por uma pilha de urânio?

— Ah, seria — assentiu Wubslin. — Com a energia que estamos passando através dela, qualquer radiação vai afetá-la um pouco. É por isso, afinal, que estamos reduzidos a um máximo de trinta quilômetros, está vendo? Só por causa de todo esse granito. É, se houver um reator, mesmo um reator velho, ele vai aparecer quando as ondas do sensor chegarem a ele. Mas exatamente desse jeito, uma mancha. Se essa Mente tem apenas quinze metros de comprimento e pesa dez mil toneladas, ela vai brilhar muito. Como uma estrela na tela.

— Está bem — disse Horza. — Isso é provavelmente só o reator lá embaixo, no nível de serviço mais profundo.

— Ah — falou Wubslin. — Eles também tinham reatores?

— De reserva — explicou Horza. — Aquele era para os ventiladores se a circulação natural não conseguisse lidar com fumaça ou gás. Os trens têm reatores, também, para o caso de a energia geotérmica falhar.

Horza checou a leitura na tela com o sensor de massa instalado em seu traje, mas o traço leve do reator de reserva estava fora de seu alcance.

— Devemos investigar esse? — perguntou Wubslin, seu rosto iluminado pelo brilho da tela.

Horza se aprumou, sacudindo a cabeça.

— Não — respondeu ele de um jeito cansado. — Por enquanto, não.

\*

Eles se sentaram na estação e comeram alguma coisa. A estação tinha mais de trezentos metros de comprimento e duas vezes a largura dos túneis principais. Os trilhos de metal sobre os quais corriam os trens do Sistema de Comando se estendiam pelo chão de rochas fundidas daquele nível em faixas duplas, aparecendo em uma parede através de um U invertido e desaparecendo através de outro, na direção da área de reparos e manutenção. Nas duas extremidades da estação havia pontes de guindastes rolantes e rampas que subiam quase até o teto. Elas davam acesso aos dois pavimentos superiores dos trens quando eles estavam na estação, explicou Horza quando Neisin perguntou sobre eles.

— Mal posso esperar para ver esses trens — murmurou Wubslin, de boca cheia.

— Você não *vai* conseguir vê-los se não houver luz — disse Aviger.

— Eu acho intolerável ter de continuar a carregar todo esse lixo — reclamou o drone. Ele tinha posto o pallet carregado no chão. — E agora me dizem que tenho de carregar ainda mais peso!

— Eu não sou tão pesada, Unaha-Closp — retrucou Balveda.

— Você vai conseguir — falou Horza para a máquina.

Sem energia, a única coisa que eles podiam fazer era usar as unidades AG de seus trajes para flutuar até a estação seguinte; seria mais lento que o tubo de trânsito, mas mais rápido que andar. Balveda teria de ser carregada pelo drone.

— Horza… eu estava me perguntando — começou Yalson.

— O quê?

— Quanta radiação todos nós absorvemos recentemente?

— Não muita.

Horza verificou a telinha no interior de seu capacete. O nível de radiação não estava perigoso; o granito em torno deles emitia um pouco; mas, mesmo que não estivessem usando trajes, não estariam realmente em perigo.

— Por quê?

— Nada. — Yalson deu de ombros. — Só que, com todos esses reatores, todo esse granito e aquela explosão quando a bomba foi detonada junto com o equipamento que você botou no vactubo da *TAL*… Bom, achei que podíamos ter recebido uma dose. Estar no meganavio quando Lamm tentou explodi-lo também não ajudou. Mas se você diz que estamos bem, estamos bem.

— A menos que alguém seja particularmente sensível a ela, não temos muito com que nos preocupar.

Yalson assentiu.

Horza estava se perguntando se eles deviam se dividir. Deviam seguir todos juntos ou ir em dois grupos, um por cada túnel de pedestres que acompanhava a linha principal e o tubo de trânsito? Eles podiam se dividir ainda mais e mandar alguém por cada um dos seis túneis que levavam de estação a estação; isso seria um exagero, mas mostrava quantas possibilidades havia. Divididos, eles poderiam estar em melhor posição para um ataque pelo flanco se um grupo encontrasse os idiranos, embora inicialmente não tivessem o mesmo poder de fogo. Eles não aumentariam as chances de encontrar a Mente, não se o sensor de massa estivesse funcionando corretamente, mas, antes de mais nada, aumentariam as chances de encontrar os idiranos. Ficarem juntos, porém, em um túnel, dava a Horza uma sensação claustrofóbica agourenta. Uma granada acabaria com todos eles; uma única saraivada de disparos pesados de laser mataria ou incapacitaria todos eles.

Era como resolver um problema astucioso, mas improvável em um dos exames finais da Academia Militar de Heibohre.

Ele não conseguia nem decidir para que lado ir. Quando tinham revistado a estação, Yalson vira marcas na fina camada de poeira no túnel para pedestres que levava à estação cinco, o que sugeria que os idiranos tinham ido por aquele caminho. Mas eles deviam segui-los ou ir na direção oposta? Se os seguissem, e ele não conseguisse convencer os idiranos de que estava do lado deles, teriam de lutar.

Mas se fossem na outra direção e ligassem a eletricidade na estação um, também estariam dando energia para os idiranos. Não havia como restringir a energia a uma parte do Sistema de Comando. Cada estação podia isolar sua seção de trilhos do ciclo de suprimentos, mas os circuitos tinham sido projetados para que nenhum traidor — ou incompetente solitário — pudesse cortar todo o sistema. Então os idiranos, também, poderiam usar os tubos de trânsito, os próprios trens e as oficinas de engenharia... Era melhor encontrá-los e tentar conversar; resolver o problema de um jeito ou de outro.

Horza sacudiu a cabeça. A coisa toda era muito complicada. O Sistema de Comando, com seus túneis e cavernas, seus níveis e poços, seus desvios e arcos e cruzamentos e pontas, parecia um fluxograma de circuito fechado infernal de seus pensamentos.

Ia dormir antes de decidir. Precisava dormir agora, como o resto deles. Podia sentir isso neles. A máquina podia ficar cansada, mas não precisava dormir, e Balveda ainda parecia bem alerta, mas todo o resto estava mostrando sinais de precisar de um descanso mais profundo que apenas se sentar. Segundo seus relógios biológicos, era hora de dormir; ele seria tolo se tentasse forçá-los mais.

Ele tinha um arnês de contenção no pallet. Isso devia manter Balveda presa. A máquina podia ficar de guarda, e Horza usaria o sensor remoto em seu traje para notar qualquer movimento na área próxima de onde eles dormiam; ficariam seguros o suficiente.

Eles terminaram a refeição. Ninguém discordou da ideia de descansar. Balveda foi vestida no arnês de contenção e presa em uma das salas de armazenamento vazias que davam na plataforma. Horza disse a Unaha-Closp para ficar no alto de uma das pontes de guindaste rolante e permanecer imóvel a menos que ouvisse qualquer coisa desfavorável. Horza pôs seu sensor remoto perto de onde ia dormir, em uma das vigas mais baixas de um mecanismo de içamento. Ele queria dar uma palavra com Yalson, mas quando eles terminaram de fazer todos esses preparativos, vários dos outros, inclusive Yalson, já tinham dormido, deitados contra a parede ou no chão, os visores vazios em suas cabeças viradas para longe das luzes fracas dos trajes dos outros.

Horza observou Wubslin andar um pouco pela estação, então o engenheiro também se deitou, e tudo ficou imóvel. Horza ligou o sensor remoto e o deixou pronto para dar o alarme se sentisse qualquer coisa acima de certo nível baixo de movimento.

Ele teve um sono agitado; seus sonhos o acordaram.

Fantasmas o perseguiam por docas ecoantes e naves silenciosas e desertas, e quando ele se virava para encará-los, os olhos deles estavam sempre à espera, como alvos, como bocas; e as bocas o engoliam, de modo que ele caía pela boca negra do olho, passava pelo gelo que a bordejava, gelo morto circundando o olho frio e voraz; e então não estava caindo, mas correndo, correndo com uma lentidão pesada, como se pisasse em piche, através das cavidades ósseas de seu próprio crânio, que estava lentamente se desintegrando; um planeta frio cheio de túneis, partindo-se e desmoronando contra uma parede sem fim de gelo, até que os destroços o alcançavam e ele caía, queimando, no interior do túnel de olho frio outra vez, e enquanto caía, vinha um barulho, da garganta do olho frio de gelo e de sua própria boca, e isso lhe dava mais calafrios que o gelo, e o ruído dizia:

— EEEeee...

# SITUAÇÃO ATUALIZADA: TRÊS

Fal 'Ngeestra estava onde mais gostava de estar: no alto de uma montanha. Havia acabado de fazer sua primeira escalada desde que tinha quebrado a perna. Era um pico relativamente simples, e ela tomara a rota mais fácil, mas agora, ali no topo, sorvendo a vista, ficou preocupada com quanto tinha ficado fora de forma. A perna curada doía um pouco, bem no fundo, é claro, mas o mesmo acontecia com os músculos das duas pernas, como se tivesse escalado uma montanha duas vezes mais alta e com uma mochila cheia. Ela achava que estava apenas sem preparo.

Sentou-se no cume, olhando além de picos brancos para as dobras pronunciadas e cobertas de florestas das encostas mais elevadas e as áreas mais baixas depois, onde campinas e árvores se misturavam. À distância ficava a planície, com rios que cintilavam sob a luz do sol e, marcando sua extremidade oposta, as colinas onde ficava a hospedaria, sua casa. Pássaros voavam ao longe, nos vales elevados abaixo dela, e às vezes luzes brilhavam na planície, quando alguma superfície reflexiva se movia.

Parte dela ouvia o latejar distante do osso, avaliando-o, então ela desligou a sensação incômoda. Não queria distrações; não tinha subido até ali *só* para aproveitar a vista. Tinha ido até ali com um propósito.

Significava alguma coisa escalar, levar aquele saco de ossos e carne até ali, então olhar, então pensar, então ser. Poderia ter chegado até ali em uma aeronave a qualquer momento quando estava se recuperando, mas não tinha feito isso, embora Jase houvesse sugerido. Era fácil demais. Estar ali não teria significado nada.

Ela se concentrou e baixou as pálpebras, passando pelo cântico interno silencioso, o feitiço sem magia que conjurava os espíritos enterrados em suas glândulas generreparadas.

O transe chegou com uma onda inicial de força atordoante que a fez apoiar as mãos ao lado do corpo, firmando-se quando não precisava se firmar. Os sons em seus ouvidos, de seu próprio sangue correndo, da maré lenta de sua respiração, ficaram mais altos, assumiram harmonias estranhas. A luz por trás de suas pálpebras pulsava no ritmo de seus batimentos cardíacos. Sentiu-se franzir o cenho, imaginou a fronte se enrugando como as dobras das montanhas, e uma parte dela, ainda distante, observando, pensou: *Ainda não sou muito boa nisso...*

Fal abriu os olhos, e o mundo tinha mudado. As colinas distantes eram uma eternidade de ondas marrons e verdes com uma crista de espuma branca da arrebentação. A planície estava coberta de luz; o padrão de pastos e bosques ao sopé da montanha parecia camuflagem, em movimento, mas sem movimento, como um prédio alto visto contra nuvens velozes. Os picos cobertos de florestas eram divisões retorcidas em algum enorme e atarefado cérebro de árvores, e os topos cobertos de neve e gelo em torno dela tinham se tornado fontes vibrantes de uma luz que era igualmente som e cheiro. Ela experimentou uma sensação atordoante de concentricidade, como se fosse o núcleo da paisagem.

Ali, em um mundo do avesso, um vazio invertido.

Parte dele. Nascida ali.

Tudo o que ela era, cada osso e órgão, célula e produto químico e molécula e átomo e elétron, próton e núcleo, toda partícula elementar, cada onda de energia, dali... não apenas o orbital (tonta outra vez, tocando a neve com as mãos enluvadas), mas a Cultura, a galáxia, o universo...

*Este é o nosso lugar e o nosso tempo e a nossa vida, e deveríamos estar aproveitando isso. Mas estamos? Olhe de fora; pergunte a si mesma... O que estamos fazendo?*

*Matando o imortal, mudando para preservar, guerreando pela paz... e assim, abraçando totalmente o que afirmávamos ter renunciado completamente, por nossas próprias boas razões.*

Bem, estava feito. Aquelas pessoas na Cultura que tinham realmente se oposto à guerra haviam partido; eles não eram mais da Cultura, não eram parte do esforço. Tinham se tornado neutros, formado seus próprios grupos e tomado novos nomes (ou diziam ser a verdadeira Cultura; mais uma sombra de confusão ao longo dos limites incipientes da Cultura). Mas os nomes não importavam; o que importava era a discordância e o sentimento ruim provocado pela cisão.

*Ah, o desprezo disso. A fartura de desprezo que parecemos ter alcançado. Nosso próprio desprezo disfarçado por "primitivos", o desprezo daqueles que deixaram a Cultura quando a guerra foi declarada por aqueles que escolheram lutar contra os idiranos; o desprezo que tantos de nosso próprio povo sentem pelas Circunstâncias Especiais... o desprezo que todos achamos que as Mentes devem sentir por nós... e em outros lugares; o desprezo dos idiranos por nós, todos nós, humanos; e o desprezo dos humanos pelos Transmutadores. Uma aversão federada, uma galáxia de escárnio. Nós, com nossas vidas pequenas e atarefadas, sem encontrar jeito melhor de passar nossos anos que em desdém competitivo.*

*E o que os idiranos devem sentir em relação a nós. Pense: quase imortais, singulares e imutáveis. Quarenta e cinco mil anos de história, em um planeta, com uma religião/filosofia totalmente abrangente; quantidades enormes e constantes de estudos de qualidade, uma era calma de devoção naquele único local de culto, desinteressados de qualquer coisa externa. Então, milênios atrás em outra guerra antiga, invasão; de repente se viram peões no imperialismo esquálido de outra pessoa. Passaram de introvertidos e pacíficos, através de eras de tormentos e repressão — uma força realmente consolidadora —, à militância extrovertida e ao fervor determinado.*

Quem podia culpá-los? Tinham tentado se manter afastados e sido destruídos, quase extintos, por forças maiores que aquelas que podiam reunir. Não foi surpresa que eles decidissem que a única forma de protegerem a si mesmos era atacar primeiro, expandir, tornar-se cada vez mais fortes, ampliar as fronteiras até o mais longe do valioso planeta de Idir quanto fosse possível.

*E há até um* template *genético para aquela mudança catastrófica de manso para feroz, no passo de reprodutor para guerreiro... Ah, uma espécie nobre e selvagem, justificadamente orgulhosa de si mesma e se recusando a alterar seu código genético, não tão errada em já alegar perfeição. O que eles não devem sentir pelas inúmeras tribos bípedes da humanidade!*

Repetição. Matéria e vida, e os materiais que poderiam mudar — que poderiam evoluir — se repetindo: a comida da vida respondendo para ela.

*E nós? Só mais um arroto na escuridão. Som, mas nenhuma palavra, barulho sem significado.*

*Não somos nada para eles; meros biotômatos, e o mais terrível exemplo do tipo. A Cultura deve parecer algum amálgama maligno de tudo o que os idiranos sempre acharam repugnante.*

*Somos uma raça mestiça, nosso passado uma história de emaranhados, nossas fontes obscuras, nossa formação turbulenta cheia de impérios gananciosos e sem visão e de diásporas cruéis e devastadoras. Nossos ancestrais eram os achados e perdidos da galáxia, reproduzindo-se sem parar e roubando e matando, suas sociedades e civilizações eternamente se desfazendo e tornando a se formar... Devia haver algo errado em nós, algo mutante no sistema, algo rápido e nervoso e frenético demais para nosso bem ou o de qualquer outra pessoa. Somos coisas tão patéticas de carne, de vida curta, que se movem sem parar e confusas. Todas embotadas, muito estúpidas para um idirano.*

*Repugnância física, então, mas ainda ficaria pior. Nós nos alteramos, mexemos no próprio código da vida, reescrevendo a Palavra que é o Caminho, o encantamento de ser. Interferindo em nossa própria herança e no desenvolvimento de outros povos (ha!, um interesse que compartilhamos)... E pior ainda, o pior de tudo, não apenas produzindo, mas abraçando e nos entregando totalmente ao anátema definitivo: as Mentes, as máquinas sencientes; a própria imagem e essência da vida em si, profanada. A idolatria encarnada.*

*Não é surpresa que eles nos desprezem. Somos pobres mutações doentes, mesquinhas e obscenas, servos dos demônios-máquinas que idolatramos. Nem mesmo seguros de nossa própria identidade: simplesmente quem é a Cultura? Onde exatamente ela começa e termina? Quem é e quem não é? Os idiranos sabem exatamente quem são: raça pura, a raça única, ou nada. Nós sabemos? O Contato é o Contato, a essência, mas depois disso? O nível de generreparação varia; apesar do ideal, nem todo mundo consegue acasalar com sucesso com o resto das pessoas. As Mentes? Nenhum padrão real; indivíduos, também, e não totalmente previsíveis — precoces, independentes. Viver em um orbital feito pela Cultura ou em uma rocha, outro tipo de mundo vazio, como um pequeno andarilho? Não; gente demais reivindicando algum tipo de independência. Não há limites claros para a Cultura, então; ela simplesmente se desfaz nas bordas, que se esfarrapam e se espalham. Então quem somos nós?*

O fluxo de significado e matéria ao redor dela, a canção de luz da montanha, parecia se erguer ao seu redor como uma onda em um caldeirão, encharcando e engolfando. Ela se sentiu como o ponto que era:

uma mancha, uma lasca de vida pequena e em luta, perdida no ermo de luz e espaço ao redor.

Sentiu a força congelada pelo gelo e pela neve ao seu redor e se sentiu consumida por seu frio de queimar a pele. Sentiu o sol e percebeu os cristais se fraturando e derretendo, percebeu a água pingar e escorrer e se tornar bolhas escuras sob o gelo e as gotas de orvalho nas estalactites. Viu os filetes folhosos, as águas que corriam aos tropeções e os rios em cataratas; sentiu os arcos se formarem e se desformarem enquanto o rio desacelerava e fazia uma curva pronunciada, calmo, em estuário... para lago e mar, onde vapor se erguia mais uma vez.

E se sentiu perdida dentro daquilo, dissolvida em seu interior, e pela primeira vez em sua curta vida estava realmente com medo, mais assustada ali e então do que havia ficado quando caíra e quebrara a perna, durante os breves momentos da queda, no instante atordoante do impacto e da dor, ou nas longas horas geladas depois, encolhida na neve e nas pedras, protegendo-se e tremendo e tentando não chorar. Aquilo era algo para o qual havia se preparado muito tempo antes; ela sabia o que estava acontecendo, tinha entendido os efeitos que poderia ter e as maneiras como poderia reagir. Era um risco que se assumia, algo que se entendia. Isso era diferente, porque agora não havia nada para entender, e talvez ninguém — inclusive ela — para entendê-lo.

*Socorro!*, uivou algo dentro dela. Ela ouviu e não pôde fazer nada.

*Nós somos gelo e neve, somos aquele estado aprisionado.*

*Somos a água caindo, itinerante e vaga, sempre à procura do nível mais baixo, tentando coletar e conectar.*

*Somos vapor, erguido contra nossos próprios dispositivos, tornado nebuloso, soprado por qualquer vento que surja. Para começar de novo, glacial ou não.*

(Ela podia sair, sentia o suor se acumular em sua testa, sentia as mãos criarem seus próprios moldes na neve fresca que ela triturava, e sabia que havia uma saída, sabia que podia descer... mas sem nada, sem encontrar nada, sem fazer nada, sem entender nada. Ficaria, então; lutaria contra aquilo.)

O ciclo começou outra vez, seus pensamentos girando, e ela viu a água descendo por gargantas e vales, acumulando-se mais baixo nas árvores ou caindo de novo em lagos e no mar. Viu-a cair em campinas e nos pântanos altos e nas charnecas, e caiu junto, de terraço em terraço, por cima de pequenas bordas de pedra, espumando e circundando (ela sentiu a umidade na testa começar a congelar, gelando-a, e percebeu o perigo, perguntando-se outra vez se deveria sair do transe, perguntando-se havia quanto tempo estava sentada ali, se eles a estavam observando ou não). Sentiu-se tonta outra vez e agarrou mais fundo a neve ao seu redor, as luvas apertando os flocos congelados; e enquanto fazia isso, ela se lembrou.

Viu o padrão de espuma congelada mais uma vez; parou de novo perto da borda da superfície gelada da charneca, perto da cachoeira pequenina e do lago onde encontrara a lente de gelo esbranquiçado. Ela se lembrou de segurá-la nas mãos e de que não soara quando dera um peteleco, de que tinha gosto de água, mais nada, quando a tocou com a língua... e de que seu hálito soprou sobre ela em uma nuvem, outra imagem em turbilhão no ar. E isso era ela.

Era isso o que significava. Alguma coisa a que se agarrar.

*Quem somos nós?*

*Quem somos nós. O que somos considerados. O que sabemos e o que fazemos. Não menos nem mais.*

*Informação sendo passada adiante. Padrões, galáxias, sistemas estelares, planetas, tudo evolui; a matéria crua muda, progride de uma maneira. A vida é uma força mais rápida, reordenando, encontrando novos nichos, começando a assumir uma forma; inteligência — consciência — uma ordem mais rápida, outro novo plano. O além era desconhecido, vago demais para ser compreendido (pergunte a um Dra'Azon, talvez, e espere pela resposta)... tudo apenas se refinando, um processo de entender melhor as coisas (se o próprio melhor fosse melhor)...*

*E se mexermos com nossa herança, e daí? O que é mais nosso para mexermos? O que torna a natureza mais certa que nós? Se entendemos errado é porque somos burros, não porque a ideia era ruim. E se não estamos mais na crista da onda, bem, isso é lamentável. Passando o bastão; até mais ver; divirtam-se.*

*Tudo sobre nós, tudo à nossa volta, tudo o que sabemos e podemos saber é composto, na verdade, por padrões de nada; é a isso que tudo se resume, é a verdade final. Então, onde achamos que temos qualquer controle sobre esses padrões, por que não fazer os mais elegantes, os mais desfrutáveis e os melhores, em nossos próprios termos? Sim, somos hedonistas, sr. Bora Horza*

*Gobuchul. Buscamos o prazer e nos adaptamos para poder ter mais dele; reconhecemos. Nós somos o que somos. Mas e você? O que isso faz de você?*

*Quem é você?*

*O que é você?*

*Uma arma. Uma coisa feita para enganar e matar, por aqueles que morreram há muito tempo. Toda a subespécie que são os Transmutadores é remanescente de uma guerra antiga, uma guerra de tanto tempo atrás que ninguém disposto a contá-la se lembra de quem a lutou, nem quando nem por quê. Ninguém sabe nem se os Transmutadores estavam do lado vencedor ou não.*

*Mas, de qualquer forma, você foi preparado, Horza. Não evoluiu de um jeito que se chamaria de "natural"; você é o produto de reflexão cuidadosa e alterações genéticas e planejamento militar e design deliberado... e guerra; sua própria criação dependeu dela, e você é filho dela, você é seu legado.*

*Transmutador, transmute-se... mas você não pode, você não vai. Tudo o que você pode fazer é tentar não pensar nisso. E mesmo assim o conhecimento está ali, a informação implantada em algum lugar muito fundo. Você poderia — você deveria — viver tranquilamente com isso, de qualquer forma, mas não acho que faça isso...*

*E sinto muito por você, porque acho que agora sei quem você realmente odeia.*

Ela saiu do transe rapidamente, quando o fornecimento de produtos químicos pelas glândulas em seu pescoço e seu tronco cerebral foi interrompido. Os compostos que já estavam nas células cerebrais da garota começaram a se quebrar, libertando-a.

A realidade soprava ao seu redor, a brisa fria e refrescante sobre sua pele. Esfregou o suor da testa. Havia lágrimas em seus olhos, e ela as limpou, também, fungando, e esfregou o nariz que tinha ficado vermelho.

Outro fracasso, pensou com amargura. Mas era um tipo de amargura jovem e instável, uma espécie de falsificação, algo que ela assumiu por algum tempo, como uma criança experimentando roupas de adulto. Saboreou a sensação de ser velha e desiludida por um momento, então deixou para lá. O estado de ânimo não se encaixava. Haveria tempo suficiente para a versão verdadeira quando estivesse velha, pensou, bem-humorada, sorrindo para a fileira de montanhas do outro lado da planície.

Mas era um fracasso mesmo assim. Ela esperara que algo lhe ocorresse, alguma coisa sobre os idiranos ou Balveda ou o Transmutador ou a guerra ou... qualquer coisa...

Em vez disso, principalmente território antigo, fatos aceitos, o já conhecido.

Uma certa repulsa por si mesma por ser humana, uma compreensão do desdém orgulhoso dos idiranos por sua espécie, uma reafirmação de que pelo menos uma coisa era seu próprio significado, e provavelmente errado, provavelmente um olhar demasiado simpático sobre o caráter de um homem que nunca havia conhecido e nunca conheceria, que estava separado dela pela maior parte de uma galáxia e toda a moralidade.

Pouco o suficiente para levar de um pico congelado.

Suspirou. O vento soprava, e ela observou a massa de nuvens distante acompanhando a cordilheira ao longe. Teria de começar a descer agora se quisesse se antecipar à tempestade. Pareceria trapaça não descer com seu próprio fôlego, e Jase iria repreendê-la se as condições ficassem tão ruins que ela tivesse de chamar uma aeronave para buscá-la.

Fal'Ngeestra se levantou. A dor em sua perna voltou, sinais de seu ponto fraco. Ela parou por um momento, reavaliando o estado de seu osso em calcificação, e então — decidindo que ele ia aguentar — começou a descida na direção do mundo não congelado abaixo.

# 11

## O SISTEMA DE COMANDO: ESTAÇÕES

**ELE** *estava sendo sacudido delicadamente.*

— *Acorde, agora. Vamos lá, acorde, vamos lá, levante-se...*

*Reconheceu a voz como de Xoralundra. O velho idirano estava tentando fazer com que acordasse. Ele fingiu continuar dormindo.*

— *Sei que você está acordado. Vamos lá, agora é hora de se levantar.*

*Ele abriu os olhos com uma falsa exaustão. Xoralundra estava ali, em um quarto circular azul e iluminado com vários sofás dispostos em nichos no material azul. Acima pairava um céu branco com nuvens negras. O quarto era muito iluminado. Ele protegeu os olhos e olhou para o idirano.*

— *O que aconteceu com o Sistema de Comando?* — *perguntou, olhando ao redor do quarto azul circular.*

— *Aquele sonho agora acabou. Você se saiu bem, passou com resultados excelentes. A Academia e eu estamos muito satisfeitos com você.*

*Ele não conseguiu evitar se sentir satisfeito. Um brilho quente pareceu envolvê-lo, e não pôde impedir que um sorriso surgisse em seu rosto.*

— *Obrigado* — *disse ele.*

*O Querl assentiu.*

— *Você se saiu muito bem como Bora Horza Gobuchul* — *falou Xoralundra com sua voz trovejante.* — *Agora você deveria tirar um tempo de folga; vá se divertir com Gierashell.*

*Estava jogando os pés para fora da cama, preparando-se para saltar para o chão, quando Xoralundra disse isso. Ele sorriu para o velho Querl.*

— *Quem?* — *Ele riu.*

— *Sua amiga, Gierashell* — *disse o idirano.*

— *Você quer dizer Kierachell.* — *Ele riu, sacudindo a cabeça; Xoralundra devia estar ficando velho.*

— Quero dizer Gierashell — insistiu com frieza o idirano, recuando um passo e olhando para ele com estranheza. — Quem é Kierachell?

— Você quer dizer que não sabe? Mas como você pode ter dito o nome dela errado? — perguntou ele, sacudindo novamente a cabeça diante da tolice do Querl. Ou aquilo ainda era parte de algum teste?

— Só um momento — pediu Xoralundra.

Ele olhou para algo em sua mão que projetava luzes coloridas sobre seu rosto largo e reluzente. Então levou a outra mão à boca, com uma expressão atônita de surpresa no rosto quando se virou para ele e disse:

— Ah! Desculpe! — E, de repente, estendeu a mão e o empurrou de volta para o...

Ele se sentou ereto. Alguma coisa apitava em seu ouvido.

Tornou a se recostar devagar, olhando ao redor para a escuridão granulada para ver se algum dos outros tinha percebido, mas eles estavam todos imóveis. Disse ao alarme do sensor remoto para desligar. O barulho em seu ouvido desapareceu. A lataria de Unaha-Closp podia ser vista no alto da ponte de guindaste distante.

Horza abriu seu visor e limpou um pouco de suor do nariz e da testa. O drone sem dúvida o havia visto toda vez que ele acordara. Horza se perguntou o que ele estaria pensando agora, o que pensava dele. Será que podia ver bem o bastante para saber que ele estava tendo pesadelos? Será que podia ver seu rosto através do visor ou sentir os pequenos trancos que seu corpo dava enquanto seu cérebro construía suas próprias imagens dos destroços de todos os seus dias? Ele podia bloquear o visor; podia dizer para o traje se expandir e permanecer rígido.

Pensou em como devia parecer para a máquina: uma coisa pequena, nua e macia se contorcendo em um casulo duro, convulsionando com ilusões em seu coma.

Decidiu permanecer acordado até que os outros começassem a se levantar.

A noite passou, e a Companhia Livre acordou na escuridão do labirinto. O drone não disse nada sobre vê-lo acordar durante a noite, e ele não perguntou. Estava falsamente alegre e amigável, circulando entre os outros, rindo e dando tapinhas nas costas, dizendo a eles que chegariam hoje na estação sete e lá poderiam ligar as luzes e colocar os tubos de trânsito para funcionar.

— Vou lhe dizer uma coisa, Wubslin — falou ele, sorrindo para o engenheiro enquanto este esfregava os olhos. — Vamos ver se conseguimos botar um desses trens grandes para funcionar, só de brincadeira.

— Bem... — Wubslin bocejou. — Se estiver tudo bem...

— Por que não? — perguntou Horza, abrindo os braços. — Acho que o sr. Adequado está nos deixando em paz; está fingindo não ver toda essa coisa. Vamos botar um desses supertrens para funcionar, hein?

Wubslin se espreguiçou, sorrindo e assentindo.

— Bom, vamos, parece uma boa ideia para mim.

Horza deu um sorriso largo, piscou para Wubslin e foi liberar Balveda. Era como ir soltar um animal selvagem, pensou enquanto movia a bobina de fios que tinha usado para bloquear a porta. Ele meio que esperava que Balveda não estivesse lá, tendo desaparecido da sala sem abrir a porta após uma fuga milagrosa de seu arnês; mas quando olhou, ali estava ela, calma em suas roupas quentes, o arnês deixando marcas na pele do casaco e ainda preso à parede na qual Horza o havia fixado.

— Bom dia, Perosteck! — cumprimentou ele, animado.

— Horza — resmungou a mulher, sentando-se lentamente, flexionando os ombros e arqueando o pescoço —, vinte anos ao lado de minha mãe, mais do que me dou ao trabalho de pensar como uma jovem alegre e ousada se permitindo *todos* os prazeres já produzidos pela Cultura, um ou dois de maturidade, dezessete no Contato e quatro nas Circunstâncias Especiais não fizeram de mim uma pessoa agradável de se conhecer nem fácil de despertar de manhã. Você não teria um pouco de água para eu beber, teria? Eu dormi demais, não estava confortável, aqui é frio e escuro, tive pesadelos que achei realmente horríveis até acordar e me lembrar de como era a realidade no momento e... Eu mencionei água há alguns momentos, você ouviu? Ou não tenho permissão para beber nada?

— Vou pegar um pouco para você — disse ele, voltando para a porta. Parou ali. — Por falar nisso, você está certa. Você é bem irritante de manhã.

Balveda sacudiu a cabeça na escuridão. Ela levou um dedo à boca e o esfregou em um lado, como se estivesse massageando as gengivas ou limpando os dentes, então apenas se sentou com a cabeça entre os joelhos, olhando para o nada negro como piche do chão de rocha fria abaixo dela, perguntando-se se aquele seria o dia de sua morte.

*

Eles estavam parados em um enorme nicho semicircular entalhado na rocha, olhando para o espaço escuro da área de reparos e manutenção da estação quatro. A caverna era um quadrado de aproximadamente trezentos metros, e do fundo da galeria escavada onde eles estavam até o piso da vasta caverna — com máquinas e equipamentos espalhados — era uma queda de trinta metros.

Havia grandes braços capazes de erguer e segurar um trem inteiro do Sistema de Comando pendurados do teto, outros trinta metros acima na escuridão. A meia distância, uma plataforma de guindaste suspensa se projetava sobre a caverna, vinda de uma galeria de um lado até o outro, dividindo o volume escuro da caverna.

Eles estavam prontos para partir; Horza deu a ordem.

Wubslin e Neisin seguiram cada um por pequenos tubos laterais na direção do túnel principal do Sistema de Comando e das tubulações de trânsito, respectivamente, usando antigravidade. Quando chegassem aos túneis, eles iriam se manter no mesmo nível que o grupo principal. Horza ligou sua própria unidade antigravitacional, ergueu-se cerca de um metro do chão e flutuou por um túnel ramal da galeria, então seguiu lentamente adiante, através da escuridão, na direção da estação cinco, a trinta quilômetros de distância. O resto iria segui-lo, também flutuando. Balveda dividia o pallet com o equipamento.

Ele sorriu quando Balveda se sentou no pallet; ela de repente o fez lembrar de Fwi-Song sentado em sua liteira pesada, no espaço iluminado pelo sol de um lugar agora desaparecido. A comparação lhe pareceu maravilhosamente absurda.

Horza flutuou pelo túnel, parando para verificar os tubos laterais quando eles apareciam e contatando os outros sempre que fazia isso. Os sensores de seu traje estavam ligados no máximo possível; qualquer luz, o menor ruído, uma alteração no fluxo de ar, até vibrações na pedra ao redor: tudo estava sendo vigiado. Cheiros estranhos também seriam registrados, assim como energia correndo pelos cabos enterrados nas paredes do túnel ou qualquer tipo de transmissão de comunicação.

Pensou em sinalizar para os idiranos à medida que avançassem, mas decidiu não fazer isso. Tinha enviado um sinal curto da estação quatro, sem receber resposta, mas enviar outro a caminho seria entregar muita coisa se (como suspeitava) os idiranos não estivessem no clima de escutar.

Ele se movia pela escuridão como se estivesse sentado em uma cadeira invisível, o TRUPE aninhado em seus braços. Ouvia seus batimentos cardíacos, sua respiração e a passagem do ar frio e meio bolorento em torno do traje. O traje registrava uma vaga radiação de fundo vinda do granito ao redor, pontuada por raios cósmicos intermitentes. Na parte frontal do capacete do traje, observava uma imagem fantasmagórica de radar dos túneis enquanto eles deslindavam através da rocha.

Em alguns lugares o túnel era reto. Se ele se virasse, podia ver o grupo principal seguindo meio quilômetro atrás dele. Em outros lugares, fazia uma série de curvas suaves, reduzindo a vista proporcionada pelo escaneamento do radar a algumas centenas de metros ou menos, de modo que ele parecia flutuar sozinho no negrume frio.

\*

Na estação cinco eles encontraram um campo de batalha.

O traje de Horza tinha captado cheiros velhos; isso tinha sido o primeiro sinal, moléculas orgânicas no ar, carbonizadas e queimadas. Ele disse aos outros para pararem e seguiu em frente com cautela.

Havia quatro medjel jogados perto de uma parede da caverna escura e deserta, seus corpos queimados e desmembrados ecoando a formação dos corpos congelados dos Transmutadores na base da superfície. Os símbolos religiosos idiranos tinham sido queimados na pedra acima dos mortos.

Houvera um tiroteio. As paredes da estação estavam marcadas por pequenas crateras e longas cicatrizes de laser. Horza encontrou os restos de um fuzil a laser, destruído, com um pequeno pedaço de metal encravado nele. Os corpos dos medjel tinham sido despedaçados por mais centenas dos mesmos pequenos projéteis.

No outro lado da estação, atrás dos restos parcialmente demolidos de um conjunto de rampas de acesso, ele encontrou os componentes espalhados de alguma máquina de fabricação tosca, uma espécie de canhão sobre rodas, como um carro blindado em miniatura. Sua torre destruída ainda continha um pouco da munição de projéteis, e havia mais balas espalhadas, como sementes levadas pelo vento, em torno do destroço calcinado pelas chamas. Horza deu um leve sorriso para os detritos, sopesando um punhado dos projéteis não utilizados na mão.

\*

— A Mente? — perguntou Wubslin, olhando para o que restava do pequeno veículo. — Ela fez essa coisa? — Ele coçou a cabeça.

— Deve ter feito — respondeu Horza, observando Yalson cutucar cautelosamente o metal rasgado do casco dos destroços com uma de suas botas, de arma pronta. — Não havia nada como isso aqui embaixo, mas seria possível produzi-lo em uma das oficinas; algumas das velhas máquinas ainda funcionam. Seria difícil, mas se a Mente ainda tivesse alguns de seus campos funcionando, e talvez um drone ou dois, poderia fazer isso. Ela teve tempo.

— Bem tosco — disse Wubslin, girando na mão uma peça do mecanismo do canhão.

Ele se virou, olhou outra vez para os corpos distantes dos medjel e acrescentou:

— Mas funcionou muito bem.

— Pelas minhas contas, não há mais medjel — falou Horza.

— Ainda restam dois idiranos — disse Yalson com azedume, chutando uma rodinha de borracha. Ela rolou alguns metros pelos destroços e tombou outra vez, perto de Neisin, que estava celebrando a descoberta dos medjel mortos com um gole de sua garrafinha.

— Tem certeza de que esses idiranos não estão mais aqui? — perguntou Aviger, olhando ansiosamente ao redor.

Dorolow também olhou para a escuridão e fez o sinal do Círculo da Chama.

— Positivo — assegurou Horza. — Eu chequei.

A estação cinco não tinha sido difícil de revistar; era uma estação comum, apenas um conjunto de pontos, uma chicane no círculo duplo do Sistema de Comando e um lugar para os trens pararem e se conectarem com os links de comunicação com a superfície do planeta. Havia algumas salas e áreas de armazenamento saindo da caverna principal, mas nenhum equipamento para conectar a energia, nenhum alojamento nem salas de controle, e nenhuma área vasta de reparos e manutenção. Marcas na poeira mostravam por onde os idiranos tinham deixado a estação depois da batalha com o autômato tosco da Mente, seguindo para a estação seis.

— Você acha que vai haver um trem na próxima estação? — indagou Wubslin.

Horza assentiu.

— Deve haver.

O engenheiro também assentiu, olhando distraidamente para os conjuntos duplos de trilhos reluzindo no chão da estação.

Balveda desceu do pallet e esticou as pernas. Horza ainda estava com o sensor infravermelho do traje ligado e viu o calor da respiração da agente da Cultura emanar de sua boca como uma nuvem de brilho fraco. Ela bateu as mãos e os pés.

— Ainda não está muito quente, está? — disse ela.

— Não se preocupe — resmungou o drone de baixo do pallet. — Eu posso começar a superaquecer em breve; isso deve mantê-la aconchegada até eu quebrar de vez.

Balveda sorriu um pouco e se sentou novamente no pallet, olhando para Horza.

— Ainda está pensando em tentar convencer seus amigos de três pernas de que vocês todos estão do mesmo lado? — perguntou ela.

— Uhh! — zombou o drone.

— Vamos ver — foi tudo o que Horza disse.

Mais uma vez sua respiração, seus batimentos cardíacos, o sopro lento do ar bolorento.

Os túneis conduziam para a noite profunda da rocha antiga como um labirinto circular e traiçoeiro.

— A guerra não vai terminar — afirmou Aviger. — Ela só vai acabar morrendo.

Horza flutuava pelo túnel, meio ouvindo os outros conversarem pelo canal aberto enquanto seguiam atrás dele. Tinha transferido os microfones externos dos alto-falantes do capacete para uma tela pequena perto de sua bochecha; o traço mostrava silêncio. Aviger continuou:

— Não acho que a Cultura vai ceder como todo mundo acha que vai. Acho que eles vão continuar lutando porque acreditam nisso. Os idiranos também não vão ceder; vão continuar lutando até o fim, e eles e a Cultura vão continuar atacando um ao outro o tempo todo, por toda a galáxia em algum momento, e suas armas e bombas e raios e coisas só vão ficar cada vez melhores, e no fim toda a galáxia vai se transformar em um campo de batalha até que eles destruam todas as estrelas, planetas, orbitais e tudo o mais que seja grande o suficiente para ficar de pé, e então eles vão destruir as grandes naves um do outro e depois as naves pequenas, também, até todo mundo estar vivendo em seus trajes, explodindo uns aos outros com armas que seriam capazes de destruir um planeta... e é assim que vai acabar; provavelmente eles vão inventar armas e drones ainda menores, e vai haver apenas máquinas cada vez menores lutando pelo que restar da galáxia, e não vai sobrar ninguém para saber como tudo isso começou.

— Bem — disse a voz de Unaha-Closp —, isso parece muito divertido. E se as coisas derem errado?

— Essa é uma atitude negativa demais em relação à batalha, Aviger — interveio a voz aguda de Dorolow. — Você precisa ser positivo. Competições são formativas; batalhas são testes; a guerra, uma parte da vida e do processo evolucionário. Em sua extremidade, nós nos encontramos.

— Normalmente na merda — acrescentou Yalson.

Horza sorriu.

— Yalson — começou Dorolow —, mesmo que você não acre...

— Esperem — disse Horza de repente. A tela perto de sua bochecha tinha piscado. — Esperem aí. Estou captando algum som à frente.

Ele parou, permaneceu imóvel em pleno ar e pôs o som externo nos alto-falantes do capacete.

Um ruído baixo, profundo e trovejante, como uma onda pesada a uma grande distância ou uma tempestade em montanhas distantes.

— Bem, tem alguma coisa fazendo um barulho lá em cima — falou Horza.
— A que distância fica a próxima estação? — perguntou Yalson.
— Cerca de dois quilômetros.
— Acha que são eles? — Neisin parecia nervoso.
— Provavelmente — disse Horza. — Está bem. Eu vou na frente. Yalson, ponha Balveda no arnês de contenção. Todos verifiquem suas armas. Sem barulho. Wubslin, Neisin, sigam em frente devagar. Parem assim que conseguirem ver a estação. Vou tentar falar com esses caras.

O ruído continuou a trovejar vagamente, fazendo com que ele pensasse em um deslizamento de pedras ouvido de uma mina nas profundezas de uma montanha.

Horza se aproximou da estação. Uma porta antiexplosão surgiu à vista depois de uma curva. A estação devia estar apenas mais cem metros adiante. Ele ouviu alguns barulhos metálicos e pesados; vinham do túnel escuro, profundos e ressoantes, mal abafados pela distância, soando como grandes alavancas sendo acionadas, correntes enormes sendo presas. O traje registrou moléculas orgânicas no ar — cheiro idirano. Ele passou pela soleira da porta antiexplosão e viu a estação.

Havia luz na estação seis, opaca e amarela, como se viesse de uma lanterna fraca. Esperou que Wubslin e Neisin lhe dissessem que podiam ver a estação de seus túneis, então se aproximou.

Havia um trem do Sistema de Comando na estação seis, seu volume rotundo com três andares de altura e trezentos metros de comprimento enchendo parcialmente a caverna cilíndrica. A luz vinha da extremidade oposta do trem, do alto da parte dianteira, onde ficava a cabine de controle. Os sons também vinham do trem. Ele se moveu pelo túnel de modo que pudesse ver o resto da estação.

Na outra extremidade da plataforma, flutuava a Mente.

Horza olhou fixamente para ela por um momento, então ampliou a imagem para ter certeza. Parecia verdadeira; uma elipsoide, talvez quinze metros de comprimento e três de diâmetro, amarelo-prateada sob a luz fraca que vinha da cabine de controle do trem e flutuando no ar bolorento como um peixe morto na superfície de um lago imóvel.

Ele checou o sensor de massa do traje. Registrava o sinal indistinto do reator do trem, mas nada mais.

— Yalson — sussurrou ele, embora soubesse que não era necessário —, alguma coisa nesse sensor de massa?

— Só um traço fraco; acho que um reator.

— Wubslin — falou Horza —, posso ver algo que se parece com a Mente na estação, flutuando do outro lado. Mas ela não está aparecendo em nenhum sensor. Será que o sistema antigravitacional dela poderia torná-la invisível aos sensores?

— Não deveria — retrucou a voz intrigada de Wubslin. — Poderia enganar um sensor de gravidade passivo, mas não...

Um som metálico e alto de algo se quebrando veio do trem. O traje de Horza registrou um aumento abrupto da radiação local.

— Puta merda! — praguejou ele.

— O que está acontecendo? — perguntou Yalson.

Mais ruídos de estalos e coisas se partindo ecoaram pela estação, e outra luz fraca e amarela apareceu, de baixo do carro do reator no meio do trem.

— Eles estão mexendo com o vagão do reator, é isso o que está acontecendo — respondeu Horza.

— Meu Deus — disse Wubslin. — Será que eles não sabem a idade dessa coisa?

— Por que eles estão fazendo isso? — indagou Aviger.

— Podem estar tentando fazer o trem andar com sua própria energia — respondeu Horza. — Canalhas malucos.

— Talvez eles sejam preguiçosos demais para empurrar seu prêmio de volta para a superfície — sugeriu o drone.

— Esses... reatores nucleares, eles não podem explodir, podem? — perguntou Aviger no momento em que uma luz azul cegante explodiu de baixo do centro do trem.

Horza se encolheu, de olhos fechados. Ele ouviu Wubslin gritar alguma coisa. Esperou pelo impacto da explosão, pelo barulho, pela morte.

Então ergueu os olhos. A luz ainda piscava e brilhava embaixo do carro do reator. Ele ouviu um ruído sibilante errático, como estática.

— Horza! — gritou Yalson.

— Pelos colhões de Deus! — exclamou Wubslin. — Eu quase fiz na calça.

— Está tudo bem — assegurou Horza. — Achei que eles tinham explodido a maldita coisa. O que *é* aquilo, Wubslin?

— Solda, eu acho — falou Wubslin. — Um arco elétrico.

— Certo — disse Horza. — Vamos parar esses loucos antes que eles nos explodam todos. Yalson, venha comigo. Dorolow, se junte a Wubslin. Aviger, fique com Balveda.

Levou alguns minutos para os outros se organizarem. Horza observava a luz azul forte e tremeluzente enquanto ela fervilhava embaixo do centro do trem. Então ela parou. A estação ficou iluminada apenas pelas duas luzes fracas da cabine de controle e do vagão do reator. Yalson flutuou pelo túnel e pousou delicadamente ao lado de Horza.

— Prontos — declarou Dorolow pelo intercomunicador.

Então uma tela no capacete de Horza se acendeu; um alto-falante emitiu um bipe em seu ouvido. Algo ali perto tinha transmitido um sinal; não um de seus trajes nem o drone.

— O que foi isso? — indagou Wubslin. — Olhe, ali. No chão. Parece um comunicador.

Horza e Yalson se entreolharam.

— Horza — disse Wubslin —, tem um comunicador no chão do túnel aqui; acho que está ligado. Ele deve ter captado o barulho de Dorolow pousando ao meu lado. Foi isso o que ele transmitiu; eles o estão usando como grampo.

— Desculpe — falou Dorolow.

— Bom, não toquem na coisa — alertou rapidamente Yalson. — Ela pode ter uma armadilha.

— Então. Agora eles sabem que estamos aqui — concluiu Aviger.

— De qualquer modo, eles iam saber logo — disse Horza. — Vou tentar saudá-los; fiquem prontos, caso eles não queiram conversar.

Horza desligou sua unidade AG e caminhou até a extremidade do túnel, quase no nível da plataforma da estação. Ali havia outro comunicador que transmitia seu único pulso. Horza olhou para o grande trem escuro e ligou o transmissor de seu capacete. Ele tomou fôlego, pronto para falar em idirano.

Algo brilhou em uma janela semelhante a uma fenda perto da traseira do trem. A cabeça de Horza foi jogada para trás dentro do capacete, e ele caiu, atordoado, com os ouvidos apitando. O barulho do tiro ecoou pela estação. O alarme do traje bipava freneticamente. Horza rolou para perto da parede do túnel; mais tiros caíram sobre ele, brilhando contra o capacete e o corpo do traje.

Yalson se abaixou e correu. Ela deslizou até a borda do túnel e atirou na direção da janela de onde estavam vindo os disparos, então girou, pegou Horza pelo braço e o puxou mais para dentro do túnel. Raios de plasma atingiram a parede na qual ele estava encostado.

— Horza? — gritou ela, sacudindo-o.

— Cancelamento do comando, nível zero — trilou uma voz pequenina nos ouvidos de Horza, que zumbiam. — Este traje foi submetido a danos fatais para o sistema, invalidando automaticamente todas as garantias a partir de agora; reparo total e imediato é necessário. A utilização é de responsabilidade do usuário. Desligando.

Horza tentou dizer a Yalson que estava bem, mas o comunicador estava morto. Ele apontou para a cabeça para fazê-la entender. Então mais tiros, vindos da frente do trem, subiram explodindo pelo túnel. Yalson mergulhou para o chão e começou a disparar em resposta.

— Atirem! — berrou ela para os outros. — Peguem esses canalhas!

Horza observou Yalson atirando na outra extremidade do trem. Rastros de laser saíam tremeluzentes do lado esquerdo de seu túnel, cartuchos traçantes da direita, conforme os outros se juntavam a ela. A estação se encheu com uma luz ardente e espasmódica; sombras saltavam e dançavam pelas paredes e pelo teto. Ele ficou ali, atordoado, estúpido, ouvindo a cacofonia abafada de som quebrando contra seu traje como ondas. Mexeu em seu fuzil a laser, tentando se lembrar de como dispará-lo. Precisava mesmo ajudar os outros a lutarem contra os idiranos. Sua cabeça doía.

Yalson parou de atirar. A frente do trem brilhava vermelha no local onde estivera atirando. Os cartuchos explosivos da arma de Neisin estouravam em torno da janela de onde tinham vindo os primeiros tiros; rajadas curtas de fogo. Wubslin e Dorolow tinham saído do túnel principal e passado pelo volume da traseira do trem. Eles se agacharam perto da parede, atirando na mesma janela que Neisin.

O fogo de plasma tinha parado. Os humanos também pararam de atirar. A estação ficou escura; os disparos ecoaram e se calaram. Horza tentou ficar de pé, mas alguém parecia ter removido os ossos de suas pernas.

— Alguém... — começou a dizer Yalson.

Fogo cascateava em torno de Wubslin e Dorolow, jorrando do convés inferior do último vagão. Dorolow gritou e caiu. Com as mãos em espasmos, sua arma disparava loucamente no teto da caverna. Wubslin rolou pelo chão, atirando de volta nos idiranos. Yalson e Neisin se juntaram a ele. O casco do vagão se retorceu e explodiu sob a fuzilaria. Dorolow estava jogada na plataforma, movendo-se espasmodicamente, gemendo.

Mais tiros vieram da frente do trem, explodindo em torno das entradas do túnel. Então alguma coisa se moveu a meio caminho do último vagão, perto da ponte de guindaste traseira; um idirano saiu correndo de uma porta do vagão e seguiu pela rampa do meio. Ele apontou uma arma e atirou, primeiro em Dorolow, onde ela jazia no chão, depois em Wubslin, que estava deitado na lateral do trem.

O traje de Dorolow saiu girando em chamas pelo chão escuro da estação. O braço da arma de Wubslin foi atingido. Então os tiros de Yalson encontraram o idirano, despejando fogo sobre seu traje, a estrutura da ponte de guindaste e a lateral do trem. Os suportes da rampa cederam antes do traje blindado do idirano; amolecendo e se desintegrando sob a torrente de fogo, as tubulações da ponte de guindaste cederam e desmoronaram, derrubando com tudo a plataforma superior da rampa e prendendo o guerreiro idirano sob os destroços fumegantes. Wubslin xingou e atirou com uma das mãos na direção da frente do trem, onde o segundo idirano ainda estava atirando.

Horza estava deitado contra a parede, com um ronco nos ouvidos, sua pele fria e coberta de suor. Sentia-se entorpecido, desassociado. Queria tirar o capacete e respirar ar fresco, mas sabia que não devia fazer isso. Embora seu capacete estivesse danificado, ainda o protegeria caso ele fosse atingido outra vez. Ele se contentou em abrir o visor. O som agrediu seus ouvidos. Ondas de choque fizeram seu peito estremecer. Yalson olhou para ele e gesticulou para que entrasse mais no túnel enquanto tiros atingiam o chão perto dele. Ele se levantou, mas caiu de novo, apagando brevemente.

O idirano na frente do trem parou de atirar por um momento. Yalson aproveitou a oportunidade para olhar outra vez para Horza. Ele estava deitado no chão do túnel atrás dela, movendo-se sem forças. Ela olhou para onde Dorolow estava, seu traje rasgado e queimando. Neisin estava quase fora de seu túnel, disparando longas rajadas através da estação, espalhando explosões por toda a frente do trem. O ar explodia com o barulho irritante de sua arma, indo e voltando pela caverna e acompanhado por uma onda pulsante de luz que parecia se estender de volta de onde as balas atingiam e explodiam.

Yalson estava consciente de alguém gritando — uma voz de mulher, berrando —, mas ela mal conseguia ouvir acima do barulho da arma de Neisin. Raios de plasma desceram cantando pela plataforma desde a frente do trem outra vez, do alto, perto das rampas de acesso dianteiras. Ela atirou de volta. Neisin disparou na mesma direção e parou.

— ... Pare! — gritou a voz nos ouvidos de Yalson. Era Balveda. — Tem alguma coisa errada com a sua arma; ela vai... — A voz da agente da Cultura foi abafada pelos disparos de Neisin outra vez. — ... explodir!

Yalson ouviu Balveda gritar desesperadamente; então uma linha de luz e som pareceu encher a estação de uma extremidade à outra, terminando em Neisin. A haste brilhante de barulho e chamas floresceu em uma explosão que Yalson sentiu através de seu traje. Fragmentos da arma de Neisin se espalharam pela plataforma; o homem foi jogado para trás contra a parede. Ele caiu no chão e ficou imóvel.

— Filho da *puta* — Yalson se ouviu dizer, então começou a correr pela plataforma, atirando na frente do trem, tentando aumentar o ângulo dos disparos. Tiros mergulharam para encará-la, então pararam. Houve uma pausa enquanto ela ainda corria e atirava, então o segundo idirano apareceu no nível mais alto da distante rampa de acesso, segurando uma pistola com as duas mãos. Ele ignorou tanto o fogo dela quanto o de Wubslin e atirou direto através da caverna na direção da Mente.

A elipsoide prateada começou a se mover, seguindo para o túnel distante. O primeiro tiro pareceu passar diretamente através dela, assim como um segundo; o terceiro raio fez com que ela desaparecesse completamente, deixando apenas uma pequena nuvem de fumaça onde estivera.

O traje do idirano brilhou quando os disparos de Yalson e Wubslin atingiram o alvo. O guerreiro cambaleou; virou-se como se fosse começar a atirar neles outra vez, quando o traje blindado cedeu; então foi arremessado para trás por uma explosão através da ponte de guindaste, um braço desaparecendo em uma nuvem de chamas e fumaça; ele caiu pela borda da rampa e desabou no nível intermediário, o traje queimando com uma luz forte, uma perna presa sobre as grades de proteção na rampa do meio. A pistola de plasma em sua mão explodiu. Outros disparos atingiram o capacete largo, fraturando o visor enegrecido. Ele resistiu, inerte e queimando e atingido por disparos de laser, por mais alguns segundos; então a perna presa na grade de proteção cedeu, sendo arrancada e jogada no chão da estação. O idirano escorregou, desmoronando, até o piso da rampa.

Horza ouviu, seus ouvidos ainda apitando.

Depois de alguns momentos, tudo ficou em silêncio. Uma fumaça acre irritava seu nariz; fumaça de plástico queimado, metal derretido e carne queimada.

Ele tinha ficado inconsciente, então acordou e viu Yalson correndo pela plataforma. Ele tinha tentado dar fogo de cobertura a ela, mas suas mãos tremiam demais, e ele não tinha conseguido fazer a arma funcionar. Agora todo mundo tinha parado de atirar e estava tudo muito silencioso. Ele se levantou e andou desequilibrado pela estação, onde fumaça se erguia do trem destruído.

Wubslin se ajoelhou ao lado de Dorolow, tentando com uma mão tirar uma das luvas da mulher. O traje dela ainda ardia. O visor do capacete estava manchado de vermelho, coberto de sangue por dentro, escondendo seu rosto.

Horza observou Yalson voltar pela estação, a arma ainda pronta. O traje dela tinha recebido alguns raios de plasma no corpo; as marcas grosseiramente espiraladas apareciam como cicatrizes pretas na superfície cinza. Ela ergueu os olhos, desconfiada, para as rampas de acesso traseiras, onde um idirano estava preso e imóvel; então abriu o visor.

— Você está bem? — perguntou a Horza.

— Estou. Um pouco grogue. Dor de cabeça — respondeu ele.

Yalson assentiu. Eles foram até onde estava Neisin.

Neisin ainda estava vivo, por pouco. Sua arma tinha explodido, atingindo seu peito, seus braços e seu rosto com estilhaços. Gemidos borbulhavam da ruína vermelha que era seu rosto.

— Que merda — disse Yalson.

Ela pegou um pequeno kit médico de seu traje e enfiou a mão pelo que restava do visor de Neisin para injetar analgésico no pescoço do homem semiconsciente.

— O que aconteceu? — indagou a voz de Aviger pelo capacete de Yalson. — Já está seguro aí?

Yalson olhou para Horza, que deu de ombros, então assentiu.

— Está, está seguro, Aviger — confirmou Yalson. — Pode vir.

— Eu deixei que Balveda usasse o microfone de meu traje; ela disse que ia...

— Nós ouvimos — interrompeu Yalson.

— Alguma coisa sobre um... acidente com o cano? Isso mesmo...? — Horza ouviu a voz abafada de Balveda afirmar isso. — Ela achou que a arma de Neisin podia explodir ou alguma coisa assim.

— Bom, ela explodiu — falou Yalson. — Ele parece bem mal.

Ela olhou para Wubslin, que estava baixando novamente a mão de Dorolow. Wubslin sacudiu a cabeça quando viu Yalson olhando para ele.

— Dorolow foi explodida, Aviger — disse Yalson.

O velho ficou em silêncio por um momento, então disse:

— E Horza?

— Levou tiros de plasma no capacete. Traje danificado, sem comunicação. Ele vai sobreviver. — Yalson fez uma pausa e deu um suspiro. — Mas parece que perdemos a Mente; ela desapareceu.

Aviger esperou mais alguns momentos antes de dizer, com a voz trêmula:

— Bem, que bela confusão. Entrar fácil, sair fácil. Outro triunfo. Nosso amigo Transmutador assumindo de onde Kraiklyn deixou! — Sua voz terminou em um tom agudo de raiva; ele desligou o transceptor.

Yalson olhou para Horza, sacudiu a cabeça e disse:

— Velho babaca.

Wubslin ainda estava ajoelhado ao lado do corpo de Dorolow. Eles o ouviram soluçar algumas vezes, antes que ele, também, desligasse o canal aberto. A respiração cada vez mais lenta de Neisin irrompia através de uma máscara de sangue e carne.

\*

Yalson fez o Círculo da Chama acima da nuvem vermelha que mascarava o rosto de Dorolow, então cobriu o corpo com um lençol do pallet. Os ouvidos de Horza pararam de apitar, a tonteira se esvaiu. Balveda, livre do arnês de contenção, observou o Transmutador cuidar de Neisin. Aviger estava parado perto dali com Wubslin, cujo ferimento no braço já tinha sido tratado.

— Eu ouvi o barulho — explicou Balveda. — Isso tem um barulho característico.

Wubslin tinha perguntado por que a arma de Neisin havia explodido, e como Balveda sabia que isso ia acontecer.

— Eu também teria reconhecido isso se não tivesse sido atingido na cabeça — disse Horza.

Ele estava removendo fragmentos do visor do rosto do homem inconsciente, jogando um spray de gel de pele nos lugares de onde saía sangue. Neisin estava em choque, provavelmente morrendo, mas eles não podiam nem o tirar do traje; sangue demais tinha coagulado entre o corpo do homem e os materiais do dispositivo que ele vestia. Ele fecharia as muitas perfurações de forma eficaz até que o traje fosse removido, mas aí Neisin ia começar a sangrar em lugares demais para eles conseguirem lidar. Então eles tiveram de deixá-lo na coisa, como se naqueles destroços mútuos o humano e a máquina tivessem se tornado um único organismo frágil.

— Mas o que *aconteceu*? — perguntou Wubslin.

— A arma dele disparou pela culatra — explicou Horza. — Os projéteis devem ter sido preparados para explodir com um impacto muito delicado, por isso os cartuchos começaram a explodir quando atingiram a onda de explosão das balas à frente, não o alvo. Ele não parou de atirar, então a explosão na frente retrocedeu direto pelo cano da arma.

— As armas têm sensores para impedir que isso aconteça — acrescentou Balveda, encolhendo-se com a dor alheia enquanto Horza removia um grande caco de visor de uma órbita ocular. — Acho que não estava funcionando.

— Pobre coitado — lamentou Wubslin.

— Mais dois mortos — anunciou Aviger. — Espero que esteja satisfeito, sr. Horza, espero que esteja muito feliz com o que seus "aliados" fi...

— Aviger — falou Yalson calmamente. — Cale a boca.

O velho olhou para ela por um segundo, então saiu andando. Ele ficou olhando para Dorolow.

Unaha-Closp desceu flutuando a rampa de acesso traseira.

— Aquele idirano lá em cima — disse ele, sua voz modulada para revelar uma leve surpresa —, ele está vivo. Tem algumas toneladas de lixo em cima dele, mas ele ainda está respirando.

— E o outro? — indagou Horza.

— Não tenho ideia. Eu não quis chegar muito perto; lá em cima está uma grande *bagunça*.

Horza deixou Yalson cuidando de Neisin. Ele caminhou pela plataforma coberta de detritos até os destroços da plataforma do acesso traseiro.

Estava com a cabeça exposta. O capacete do traje estava arruinado, e o traje em si tinha perdido sua unidade AG e sua força motora, assim como a maior parte de seus sentidos. Com energia reserva, as luzes ainda funcionavam, assim como a pequena tela repetidora no pulso. O sensor de massa do traje estava danificado; a tela no pulso, cheia de ruído quando ligada ao sensor, mal registrando o reator do trem.

O fuzil de Horza ainda funcionava, para o que quer que isso servisse agora.

Ele parou no pé das rampas e sentiu os resíduos de calor emanando das pernas de apoio de metal onde disparos de laser tinham atingido. Respirou fundo e subiu a rampa até onde estava o idirano, sua cabeça enorme se projetando de destroços, ensanduichada entre os dois níveis da rampa. O idirano se virou lentamente para olhar para ele, e um braço se tensionou contra os destroços, que rangeram e se moveram. Então o guerreiro tirou o braço de baixo da pressão do metal e soltou o capacete de batalha cheio de marcas; ele o deixou cair no chão. O grande rosto em forma de sela olhou para o Transmutador.

— Saudações do dia da batalha — cumprimentou Horza em um idirano cuidadoso.

— Ho — trovejou o idirano —, o pequeno fala nossa língua.

— Eu estou até do seu lado, embora não espere que você acredite nisso. Pertenço à seção de inteligência do Primeiro Domínio Marinho sob as ordens do Querl Xoralundra. — Horza se sentou na rampa, quase no nível do rosto do idirano. — Fui enviado aqui para tentar pegar a Mente — continuou ele.

— É mesmo? — perguntou o idirano. — Pena. Acredito que meu camarada acabou de destruí-la.

— Ouvi dizer — disse Horza, apontando o fuzil a laser para o rosto comprimido entre as placas retorcidas de metal. — Vocês também "destruíram" os Transmutadores na base. *Eu* sou um Transmutador; por isso nossos mestres em comum me mandaram para cá. Por que vocês tiveram de matar meu povo?

— O que mais podíamos fazer, humano? — falou o idirano com impaciência. — Eles eram um obstáculo. Nós precisávamos do armamento deles. Eles teriam tentado nos deter. Nós éramos muito poucos para vigiá-los. — A voz da criatura saía com dificuldade, como se ela lutasse contra o peso da rampa esmagando seu torso e seu cilindro torácico. Horza apontou o fuzil direto para o rosto do idirano.

— Seu canalha podre, eu deveria explodir a porra da sua cabeça agora mesmo.

— À vontade. — O idirano sorriu, o conjunto duplo de lábios duros se estendendo. — Meu camarada já caiu com bravura; Quayanorl começou sua longa jornada através do Mundo Superior. Estou capturado e vitorioso ao mesmo tempo, e você me oferece o consolo da arma. Não vou fechar meus olhos, humano.

— Você não precisa — disse Horza, baixando a arma.

Ele olhou através da escuridão da estação para o corpo de Dorolow, então para a luz fraca enevoada pela fumaça à distância, onde a frente e a cabine de controle do trem brilhavam suavemente, iluminando uma faixa vazia de chão onde antes estava a Mente. Ele se voltou outra vez para o idirano.

— Vou levar você de volta. Acredito que ainda haja unidades da 93ª Frota depois da Barreira de Silêncio; tenho de relatar meu fracasso e entregar uma agente da Cultura para o inquisidor da frota. Vou acusá-lo de exceder suas ordens ao matar aqueles Transmutadores; não que eu espere que isso vá adiantar alguma coisa.

— Sua história me entedia, pequeno. — O idirano afastou os olhos e forçou mais uma vez a pressão de metal retorcido que o cobria, mas não adiantou nada. — Mate-me agora; você fede e sua fala irrita. Nossa língua não é para animais.

— Qual é o seu nome? — perguntou Horza.

A cabeça em forma de sela se voltou para ele outra vez; os olhos piscaram lentamente.

— Xoxarle, humano. Agora você vai maculá-lo tentando pronunciá-lo, sem dúvida.

— Bem, Xoxarle, apenas descanse aqui. Como eu disse, vamos levá-lo conosco. Primeiro quero conferir a Mente que vocês destruíram. Acabou de me ocorrer uma coisa.

Horza ficou de pé. Sua cabeça doía abominavelmente onde o capacete a havia atingido, mas ele ignorou o latejar no crânio e começou a descer a rampa, mancando um pouco.

— Sua alma é uma merda — disse com voz trovejante o idirano chamado Xoxarle às suas costas. — Sua mãe deveria ter sido estrangulada no momento em que entrou no cio. Nós íamos comer os Transmutadores que matamos; mas eles fediam como lixo!

— Poupe seu fôlego, Xoxarle — falou Horza, sem olhar para o idirano. — Eu não vou atirar em você.

Horza encontrou Yalson no pé da rampa. O drone tinha concordado em cuidar de Neisin. Horza olhou para a extremidade oposta da estação.

— Quero ver onde a Mente estava.

— O que você acha que aconteceu com ela? — perguntou Yalson, acertando o passo com ele.

Ele deu de ombros. Yalson continuou:

— Talvez ela tenha feito o mesmo truque que fez antes; entrou no hiperespaço outra vez. Talvez tenha reaparecido em algum outro lugar nos túneis.

— Talvez — disse Horza.

Ele parou ao lado de Wubslin, tomou o homem pelo cotovelo e o virou para longe do corpo de Dorolow. O engenheiro tinha chorado.

— Wubslin — falou Horza —, vigie aquele filho da mãe. Ele pode tentar fazer com que você atire nele, mas não faça isso. É o que ele quer. Vou levar o filho da puta de volta para a frota para que possa ser submetido à corte marcial. Sujar seu nome é um castigo; matá-lo seria lhe fazer um favor, entendeu?

Wubslin assentiu. Ainda esfregando o lado machucado da cabeça, Horza seguiu pela plataforma com Yalson.

Eles chegaram aonde a Mente tinha estado. Horza aumentou as luzes de seu traje e olhou para o chão. Ele pegou uma coisa pequena e de aspecto queimado perto da boca do túnel que levava à estação sete.

— O que é isso? — perguntou Yalson, dando as costas para o corpo do idirano na outra estrutura de acesso.

— Eu *acho* — disse Horza, girando a máquina ainda quente em sua mão — que é um drone remoto.

— A Mente o deixou para trás?

Yalson se aproximou para olhar para ele. Era apenas um pedaço enegrecido de material, com alguns tubos e filamentos à mostra através da superfície irregular e empelotada onde ele tinha sido atingido por um disparo de plasma.

— É mesmo da Mente — afirmou Horza. Ele olhou para Yalson. — O que aconteceu *exatamente* quando eles atiraram na Mente?

— Quando ele finalmente a acertou, ela desapareceu. Tinha começado a se mover, mas não pode ter acelerado tão rápido; eu teria sentido a onda de choque. Ela simplesmente desapareceu.

— Foi como alguém desligando uma projeção? — perguntou Horza.

Yalson assentiu.

— Foi. E houve um pouco de fumaça. Não muita. Você quer dizer que...

— Ele *finalmente* a acertou; o que você quis dizer com isso?

— Quero *dizer* — disse Yalson, colocando uma das mãos no quadril e olhando para Horza com uma expressão impaciente no rosto — que foram necessários três ou quatro tiros. Os primeiros a atravessaram direto. Você está dizendo que *era* uma projeção?

Horza assentiu e ergueu a máquina em sua mão.

— Foi isto: um drone remoto produzindo um holograma da Mente. Devia ter um campo de força fraco também, para que pudesse ser tocado e empurrado como se fosse um objeto sólido, mas tudo o que havia no interior era isto. — Ele deu um leve sorriso para a máquina destruída. — Não é surpresa que a maldita coisa não aparecesse em nossos sensores de massa.

— Então a Mente ainda está por aí em algum lugar? — falou Yalson, olhando para o drone na mão de Horza.

O Transmutador assentiu.

Balveda observou Horza e Yalson entrarem na escuridão na outra extremidade da plataforma. Ela foi até onde o drone flutuava acima de Neisin, monitorando suas funções vitais e separando alguns frascos de remédio no kit médico. Wubslin mantinha a arma apontada para o idirano imobilizado, mas vigiava Balveda com o canto do olho ao mesmo tempo; a mulher da Cultura estava sentada de pernas cruzadas perto da maca.

— Antes que você pergunte — disse o drone —, não, não há nada que você possa fazer.

— Eu tinha imaginado isso, Unaha-Closp — falou Balveda.

— Humm. Então você tem tendências mórbidas?

— Não, eu queria falar com você.

— É mesmo?

O drone continuou a separar os remédios.

— É... — Ela chegou para a frente, o cotovelo sobre o joelho, o queixo na mão em concha. Baixou um pouco a voz. — Você está ganhando tempo ou o quê?

O drone virou a frente para ela; um gesto desnecessário, os dois sabiam, mas um que ele estava acostumado a fazer.

— Ganhando tempo?

— Você o deixou usá-lo até agora. Eu só estava me perguntando: por quanto tempo mais?

O drone se virou outra vez, pairando acima do homem moribundo.

— Talvez não tenha percebido, srta. Balveda, mas minhas escolhas nessa questão são quase tão limitadas quanto as suas.

— Eu só tenho pernas e braços, e fico trancada à noite, amarrada. Você não.

— Tenho de ficar de vigia. Ele, de qualquer forma, tem um sensor de movimento que deixa ligado, e assim saberia se eu tentasse escapar. E além disso, para onde eu iria?

— A nave — sugeriu Balveda, sorrindo.

Ela tornou a olhar para a estação escura, onde as luzes nos trajes mostravam Yalson e o Transmutador pegando alguma coisa no chão.

— Eu iria precisar do anel dele. *Você* quer tomá-lo dele?

— Você deve ter um efetuador. Você não poderia enganar os circuitos da nave? Ou mesmo apenas aquele sensor de movimento?

— Srta. Balveda...

— Pode me chamar de Perosteck.

— Perosteck, sou um drone de propósitos gerais, um civil. Tenho campos de luz; o equivalente a muitos dedos, mas não membros principais. Posso produzir um campo de corte, mas com apenas alguns centímetros de profundidade e incapaz de enfrentar uma armadura. Posso interagir com outros sistemas eletrônicos, mas não posso interferir com os circuitos endurecidos de equipamento militar. Tenho um campo de força interno que me permite flutuar, independentemente de gravidade, mas além de usar minha própria massa como arma, isso também não é de grande utilidade. Na verdade, não sou particularmente forte; quando precisava ser, para meu trabalho, havia acessórios disponíveis para meu uso. Infelizmente eu não os estava utilizando quando fui sequestrado. Se estivesse, provavelmente não estaria aqui agora.

— Droga — disse Balveda nas sombras. — Nenhum ás na manga?

— Nenhuma manga, Perosteck.

Balveda respirou fundo e olhou carrancuda para o chão escuro.

— Droga — repetiu ela.

— Nosso líder se aproxima — falou Unaha-Closp, fingindo cansaço na voz.

Ele se virou e acenou com a frente na direção de Yalson e Horza, que voltavam da extremidade oposta da caverna. O Transmutador estava sorrindo. Balveda se levantou com movimentos suaves quando ele a chamou.

\*

— Perosteck Balveda — disse Horza, parado com os outros ao pé da estrutura de acesso traseira e estendendo a mão na direção do idirano preso nos destroços acima. — Conheça Xoxarle.

— Essa é a mulher que você diz ser uma agente da Cultura, humano? — perguntou o idirano, virando a cabeça de um jeito estranho para olhar para o grupo de pessoas abaixo dele.

— É um prazer conhecê-lo — murmurou Balveda, erguendo uma sobrancelha enquanto olhava para o idirano preso.

Horza subiu a rampa, passando por Wubslin, que estava apontando a arma para o ser preso. Horza ainda estava segurando o drone remoto. Ele chegou à rampa do segundo nível e olhou para o rosto do idirano.

— Está vendo isto, Xoxarle?

Ele ergueu o drone, que brilhou com as luzes de seu traje.

Xoxarle assentiu lentamente.

— É um pequeno equipamento danificado. — A voz grave e pesada revelava sinais de tensão, e Horza pôde ver um filete de sangue roxo-escuro no chão da rampa sobre a qual Xoxarle estava esmagado.

— Foi o que vocês dois, guerreiros orgulhosos, tinham quando acharam que haviam capturado a Mente. Isso era tudo o que havia. Um drone remoto projetando um soligrama fraco. Se vocês tivessem levado isso de volta para a frota, eles teriam jogado vocês no buraco negro mais próximo e apagado seus nomes dos registros. Você tem muita sorte por eu ter aparecido quando apareci.

O idirano olhou pensativo para o drone destruído por algum tempo.

— Você — disse lentamente Xoxarle — é mais baixo que um verme, humano. Seus truques e mentiras patéticos fariam um bichinho chorar. Deve haver mais gordura dentro de seu crânio grosso do que há sequer em seus ossos magros. Você não serve para ser vomitado.

Horza subiu na rampa que tinha caído em cima do idirano. Ele ouviu a inspiração brusca do ser através de lábios tensos enquanto caminhava lentamente até onde o rosto de Xoxarle saía de baixo dos destroços.

— E você, seu maldito fanático, não serve para vestir esse uniforme. *Eu* vou encontrar a Mente que você achava que tinha, depois vou levá-lo de volta para a frota, onde, se eles tiverem algum bom senso, vão deixar o inquisidor julgá-lo por sua estupidez grosseira.

— Que se foda... — arquejou dolorosamente o idirano — ... sua alma animal.

*

Horza usou o atordoador neural em Xoxarle. Então ele, Yalson e o drone Unaha-Closp ergueram a rampa de cima do corpo do idirano e a jogaram barulhentamente no chão da estação. Eles recortaram a armadura do corpo do gigante, então prenderam suas pernas com cabos e amarraram seus braços ao lado do corpo. Xoxarle não tinha membros quebrados, mas a queratina em um lado de seu corpo estava rachada e escorria sangue, enquanto outro ferimento, entre sua gola e a placa do ombro direito, tinha se fechado assim que a pressão fora erguida de cima dele. Ele era grande, até mesmo para um idirano; mais de três metros e meio, e não era magro. Horza estava satisfeito que o macho alto — um líder de seção, segundo a insígnia na armadura que ele usava — provavelmente estivesse ferido internamente e ficasse sentindo dor. Isso fazia com que ele fosse um problema menor para vigiar quando estivesse acordado; ele era grande demais para o arnês de contenção.

Yalson estava sentada comendo uma barra de ração, com a arma equilibrada em um joelho e apontando diretamente para o idirano inconsciente, enquanto Horza estava sentado ao pé da rampa e tentava consertar o capacete. Unaha-Closp cuidava de Neisin, tão impotente quanto o resto deles para fazer qualquer coisa para ajudar o homem ferido.

Wubslin estava sentado sobre o pallet fazendo alguns ajustes no sensor de massa. Ele já tinha dado uma olhada no trem do Sistema de Comando, mas o que queria mesmo era ver um deles em funcionamento, com luz melhor e sem radiação para impedi-lo de olhar através do vagão do reator.

Aviger ficou ao lado do corpo de Dorolow por algum tempo. Então foi até a rampa de acesso distante, onde o corpo do outro idirano, o que Xoxarle tinha chamado de Quayanorl, jazia, esburacado e destruído, com os membros faltando. Aviger olhou ao redor e achou que ninguém estava vendo, mas tanto Horza, erguendo os olhos do capacete estragado, quanto Balveda, circulando e batendo e sacudindo os pés em uma tentativa de se manter aquecida, viram o velho chutar o corpo imóvel jogado sobre a rampa, chutar a cabeça coberta com capacete com toda a força. O capacete saiu; Aviger chutou a cabeça nua. Balveda olhou para Horza, sacudiu a cabeça, então começou a andar de um lado para o outro.

— Tem certeza de que são só esses idiranos? — perguntou Unaha-Closp a Horza.

Ele tinha flutuado pela estação e através do trem, acompanhando Wubslin. Agora estava de frente para o Transmutador.

— São só esses — assegurou Horza, olhando não para o drone, mas para a confusão de fibras óticas partidas que estavam chamuscadas e tinham se fundido no interior da casca externa de seu capacete. — Você viu os rastros.

— Humm — disse a máquina.

— Nós ganhamos, drone — falou Horza, ainda sem olhar para ele. — Vamos ligar a energia na estação sete, aí não vamos demorar muito para localizar a Mente.

— Seu "sr. Adequado" parece incrivelmente despreocupado com as liberdades que estamos tomando com seu trem — observou o drone.

Horza olhou ao redor para os destroços e o entulho espalhados perto do trem, então deu de ombros e voltou a mexer no capacete.

— Talvez ele seja indiferente — disse ele.

— Ou ele está se divertindo com tudo isso? — sugeriu Unaha-Closp. Horza olhou para ele. O drone continuou:

— Este lugar é um monumento à morte, afinal. Um lugar sagrado. Talvez seja tanto um altar quanto um monumento, e estejamos apenas realizando um serviço de sacrifício para os deuses.

Horza sacudiu a cabeça.

— Acho que eles esqueceram o fusível de seus circuitos de imaginação, máquina — falou ele, e tornou a olhar para o capacete.

Unaha-Closp emitiu um ruído sibilante e foi observar Wubslin, mexendo no interior do sensor de massa.

— O que você tem contra máquinas, Horza? — perguntou Balveda, parando de andar de um lado para o outro para se aproximar. Ela esfregava as mãos no nariz e nas orelhas de vez em quando. Horza suspirou e baixou o capacete.

— Nada, Balveda, desde que elas se mantenham em seu lugar.

Balveda bufou ao ouvir isso; então voltou a andar de um lado para o outro. Yalson falou mais do alto da rampa:

— Você disse alguma coisa engraçada?

— Eu disse que máquinas deveriam permanecer em seus lugares. Não é o tipo de observação que cai bem com a Cultura.

— É — concordou Yalson, ainda observando o idirano.

Então ela baixou os olhos para a área marcada na frente de seu traje onde ele tinha sido atingido por um raio de plasma.

— Horza? — chamou ela. — Podemos conversar em algum lugar? Não aqui.

Horza olhou para ela.

— Claro — disse ele, intrigado.

Wubslin substituiu Yalson na rampa. Yalson andou até onde Unaha-Closp flutuava acima de Neisin, com as luzes fracas; ele segurava um injetor em uma extensão de campo enevoada.

— Como ele está? — perguntou ela para a máquina.

O drone aumentou as luzes.

— Como ele parece? — retrucou Unaha-Closp.

Yalson e Horza não disseram nada. O drone deixou que suas luzes ficassem fracas outra vez.

— Ele pode durar mais algumas horas.

Yalson sacudiu a cabeça e seguiu para a entrada do túnel que levava ao tubo de trânsito, seguida por Horza. Ela parou no interior, logo que estavam fora da vista dos outros, e se virou para encarar o Transmutador. Parecia à procura de palavras, sem conseguir encontrá-las; tornou a sacudir a cabeça e tirou o capacete, encostando-se na parede curva do túnel.

— Qual o problema, Yalson? — indagou ele. Tentou segurar a mão dela, mas ela cruzou os braços. — Você está mudando de ideia em relação a continuar com isso?

Ela sacudiu a cabeça.

— Não, eu vou em frente. Quero ver esse maldito supercérebro. Não me importa quem fique com ele nem se vai ser explodido, mas quero encontrá-lo.

— Eu não achava que você considerasse isso tão importante.

— Se tornou importante. — Ela afastou os olhos, então voltou a olhar para ele, com um sorriso incerto. — Droga, eu iria junto de qualquer jeito, só para tentar mantê-lo longe de problemas.

— Achei que você estava se afastando um pouco de mim ultimamente — falou ele.

— É — disse Yalson. — Bem, eu não estive... ah... — Ela deu um suspiro pesado. — Que seja.

— O quê? — perguntou Horza.

Ele a viu dar de ombros. A cabeça pequena e raspada se abaixou novamente, em silhueta contra a luz distante.

Ela sacudiu a cabeça.

— Ah, Horza — começou ela, e deu uma pequena risada grunhida. — Você não vai acreditar.

— Acreditar no quê?

— Não sei se devo contar.

— Conte — pediu ele.

— Não espero que você acredite em mim; e se acreditar, não espero que goste. Não de tudo. Estou falando sério. Talvez eu simplesmente não deva...

Ela parecia realmente preocupada. Ele deu uma risada leve.

— Vamos lá, Yalson — encorajou ele. — Você já falou demais para parar agora; você disse que não é de recuar. O que é?

— Estou grávida.

De início, ele achou que não tivesse ouvido direito e ia fazer uma piada com o que pensava ter acabado de ouvir, mas alguma parte de seu cérebro reprisou os sons que a voz dela tinha feito, verificando novamente, e soube que era exatamente o que ela dissera. Ela estava certa. Ele não acreditou. Ele não podia.

— Não me pergunte se eu tenho certeza — disse Yalson.

Ela estava com os olhos baixos outra vez, mexendo com os dedos e olhando fixamente para eles ou para o chão por trás na escuridão, suas mãos sem luvas se projetando nuas das mangas do traje e se apertando uma contra a outra.

— Eu tenho certeza. — Olhou para Horza, embora ele não conseguisse ver seus olhos e ela não conseguisse ver os dele. — Eu estava certa, não estava? Você não acredita em mim, acredita? Quero dizer, é seu.

Por isso estou lhe contando. Eu não diria nada se... se você não... se eu apenas por acaso estivesse. — Ela deu de ombros. — Achei que você ia adivinhar quando eu perguntei sobre quanta radiação nós tínhamos absorvido... Mas agora você está se perguntando como, não é?

— Bem — falou Horza, limpando a garganta e sacudindo a cabeça —, sem dúvida não deveria ser possível. Nós dois somos... mas somos de espécies diferentes; não deveria ser possível.

— Bem, há uma explicação. — Yalson deu um suspiro, ainda olhando para os dedos enquanto eles remexiam uns nos outros. — Mas também acho que você não vai gostar dela.

— Experimente.

— É... é assim. Minha mãe... minha mãe vivia em uma rocha. Uma rocha que viajava, apenas uma das muitas, você sabe. Essa era uma das mais antigas; estava... simplesmente andando pela galáxia por talvez oito ou nove mil anos, e...

— Espere um minuto — interrompeu Horza. — Uma das mais antigas *do quê*?

— Meu pai era um... um homem de um lugar, um planeta onde a rocha parou uma vez. Minha mãe disse que ia voltar em algum momento, mas nunca voltou. Eu disse a ela que um dia voltaria só para vê-lo, se ele ainda estiver vivo... Puro sentimentalismo, eu acho, mas eu disse que faria isso e vou fazer em algum momento; se eu sobreviver a esta situação.

Ela deu aquela mesma pequena meia risada, meio grunhido e tirou os olhos dos dedos por um segundo para olhar ao redor para os espaços escuros da estação. Então seu rosto se virou outra vez para o Transmutador, e sua voz de repente estava urgente, quase suplicante.

— Sou apenas metade Cultura, por nascimento, Horza. Eu deixei a rocha assim que tinha idade suficiente para apontar uma arma corretamente; eu sabia que a Cultura não era lugar para mim. Foi assim que herdei a generreparação para acasalamento transespécies. Nunca tinha pensado nisso antes. Isso deveria ser deliberado, ou pelo menos você tem de parar de pensar em você mesma *não* engravidando, mas dessa vez não funcionou. Talvez eu tenha baixado a guarda de algum modo. Não foi deliberado, Horza, não foi mesmo; isso nunca passou pela minha cabeça. Simplesmente aconteceu. Eu...

— Há quanto tempo você sabe? — perguntou Horza em voz baixa.

— Desde a TAL. Ainda estávamos a alguns dias deste lugar. Não consigo me lembrar exatamente. No início eu não acreditei. Mas sei que é verdade. Olha... — Inclinou-se para mais perto dele, e a nota de súplica estava outra vez em sua voz. — Eu posso abortar. Só de pensar nisso eu consigo me livrar dele, se você quiser. Talvez eu já tivesse feito isso, mas sei que você falou comigo sobre não ter nenhuma família, ninguém para levar seu nome, e eu pensei... bom, eu não ligo para o *meu* nome... Eu só achei que você... — Ela se calou e, de repente, jogou a cabeça para trás e passou os dedos pelo cabelo curto.

— É um belo pensamento, Yalson — disse ele.

Yalson assentiu em silêncio e voltou a mexer nos dedos outra vez.

— Bom, eu estou lhe dando a escolha, Horza — falou sem olhar para ele. — Eu posso ficar com ele. Posso deixá-lo crescer. Posso mantê-lo no estágio em que está agora... Depende de você. Talvez eu simplesmente não queira tomar a decisão; quero dizer, talvez eu não esteja sendo nobre nem me autossacrificando, mas aí está. Você decide. Deus sabe que tipo de mestiço estranho eu posso ter dentro de mim, mas achei que você devia saber. Porque eu gosto de você e... porque... não sei, porque era hora de eu fazer alguma coisa por alguém para variar. — Sacudiu a cabeça outra vez, e sua voz estava confusa, culpada, resignada, tudo ao mesmo tempo. — Ou talvez porque eu queira fazer alguma coisa para agradar a mim mesma, como de hábito. Ah...

Ele tinha começado a passar o braço em torno dela e a chegar mais perto. Ela de repente foi na direção dele, abraçando-o com força. Os trajes tornaram o abraço desajeitado, e as costas dele ficaram rígidas e tensas, mas ele continuou a abraçá-la e a balançou delicadamente para a frente e para trás.

— Seria apenas um quarto de Cultura, Horza, se você quiser. Desculpe por deixar a decisão para você. Mas se você não quiser saber, tudo bem; vou pensar de novo e tomar minha própria decisão. Ainda é parte de mim, então talvez eu não tenha nenhum direito de perguntar a você. Eu realmente não quero... — Ela deu um suspiro alto. — Ah, meu Deus, eu não sei, Horza, não sei mesmo.

— Yalson — começou ele após pensar no que ia dizer. — Não dou a mínima se sua mãe era da Cultura. Não dou a mínima porque o que aconteceu já aconteceu. Se você quiser ir até o fim com isso, tudo bem por mim. Não dou a mínima para nenhuma mestiçagem, também. — Empurrou-a delicadamente e olhou para a escuridão que era seu rosto.

— Estou lisonjeado, Yalson, e grato, também. É uma boa ideia; como você diria: que seja.

Então Horza riu, e ela riu com ele, e eles trocaram um abraço apertado. Ele sentiu lágrimas nos olhos, embora quisesse rir da incongruência de tudo aquilo. O rosto de Yalson estava sobre a superfície dura do ombro de seu traje, perto de uma queimadura de laser. O corpo dela tremia de leve no interior de seu próprio traje.

Atrás deles, na estação, o homem moribundo se remexeu um pouco e gemeu no frio e na escuridão, sem eco.

Ele a abraçou por um tempo. Então ela o afastou para olhar novamente em seus olhos.

— Não conte aos outros.

— Claro que não, se é isso o que você quer.

— Por favor — disse ela.

No brilho fraco da luz dos trajes, a penugem em seu rosto e o cabelo em sua cabeça pareciam brilhar, como uma atmosfera enevoada em torno de um planeta visto do espaço. Ele tornou a abraçá-la, sem saber ao certo o que dizer. Surpresa, em parte, sem dúvida... mas além disso havia o fato de que essa revelação fazia o que quer que existisse entre eles muito mais importante, por isso ele estava mais ansioso que nunca para não dizer a coisa errada, para não cometer um erro. Não podia deixar que isso significasse demais, ainda não. Yalson tinha lhe feito o melhor elogio que ele já havia recebido, mas o próprio valor daquilo o assustava, o distraía. Sentiu que não podia alimentar grandes esperanças em relação a qualquer continuidade de seu nome ou clã que a mulher estivesse lhe oferecendo; o brilho daquela sucessão em potencial parecia muito fraco, e de algum modo também muito tentadoramente indefeso, para encarar a meia-noite contínua e congelada dos túneis.

— Obrigado, Yalson. Vamos terminar com isso aqui embaixo, então vamos ter uma ideia melhor do que queremos fazer. Mas mesmo que você mude de ideia depois, obrigado.

Foi tudo o que ele conseguiu dizer.

Eles voltaram para a caverna escura da estação no momento que o drone puxava um lençol leve sobre a forma imóvel de Neisin.

— Ah, aí estão vocês — falou ele. — Não vi necessidade de entrar em contato com vocês. — A voz dele estava baixa. — Não havia nada que vocês pudessem ter feito.

*

— Satisfeito? — perguntou Aviger a Horza, depois que eles tinham colocado o corpo de Neisin junto ao de Dorolow. Estavam parados perto da estrutura de acesso, onde Yalson tinha retomado o serviço de vigia sobre o idirano inconsciente.

— Sinto muito por Neisin e Dorolow — disse Horza ao velho. — Eu também gostava deles. Posso entender que você esteja abalado. Você não precisa ficar aqui agora; se quiser, volte para a superfície. Agora é seguro. Nós cuidamos de todos eles.

— Você cuidou da maioria de nós, também, não foi? — falou Aviger com amargura. — Você não é melhor que Kraiklyn.

— Cale a boca, Aviger — mandou Yalson da ponte de guindaste. — Você ainda está vivo.

— E você também não se saiu tão mal, não é, mocinha? — disse Aviger para ela. — Você e seu *amigo* aqui.

Yalson ficou quieta por um momento, então falou:

— Você é mais corajoso do que eu pensava, Aviger. Só não se esqueça de que não me incomoda nem um pouco que você seja mais velho e menor que eu. Se quiser que eu te encha de porrada... — Ela assentiu e estreitou os lábios, ainda olhando fixamente para o corpo imóvel do oficial idirano deitado à sua frente. — ... eu faço isso por você, meu velho.

Balveda se aproximou de Aviger e passou o braço pelo dele, começando a afastá-lo dali.

— Aviger — começou ela —, deixa eu te contar sobre a vez...

Mas Aviger a afastou e saiu andando sozinho, para se sentar encostado na parede da estação em frente ao vagão do reator.

Horza olhou pela plataforma para onde o velho estava sentado.

— Ele deveria conferir o medidor de radiação — disse ele para Yalson. — É bem quente ali embaixo perto do vagão do reator.

Yalson roía outra barra de ração.

— Deixe o velho filho da mãe fritar — falou ela.

Xoxarle acordou. Yalson o observou recobrar a consciência, então acenou com a arma em sua direção.

— Diga para esse sujeito grande descer pela rampa, está bem, Horza? — pediu ela.

Xoxarle olhou para Horza e se esforçou de um jeito desengonçado para ficar de pé.

— Não precisa — disse ele em marain. — Posso latir tão bem quanto vocês nesse simulacro lamentável de língua. — Voltou-se para Yalson. — Você primeiro, meu rapaz.

— Eu sou mulher — rosnou Yalson, e apontou a rampa com a arma. — Agora desça esse seu rabo em forma de trevo até lá embaixo.

*

A unidade AG do traje de Horza estava acabada. Unaha-Closp não poderia mesmo ter levado o peso de Xoxarle, então eles teriam de caminhar. Aviger podia flutuar, assim como Wubslin e Yalson, mas Balveda e Horza teriam de se revezar para andar no pallet; e Xoxarle teria de seguir lentamente a pé por todos os 27 quilômetros até a estação sete.

Eles deixaram os dois corpos humanos perto das portas para os tubos de trânsito, onde poderiam recolhê-los mais tarde. Horza jogou a bola inútil do drone remoto da Mente no chão da estação, então explodiu-a com o laser.

— Isso fez com que você se sentisse melhor? — perguntou Aviger.

Horza olhou para o velho, flutuando em seu traje, pronto para seguir pelo túnel com o resto deles.

— Vou lhe dizer uma coisa, Aviger. Se você quiser fazer alguma coisa útil, porque não flutua até aquela rampa de acesso e dá uns tiros na cabeça do camarada de Xoxarle lá em cima, só para garantir que ele esteja mesmo morto?

— Sim, capitão — disse Aviger, e fez uma continência irônica.

Ele seguiu pelo ar até a rampa onde estava o corpo do idirano.

— Está bem — falou Horza para o resto. — Vamos.

Eles entraram no túnel para pedestres enquanto Aviger pousava no nível intermediário da rampa de acesso.

Aviger olhou para o idirano. O traje blindado estava coberto de marcas de queimadura e buracos. A criatura estava sem um braço e uma perna; havia sangue, seco e escuro, por todo lugar. A cabeça do idirano estava carbonizada de um lado, e onde ele o havia chutado mais cedo, Aviger pôde ver a queratina rachada logo abaixo da órbita ocular esquerda. O olho, morto, fixamente aberto, olhava para ele; parecia solto em seu hemisfério de osso, e uma espécie de pus tinha escorrido dele. Aviger apontou sua arma para a cabeça, preparando a arma para disparos únicos. O primeiro pulso explodiu o olho ferido; o segundo abriu um buraco no rosto da criatura embaixo do que podia ter sido seu nariz. Um jato de líquido verde esguichou do buraco e atingiu o peito do traje de Aviger. Ele jogou um pouco de água de seu cantil na sujeira e deixou que ela escorresse.

— Imundície — murmurou consigo mesmo, pendurando a arma no ombro. — Tudo isso... imundície.

— Olhem!

Eles tinham entrado pouco mais de cinquenta metros no túnel. Aviger havia acabado de entrar nele e começado a flutuar em sua direção quando Wubslin gritou. Eles pararam, olhando para a tela do sensor de massa.

Quase no centro das linhas verdes apertadas, havia uma mancha cinza: o traço do reator que eles estavam acostumados a ver, o sensor sendo enganado pela pilha nuclear no trem atrás deles.

Na bordinha da tela, bem à frente e a mais de 26 quilômetros de distância, havia outro eco. Não era uma mancha cinza, um traço falso. Era um ponto firme e brilhante de luz, como uma estrela na tela.

# 12

## O SISTEMA DE COMANDO: MOTORES

— ... **UM** céu como gelo lascado, um vento para cortar você até o âmago de seu corpo. Frio demais para nevar pela maior parte da jornada, mas uma vez, por onze noites e onze dias, ela veio, uma nevasca acima do campo de gelo sobre o qual caminhávamos, uivando como um animal, com uma mordida de aço. Os cristais de gelo corriam como uma única torrente acima da terra dura e congelada. Você não podia olhar para eles nem respirar; até tentar ficar de pé era quase impossível. Nós abrimos um buraco, raso e frio, e nos deitamos dentro dele até que o céu ficasse limpo.

"Nós éramos o bando que caminhava errante, ferido. Alguns nós perdemos quando o sangue congelou dentro deles. Um simplesmente desapareceu, à noite em uma nevasca. Alguns morreram em decorrência de seus ferimentos. Um a um, nós os perdemos, nossos camaradas e nossos criados. Cada um deles implorou que fizéssemos qualquer uso de seus cadáveres quando eles morressem. Nós tínhamos tão pouca comida que sabíamos o que isso significava, estávamos todos preparados; diga um sacrifício mais total ou mais nobre.

"Naquele ar, quando você chorava, as lágrimas congelavam em seu rosto com um estalido, como um coração se partindo.

"Montanhas. Os passos altos que subimos, famintos naquele ar rarefeito e cortante. A neve era um pó branco, seca como poeira. Respirá-la era congelar por dentro; nuvens das encostas irregulares eram deslocadas pelos pés à frente, ardendo na garganta como spray ácido. Eu vi os arco-íris nos véus cristalinos de gelo e neve que eram o produto de nossa passagem e passei a odiar essas cores, aquela secura congelante, o ar elevado e faminto e os céus de um azul profundo.

"Atravessamos três geleiras, perdendo dois de nossos camaradas em fendas, longe de qualquer visão ou som, caindo mais fundo que o alcance de um eco.

"No fundo de um anel de montanhas chegamos a um pântano; ele ficava naquela concha como uma interrupção esperançosa. Estávamos devagar demais, estupefatos demais, para salvar nosso Querl quando ele saiu andando por ali e caiu na lama. Nós achamos que não podia ser, com o ar tão frio à nossa volta, mesmo sob aquela luz pálida do sol; achávamos que ele devia estar congelado e que víamos o que apenas parecia ser, e nossos olhos se limpariam e ele viria andando novamente em nossa direção, não que afundaria naquele lodo escuro, fora de alcance.

"Era um pântano de óleo, percebemos tarde demais, depois que as profundezas alcatroadas tinham cobrado seu preço de nós. No dia seguinte, enquanto ainda estávamos procurando um meio de atravessá-lo, o frio chegou com ainda mais força, e mesmo aquela lama se trancou em imobilidade, e caminhamos rapidamente para o outro lado.

"Em meio à água congelada, começamos a morrer de sede. Tínhamos pouco com o que aquecer a neve além de nossos próprios corpos, e comer aquela poeira branca até ela nos deixar dormentes nos deixava grogues de frio, desacelerando nossa fala e nosso passo. Mas seguíamos em frente, embora o frio nos sugasse quer estivéssemos acordados, quer tentando dormir, e o sol brilhante nos cegasse em campos de branco cintilante e enchesse nossos olhos de dor. O vento nos cortava, a neve tentava nos engolir, montanhas como vidro negro cortado nos bloqueavam, e as estrelas nas noites limpas nos insultavam, mas nós seguíamos em frente.

"Quase dois mil quilômetros, pequeno, com apenas a pequena quantidade de comida que pudemos carregar dos destroços, com o pouco equipamento que não tinha se transformado em sucata pela fera da barreira e nossa determinação. Éramos 44 quando deixamos o cruzador de batalha, 27 quando começamos nossa caminhada através das neves; oito de minha espécie, 19 medjel. Dois de nós terminaram a viagem, e seis de nossos criados.

"Você se surpreende que tenhamos caído sobre o primeiro lugar que encontramos com luz e calor? É surpresa para você que simplesmente tenhamos tomado sem pedir? Tínhamos visto guerreiros corajosos e criados fiéis morrerem de frio, observado uns aos outros desaparecer, como se as rajadas de gelo nos tivessem esfolado; tínhamos olhado para os céus sem nuvem e impiedosos de um lugar morto e alienígena e nos perguntado quem estaria devorando quem quando surgisse a luz do amanhecer. No início, brincamos com isso, mas depois, quando tínhamos marchado por trinta dias e a maioria de nós estava morta, em gargantas de gelo, ravinas nas montanhas ou em nossos próprios estômagos, não achamos mais tanta graça. Alguns dos últimos, talvez sem acreditar que nossa maldição fosse verdade, acho que morreram de desespero.

"Nós matamos seus amigos humanos, esses outros Transmutadores. Eu matei um com minhas próprias mãos; outro, o primeiro, caiu diante de um medjel enquanto ainda dormia. O que estava na sala de controle lutou bravamente, e quando soube que estava perdido, destruiu muitos dos controles. Eu o saúdo. Houve outro que resistiu lutando no lugar onde eles guardavam coisas; ele, também, morreu bem. Você não devia pranteá-los demais. Vou encarar meus superiores com verdade em meus olhos e em meu coração. Eles não vão me disciplinar, mas me recompensar, se um dia eu estiver diante deles."

Horza estava atrás do idirano, seguindo-o pelo túnel enquanto Yalson descansava de vigiar o trípode alto. Horza tinha pedido a Xoxarle para lhe contar o que tinha acontecido com o grupo de assalto que havia chegado ao planeta no interior do animal chuy-hirtsi. O idirano respondera com uma oração.

— *Outra* — falou Horza.

— O quê, humano? — trovejou a voz de Xoxarle pelo túnel.

Ele não tinha se dado ao trabalho de se virar quando falou; dirigira-se ao ar límpido do túnel para pedestres que levava à estação sete, sua voz grave e poderosa facilmente ouvida até por Wubslin e Aviger, que estavam na retaguarda do grupo pequeno e heterogêneo.

— Você fez de novo — disse Horza de um jeito fatigado, falando com a parte de trás da cabeça do idirano. — O que foi morto enquanto dormia: era ela; uma mulher, uma fêmea.

— Bom, o medjel cuidou dela. Nós os pusemos no corredor. Parte de seu alimento se mostrou comestível; para nós, tinha o gosto do céu.

— Há quanto tempo foi isso? — perguntou Horza.

— Há cerca de oito dias, eu acho. É difícil ter noção do tempo aqui embaixo. Nós tentamos montar um sensor de massa imediatamente, sabendo que seria valioso, mas não tivemos sucesso. Tudo o que tínhamos era o que havia restado intacto da base dos Transmutadores. A maior parte de nosso próprio equipamento tinha sido atacada pela fera da Barreira, teve de ser abandonada quando partimos do animal de dobra para vir para cá ou foi deixada pelo caminho, enquanto nossos números iam sendo reduzidos.

— Você deve ter achado que foi sorte encontrar a Mente com tanta facilidade.

Horza mantinha o fuzil apontado para o pescoço do idirano alto, vigiando Xoxarle o tempo inteiro. A criatura podia estar ferida — Horza conhecia o suficiente sobre a espécie para saber que o líder de seção estava sentindo dor só por seu jeito de andar —, mas ainda era perigosa. Horza, porém, não se importava que ele falasse; isso fazia o tempo passar.

— Nós sabíamos que ela estava ferida. Quando a encontramos na estação seis, e ela não se moveu nem mostrou nenhum sinal de nos perceber, presumimos que esses fossem apenas sinais de seus danos. Já sabíamos que vocês tinham chegado; foi apenas há um dia. Aceitamos nossa boa sorte sem pensar duas vezes e nos preparamos para escapar. Vocês nos impediram por pouco. Mais algumas horas e teríamos feito aquele trem funcionar.

— Vocês, mais provavelmente, teriam se explodido em poeira radioativa — disse Horza para o idirano.

— Pense o que quiser, pequeno. Eu sabia o que estava fazendo.

— Tenho certeza — falou Horza com ceticismo. — Por que vocês levaram todas as armas e deixaram aquele medjel desarmado na superfície?

— Pretendíamos levar um dos Transmutadores vivo e interrogá-lo, mas não conseguimos; nossa própria culpa, sem dúvida. Se tivéssemos feito isso, teríamos nos assegurado de que não havia mais ninguém aqui embaixo na nossa frente. Nós também nos atrasamos para chegar aqui, afinal de contas. Trouxemos todo o armamento conosco e deixamos o criado na superfície só com um comunicador para...

— Nós não encontramos o comunicador — interrompeu Horza.

458

— Bom. Ele devia escondê-lo quando não estivesse tentando contato — explicou Xoxarle. — Assim teríamos o pequeno poder de fogo que possuíamos onde ele pudesse ser mais necessário. Quando percebemos que estávamos aqui sozinhos, mandamos um criado armado subir para vigiar. Infelizmente para ele, parece que chegou logo depois de vocês.

— Não se preocupe — disse Horza. — Ele trabalhou bem; quase explodiu minha cabeça.

Xoxarle riu. Horza se encolheu levemente com o som. Não era apenas alto, era cruel de um jeito que o riso de Xoralundra nunca tinha sido.

— Sua pobre alma de escravo, então, está descansando — falou Xoxarle com voz trovejante. — Sua tribo não pode pedir mais que isso.

Horza se recusou a parar até estarem a meio caminho da estação sete.

Eles se sentaram no túnel para pedestres para descansar. O idirano se sentou um pouco adiante, Horza de frente para ele a aproximadamente seis metros de distância, a arma pronta. Yalson estava ao seu lado.

— Horza — disse ela, olhando para o traje dele, então para o seu próprio. — Acho que podemos tirar a unidade AG do meu traje; ela se solta. Poderíamos conectá-la ao seu. Talvez não ficasse muito bonito, mas funcionaria.

Ela olhou para o rosto dele. Os olhos dele se afastaram de Xoxarle por um momento, então voltaram.

— Eu estou bem — falou ele. — Fique com a unidade. — Cutucou-a delicadamente com o braço livre e baixou a voz. — Afinal de contas, você está carregando um pouco mais de peso.

Yalson lhe deu uma cotovelada com força suficiente para movê-lo levemente sobre o chão do túnel. Ele deu um grunhido e em seguida esfregou a lateral do traje, fingindo dor.

— Ai.

— Agora eu queria não ter contado a você — disse Yalson.

— Balveda? — falou de repente Xoxarle, virando lentamente sua cabeça enorme para olhar para o túnel, além de Horza e Yalson, acima do pallet e do drone Unaha-Closp, depois de Aviger e Wubslin, que observava o sensor de massa, para onde estava sentada a agente da Cultura, de olhos fechados e em silêncio contra a parede.

— Líder de seção? — respondeu Balveda, abrindo os olhos calmos e olhando pelo túnel para o idirano.

— O Transmutador diz que você é da Cultura. Esse é o papel em que ele escalou você. Queria que eu acreditasse que você é uma agente de espionagem. — Xoxarle inclinou a cabeça para um lado, olhando pelo tubo escuro do túnel para a mulher encostada na parede curva. — Para mim, você parece ser uma prisioneira desse homem. Diga-me: você é o que ele diz que é?

Balveda olhou para Horza, então para o idirano, seu olhar lento preguiçoso, quase indolente.

— Infelizmente sou, líder de seção — confirmou ela.

O idirano moveu a cabeça de um lado para o outro, piscou os olhos, então trovejou:

— Muito estranho. Não consigo imaginar por que vocês todos estariam tentando me enganar ou por que esse único homem tem tanto controle sobre todos vocês. Ainda assim, acho pouco crível sua própria história. Se ele estiver mesmo do nosso lado, então eu me comportei de um jeito que pode atrapalhar nossa causa e talvez até ajudar a sua, mulher, se você é quem diz ser. Muito estranho.

— Continue pensando nisso — disse Balveda lentamente, então fechou os olhos e tornou a apoiar a cabeça na parede do túnel.

— Horza está em seu próprio lado, no de mais ninguém — falou Aviger, mais acima no túnel.

Estava falando com o idirano, mas seu olhar voltou-se para Horza no fim da frase, e ele baixou a cabeça, olhando para um recipiente de comida ao seu lado e pegando nele as últimas migalhas.

— É assim com todos da sua espécie — disse Xoxarle para o velho, que não estava olhando. — Vocês são feitos assim; todos devem lutar para desbravar seu caminho nas costas dos outros humanos durante o curto período que vocês têm no universo, se reproduzindo quando podem, de modo que as cepas mais fortes sobrevivem e as mais fracas morrem. Eu não culparia mais vocês por isso do que tentaria converter algum carnívoro não senciente ao vegetarianismo. Vocês estão todos de seu próprio lado. Conosco é diferente.

— Xoxarle olhou para Horza. — Você tem de concordar com isso, Transmutador aliado.

— Vocês são mesmo diferentes — concordou Horza. — Mas só me importa o fato de que estão lutando contra a Cultura. Vocês podem ser a dádiva ou a praga de Deus no resultado final, mas o que importa para mim é que no momento você está contra os aliados dela. — Horza apontou Balveda com a cabeça. Ela não abriu os olhos, mas sorriu.

— Que atitude pragmática — observou Xoxarle. Horza se perguntou se os outros podiam ouvir o toque de humor na voz do gigante. — O que a Cultura te fez para você odiá-la tanto?

— Para mim, nada — respondeu Horza. — Eu simplesmente discordo deles.

— Nossa — falou Xoxarle. — Vocês, humanos, nunca deixam de me surpreender.

De repente, ele se curvou para a frente, e um barulho crepitante e trovejante como rochas sendo trituradas saiu de sua boca. Seu corpo grande estremeceu. Xoxarle virou a cabeça e cuspiu no chão do túnel. Manteve a cabeça virada enquanto os humanos olhavam uns para os outros, perguntando-se qual seria a gravidade real dos ferimentos do idirano. Xoxarle ficou em silêncio. Ele se debruçou e olhou para o que tinha cuspido, emitiu um ruído distante e meio ecoante na garganta, então se voltou outra vez para Horza. Sua voz estava áspera e rouca quando ele falou novamente.

— Sim, sr. Transmutador, você é um sujeito interessante. Mas, veja bem, permite demasiada divergência em suas fileiras. — Xoxarle olhou para Aviger, que ergueu a cabeça e olhou para o idirano com uma expressão assustada.

— Eu me viro — disse Horza ao líder de seção. Ele se levantou, olhando ao redor para os outros e esticando as pernas. — É hora de ir. — Voltou-se para Xoxarle. — Você está em condições de andar?

— Me desamarre e eu poderia correr rápido demais para você escapar, humano — ronronou Xoxarle.

Ele desdobrou sua estrutura enorme da posição agachada. Horza olhou para o V escuro e largo que era o rosto da criatura e assentiu lentamente.

— Pense apenas em permanecer vivo para que eu possa levá-lo de volta para a frota, Xoxarle — recomendou Horza. — As buscas e lutas terminaram. Agora, estamos todos procurando pela Mente.

— Uma caçada lamentável, humano — opinou Xoxarle. — Um final ignominioso para toda a empreitada. Você me faz sentir vergonha por você, mas, afinal, você é apenas humano.

— Ah, cale a boca e comece a andar — falou Yalson para o idirano.

Ela apertou botões na unidade de controle de seu traje e flutuou no ar até o nível da cabeça de Xoxarle. O idirano bufou, se virou e saiu mancando pelo túnel. Um a um, eles o seguiram.

*

Horza percebeu o idirano começar a ficar cansado após alguns quilômetros. Os passos do gigante ficaram mais curtos; ele movia as grandes placas de queratina de seus ombros com cada vez mais frequência, tentando aliviar alguma dor no interior, e frequentemente sua cabeça se sacudia, como se estivesse tentando desanuviá-la. Duas vezes ele se virou e cuspiu nas paredes. Horza olhava para as manchas gotejantes de fluido: sangue idirano.

Depois de algum tempo, Xoxarle cambaleou, seus passos guinando para um lado. Horza estava caminhando atrás dele outra vez, após passar um tempo no pallet. Ele reduziu a velocidade quando viu o idirano começar a balançar e ergueu uma das mãos para informar os outros também. Xoxarle emitiu um ruído baixo e gemido, virou-se um pouco, e então, com passos difíceis para o lado, os cabos em seus pés mancos se apertando e zunindo como as cordas de um instrumento, caiu para a frente, desabando no chão e ficando imóvel.

— Oh... — disse alguém.

— Para trás — ordenou Horza, então caminhou cuidadosamente na direção do corpo longo e inerte do idirano.

Ele olhou para a grande cabeça, imóvel no piso do túnel. Sangue escorria de baixo dela, formando uma poça. Yalson se juntou a Horza, com a arma apontada para a criatura caída.

— Ele está morto? — perguntou ela.

Horza deu de ombros. Ajoelhou-se e tocou o corpo do idirano com a mão nua, em um ponto perto do pescoço onde às vezes era possível sentir o fluxo constante de sangue no interior, mas não havia nada. Fechou e depois abriu um dos olhos do líder de seção.

— Acho que não. — Ele tocou o sangue escuro que se acumulava na poça. — Parece que ele está sangrando muito, por dentro.

— O que podemos fazer? — indagou Yalson.

— Não muito.

Horza esfregou o queixo, pensativo.

— Que tal algum anticoagulante? — sugeriu Aviger do lado oposto do pallet onde Balveda estava sentada e de onde observava a cena à sua frente com olhos escuros e calmos.

— Os nossos não funcionam neles — explicou Horza.

— Spray de pele — falou Balveda.

Todos olharam para ela, que assentiu, olhando para Horza.

— Se vocês tiverem qualquer álcool medicinal e algum spray de pele, faça uma solução de partes iguais. Se ele tiver ferimentos no trato digestivo, isso pode ajudá-lo. Se for respiratório, ele está morto.

Balveda deu de ombros para Horza.

— Bom, vamos fazer alguma coisa em vez de ficar o dia inteiro aqui parados — sugeriu Yalson.

— Vale a pena tentar — concordou Horza. — É melhor sentá-lo ereto se quisermos derramar essa coisa pela garganta dele.

— Isso sem dúvida significa eu — disse, fatigado, o drone debaixo do pallet.

Ele flutuou para a frente e colocou o pallet no chão perto dos pés de Xoxarle. Balveda desceu quando o drone transferiu a carga de suas costas para o chão do túnel. Então ele flutuou até onde Yalson e Horza estavam junto do idirano de bruços.

— Vou erguê-lo com o drone — disse Horza a Yalson, baixando a arma. — Você mantenha a arma apontada para ele.

Wubslin, agora ajoelhado no chão do túnel e mexendo com os controles do sensor de massa, assoviava baixo consigo mesmo. Balveda deu a volta por trás do pallet para observar.

— Aí está ela. — Wubslin sorriu para a agente da Cultura, apontando a cabeça na direção do ponto branco e brilhante na tela de linhas verdes. — Não é uma beleza?

— Você acha que está na estação sete?

Balveda curvou os ombros magros e enfiou as mãos no fundo dos bolsos da jaqueta. Ela franziu o nariz enquanto observava a tela. Estava sentindo seu próprio cheiro.

Todos estavam fedendo, todos exalando cheiros animais, depois de todo aquele tempo ali embaixo sem se lavarem. Wubslin estava assentindo.

— Deve estar — respondeu ele.

Horza e o drone se esforçaram para colocar o idirano de membros inertes em uma posição sentada. Aviger se adiantou para ajudar, tirando o capacete no caminho.

— Deve estar — murmurou Wubslin, mais para si mesmo que para Balveda.

Sua arma caiu do ombro e ele a pegou, franzindo o cenho para a bobina emperrada que deveria eliminar a folga na correia da arma. Pôs a arma sobre o pallet e voltou a mexer no sensor de massa. Balveda se aproximou, olhando por trás dos ombros do engenheiro. Wubslin se virou e olhou para ela enquanto Horza e o drone Unaha-Closp erguiam lentamente Xoxarle do chão. Deu um sorriso estranho para a agente da cultura e moveu o fuzil a laser que tinha posto no pallet para mais longe de Balveda. Ela deu um leve sorriso em resposta e deu um passo para trás. Ela tirou as mãos dos bolsos e cruzou os braços, observando Wubslin trabalhar de um pouco mais longe.

— Filho da mãe pesado — arquejou Horza enquanto ele, Aviger e Unaha-Closp finalmente puxaram e empurraram as costas de Xoxarle contra a lateral do túnel. A cabeça enorme estava curvada imóvel sobre o peito. Líquido escorria do lado de sua boca enorme. Horza e Aviger se aprumaram. Aviger estendeu os braços, grunhindo.

Xoxarle pareceu morto; por um segundo, talvez dois.

Então foi como se uma força imensa o afastasse da parede com uma explosão. Ele se jogou para a frente e para o lado, um braço atacando o peito de Horza e atirando o Transmutador em cima de Yalson; ao mesmo tempo, suas pernas parcialmente vergadas ficando rapidamente retas. O idirano se afastou do grupo, passando por Aviger — jogado contra a parede do túnel — e Unaha-Closp — derrubado no chão do túnel por um tapa da outra mão de Xoxarle — em direção ao pallet.

Xoxarle voou sobre o pallet e abaixou o braço erguido e o punho maciço. Wubslin não tinha nem começado a se mover na direção de sua arma.

O idirano baixou o punho com toda a sua força, espatifando o sensor de massa com um único golpe esmagador. Sua outra mão moveu-se rapidamente para pegar o laser. Wubslin se jogou para trás instintivamente, chocando-se contra Balveda.

A mão de Xoxarle se fechou em torno do fuzil de laser como uma armadilha de laço em torno da perna de um animal. Ele rolou pelo ar e por cima dos destroços em desintegração do sensor. A arma girou em sua mão, apontando de volta para o túnel onde Horza, Yalson e Aviger ainda estavam tentando recuperar o equilíbrio, e Unaha-Closp estava apenas começando a se mover. Xoxarle se firmou brevemente e apontou diretamente para Horza.

Unaha-Closp bateu contra o maxilar inferior do idirano como um míssil pequeno e de aerodinâmica ruim, erguendo o corpo do líder de seção do pallet, esticando seu pescoço em seus ombros, puxando todas as suas três pernas juntas e jogando seus braços para os lados. Xoxarle aterrissou com um baque surdo ao lado de Wubslin e ficou imóvel.

Horza se abaixou e pegou sua arma. Yalson se abaixou e girou, erguendo sua arma em posição. Wubslin se sentou; Balveda tinha cambaleado para trás depois que Wubslin tinha caído contra ela; com a mão na boca, ela agora estava parada, olhando fixamente para onde Unaha-Closp pairava no ar acima do rosto de Xoxarle. Aviger esfregava a cabeça e olhava ressentido para a parede.

Horza foi até o idirano. Os olhos de Xoxarle estavam fechados. Wubslin arrancou seu fuzil da mão inerte dele.

— Nada mal, drone — falou Horza, assentindo.

A máquina se virou para ele.

— Unaha-*Closp* — disse, em desespero.

— Está bem, certo. — Ele deu um suspiro. — Bom trabalho, Unaha-Closp.

Horza foi olhar os pulsos de Xoxarle. Os cabos em suas pernas estavam intactos, mas os de seus braços tinham sido rompidos como linhas.

— Eu não o matei, matei? — perguntou Unaha-Closp.

465

Horza, com o cano de seu fuzil contra a cabeça de Xoxarle, sacudiu a cabeça.

O corpo de Xoxarle começou a tremer; seus olhos se abriram.

— Não, eu não estou morto, meus pequenos amigos — declarou ele com voz trovejante, e o barulho crepitante e rouco de seu riso ecoou pelos túneis. Ele ergueu o tronco lentamente do chão.

Horza lhe deu um chute na lateral do corpo.

— Você...

— Pequeno! — Xoxarle riu antes que Horza pudesse dizer mais alguma coisa. — É assim que você trata seus aliados? — Ele esfregou o maxilar, movendo placas fraturadas de queratina. — Estou ferido — anunciou a voz grandiosa, então começou a rir novamente, a grande cabeça em forma de V balançando para a frente na direção dos destroços na parte de trás do pallet —, mas ainda não estou do mesmo jeito que seu precioso sensor de massa!

Horza bateu com o fuzil na cabeça do idirano.

— Eu devia...

— Você devia estourar minha cabeça agora. Eu sei, Transmutador. Eu já disse que você devia fazer isso. Por que não faz?

Horza apertou o dedo em torno do gatilho, prendendo a respiração, então urrou — gritou sem palavras ou sentido para a figura sentada à sua frente — e saiu andando, passando pelo pallet.

— Amarrem esse filho da puta! — berrou ele, e passou pisando forte por Yalson, que girou brevemente para observá-lo se afastar; então voltou com uma leve sacudidela da cabeça para observar enquanto Aviger, com a ajuda de Wubslin, que de vez em quando lançava um olhar triste para os destroços do sensor de massa, amarrava com força os braços do idirano ao lado de seu corpo com várias voltas de cabos. Xoxarle ainda se sacudia, rindo.

— Acho que ele sentiu minha massa! Acho que ele sentiu meu punho! Ha!

*

— Espero que alguém tenha dito àquele lixo de três pernas que ainda temos um sensor de massa no meu traje — falou Horza quando Yalson o alcançou.

Yalson olhou para trás, então disse:

— Bom, eu contei, mas acho que ele não acreditou em mim. — Ela olhou para Horza. — Está funcionando?

Horza olhou para a pequena tela repetidora em seus controles de pulso.

— Não a essa distância, mas vai funcionar quando chegarmos mais perto. Ainda vamos encontrar a coisa, não se preocupe.

— Não estou preocupada — assegurou Yalson. — Você vai voltar e se juntar a nós?

Ela tornou a olhar para os outros. Eles estavam vinte metros para trás. Xoxarle, ainda rindo de vez em quando, estava na frente, com Wubslin caminhando às suas costas, vigiando o idirano com a arma de atordoamento. Balveda estava sentada no pallet, com Aviger flutuando atrás dela.

Horza assentiu.

— Acho que vou. Vamos esperar aqui.

Ele parou. Yalson, que estava andando em vez de flutuar, também parou.

Eles se apoiaram na parede do túnel quando Xoxarle se aproximou.

— Como você está, afinal? — perguntou Horza à mulher.

Yalson deu de ombros.

— Bem. Como você está?

— Eu quis dizer... — começou a dizer Horza.

— Eu sei o que você quis dizer — interrompeu Yalson. — E já disse que estou bem. Agora, pare de ser tão chato. — Ela sorriu para ele. — Está bem?

— Está bem — concordou Horza, apontando a arma para Xoxarle enquanto o idirano passava.

— Está perdido, Transmutador? — trovejou o gigante.

— Só continue andando — desdenhou Horza.

Ele voltou a caminhar, acompanhando Wubslin.

— Desculpe por ter posto minha arma no pallet — falou o engenheiro. — Foi estupidez.

— Deixe para lá — disse Horza. — Ele estava atrás do sensor. A arma deve ter sido uma agradável surpresa. De qualquer modo, o drone nos salvou. Horza emitiu uma espécie de bufo pelo nariz, como uma risada. — O drone nos salvou — repetiu ele para si mesmo e sacudiu a cabeça.

*

... *ah, minha alma minha alma, tudo agora é escuridão. agora eu morro, agora eu desapareço e nada vai restar. estou assustado, oh grandioso, tenha piedade de mim, mas estou assustado. nada de sono da vitória; eu ouvi apenas minha morte. escuridão e morte. momento para todos se tornarem um, exemplo de aniquilação. eu falhei; eu ouvi e agora sei, falhei. morte é boa demais para mim. esquecimento como libertação, mais do que mereço, muito mais. não consigo deixar que escape, devo me agarrar porque não mereço um fim rápido e desejado. meus camaradas esperam, mas eles não sabem o quanto falhei. não sou digno de me juntar a eles. meu clã deve chorar.*

*ah, essa dor... escuridão e dor...*

*

Eles chegaram à estação.

O trem do Sistema de Comando se erguia alto acima da plataforma, sua extensão escura brilhando com as luzes do pequeno bando de pessoas entrando na estação.

— Bom, aqui estamos, finalmente — disse Unaha-Closp.

Ele parou e deixou Balveda descer do pallet, então pôs a placa com seus suprimentos e materiais sobre o chão empoeirado.

Horza ordenou que o idirano ficasse parado contra a plataforma de acesso mais próxima e o amarrou nela.

— Bem — falou Xoxarle enquanto Horza o amarrava ao metal —, e sua Mente, pequeno?

Ele olhou como um adulto reprovador para o humano que enrolava seu corpo em cabos.

— Onde ela está? Não estou vendo.

— Paciência, líder de seção — disse Horza.

Ele prendeu o cabo e o testou, então se afastou.

— Confortável? — perguntou ele.

— Minhas entranhas doem, meu maxilar está quebrado e há pedaços de seu sensor de massa cravados em minha mão — respondeu Xoxarle. — Além disso, minha boca também está um pouco machucada por dentro, onde mordi mais cedo para produzir todo aquele sangue convincente. Fora isso, estou bem, obrigado, aliado. — Xoxarle curvou a cabeça o máximo que conseguia.

— Não vá embora.

Horza deu um sorriso leve. Ele deixou Yalson vigiando Xoxarle e Balveda enquanto ia com Wubslin até a sala de comutação de energia.

— Estou com fome — anunciou Aviger.

Ele se sentou no pallet e abriu uma barra de ração.

No interior da sala de comutação de energia, Horza estudou os medidores, chaves e alavancas por alguns momentos, então começou a ajustar os controles.

— Eu, hã... — começou a dizer Wubslin, coçando a testa através do visor aberto de seu capacete. — Eu estava me perguntando... sobre o sensor de massa em seu traje... Ele está funcionando?

Luzes se acenderam em um grupo de controle, um conjunto de vinte mostradores brilhando fracamente. Horza estudou os mostradores e então falou:

— Não. Eu já chequei. Ele está obtendo uma leitura baixa do trem, mas nada mais. Está assim desde uns dois quilômetros atrás, no túnel. Ou a Mente desapareceu desde que o sensor da nave foi destruído ou este no meu traje não está funcionado direito.

— Ah, merda. — Wubslin suspirou.

— Mas que droga — disse Horza, ligando algumas chaves e observando mais medidores se acenderem. — Vamos ligar a energia. Talvez nós pensemos em alguma coisa.

— É — assentiu Wubslin.

Ele olhou para trás pelas portas abertas da sala, como se quisesse ver se as luzes já estavam se acendendo. Tudo o que viu foi a forma escura das costas de Yalson na plataforma mal iluminada. Uma parte de um trem nas sombras, com três andares de altura, aparecia atrás.

Horza foi até outra parede e reposicionou algumas alavancas. Bateu em alguns mostradores, olhou em uma tela iluminada, então esfregou as mãos juntas e pôs o polegar sobre um botão no painel de controle central.

— Bem, é isso — disse ele.

Apertou o botão com o polegar.

— Isso!

— Hey, hey!

— Conseguimos!

— Também já era hora, se você quer saber.

— Humm, pequeno, então é assim que é feito...

— Merda! Se eu soubesse que era dessa cor, nem teria começado a comer...

Horza ouviu os outros. Respirou fundo e se virou para olhar para Wubslin. O engenheiro troncudo estava parado, piscando um pouco diante das luzes fortes da sala de comutação de energia. Ele sorriu.

— Ótimo — falou ele. Então olhou ao redor da sala, ainda assentindo. — Ótimo. Finalmente.

— Bom trabalho, Horza — disse Yalson.

Horza pôde ouvir outras chaves, maiores, automaticamente ligadas à chave central que havia acionado, movendo-se no espaço sob seus pés. Zumbidos enchiam a sala, e o cheiro de poeira queimada se ergueu como o odor quente de um animal despertando por toda a sua volta. Luz vinda da estação lá fora inundou o lugar. Horza e Wubslin verificaram alguns medidores e monitores, então saíram.

A estação estava iluminada. Ela brilhava; as paredes em preto-acinzentado refletiam as faixas de luz e os painéis brilhantes que cobriam o teto. O trem do Sistema de Comando, agora visto adequadamente pela primeira vez, enchia a estação de uma ponta a outra: um monstro reluzente de metal, como uma vasta versão androide de um inseto segmentado.

Yalson tirou o capacete, passou os dedos pelo cabelo aparado curto e olhou para cima e ao redor, estreitando os olhos contra a luz branco-amarelada que caía do teto da estação acima.

— E então — disse Unaha-Closp, flutuando na direção de Horza. A lataria da máquina brilhava sob a nova luz forte. — Onde exatamente está esse dispositivo que estamos procurando? — Ele se aproximou do rosto de Horza. — O sensor do seu traje o está registrando? Ele está aqui? Nós o encontramos?

Horza tirou a máquina de seu caminho com uma das mãos.

— Me dê tempo, drone. Nós acabamos de chegar aqui. Eu liguei a energia, não liguei?

Ele passou pelo drone, seguido por Yalson, que ainda estava olhando ao redor, e Wubslin, também olhando, embora principalmente para o trem reluzente. Luzes brilhavam em seu interior.

A estação se encheu com o zumbido de motores ligados, o sibilar de circuladores e ventoinhas de ar. Unaha-Closp, flutuando, fez a volta para encarar Horza, recuando pelo ar enquanto se mantinha no nível do rosto do homem.

— O que você quer dizer? Com certeza tudo o que você precisa fazer é olhar para a tela. Você consegue ver a Mente aí ou não?

O drone se aproximou, abaixando-se para olhar para os controles e a telinha no punho do traje de Horza, que o afastou com a mão.

— Estou captando alguma interferência do reator. — Horza olhou para Wubslin. — Vamos lidar com isso.

— Dê uma olhada pela área de reparos, verifique o lugar — sugeriu Yalson para a máquina. — Faça alguma coisa útil.

— Não está funcionando, está? — perguntou Unaha-Closp. Estava acompanhando os passos de Horza, ainda olhando para ele e recuando pelo ar à sua frente. — Aquele lunático de três pernas destruiu o sensor de massa no pallet, e agora estamos cegos; estamos de volta à estaca zero, não estamos?

— Não — respondeu Horza com impaciência. — Não estamos. Nós vamos consertá-lo. Agora, que tal fazer algo útil para variar?

— Para variar? — disse Unaha-Closp com o que pareceu ser sentimento. — Para *variar*? Você está se esquecendo de quem salvou a pele de todos vocês nos túneis quando seu pequeno oficial de ligação idirano fofo ali começou a atacar.

— Está *bem*, drone — falou Horza entre dentes cerrados. — Eu disse obrigado. Agora, por que você não dá uma olhada pela estação só para o caso de haver alguma coisa para ser vista?

— Como Mentes que você não consegue ver nos sensores de massa destruídos de seu traje, por exemplo? E o que vocês vão fazer enquanto eu estiver fazendo isso?

— Descansar — respondeu Horza. — E pensar.

Ele parou perto de Xoxarle e inspecionou as amarras do idirano.

— Ah, ótimo — escarneceu Unaha-Closp. — E seu pensamento ajudou muita coisa...

— Pelo amor de Deus, Unaha-Closp — disse Yalson com um suspiro pesado. — Você pode ir ou ficar, mas cale a boca.

— Entendi! Certo! — Unaha-Closp se afastou deles e se ergueu no ar. — Eu vou me perder por aí, então! Eu devia ter...

Ele se afastava flutuando enquanto falava. Horza gritou mais alto que a voz do drone:

— Antes que você vá, consegue ouvir algum alarme?

— O quê?

Unaha-Closp parou. Wubslin exibiu uma expressão sofrida e atenta no rosto e olhou ao redor para as paredes iluminadas da estação, como se estivesse fazendo um esforço para ouvir acima das frequências que seus ouvidos podiam sentir.

Unaha-Closp ficou em silêncio por um momento, então disse:

— Não. Nenhum alarme. Eu vou agora. Vou verificar o outro trem. Quando eu achar que você está com um estado de ânimo mais acessível eu volto.

Ele se virou e saiu a toda velocidade.

— Dorolow poderia ter ouvido os alarmes — murmurou Aviger, mas ninguém ouviu.

Wubslin ergueu os olhos para o trem, reluzindo sob as luzes da estação, e, como ele, pareceu brilhar por dentro.

*... o que é isso? é luz? eu estou imaginando? estou morrendo? é isso o que acontece? eu estou morrendo agora, tão cedo? achei que ainda me restasse algum tempo e eu não mereço...*

*luz! é luz!*

*posso ver outra vez!*

Soldado ao metal frio por seu próprio sangue seco, seu corpo alquebrado e retorcido, mutilado e morrendo, ele abriu o olho bom o máximo que conseguiu. Remela havia secado sobre ele, e precisou piscar para tentar limpá-lo.

Seu corpo era uma terra escura e alienígena de dor, um continente de tormenta.

... Restava um olho. Um braço. Uma perna faltando, simplesmente decepada. Uma dormente e paralisada, a outra quebrada (ele testou para ter certeza, tentando mover o membro; foi tomado de dor, como por um raio acima do território sombrio que era seu corpo e sua dor), *e meu rosto... meu rosto...*

Ele se sentia como um inseto esmagado, abandonado por uma criança depois de uma cruel brincadeira vespertina. Pensaram que estivesse morto, mas ele não tinha a mesma constituição que eles. Alguns buracos não eram nada; um membro amputado... bem, seu sangue não jorrava como o deles quando um braço ou uma perna era removido (ele se lembrou de uma gravação de uma dissecção humana), e para o guerreiro não havia choque; não como os sistemas fracos de carnes dependuradas deles. Tinha levado um tiro no rosto, mas o raio ou a bala não havia penetrado a cobertura interna de queratina do cérebro nem danificado seus nervos. De forma semelhante, seus olhos tinham sido esmagados, mas o outro lado de seu rosto estava intacto, e ele ainda conseguia ver.

Estava tão claro. Sua visão desanuviou, e ele olhou, sem se mexer, para o teto da estação.

Podia se sentir morrendo devagar; um conhecimento interno que, na verdade, eles podiam não ter tido. Podia sentir o vazamento lento de seu sangue no interior do corpo, sentir a pressão aumentar no tronco, e o escorrer leve através das rachaduras na queratina. Os restos do traje iriam ajudá-lo, mas não o salvar. Ele podia sentir seus órgãos internos lentamente se desligando: buracos demais de um sistema para outro. Seu estômago nunca iria digerir sua última refeição, e sua cavidade pleural anterior, que normalmente guardava uma reserva de sangue hiperoxigenado para usar quando seu corpo precisasse de suas últimas reservas de força, estava se esvaziando, seu combustível precioso sendo desperdiçado na batalha perdida que seu corpo lutava contra a pressão decrescente de seu sangue.

*Morrendo... Estou morrendo... Que diferença faz se é no escuro ou na luz?*

*Oh, Grandioso, camaradas caídos, filhos e parceiro... vocês conseguem me ver melhor nesta luz alienígena profundamente enterrada?*

*Meu nome é Quayanorl, oh, Grandioso, e...*

A ideia estava mais forte que a dor quando ele tinha tentado movimentar sua perna estilhaçada, mais forte que o brilho fixo e silencioso da estação.

Eles tinham dito que iam para a estação sete.

Era a última coisa de que se lembrava, além da imagem de um deles flutuando pelo ar em sua direção. Aquele devia ter atirado em seu rosto; não se lembrava disso acontecendo, mas fazia sentido... Enviado para se assegurar de que ele estava morto. Mas estava vivo e tinha acabado de ter uma ideia. As chances eram pequenas, mesmo que conseguisse fazer funcionar, mesmo que conseguisse se mexer, mesmo que tudo desse certo... Chances pequenas, em todos os sentidos... Mas seria fazer alguma coisa; seria um fim apropriado para um guerreiro, o que quer que acontecesse. A dor valeria a pena.

Ele se moveu rapidamente, antes que pudesse mudar de ideia, sabendo que podia haver pouco tempo (se é que já não era tarde demais...). A dor o atravessava como uma espada.

De sua boca quebrada e ensanguentada, saiu um grito.

Ninguém ouviu. Seu grito ecoou na estação iluminada. Então fez-se silêncio. Seu corpo latejava com as consequências da dor, mas podia sentir que estava livre; a solda de sangue tinha se partido. Podia se movimentar, sob aquela luz ele podia se mover.

*Xoxarle, se você ainda estiver vivo, eu talvez tenha em breve uma surpresinha para nossos amigos...*

— Drone?

— O quê?

— Horza quer saber o que você está fazendo — disse Yalson no comunicador de seu capacete, olhando para o Transmutador.

— Estou revistando esse trem; o que está na seção de reparos. Eu *teria* dito se tivesse encontrado alguma coisa, você sabe. Vocês já conseguiram fazer aquele sensor do traje funcionar?

Horza fez uma careta para o capacete que Yalson segurava sobre os joelhos; ele estendeu a mão e desligou o comunicador.

— Mas é verdade, não é? — questionou Aviger, sentando-se no pallet. — O do seu traje não está funcionando, está?

— Tem alguma interferência do reator do trem — respondeu Horza ao velho. — Só isso. Podemos lidar com isso.

Aviger não parecia convencido.

Horza abriu uma lata de bebida. Sentia-se cansado, esgotado. Havia, agora, uma sensação de anticlímax, tendo ligado a energia, mas não encontrado a Mente. Ele xingou o sensor de massa quebrado e Xoxarle e a Mente. Não sabia onde estava a maldita coisa, mas ia encontrá-la. Naquele instante, porém, só queria se sentar e relaxar. Precisava dar a seus pensamentos tempo para se organizarem. Esfregou a cabeça onde tinha se machucado no tiroteio da estação seis; doía de um jeito distante, incomodando por dentro. Nada sério, mas seria uma distração se ele não tivesse conseguido desligar a dor.

— Não acha que devemos revistar esse trem agora? — sugeriu Wubslin, olhando de um jeito faminto para o volume curvo e brilhante à frente deles.

Horza sorriu com a expressão enlevada do engenheiro.

— Acho, por que não? — falou ele. — Vá em frente; dê uma olhada.

Ele assentiu com a cabeça para o sorridente Wubslin, que engoliu um último bocado de comida e pegou o capacete.

— Certo. É. Acho melhor começar agora — disse ele, e saiu andando depressa, passando pela figura imóvel de Xoxarle, subindo a rampa de acesso e entrando no trem.

Balveda estava de pé com as costas contra a parede, as mãos nos bolsos. Ela sorriu para as costas de Wubslin conforme ele desaparecia no interior do trem.

— Você vai deixar que ele pilote essa coisa, Horza? — perguntou ela.

— Alguém pode ter de fazer isso — respondeu Horza. — Vamos precisar de algum tipo de transporte para nos levar por aí se vamos procurar a Mente.

— Que divertido — ironizou Balveda. — Podemos todos só ficar andando em círculos para sempre.

— Eu, não — anunciou Aviger, virando-se de Horza para olhar para a agente da Cultura. — Eu vou voltar para a *TAL*. Não vou sair por aí procurando esse maldito computador.

— Boa ideia — falou Yalson, olhando para o velho. — Podemos fazer de você uma escolta de prisioneiros; mandar você de volta com Xoxarle; só vocês dois.

— Eu vou sozinho — disse Aviger em voz baixa, evitando o olhar de Yalson. — Não estou com medo.

*

Xoxarle os ouvia conversar. Aquelas vozes esganiçadas e roucas. Ele testou suas amarrações outra vez. O cabo havia entrado alguns milímetros em sua queratina, em seus ombros, coxas e pulsos. Doía um pouco, mas talvez valesse a pena. Estava silenciosamente se cortando nos cabos, esfregando com toda a força que conseguia reunir contra os lugares onde o cabo o apertava com mais força, esfolando a cobertura semelhante a unha de seu corpo deliberadamente. Tinha inspirado fundo e flexionado todos os músculos que conseguira quando foi amarrado, e isso dera a ele espaço suficiente para se mexer, mas ia precisar de um pouco mais se quisesse ter qualquer chance de se soltar.

Ele não tinha nenhum plano, nenhuma escala de tempo; não tinha ideia de quando poderia ter uma oportunidade, mas o que mais podia fazer? Ficar ali parado como um boneco empalhado, como um bom menino? Enquanto aqueles vermes retorcidos e de corpos macios coçavam sua pele mole e tentavam descobrir onde estava a Mente? Um guerreiro não podia fazer uma coisa dessas; ele tinha chegado longe demais, visto gente demais morrer...

— Ei! — Wubslin abriu uma janelinha no último andar do trem e se debruçou para fora, gritando para os outros. — Esses elevadores funcionam! Acabei de subir em um! Tudo funciona!

— É! — Yalson acenou. — Ótimo, Wubslin.

O engenheiro voltou para o interior. Ele andou pelo trem, testando e tocando, inspecionando controles e máquinas.

— Mas é bem impressionante, não é? — disse Balveda para os outros. — Pelo tempo.

Horza assentiu, olhando lentamente de uma extremidade do trem até a outra. Ele terminou a bebida no recipiente e o pôs sobre o pallet ao se levantar.

— É. Mas não serviu de muita coisa para eles.

Quayanorl se arrastou rampa acima.

Um manto de fumaça pairava no ar da estação, mal se movendo na circulação lenta de ar. Havia, porém, ventiladores em funcionamento no trem, e todo o movimento que havia na nuvem azul-cinzenta vinha principalmente dos lugares onde portas e janelas abertas sopravam a névoa acre para fora dos vagões, substituindo-a pelo ar desinfetado pelo sistema de condicionamento e filtragem.

Ele se arrastou pelos destroços — pedaços e fragmentos de parede e trem e até de seu próprio traje. Era muito difícil e devagar, e já estava com medo de morrer antes mesmo de chegar ao trem.

Suas pernas estavam inúteis. Ele provavelmente estaria melhor se as outras duas também tivessem sido explodidas.

Arrastava-se com o braço bom, agarrando a borda da rampa e puxando com toda a força.

O esforço era agonizantemente doloroso. Toda vez que ele fazia força, achava que iria diminuir, mas isso não acontecia; era como se, para cada um dos segundos longos demais em que puxava aquela borda da rampa e seu corpo alquebrado e sangrando subia um pouco mais pela superfície cheia de destroços, corresse ácido em seus vasos sanguíneos. Ele sacudiu a cabeça e murmurou consigo mesmo. Sentia sangue escorrer das rachaduras em seu corpo, que tinham se curado enquanto ele estava imóvel e agora estavam sendo abertas outra vez. Sentiu lágrimas escorrerem de seu olho bom; sentiu a onda lenta de fluido curativo se acumulando onde seu outro olho tinha sido arrancado do rosto.

A porta à frente dele brilhava através da névoa iluminada, uma leve corrente de ar que vinha dela provocando redemoinhos na fumaça. Seus pés se arrastavam às suas costas, e o peito de seu traje abria caminho e levantava uma onda de destroços da superfície da rampa enquanto ele avançava. Ele agarrou a borda da rampa e tornou a puxar.

Tentava não gritar, não porque pensasse haver alguém para ouvir e ser alertado, mas porque, por toda a sua vida, desde quando ficara de pé pela primeira vez, tinha sido ensinado a sofrer em silêncio. Ele tentou; podia se lembrar do Querl de seu ninho e de sua mãe-genitora ensinando-o a não chorar, e era uma vergonha desobedecê-los, mas às vezes era demais. Às vezes a dor espremia o barulho de dentro dele.

No teto da estação, algumas das luzes estavam apagadas, atingidas por disparos perdidos. Podia ver os buracos e as perfurações no casco reluzente do trem, e não tinha ideia do dano que podia ter sido causado a ele, mas agora não podia parar. Tinha de seguir em frente.

Podia ouvir o trem. Podia ouvi-lo como um caçador ouvindo um animal selvagem. O trem estava vivo; ferido — alguns dos motores que zumbiam pareciam defeituosos —, mas vivo. *Ele* estava morrendo, mas faria todo o possível para capturar a fera.

*

— O que você acha? — perguntou Horza a Wubslin.

Ele tinha localizado o engenheiro embaixo de um dos vagões do trem do Sistema de Comando, pendurado de cabeça para baixo olhando para os motores das rodas. Horza tinha pedido a Wubslin que desse uma olhada no pequeno dispositivo no peito de seu traje que era o corpo principal do sensor de massa.

— Não sei — respondeu Wubslin, sacudindo a cabeça. Ele estava de capacete e com o visor abaixado, usando a tela para ampliar a imagem do sensor. — É pequeno demais. Eu teria de levá-lo de volta pata a *TAL* para dar uma olhada direito nele. Não trouxe todas as minhas ferramentas comigo. — Ele emitiu um ruído de desaprovação. — Ele *parece* estar bem; não consigo ver nenhum dano óbvio. Talvez os reatores estejam atrapalhando.

— Droga. Vamos ter de procurar, então — concluiu Horza.

Ele deixou Wubslin fechar o pequeno painel de inspeção na frente do traje.

O engenheiro se inclinou para trás e levantou o visor.

— O único problema é que — disse ele de forma lúgubre —, se os reatores estão interferindo aqui, não há muito sentido em usar o trem para procurar a Mente. Vamos ter de usar os tubos de trânsito.

— Vamos revistar a estação primeiro — falou Horza.

Ele se levantou. Pela janela, do outro lado da plataforma da estação, podia ver Yalson parada vigiando Balveda enquanto a mulher da Cultura andava lentamente de um lado para o outro pelo chão liso de pedra. Aviger ainda estava sentado no pallet. Xoxarle estava amarrado às vigas das passagens de acesso.

— Tudo bem se eu subir até a cabine de controle? — perguntou Wubslin.

Horza olhou no rosto largo e aberto do engenheiro.

— Tudo, por que não? Mas não tente ainda colocá-lo em movimento.

— Está bem — concordou Wubslin, parecendo feliz.

— Transmutador? — chamou Xoxarle enquanto Horza descia a rampa de acesso.

— O quê?

— Esses cabos: eles estão apertados demais. Estão me cortando.

Horza olhou com cuidado para os cabos em torno dos braços do idirano.

— É uma pena — disse ele.

— Eles cortaram meus ombros, minhas pernas e meus pulsos. Se continuar assim, eles vão cortar meus vasos sanguíneos; eu odiaria morrer de um jeito tão deselegante. Por favor, exploda minha cabeça, mas esses cortes lentos não são dignos. Só digo a você porque estou começando a acreditar que você realmente pretende me levar de volta para a frota.

Horza foi até as costas do idirano para observar onde os cabos passavam em torno dos pulsos de Xoxarle. Ele estava dizendo a verdade; os cabos o haviam cortado como arame em casca de árvore. O Transmutador franziu o cenho.

— Nunca vi isso acontecer — disse ele para a parte de trás imóvel da cabeça do idirano. — O que você está tramando? Sua pele é mais dura que isso.

— Não estou tramando nada, humano — retrucou Xoxarle de forma cansada, suspirando profundamente. — Meu corpo está ferido; ele tenta se reconstruir. Por necessidade ele se torna mais maleável, menos duro, enquanto tenta reconstruir as partes danificadas. Ah, se não acredita em mim, não importa. Mas não se esqueça de que eu avisei você.

— Vou pensar nisso — assegurou Horza. — Se ficar ruim demais, grite.

Ele saiu do meio das vigas, voltou para o piso da estação e caminhou na direção dos outros.

— *Eu* vou ter de pensar *nisso* — falou Xoxarle em voz baixa. — Guerreiros não são dados a "gritar" porque estão sentindo dor.

— Então — disse Yalson para o Transmutador —, Wubslin está satisfeito?

— Está preocupado de não ter oportunidade de conduzir o trem — respondeu Horza. — O que o drone está fazendo?

— Está há algum tempo inspecionando o outro trem.

— Bom, vamos deixá-lo lá — decidiu Horza. — Você e eu podemos revistar a estação. Aviger?

Ele olhou para o velho, que estava usando um pequeno pedaço de plástico para retirar restos de comida entre seus dentes.

— O quê? — perguntou Aviger, olhando com desconfiança para o Transmutador.

— Vigie o idirano. Nós vamos dar uma olhada na estação.

Aviger deu de ombros.

— Está bem. Acho que sim. Não tem muitos lugares aonde eu possa ir neste momento.

Ele inspecionou a extremidade do pedaço de plástico.

Ele estendeu a mão, segurou a extremidade da rampa e puxou. Moveu-se adiante em uma onda de dor. Agarrou a borda da porta do trem e tornou a puxar. Deslizou se arrastando da rampa para o piso interno do próprio trem.

Quando estava no interior, descansou.

O sangue provocava um ronco constante em sua cabeça.

Sua mão agora estava começando a ficar cansada e machucada. Não era a dor latejante e lancinante de seus ferimentos, mas o preocupava mais. Temia que sua mão logo ficasse inerte, que ficasse cansada demais para agarrar, e que ele ficasse incapaz de se arrastar.

Pelo menos agora o caminho era plano. Tinha um vagão e meio para se arrastar, mas não havia inclinação. Ele tentou olhar para trás e para baixo, para o local onde estivera jogado, mas conseguiu apenas um breve vislumbre antes de deixar sua cabeça cair de volta. Havia uma trilha de sangue na rampa, como se uma vassoura embebida em tinta roxa tivesse sido arrastada pela poeira da superfície de metal.

Não havia sentido em olhar para trás. Seu único caminho era adiante; restava a ele apenas pouco tempo. Em meia hora ou menos estaria morto. Teria tido mais tempo se tivesse ficado apenas deitado na rampa, mas se mover havia encurtado sua vida; acelerado as forças fluidas que constantemente drenavam força e vitalidade.

Ele se arrastou na direção do corredor longitudinal.

Suas duas pernas estilhaçadas e inúteis deslizavam às suas costas em uma faixa grossa de sangue.

*

— Transmutador!

Horza franziu o cenho. Ele e Yalson estavam saindo para examinar a estação. O idirano chamou Horza quando ele estava a apenas alguns passos de distância do pallet onde Aviger estava sentado agora, parecendo irritado e apontando sua arma grosseiramente na mesma direção de Balveda enquanto a agente da Cultura continuava a andar de um lado para o outro.

— O que foi, Xoxarle? — perguntou Horza.

— Esses cabos. Eles vão me fatiar em breve. Só estou mencionando isso porque você evitou cuidadosamente me destruir até agora; seria uma pena morrer acidentalmente, por um descuido. Por favor, siga seu caminho se você não pode se dar ao trabalho.

— Você quer que os cabos sejam afrouxados?

— Uma fração mínima. Eles não têm espaço, sabe, e seria bom respirar sem me cortar.

— Se você tentar alguma coisa dessa vez — disse Horza para o idirano, aproximando-se dele com a arma apontada para seu rosto —, vou explodir seus dois braços e todas as três pernas e arrastar você para casa no pallet.

— A crueldade com que você me ameaça me convenceu, humano. Você obviamente sabe a vergonha que atribuímos a próteses, mesmo que sejam resultado de ferimentos de batalha. Eu vou me comportar. Só afrouxe um pouco os cabos, como um bom aliado.

Horza afrouxou um pouco os cabos onde estavam cortando o corpo de Xoxarle. O líder de seção se flexionou e fez um som alto de suspiro com a boca.

— Muito melhor, pequeno. Muito melhor. Agora vou viver para enfrentar qualquer vingança que você possa imaginar que eu mereça.

— Pode contar com isso — garantiu Horza. — Se ele *respirar* de forma beligerante — falou para Aviger —, arranque as pernas dele.

— Ah, sim, senhor — disse Aviger, com uma continência.

— Está esperando se deparar com a Mente, Horza? — perguntou Balveda.

Ela havia parado de andar de um lado para o outro e estava diante dele e de Yalson, com as mãos nos bolsos.

— Nunca se sabe, Balveda — respondeu Horza.

— Ladrão de túmulos — falou Balveda através de um sorriso preguiçoso.

Horza se voltou para Yalson.

— Diga a Wubslin que estamos de saída. Peça a ele para ficar de olho na plataforma; para garantir que Aviger não pegue no sono.

Yalson chamou Wubslin no comunicador.

— É melhor você vir conosco — disse Horza a Balveda. — Não gosto de deixar você aqui com todo esse equipamento ligado.

— Ah, Horza. — Balveda sorriu. — Você não confia em mim?

— Só vá andando na frente e cale a boca — falou Horza com uma voz cansada, e apontou para indicar a direção em que queria ir.

Balveda deu de ombros e saiu andando.

— Ela tem de vir? — perguntou Yalson quando chegou ao lado de Horza para acompanhá-lo.

— Nós sempre podemos trancá-la — sugeriu Horza.

Ele olhou para Yalson, que deu de ombros.

— Ah, dane-se — disse ela.

Unaha-Closp flutuava pelo trem. Do lado de fora ele podia ver a caverna de reparos e manutenção, toda a sua maquinaria — tornos mecânicos e forjas, equipamentos de solda, braços articulados, unidades sobressalentes, enormes berços pendentes; uma única ponte de guindaste rolante como uma extremidade estreita brilhava sob as luzes fortes do teto.

O trem era bem interessante; a velha tecnologia oferecia coisas para serem vistas e elementos para tocar e investigar, mas Unaha-Closp estava basicamente apenas satisfeito por estar sozinho por algum tempo. Ele tinha achado a companhia dos humanos cansativa depois de alguns dias, e o que mais o irritava era a atitude do Transmutador. O homem era um especista! *Eu, apenas uma máquina*, pensou Unaha-Closp, *como ele ousa?!*

Tinha se sentido bem quando pudera reagir primeiro nos túneis, talvez salvando alguns dos outros — talvez até salvando aquele Transmutador ingrato — ao derrubar Xoxarle. Por mais que não gostasse de admitir, o drone sentira orgulho quando Horza lhe agradecera. Mas isso não tinha realmente alterado a visão do homem; ele provavelmente se esqueceria do que tinha acontecido ou tentaria dizer a si mesmo que era apenas uma aberração momentânea de uma máquina confusa: uma monstruosidade. Só Unaha-Closp sabia qual era a sensação, só ele sabia por que tinha corrido o risco de ser ferido para proteger os humanos. *Ou* devia *saber*, disse para si mesmo, pesaroso. Talvez não devesse ter se dado ao trabalho; talvez devesse ter deixado que o idirano atirasse neles. Só não pareceu a coisa certa a fazer na hora. *Otário*, disse Unaha-Closp para si mesmo.

Ele flutuou pelos espaços iluminados e sibilantes do trem, como uma parte desconectada do próprio mecanismo.

Wubslin coçou a cabeça. Tinha parado no vagão do reator em seu caminho de volta à cabine de controle. Algumas das portas do vagão do reator não se abriram. Elas deviam estar em algum tipo de trava de segurança, provavelmente controlada desde a ponte, ou cabine ou cockpit, ou fosse lá como eles chamassem a área dianteira de onde o trem era controlado. Ele olhou por uma janela, lembrando-se do que Horza tinha ordenado.

Aviger estava sentado no pallet, a arma apontada para o idirano, que estava parado totalmente imóvel junto das vigas. Wubslin afastou os olhos, testou a porta para a área do reator outra vez, então sacudiu a cabeça.

A mão, o braço, estava enfraquecendo. Acima dele, fileiras de assentos encaravam telas em branco. Ele se arrastou pelos pés das cadeiras; estava quase no corredor que levava até o vagão dianteiro.

Não sabia ao certo como percorreria o corredor. O que havia ali onde se segurar? Não adiantava se preocupar com isso agora. Ele agarrou mais um pé de cadeira e puxou.

*

Do terraço de onde se avistava a área de reparos, eles podiam ver o trem dianteiro, aquele onde estava o drone. Equilibrada sobre o piso fundo da área de manutenção, a extensão reluzente do trem, aninhada no meio túnel em concha que corria ao longo da parede oposta, parecia uma nave espacial comprida e fina, e a rocha negra ao seu redor parecia um espaço sem estrelas.

Yalson observava as costas da agente da Cultura, de cenho franzido.

— Ela está dócil demais, Horza — opinou ela, alto o bastante apenas para que o homem ouvisse.

— Isso não é problema para mim — disse Horza. — Quanto mais dócil, melhor.

Yalson sacudiu a cabeça levemente, sem tirar os olhos da mulher à frente.

— Não, ela está nos enrolando. Ela não deu a mínima até agora; sabe que pode se dar ao luxo de deixar as coisas acontecerem. Ela tem outra carta que pode jogar e está apenas relaxando até ter de usá-la.

— Você está imaginando coisas — falou Horza. — Seus hormônios estão afetando você, desenvolvendo suspeitas e clarividência.

Ela olhou para ele, transferindo sua expressão fechada de Balveda para o Transmutador. Seus olhos se estreitaram.

— O quê?

Horza ergueu a mão livre.

— Uma piada.

Ele sorriu.

Yalson não pareceu convencida.

— Ela está tramando alguma coisa, posso sentir — insistiu ela, e assentiu para si mesma. — Consigo sentir.

Quayanorl se arrastou pelo corredor de conexão. Empurrou e abriu a porta do vagão e rastejou lentamente pelo chão.

Estava começando a esquecer por que estava fazendo aquilo. Sabia que devia insistir, seguir em frente, continuar rastejando, mas não se lembrava exatamente do porquê daquilo tudo. O trem era um labirinto de tortura, projetado para provocar sua dor.

*Estou me arrastando para minha morte. De algum modo, mesmo quando chego ao final, quando não posso mais rastejar, sigo adiante. Eu me lembro de pensar nisso mais cedo, mas em que eu estava pensando? Eu morro quando chegar à área de controle do trem e continuo minha jornada do outro lado, na morte? Era nisso que eu estava pensando?*

*Sou como uma criança pequenina, rastejando pelo chão... Venha para mim, pequenino, diz o trem.*

*Estávamos procurando alguma coisa, mas não consigo me lembrar... exatamente... o que... era...*

**\***

Eles olharam através da grande caverna, fazendo uma busca, então subiram degraus até a galeria que dava acesso às seções de acomodação e armazenamento da estação.

Balveda estava parada na borda do amplo terraço que corria ao redor da caverna, a meio caminho entre o teto e o chão. Yalson observava a agente da Cultura enquanto Horza abria portas para a seção de acomodação. Balveda olhou para a caverna ampla, as mãos magras apoiadas na grade de proteção. A parte mais alta da grade ficava ao nível dos ombros de Balveda; o nível da cintura das pessoas que tinham construído o Sistema de Comando.

Perto de onde estava Balveda, uma plataforma de guindaste comprida se projetava acima da caverna, suspensa por cabos do teto e levando até o terraço do outro lado, onde um túnel estreito e bem iluminado levava ao interior da rocha. Balveda olhou pela extensão da plataforma de guindaste estreita para a boca distante do túnel.

Yalson se perguntou se a mulher da Cultura estava pensando em tentar fugir, mas sabia que não estava, e se perguntou então se, talvez, ela apenas quisesse que Balveda tentasse, para que pudesse atirar nela, só para se livrar dela.

Balveda afastou os olhos da plataforma de guindaste, e Horza abriu as portas da seção de acomodação.

*

Xoxarle flexionou os ombros. Os cabos se moveram um pouco, deslizando e se agrupando.

O humano que tinham deixado para vigiá-lo parecia cansado, talvez até sonolento, mas Xoxarle não podia acreditar que os outros fossem ficar longe por muito tempo. Não podia se dar ao luxo de fazer muita coisa agora, caso o Transmutador voltasse e percebesse como os cabos tinham se movido. Enfim, embora estivesse longe de ser a situação mais interessante que podia acontecer, havia aparentemente uma boa chance de que os humanos não fossem capazes de encontrar o dispositivo computadorizado supostamente senciente que todos eles estavam procurando. Nesse caso, talvez o melhor caminho fosse não tomar nenhuma ação. Ele deixaria que os pequenos o levassem de volta para sua nave. Provavelmente o chamado Horza ia querer pedir resgate por ele; essa parecia a Xoxarle a explicação mais provável para ser mantido vivo.

A frota talvez pagasse a ele pela devolução de um guerreiro, embora a família de Xoxarle estivesse oficialmente impedida de fazer isso, e de qualquer modo eles não eram ricos. Ele não conseguia decidir se queria viver, e talvez redimir a vergonha de ser preso e resgatado com feitos futuros, ou fazer tudo o que fosse possível para escapar ou morrer. A ação o atraía mais; era o credo dos guerreiros. Quando estiver em dúvida, aja.

O humano velho se levantou do pallet e começou a andar. Ele se aproximou o suficiente de Xoxarle para conseguir inspecionar os cabos, mas lançou a eles apenas um olhar descuidado. Xoxarle olhou para a arma de laser que o humano carregava. Suas mãos grandes, amarradas juntas às costas, abriam-se e fechavam-se lentamente, sem que ele pensasse sobre isso.

*

Wubslin chegou à cabine de controle na frente do trem. Tirou o capacete e o pôs sobre o painel. Assegurou-se de que não estivesse tocando nenhum controle, apenas cobrindo alguns painéis pequenos e apagados. Ele parou no meio da cabine, olhando ao redor com olhos arregalados e fascinados.

O trem zumbia sob seus pés. Mostradores e medidores, telas e painéis indicavam que estava pronto. Ele voltou os olhos para o painel de controle, que ficava à frente de dois assentos enormes diante do painel frontal na direção do vidro blindado que formava parte do bico muito inclinado do trem. O túnel à frente estava escuro, apenas algumas luzes pequenas acesas em suas paredes laterais.

Cinquenta metros à frente, uma reunião complexa de pontos conduzia os trilhos para o interior de dois túneis. Um dos caminhos seguia reto adiante, onde Wubslin podia ver a traseira do trem à frente; o outro túnel fazia uma curva, evitando a caverna de reparos e manutenção e criando uma rota de passagem para a estação seguinte.

Wubslin tocou o vidro, estendendo o braço acima do painel de controle para sentir a superfície fria e lisa. Sorriu para si mesmo. Vidro: não uma tela. Ele preferia assim. Os projetistas tinham telas holográficas, supercondutores e levitação magnética — eles tinham usado todos eles nos tubos de trânsito —, mas para seu maior trabalho não tiveram vergonha de usar a tecnologia aparentemente mais tosca, mas mais tolerante a danos. Então o trem tinha vidro blindado e corria sobre trilhos de metal. Wubslin esfregou as mãos juntas lentamente e olhou ao redor para os muitos instrumentos e controles.

— Legal — disse em voz baixa.

Ele se perguntou se conseguiria descobrir que controles abriam as portas trancadas no vagão do reator.

*

Quayanorl chegou à cabine de comando.

Estava ilesa. Vendo do nível do chão, a cabine era cheia de pés de assentos de metal, painéis de controle altos e luzes fortes no teto. Ele se arrastou pelo chão, morrendo de dor, murmurando consigo mesmo, tentando se lembrar do que o havia levado até ali.

Descansou o rosto no piso frio da cabine. O trem zumbia para ele, vibrando sob seu rosto. Ainda estava vivo; estava danificado e, como o idirano, não ficaria melhor, mas ainda estava vivo. Ele tinha a intenção de fazer alguma coisa, sabia disso, mas tudo estava escapando dele agora. Quis chorar de frustração por tudo aquilo, mas era como se não lhe restassem forças nem mesmo para lágrimas.

*O que era?*, perguntou a si mesmo (enquanto o trem zumbia). *Eu ia... eu ia... o quê?*

*

Unaha-Closp examinou o vagão do reator. Grande parte dele, no início, estava inacessível, mas o drone acabou por encontrar um jeito de entrar, por uma tubulação de cabos.

Ele circulou pelo vagão comprido, observando como o sistema funcionava: os defletores absorventes posicionados, impedindo a pilha de aquecer, o escudo de urânio degradado projetado para proteger os corpos frágeis dos humanoides, as tubulações que levavam o calor do reator para as baterias de pequenos aquecedores, onde vapor acionava geradores para produzir a energia que fazia as rodas do trem girarem. Tudo muito rústico, pensou Unaha-Closp. Complicado e rústico ao mesmo tempo. Muita coisa para dar errado, mesmo com todos os seus sistemas de segurança.

Pelo menos, se ele e os humanos tivessem de circular naquelas locomotivas arcaicas de vapor nuclear, usariam a energia do sistema principal. O drone se viu concordando com o Transmutador; os idiranos deviam estar loucos para tentar colocar todo aquele lixo antigo para funcionar.

*

— Eles *dormiam* nessas coisas?

Yalson olhou para as redes suspensas. Horza, Balveda e ela estavam parados na extremidade de uma caverna comprida que tinha sido um dormitório para as pessoas havia muito tempo mortas que trabalhavam no Sistema de Comando. Balveda testou uma das redes. Eram como redes de dormir abertas, penduradas entre grupos de postes que pendiam do teto. Talvez cem delas enchessem o aposento, como redes de pesca, penduradas para secar.

— Eles deviam achá-las confortáveis, imagino — disse Horza.

Ele olhou ao redor. Não havia lugar nenhum onde a Mente pudesse estar escondida.

— Vamos — falou ele. — Balveda, venha.

Balveda deixou uma das redes balançando delicadamente e se perguntou se havia algum banheiro ou chuveiro em funcionamento no local.

Ele estendeu a mão até o painel de controle. Puxou com toda a força e apoiou a cabeça sobre o assento. Usou os músculos do pescoço, assim como seu braço fraco e dolorido, para se erguer. Empurrou e girou o tronco. Arquejou quando uma de suas pernas ficou presa na parte de baixo do assento e ele quase caiu para trás. Ao menos, porém, estava no assento.

Olhou acima do grupo de controles e através do vidro blindado para o túnel largo além do bico inclinado do trem; luzes bordejavam as paredes negras; trilhos de aço serpenteavam cintilantes na longa distância.

Quayanorl olhou para esse espaço imóvel e silencioso e experimentou uma pequena e repugnante sensação de vitória; tinha acabado de lembrar por que tinha rastejado até ali.

— É isso? — disse Yalson.

Eles estavam na sala de controle, onde as funções complexas da própria estação eram monitoradas. Horza tinha ligado algumas telas, verificando números, e agora estava sentado diante de um painel de controle, usando as câmeras de controle remoto da estação para dar uma olhada final nos corredores e salas, nos túneis, poços e cavernas. Balveda estava sentada em outro assento enorme, balançando as pernas, parecendo uma criança em uma cadeira de adulto.

— É isso — falou Horza. — A estação está limpa; a menos que esteja em um dos trens, a Mente não está aqui.

Ele trocou para as câmeras nas outras estações, observando-as em ordem crescente. Fez uma pausa na estação cinco, olhando do teto da estação para os corpos dos quatro medjel e para os destroços do dispositivo tosco que era o canhão da Mente, então tentou a câmera do teto da estação seis...

*

*Eles ainda não me encontraram. Não consigo ouvi-los direito. Tudo o que consigo ouvir são seus passos minúsculos. Sei que eles estão aqui, mas não sei dizer o que estão fazendo. Eu os estou enganando? Detectei um sensor de massa, mas seu sinal desapareceu. Há outro. Eles o têm com eles, mas não pode estar funcionando direito; talvez enganados como eu esperava, o trem me salvando. Que irônico.*

*Eles podem ter capturado um idirano. Eu ouvi outro ritmo em seus passos. Todos andando, ou alguns com AG? Como eles chegaram aqui? Será que podem ser os Transmutadores da superfície?*

*Eu daria metade de minha capacidade de memória por outro drone remoto. Estou escondida, mas aprisionada. Não consigo ver nem ouvir direito. Tudo o que consigo fazer é sentir. Odeio isso. Eu queria saber o que está acontecendo.*

*

Quayanorl olhava fixamente para os controles à sua frente. Eles tinham descoberto muitas de suas funções anteriormente, antes da chegada dos humanos. Ele tinha de tentar se lembrar de tudo agora. O que tinha de fazer primeiro? Estendeu a mão para a frente, balançando sem firmeza no assento de forma alienígena. Ligou uma série de chaves. Luzes piscaram; ele ouviu cliques.

Era muito difícil se lembrar. Ele tocou alavancas e chaves e botões. Medidores e mostradores se movimentaram com novas leituras. Telas se acenderam; números começaram a piscar nos mostradores. Pequenos ruídos agudos bipavam e rangiam. Achou que estava fazendo as coisas certas, mas não tinha como ter certeza.

Alguns dos controles estavam longe demais, e ele teve de se arrastar por cima do painel de controle, com cuidado para não alterar nenhum dos controles que já tivesse acionado, até alcançá-los, então se enterrar outra vez no assento.

O trem agora estava zumbindo; conseguia senti-lo em ação. Motores se ligaram, ar sibilou, alto-falantes biparam e clicaram. Ele estava chegando a algum lugar. O trem não estava se movimentando, mas ele estava lentamente levando-o para mais perto do momento em que poderia se movimentar.

Sua visão, porém, estava piorando.

Ele piscou e sacudiu a cabeça, mas seu olho estava desistindo. A vista ia ficando cinza à sua frente; precisava fixá-la nos controles e nas telas. As luzes na parede do túnel à frente, recuando para a distância negra, pareciam estar ficando mais fracas. Poderia ter acreditado que a energia estivesse diminuindo, mas sabia que não estava. Sua cabeça estava doendo, bem no fundo. Provavelmente era ficar sentado que estava fazendo isso, o sangue sendo drenado.

Estava morrendo rápido o bastante de qualquer modo, mas agora havia ainda mais urgência. Ele apertou os botões, moveu algumas alavancas. O trem devia ter se movido, se flexionado, mas permaneceu imóvel.

O que mais havia a fazer? Ele se voltou para seu lado cego; painéis luminosos piscavam. É claro: as portas. Acionou as seções apropriadas do painel de controle e ouviu ruídos trovejantes de coisas deslizando; e a maioria dos painéis parou de piscar. Nem todos, porém. Algumas das portas deviam estar emperradas. Outro controle desconectou os sistemas à prova de falhas; os painéis restantes se apagaram.

Ele tentou novamente.

Lentamente, como um animal se espreguiçando após a hibernação, o trem do Sistema de Comando, todos os seus trezentos metros, se flexionou; os vagões estavam aumentando a tensão entre eles, tirando as folgas, se preparando.

Quayanorl sentiu o leve movimento e quis rir. Estava funcionando. Provavelmente, ele tinha levado tempo demais, provavelmente já era tarde demais, mas pelo menos tinha feito o que se dispusera a fazer, contra todas as probabilidades e a dor. Tinha assumido o comando da longa fera prateada, e com apenas um pouco mais de sorte pelo menos daria aos humanos algo em que pensar. E mostraria à Fera da Barreira o que achava de seu monumento precioso.

Nervoso, temendo que ainda não fosse funcionar, depois de todo o seu esforço e agonia, segurou a alavanca que ele e Xoxarle tinham decidido que governava a força que alimentava os motores das rodas, então a empurrou até chegar a seu limite no modo iniciação. O trem estremeceu, gemeu e não se moveu.

Seu único olho, contendo a visão cinza, começou a chorar, afogando-se em lágrimas.

O trem deu um solavanco, um ruído de metal se rasgando veio de trás. Ele quase foi jogado do assento. Teve de agarrar a borda do assento, então se inclinar para a frente e segurar a alavanca de força outra vez quando ela voltou para a posição de desligada. O ronco em sua cabeça crescia e crescia; ele estava tremendo de exaustão e empolgação; empurrou a alavanca outra vez.

Destroços bloqueavam uma porta. Havia equipamento de solda pendurado sob o vagão do reator. Fragmentos de metal arrancados do casco do trem estavam espalhados como fios de cabelo em um casaco mal escovado. Montes de detritos tomavam os trilhos perto das duas estruturas de acesso, e uma rampa inteira, onde Xoxarle ficara enterrado por algum tempo, tinha desabado sobre a lateral do vagão quando havia se soltado.

Gemendo e bufando como se suas próprias tentativas de movimento fossem tão dolorosas quanto tinham sido as de Quayanorl, o trem se moveu bruscamente para a frente outra vez. Ele se moveu meio giro de suas rodas, então parou quando a rampa emperrada ficou presa contra a estrutura de acesso. Um ruído estridente veio dos motores do trem. Na cabine de controle, soaram alarmes, quase agudos demais para o idirano ferido ouvir. Medidores piscaram, ponteiros entraram em zonas de perigo, telas se encheram de informação.

A rampa começou a se soltar do trem, amassando um sulco irregular na superfície do vagão enquanto ele forçava lentamente seu caminho adiante.

Quayanorl observou a borda da entrada do túnel se aproximar lentamente.

Mais destroços no chão pressionando a estrutura de acesso dianteira. O equipamento de solda embaixo do vagão do reator foi arrastado pelo chão liso até chegar à borda de pedra em torno de uma vala de inspeção; ele se prendeu, então quebrou, caindo ruidosamente no fundo da vala. O trem começou a avançar lentamente.

Com um estrondo metálico, a rampa presa na estrutura traseira de acesso se soltou, arrebentando vigas de alumínio e tubos de aço, rasgando a pele de alumínio e plástico do vagão onde tinha se alojado. Um canto da rampa foi empurrado para baixo do trem, cobrindo um trilho; as rodas hesitaram diante dele, as conexões entre os vagões pressionando, até que a força progressiva que lentamente se acumulava superou a rampa. Ela se retorceu, suas estruturas sendo comprimidas, e as rodas passaram girando sobre ela, caindo com um baque do outro lado e continuando pelo trilho. As rodas seguintes passaram barulhentamente por ela, mal fazendo uma pausa.

Quayanorl se encostou no assento. O túnel chegava até o trem e parecia engoli-lo; a visão da estação lentamente desapareceu. Paredes escuras passavam deslizando delicadamente dos dois lados da cabine de controle. O trem ainda estremecia, mas estava aos poucos ganhando velocidade. Uma série de estrondos e batidas contou a Quayanorl sobre os vagões abrindo caminho atrás dele, através dos destroços, sobre os trilhos reluzentes, além das estruturas de guindastes destruídas e saindo da estação danificada.

O primeiro vagão partiu a passo lento, o segundo um pouco mais rápido, o vagão do reator em passo acelerado, e o último vagão em uma corrida lenta.

Fumaça se agarrou ao trem de partida, então flutuou para trás e subiu novamente até o teto.

... A câmera na estação seis, onde eles tinham passado pelo tiroteio, onde Dorolow e Neisin tinham morrido e o outro idirano tinha sido deixado como morto, estava fora de ação. Horza tentou a alavanca algumas vezes, mas a tela permaneceu escura. Um indicador de dano piscou. Horza passou rapidamente pelas imagens das outras estações no circuito, então desligou a tela.

— Bom, parece estar tudo certo. — Ele se levantou. — Vamos voltar para o trem.

Yalson avisou Wubslin e o drone; Balveda desceu do enorme assento e, com ela à frente, eles saíram andando da sala de controle.

Atrás deles, uma tela de monitoramento de energia — uma das primeiras que Horza tinha ligado — registrava uma utilização enorme de energia nos circuitos de abastecimento de locomotivas, indicando que, em algum lugar nos túneis do Sistema de Comando, um trem estava em movimento.

# 13

## O SISTEMA DE COMANDO: TERMINUS

— **É POSSÍVEL** superestimar as próprias circunstâncias. Lembro-me de uma raça que se levantou contra nós, ah, muito tempo atrás, antes que eu fosse sequer um pensamento. Eles se gabavam de que a galáxia pertencia a eles, e justificavam essa heresia com uma crença blasfema em relação ao design. Eram aquáticos, seu cérebro e seus órgãos principais ficavam abrigados em uma grande vagem central da qual vários braços ou tentáculos se projetavam. Esses tentáculos eram grossos junto ao corpo, finos nas extremidades e cobertos de ventosas. Seu deus da água supostamente tinha feito a galáxia à sua imagem.

"Está vendo? Eles pensavam que, como tinham uma semelhança física grosseira com a grande lente que é o lar de todos nós, estendendo a analogia ao ponto de comparar as ventosas de seus tentáculos com aglomerados globulares, ela, portanto, pertencia a eles. Com toda a estupidez dessa crença pagã, eles tinham prosperado e se tornado poderosos: na verdade, adversários bastante respeitáveis."

— Humm — disse Aviger. Sem erguer os olhos, ele continuou. — Como eles se chamavam?

— Humm — trovejou Xoxarle. — Eles se chamavam... — O idirano refletiu. — Acho que se chamavam... fanch.

— Nunca ouvi falar neles — comentou Aviger.

— Não, você não teria ouvido — ronronou Xoxarle. — Nós os aniquilamos.

*

Yalson viu Horza olhando para alguma coisa no chão perto das portas que levavam de volta à estação. Ela continuava a vigiar Balveda, mas perguntou:

— O que você encontrou?

Horza sacudiu a cabeça, estendeu a mão para pegar alguma coisa no chão, então parou.

— Acho que é um inseto — falou ele com incredulidade.

— Uau — disse Yalson, sem parecer impressionada.

Balveda se aproximou para dar uma olhada, a arma de Yalson ainda apontada para ela. Horza sacudiu a cabeça, observando o inseto rastejar pelo chão do túnel.

— Mas que diabos isso está fazendo aqui embaixo? — perguntou ele.

Yalson franziu o cenho quando ele disse isso, preocupada com um toque quase de pânico na voz do homem.

— Provavelmente nós mesmos o trouxemos aqui para baixo — sugeriu Balveda, levantando-se. — Pegou uma carona no pallet ou no traje de alguém, aposto.

Horza pressionou a criatura diminuta com o punho e a esmagou, triturando-a sobre a pedra escura. Balveda pareceu surpresa. Yalson franziu ainda mais o cenho. Horza olhou para a marca deixada no chão do túnel, limpou a luva e ergueu os olhos, com uma expressão de desculpas.

— Desculpe — falou para Balveda, como se estivesse envergonhado. — Não consegui deixar de pensar naquela mosca no *Fins da Invenção*. Acabou que era um de seus bichinhos de estimação, lembra?

Ele se levantou e se dirigiu rapidamente para a estação. Balveda assentiu, olhando para a pequena mancha no chão.

— Bem — falou ela, arqueando uma sobrancelha —, esse foi um jeito de provar a inocência dele.

Xoxarle observou o homem e as duas mulheres voltarem para a estação.

— Nada, pequeno? — perguntou ele.

— Muitas coisas, líder de seção — respondeu Horza, indo até Xoxarle e verificando os cabos que o amarravam.

Xoxarle grunhiu.

— Ainda estão um pouco apertados, aliado.

— Que pena — disse Horza. — Tente expirar.

— Há!

Xoxarle riu e achou que o homem pudesse ter adivinhado. Mas o humano lhe deu as costas e falou com o velho que o estava vigiando.

— Aviger, nós vamos subir no trem. Faça companhia para nosso amigo; tente não pegar no sono.

— Sem chance, com ele tagarelando o tempo inteiro — resmungou o velho.

Os outros três humanos entraram no trem. Xoxarle continuou falando.

Em uma seção do trem havia telas acesas com mapas que mostravam qual era a aparência do Mundo de Schar na época em que o Sistema de Comando tinha sido construído, as cidades e os estados mostrados nos continentes, os alvos em um estado em um continente, as instalações de mísseis, as bases aéreas e os portos navais pertencentes aos projetistas do Sistema mostrados em outro estado, em outro continente.

Duas pequenas calotas de gelo eram mostradas, mas o resto do planeta eram estepes, savanas, desertos, florestas e selvas. Balveda quis ficar e olhar os mapas, mas Horza a puxou dali e por outra porta, seguindo adiante na direção da frente do trem. Ele desligou as luzes por trás das telas dos mapas ao passar, e a superfície brilhante de oceanos azuis, terra verde, amarela, marrom e laranja, rios azuis e cidades e linhas de comunicação vermelhas desapareceu lentamente em uma escuridão cinzenta.

*Oh, oh.*

*Há mais no trem. Três, acho. Caminhando desde a parte traseira. E agora?*

*

Xoxarle inspirava, expirava. Ele flexionou os músculos e os cabos deslizaram sobre suas placas de queratina. Parou quando o homem se aproximou para dar uma olhada nele.

— Você é Aviger, não é?

— É assim que eles me chamam — disse o velho.

Ele ficou olhando para o idirano, observando dos três pés de Xoxarle, com seus dedos enormes e seus tornozelos redondos, seus joelhos de aparência acolchoada, a cintura enorme de placas pélvicas e o peito chato, até a grande cabeça em forma de sela do líder de seção, o rosto largo inclinado e olhando para o humano abaixo.

— Com medo de que eu escape? — trovejou Xoxarle.

Aviger deu de ombros e apertou um pouco mais a arma.

— Que diferença isso faz? — perguntou ele. — Eu também sou um prisioneiro. Aquele louco fez com que todos nós ficássemos presos aqui. Eu só quero voltar. Esta guerra não é minha.

— Uma atitude muito sensata — observou Xoxarle. — Gostaria que mais humanos percebessem o que é e o que não é deles. Especialmente em relação a guerras.

— Ah, não imagino que vocês sejam muito melhores.

— Vamos dizer diferentes, então.

— Diga o que quiser. — Aviger olhou outra vez para o corpo do idirano, direcionando a atenção para o peito. — Eu só queria que todo mundo cuidasse da própria vida. Mas não vejo mudança; tudo vai acabar em lágrimas.

— Não acho que você pertença a este lugar, Aviger. — Xoxarle assentiu de um jeito sábio, lento.

Aviger deu de ombros e não ergueu os olhos.

— Não acho que nenhum de nós pertence.

— Os corajosos pertencem aonde eles decidirem. — Alguma dureza alcançou a voz do idirano.

Aviger olhou para o rosto largo e escuro acima dele.

— Bem, você diria isso, não diria?

Ele deu as costas e caminhou novamente até o pallet. Xoxarle observou e vibrou o peito rapidamente, tensionando os músculos, então relaxando-os. Os cabos ao seu redor escorregaram um pouco mais. Às suas costas, ele sentiu a amarração em torno de um pulso afrouxar uma fração.

O trem ganhou velocidade. Os controles e telas pareciam fracos para ele, então ele observava as luzes nas paredes do túnel lá fora. De início elas deslizaram delicadamente, passando pelas janelas laterais da cabine de controle mais lentamente que a maré silenciosa de sua respiração.

Agora, passavam duas ou três luzes cada vez que ele respirava. O trem o estava empurrando com delicadeza por trás, pressionando-o contra as costas do assento e o ancorando ali. Sangue — um pouco, não muito — tinha secado embaixo dele, grudando-o ali. Seu caminho, ele sentia, estava determinado. Havia apenas mais uma coisa a fazer. Examinou o painel de controle, xingando a escuridão que se acumulava diante de seu olho.

Antes de encontrar o disjuntor do freio de colisão, ele encontrou as luzes. Foi como um pequeno presente de Deus; o túnel à frente se iluminou com reflexos brilhantes quando os faróis dianteiros no nariz do trem se acenderam. O conjunto duplo de trilhos brilhou, e à distância ele pôde ver mais sombras e reflexos nas paredes do túnel, onde tubos de acesso chegavam inclinados dos túneis de pedestres, e portas antiexplosão eram como costelas nas paredes negras de pedra.

Sua visão ainda estava piorando, mas ele se sentiu melhor por conseguir ver o exterior. Primeiro, ele se preocupou, de um jeito distante e teórico, que as luzes pudessem dar muito alerta, se tivesse sorte o suficiente de pegar os humanos ainda na estação. Mas fazia pouca diferença. O ar empurrado à frente do trem iria avisá-los cedo o bastante. Ele ergueu um painel perto da alavanca de controle de força e o observou.

Sua cabeça estava leve; ele sentia muito frio. Olhou para o disjuntor, então se abaixou, enfiando-se entre a traseira do assento — rompendo o lacre de sangue embaixo dele — e a borda do painel de controle. Empurrou o rosto contra a borda da alavanca de controle de força, então agarrou o freio de segurança anticolisão. Moveu a mão de modo que ela não deslizasse, então apenas ficou ali.

Seu único olho estava erguido o suficiente do painel para ver o túnel à frente. As luzes agora se aproximavam mais depressa. O trem balançava delicadamente, embalando-o. O ronco ia se calando em seus ouvidos, como a imagem se apagando, como a estação às suas costas esmaecendo e desaparecendo, como o fluxo de luzes aparentemente constante que lentamente se acelerava vindo dos dois lados.

Não podia estimar o quanto precisaria andar. Tinha começado aquilo; tinha feito seu melhor. Mais nada — finalmente — podia ser pedido a ele.

Ele fechou o olho, só para descansar.

O trem o balançava.

*

— Está ótimo. — Wubslin sorriu quando Horza, Yalson e Balveda entraram na cabine de controle. — Está tudo pronto para funcionar. Todos os sistemas em ordem!

— Bom, não se anime — disse Yalson, observando Balveda se sentar em um assento, então ela mesma se sentou em outro. — Nós podemos ter de usar os tubos de trânsito para circular.

Horza apertou alguns botões, observando as leituras nos sistemas do trem. Tudo parecia como Wubslin tinha dito: pronto.

— Onde está aquele maldito drone? — perguntou Horza a Yalson.

— Drone? Unaha-Closp? — chamou Yalson no microfone do capacete.

— O que foi agora? — respondeu Unaha-Closp.

— Onde você está?

— Estou dando uma boa olhada nessa coleção antiga de material de rodagem. Acredito que esses trens podem na verdade ser mais antigos que sua nave.

— Diga a ele para voltar para cá — falou Horza, e olhou para Wubslin. — Você verificou este trem inteiro?

Yalson mandou o drone voltar enquanto Wubslin assentia e dizia:

— Todo ele, menos o vagão do reator; não consegui entrar em partes dele. Quais são os controles das portas?

Horza olhou ao redor por um momento, lembrando-se da disposição dos controles do trem.

— Aqueles.

Ele apontou para uma das séries de botões e painéis de luzes a um lado de Wubslin. O engenheiro os estudou.

Mandado voltar. Ordenado a retornar. Como se fosse um escravo, um dos medjel dos idiranos; como se fosse uma máquina. Que eles esperassem um pouco.

Unaha-Closp também tinha encontrado as telas de mapas, no trem um pouco abaixo no túnel. Ele flutuava no ar diante das áreas coloridas de plástico com iluminação por trás. Utilizava seus campos manipuladores para operar os controles, acendendo pequenos conjuntos de luzes que indicavam os alvos dos dois lados, as principais cidades e instalações militares.

Tudo era poeira, agora, toda a sua preciosa civilização humanoide transformada em lixo sob o peso de geleiras ou desgastada por vento, borrifos e chuva e imobilizada em gelo — toda ela. Só aquele túmulo labiríntico havia sobrado.

Era lamentável para sua humanidade, ou como quer que eles tivessem escolhido chamá-la, pensou Unaha-Closp. Só as máquinas deles restavam. Mas será que alguns dos outros iam aprender? Eles veriam exatamente o que era aquela bola de rocha congelada? Veriam mesmo?

Unaha-Closp deixou as telas acesas e saiu flutuando do trem, voltando pelo túnel na direção da estação. Os túneis agora estavam iluminados, mas não estavam mais quentes, e para Unaha-Closp parecia haver uma espécie de crueldade revelada na luz branco-amarelada dura que vinha dos tetos e das paredes; eram luzes de um teatro em funcionamento, luzes de mesa de dissecção.

A máquina flutuou através dos túneis, pensando que a catedral de escuridão tinha se transformado em uma arena vitrificada perigosa.

Xoxarle estava na plataforma, ainda amarrado às vigas da rampa de acesso. Unaha-Closp não gostou do jeito como o idirano olhou para ele quando apareceu vindo dos túneis; era quase impossível ler a expressão da criatura, se é que era possível dizer que tinha expressão, mas havia algo em Xoxarle de que Unaha-Closp não gostava. Ele teve a impressão de que o idirano tinha acabado de parar de se mexer, ou de fazer algo que não queria ser visto fazendo.

Da boca do túnel, o drone viu Aviger erguer os olhos do pallet onde estava sentado, então afastar o olhar outra vez, sem mesmo se dar ao incômodo de acenar.

O Transmutador e as duas mulheres estavam na área de controle do trem com o engenheiro Wubslin. Unaha-Closp os viu e seguiu em frente na direção das rampas de acesso e da porta mais próxima. Quando chegou lá, parou. O ar se movia com delicadeza; praticamente nada, mas estava ali; ele podia sentir.

Obviamente, com a energia ligada, alguns sistemas automáticos estavam circulando mais ar fresco da superfície ou através de unidades de esterilização atmosférica.

Unaha-Closp entrou no trem.

— Que máquina desagradável — disse Xoxarle para Aviger.

O velho assentiu vagamente. Xoxarle tinha percebido que o homem olhava menos para ele quando Xoxarle estava falando. Era como se o som de sua voz reassegurasse o humano de que ele ainda estava ali amarrado, seguro e preso, sem se mexer. Por outro lado, falar — movimentar a cabeça para olhar para o humano, fazer um movimento eventual de dar de ombros, rindo um pouco — dava a ele desculpas para se mexer e fazer com que os cabos deslizassem um pouco mais. Então ele falava; com sorte os outros ficariam algum tempo no trem agora, e ele poderia ter uma chance de escapar.

Ele os conduziria em uma dança alegre se escapasse para os túneis com uma arma!

*

— Bom, elas deviam estar abertas — dizia Horza.

Segundo o painel de controle à frente dele e de Wubslin, as portas do vagão do reator nunca sequer tinham sido trancadas.

— Tem certeza de que você estava tentando abri-las corretamente?

Ele estava olhando para o engenheiro.

— É claro — respondeu Wubslin, parecendo ofendido. — Eu sei como tipos diferentes de trancas funcionam. Tentei girar os volantes internos; segurar… Certo, este meu braço não está perfeito, mas, bom… ela devia ter se aberto.

— Provavelmente um defeito — opinou Horza.

Ele se aprumou, olhando para a parte de trás do trem como se estivesse tentando ver através de cem metros de plástico e metal entre ele e o vagão do reator.

— Humm. Aqui não tem espaço suficiente para a Mente se esconder, tem?

Wubslin ergueu os olhos do painel.

— Eu diria que não.

— Bem, aqui estou — disse com petulância Unaha-Closp, flutuando através da porta até a cabine de controle. — O que vocês querem que eu faça agora?

— Você demorou revistando aquele outro trem — comentou Horza, olhando para a máquina.

— Eu estava sendo minucioso. Mais minucioso que você, a menos que eu tenha ouvido mal o que você disse antes de eu entrar. Onde poderia haver espaço suficiente para a Mente se esconder?

— No vagão do reator — explicou Wubslin. — Eu não consegui passar por algumas das portas. Horza diz que, segundo os controles, elas deveriam estar abertas.

— Quer que eu volte lá e dê uma olhada, então?

Unaha-Closp se virou para encarar Horza.

O Transmutador assentiu.

— Se não for pedir demais — falou ele sem emoção na voz.

— Não, não — disse alegremente Unaha-Closp, saindo pela porta por onde tinha entrado. — Estou começando a gostar de receber ordens. Deixe comigo.

Ele saiu flutuando, atravessando o vagão da frente na direção do vagão do reator.

Balveda olhou através do vidro blindado para a traseira do trem à frente, aquele que o drone tinha revistado.

— Se a Mente estivesse escondida no vagão do reator, ela não iria aparecer em seu sensor de massa, ou ela se confundiria com os traços da pilha?

Ela virou a cabeça lentamente para olhar para o Transmutador.

— Quem sabe? — disse Horza. — Não sou um especialista no funcionamento do traje, especialmente agora que ele está danificado.

— Você está ficando muito confiante, Horza — observou a agente da Cultura com um leve sorriso —, deixando que o drone faça sua caçada por você.

— Só deixando que ele faça um pouco de exploração, Balveda — falou Horza, afastando o olhar e trabalhando em mais controles.

Ele observou as telas, botões e medidores, mostradores em movimento e funções de leitura, tentando entender o que estava acontecendo, se possível, no vagão do reator. Tudo parecia normal, até onde ele podia dizer, embora soubesse menos sobre os sistemas do reator que sobre a maioria dos outros componentes do trem de sua época como sentinela.

— Está bem — começou a dizer Yalson, virando a cadeira para o lado, apoiando os pés na borda do painel de controle e tirando o capacete. — E o que fazemos se não houver nenhuma Mente ali, no vagão do reator? Começamos a circular nesta coisa, pegamos os tubos de trânsito ou o quê?

— Não sei se usar um trem da linha principal é uma boa ideia — comentou Horza, olhando para Wubslin. — Pensei em deixar todo mundo aqui e eu mesmo pegar um tubo de trânsito para fazer uma viagem circular em torno do Sistema, tentando localizar a Mente no sensor de massa do traje. Não demoraria demais, mesmo fazendo isso duas vezes para cobrir os dois conjuntos de trilhos entre as estações. Os tubos de trânsito não têm reatores, então não vão causar nenhum eco falso para interferir com as leituras do sensor.

Wubslin, sentado no assento que dava para os controles principais do trem, parecia abatido.

— Por que, então, não mandar o resto de nós de volta para a nave? — sugeriu Balveda.

Horza olhou para ela.

— Balveda, você não está aqui para fazer sugestões.

— Só tentando ajudar.

A agente da Cultura deu de ombros.

— E se mesmo assim você não conseguir encontrar nada? — perguntou Yalson.

— Nós voltamos para a nave — respondeu Horza, sacudindo a cabeça. — Isso é praticamente tudo o que podemos fazer. Wubslin pode verificar o sensor de massa do traje a bordo e, dependendo do que descobrirmos de errado com ele, podemos voltar aqui embaixo ou não. Agora que a energia está ligada, nada disso deve demorar muito nem envolver nenhum trabalho duro.

— Uma pena — lamentou Wubslin, mexendo nos controles. — Nós nem podemos usar este trem para voltar para a estação quatro, por causa daquele trem na estação seis bloqueando o caminho.

— Ele provavelmente ainda se moveria — disse Horza ao engenheiro. — Vamos ter de fazer algumas manobras para qualquer caminho que formos, se usarmos os trens das linhas principais.

— Ah, então está bem — falou Wubslin, de um jeito um pouco sonhador, e tornou a olhar para os controles. Ele apontou para um deles. — Esse é o controle de velocidade?

Horza riu, cruzou os braços e sorriu para o homem.

— É. Vamos ver se conseguimos arrumar uma pequena viagem.

Ele se debruçou para a frente e apontou para alguns outros controles, mostrando a Wubslin como o trem estava pronto para andar. Eles apontavam, assentiam e conversavam.

Yalson se remexia de modo inquieto em seu assento. Finalmente, ela olhou para Balveda. A mulher da Cultura estava olhando para Horza e Wubslin com um sorriso; ela voltou a cabeça para Yalson, sentindo seu olhar, e seu sorriso se abriu mais; então moveu a cabeça levemente para indicar os dois homens e ergueu as sobrancelhas. Yalson, relutantemente, retribuiu o sorriso e moveu um pouco o peso de sua arma.

*

As luzes passavam velozes agora, como um fluxo, criando um padrão tremeluzente e piscante de luz na cabine mal iluminada. Ele sabia; tinha aberto o olho e visto.

Tinha custado toda a sua força apenas erguer aquela pálpebra. Ele caíra no sono por algum tempo. Não tinha certeza de quanto tempo, só sabia que tinha cochilado. A dor agora não estava tão ruim. Havia ficado imóvel por algum tempo, só deitado ali com seu corpo alquebrado projetado da cadeira estranha e alienígena, sua cabeça sobre o painel de controle, sua mão enfiada na pequena aba perto do controle de força, dedos presos sob a alavanca de segurança no interior.

Estava sossegado; não conseguiria explicar quão agradável era aquilo tudo depois de ter rastejado tanto pelo trem quanto pelo túnel de sua própria dor.

O movimento do trem tinha se alterado. Ele ainda o embalava, mas agora um pouco mais rápido, e com o acréscimo de um novo ritmo também, uma vibração mais rápida que era como um coração batendo acelerado. Achou que agora também podia ouvi-lo. O barulho do vento, soprado através daqueles buracos profundamente enterrados sob as vastidões desoladas varridas por nevascas acima. Ou talvez ele tenha imaginado isso. Achou difícil dizer.

Ele se sentiu outra vez como uma criança pequena, em uma viagem com seus colegas de ano e seu velho Querl mentor, embalado para dormir, entrando e saindo de um sono feliz.

Não parava de pensar: *Fiz tudo o que eu podia. Talvez não o suficiente, mas foi tudo o que estava em meu poder fazer.* Era reconfortante.

Como a dor que diminuía, isso o relaxou; como o balanço do trem, isso o acalmou.

Fechou o olho outra vez. Havia, também, conforto na escuridão. Ele não tinha ideia do quanto tinha andado, e estava começando a achar que não importava. As coisas estavam começando a se esfumar diante dele outra vez; estava simplesmente começando a esquecer por que estava fazendo tudo aquilo. Mas isso também não importava. Estava feito; desde que ele não se mexesse, nada importava. Nada.

Nada mesmo.

As portas estavam mesmo emperradas, da mesma maneira que no outro trem. O drone ficou irritado e bateu contra uma das portas da câmara do reator com um campo de força, arremessando-se para trás pelo ar com a reação.

A porta não ficou nem amassada.

Oh, oh.

De volta às passagens estreitas e tubulações de cabos. Unaha-Closp se virou e seguiu por um corredor curto, então entrou em um buraco no chão, dirigindo-se a um painel de inspeção sob o piso do convés inferior.

*Claro que eu termino fazendo todo o trabalho. Eu devia saber. Basicamente o que estou fazendo para aquele filho da mãe é caçar outra máquina. Eu devia mandar testar meus circuitos. Estou pensando em não contar a ele mesmo que eu encontre a Mente em algum lugar. Isso lhe ensinaria uma lição.*

Ele abriu a escotilha de inspeção e entrou no espaço escuro e estreito sob o piso. A escotilha sibilou e se fechou atrás dele, bloqueando a luz. Pensou em fazer a volta e abrir a escotilha outra vez, mas sabia que ela ia apenas se fechar automaticamente novamente, e que ele ia ficar mal-humorado e danificar a coisa, e isso era tudo um pouco sem sentido e mesquinho, então ele não fez isso; esse tipo de comportamento era para humanos.

Começou a seguir pelo túnel estreito, na direção da traseira do trem, embaixo de onde devia estar o reator.

\*

O idirano estava falando. Aviger podia ouvir, mas não estava escutando. Também podia ver o monstro pelo canto do olho, mas não estava olhando para ele de verdade. Estava olhando distraidamente para sua arma, cantarolando sem melodia e pensando no que faria se, de algum modo, ele mesmo conseguisse se apoderar da Mente. Imagine se os outros fossem mortos e ele ficasse com o dispositivo? Sabia que os idiranos provavelmente pagariam bem pela Mente. Assim como a Cultura; eles tinham dinheiro, mesmo que não devessem usá-lo em sua própria civilização.

Apenas sonhos, mas qualquer coisa podia acontecer com aquele grupo. Você nunca sabia como a poeira poderia baixar. Ele compraria terra: uma ilha em um belo planeta seguro em algum lugar. Faria algum retroenvelhecimento e criaria algum tipo de animal de corrida caro, e conheceria as melhores pessoas por meio de suas conexões. Ou conseguiria alguém para fazer todo o trabalho duro; com dinheiro seria possível fazer isso. Seria possível fazer qualquer coisa.

O idirano continuou a falar.

A mão dele estava quase livre. Isso era a única coisa que ele conseguia soltar no momento, mas talvez conseguisse torcer e livrar o braço mais tarde; estava ficando cada vez mais fácil. Os humanos estavam no trem havia algum tempo; quanto mais eles iriam ficar? A pequena máquina não tinha ficado lá por tanto tempo. Ele a havia visto bem a tempo, aparecendo da boca do túnel; sabia que a visão dela era melhor que a dele e, por um momento, temeu que ela pudesse tê-lo visto mover o braço que estava tentando soltar, o do lado oposto do velho humano. Mas a máquina havia desaparecido no interior do trem, e nada tinha acontecido. Continuou olhando para o velho, conferindo. O humano parecia perdido em devaneios. Xoxarle não parava de falar, contando para o ar vazio antigas vitórias idiranas.

Sua mão estava quase solta.

Um pouco de poeira caiu de uma viga acima dele, a cerca de um metro de sua cabeça, e desceu flutuando através do ar quase imóvel, caindo quase em linha reta, mas não exatamente, afastando-se dele gradualmente. Ele olhou para o velho outra vez e forçou os cabos em torno de sua mão. *Solte, droga!*

Unaha-Closp teve de martelar uma esquina em ângulo reto em uma curva para entrar na pequena passagem que queria utilizar. Não era nem um túnel por onde fosse possível rastejar; era um conduíte de cabos, mas levava para o compartimento do reator. Verificou seus sensores: a mesma quantidade de radiação ali que no outro trem.

Ele passou raspando pela pequena abertura que tinha criado no conduíte, cada vez mais fundo nas entranhas de plástico e metal do vagão silencioso.

*Posso ouvir alguma coisa. Tem alguma coisa se aproximando, debaixo de mim...*

As luzes eram uma linha contínua, passando rápido demais pelo trem para a maioria dos olhos distingui-las individualmente. As luzes à frente, adiante nos trilhos, surgiam em torno de curvas ou nas extremidades de retas, aumentavam, se juntavam e passavam velozes pelas janelas, como estrelas cadentes na escuridão.

O trem tinha levado muito tempo para alcançar sua velocidade máxima, lutado por longos minutos para superar a inércia de seus milhares de toneladas de massa. Agora tinha feito isso, e estava empurrando a si mesmo e à coluna de ar a sua frente o mais rápido que conseguia, disparando pelo túnel com um barulho trovejante e violento mais alto do que qualquer trem já tinha feito naquelas passagens escuras, seus vagões danificados rompendo o ar ou raspando nas bordas das portas antiexplosão, o que reduzia um pouco sua velocidade, mas aumentava muito o barulho de sua passagem.

O grito do giro dos motores e das rodas do trem, de seu corpo canelado de metal, rasgava o ar, e esse mesmo ar redemoinhava através dos espaços abertos dos vagões perfurados ecoava do teto e das paredes, dos painéis de controle e do chão e da inclinação de vidro blindado.

O olho de Quayanorl estava fechado. No interior de seus ouvidos, membranas pulsavam com o som do exterior, mas nenhuma mensagem era transmitida ao seu cérebro. Sua cabeça balançava para cima e para baixo sobre o painel de controle que vibrava, como se ainda estivesse vivo. Sua mão tremia sobre o cancelamento do freio de colisão, como se o guerreiro estivesse nervoso ou com medo.

Ali enfiado, colado, soldado por seu próprio sangue, ele era como uma parte estranha e danificada do trem.

O sangue estava seco; do lado de fora do corpo de Quayanorl, assim como por dentro, ele havia parado de correr.

— Como está indo, Unaha-Closp? — disse a voz de Yalson.

— Estou embaixo do reator e estou ocupado. Eu aviso se encontrar alguma coisa. Obrigado.

Ele desligou o comunicador e olhou para as entranhas revestidas de preto à sua frente: fios e cabos desaparecendo em um conduíte. Mais do que havia no trem à frente. Será que ele deveria cortar para abrir caminho ou tentar outra rota?

Decisões, decisões.

Sua mão estava solta. Ele fez uma pausa. O velho ainda estava sentado no pallet, mexendo com a arma.

Xoxarle se permitiu um pequeno suspiro de alívio e flexionou a mão, deixando que os dedos se esticassem e depois se fechassem. Alguns fragmentos de poeira passaram lentamente por seu rosto. Ele parou de flexionar a mão.

Observou a poeira se mover.

Um alento, algo menor que uma brisa, fez cócegas em seus braços e suas pernas. Muito estranho, ele pensou.

— Tudo o que estou dizendo — disse Yalson a Horza, remexendo um pouco os pés sobre o painel de controle — é que não acho boa ideia você descer sozinho aqui. Qualquer coisa pode acontecer.

— Vou levar um comunicador; eu informo vocês — falou Horza.

Ele estava de pé com os braços cruzados, as costas apoiadas na borda de um painel de controle; o mesmo sobre o qual estava o capacete de Wubslin. O engenheiro estava se familiarizando com os controles do trem. Na verdade, eles eram bem simples.

— É básico, Horza — observou Yalson. — Você nunca vai sozinho. Que tipo de coisa eles ensinaram a você nessa maldita academia?

— Se eu puder dizer alguma coisa — interveio Balveda, entrelaçando as mãos à sua frente e olhando para o Transmutador —, só gostaria de dizer que acho que Yalson está certa.

Horza olhou fixamente para a mulher com uma expressão de perplexidade infeliz.

— Não, você não pode dizer nada — disse ele. — Do lado de quem você acha que está, Perosteck?

— Ah, Horza. — Balveda sorriu, cruzando os braços. — Eu quase me sinto um membro da equipe depois de todo esse tempo.

A cerca de meio metro da cabeça que balançava levemente e esfriava lentamente do capitão subordinado Quayanorl Gidborux Stoghrle III, uma luz começou a piscar muito rapidamente no painel de controle. Ao mesmo tempo, o ar na cabine de controle foi perfurado por um guincho agudo e ululante que encheu a cabine e todo o vagão dianteiro e foi retransmitido para vários outros centros de controle através do trem em velocidade. Quayanorl, o corpo firmemente fixado puxado para um lado pela força do trem roncando por uma curva longa, poderia ter ouvido esse ruído, se estivesse vivo. Pouquíssimos humanos poderiam tê-lo ouvido.

*

Unaha-Closp resolveu não cortar toda a comunicação com o mundo exterior e tornou a abrir os canais de seu comunicador. Ninguém, porém, queria falar com ele. Começou a cortar os cabos que levavam ao conduíte, um a um, com um campo de força com gume de faca. Não fazia sentido se preocupar em danificar a coisa depois de tudo o que tinha acontecido com o trem na estação seis, disse ele a si mesmo. Se atingisse algo vital para a operação normal do trem, tinha certeza de que Horza logo ia berrar. De qualquer modo, poderia reparar os cabos sem muito problema.

*

Uma *corrente de ar*?

Xoxarle achou que devia estar imaginando coisas, depois que era o resultado de alguma unidade de circulação de ar recém-ligada. Talvez o calor das luzes e dos sistemas da estação, quando ligados, exigisse ventilação extra.

Mas ela estava aumentando. Devagar, quase devagar demais para ser perceptível, a força da corrente suave e constante aumentava. Xoxarle revirou seu cérebro; o que poderia ser aquilo? Não um trem; com certeza, não um trem.

Ele ouviu com atenção, mas não conseguiu escutar nada. Olhou para o velho humano e o viu olhando de volta. Será que ele tinha percebido?

— Ficou sem batalhas e vitórias para me contar? — perguntou Aviger, parecendo cansado.

Ele olhou para o idirano de cima a baixo. Xoxarle riu — um pouco alto demais, até nervosamente, se Aviger fosse versado o suficiente em gestos e tons de voz idiranos para perceber.

— Não mesmo! — disse Xoxarle. — Eu estava apenas pensando...

Ele começou outra história de inimigos derrotados. Era uma história que tinha contado a sua família, em refeitórios de naves e no interior de transportes de ataque; podia contá-la dormindo. Enquanto sua voz enchia a estação iluminada e o velho humano olhava para a arma que segurava nas mãos, os pensamentos de Xoxarle estavam em outro lugar, tentando entender o que estava acontecendo. Ainda estava puxando e forçando os cabos em seu braço; o que quer que estivesse acontecendo, era vital conseguir fazer mais que apenas movimentar a mão. A corrente de ar aumentou. Ele ainda não conseguia ouvir nada.

Uma corrente constante de poeira estava sendo soprada da viga acima de sua cabeça.

Tinha de ser um trem. Será que algum podia ter sido deixado ligado em algum lugar? Impossível...

*Quayanorl! Nós programamos os controles para...?* Mas eles não tinham tentado deixar os controles ligados. Tinham apenas descoberto o que faziam os vários controles e testado sua operação para garantir que todos se moviam. Não tinham tentado fazer mais nada; e não fazia sentido, não havia tempo.

Tinha de ser o próprio Quayanorl. Ele tinha conseguido. Ainda devia estar vivo. Ele tinha enviado o trem.

Por um instante — enquanto forçava desesperadamente os cabos que o prendiam, falando o tempo inteiro e observando o velho —, Xoxarle imaginou seu camarada ainda na estação seis, mas então se lembrou de como ele estava gravemente ferido. Mais cedo Xoxarle tinha pensado que seu camarada ainda pudesse estar vivo, quando ele ainda estava jogado na rampa de acesso, mas então o Transmutador dissera ao velho, esse mesmo Aviger, para voltar e atirar na cabeça de Quayanorl. Isso devia ter acabado com Quayanorl, mas, aparentemente, não tinha.

*Você falhou, velho!,* exultou Xoxarle enquanto a corrente de ar se transformava em uma brisa. Um zunido distante, quase agudo demais para ser ouvido, começou. Ele estava abafado, vindo do trem. O alarme.

O braço de Xoxarle, preso por apenas um cabo logo acima de seu cotovelo, estava quase livre. Ele deu de ombros uma vez e o cabo passou por cima da parte superior de seu braço e caiu solto sobre seu ombro.

— Velho Aviger, meu amigo — disse ele.

Aviger ergueu o olhar rapidamente enquanto Xoxarle interrompia seu monólogo.

— O quê?

— Isso vai parecer besteira, e não vou culpar você se tiver medo, mas estou com a coceira mais infernal em meu olho direito. Você poderia coçá-lo para mim? Eu sei que parece besteira, um guerreiro atormentado quase até a morte por um olho coçando, mas ele tem me deixado bem demente nesses últimos dez minutos. Você poderia coçá-lo? Use o cano de sua arma se quiser; vou cuidar para não mover um músculo nem fazer nada ameaçador se você usar o cano da arma. Ou qualquer coisa que você quiser. Você faria isso? Juro a você por minha honra como guerreiro que estou dizendo a verdade.

Aviger se levantou. Ele olhou para a parte da frente do trem.

*Ele não consegue ouvir o alarme. Ele é velho. Será que os mais jovens conseguem ouvir? Será que é agudo demais para eles? E a máquina? Ah, venha até aqui, seu velho tolo. Venha até aqui!*

\*

Unaha-Closp afastou os cabos cortados. Agora podia alcançar um ponto mais interno do conduíte e tentar cortar mais acima, para poder entrar.

— Drone, drone, você pode me ouvir? — Era a mulher Yalson outra vez.

— O que foi *agora*? — perguntou ele.

— Horza perdeu algumas leituras do vagão do reator. Ele quer saber o que você está fazendo.

— Quero mesmo — murmurou Horza ao fundo.

— Tive de cortar alguns fios. Parece ser o único jeito de entrar na área do reator. Eu conserto depois, se vocês insistem.

O canal do comunicador ficou em silêncio por um instante. Nesse momento, Unaha-Closp achou que podia ouvir alguma coisa aguda. Mas não tinha certeza. Bordas de sensação, pensou consigo mesmo. O canal tornou a se abrir. Yalson disse:

— Está bem. Mas Horza está dizendo para contar a ele na próxima vez que você pensar em cortar alguma coisa, especialmente cabos.

— Certo, certo! — exclamou o drone. — Agora, você quer me deixar em paz?

O canal tornou a se fechar. Ele pensou por um momento. Tinha passado por sua mente que podia haver um alarme em algum lugar, mas logicamente um alarme devia ser repetido na cabine de controle, e ele não ouvira nada ao fundo quando Yalson falou, além da interjeição abafada do Transmutador. Portanto, nenhum alarme.

Ele alcançou uma parte mais interna do conduíte com um campo de corte.

— Que olho? — disse Aviger de simplesmente longe demais.

Uma mecha de seu cabelo ralo e amarelado foi soprada sobre sua testa pela brisa. Xoxarle esperou que o homem percebesse, mas ele não percebeu. Apenas colocou o cabelo para trás e olhou de um jeito estranho para a cabeça do idirano, a arma pronta, o rosto desconfiado.

— Este direito — falou Xoxarle, girando a cabeça devagar.

Aviger olhou ao redor na direção da frente do trem outra vez, então se voltou para Xoxarle.

— Não conte a você sabe quem, está bem?

— Eu juro. Agora, por favor. Não aguento mais.

Aviger deu um passo à frente. Ainda fora de alcance.

— Pela sua honra, isso não é um truque? — perguntou ele.

— Como guerreiro. Pelo nome imaculado de minha mãe-pai. Pelo meu clã e pelo meu povo. Que a galáxia se transforme em pó se eu estiver mentindo!

— Está bem, está bem — disse Aviger, erguendo a arma e a segurando no alto. — Eu só queria ter certeza. — Empurrou o cano da arma na direção do olho de Xoxarle. — Onde está coçando?

— Aqui! — sibilou Xoxarle.

Seu braço solto atacou, segurou o cano da arma e puxou. Aviger, ainda segurando a arma, foi arrastado com ela, batendo contra o peito do idirano. O ar saiu de dentro dele em uma explosão, então a arma desceu e atingiu seu crânio com força. Xoxarle tinha desviado a cabeça quando segurou a arma caso ela disparasse, mas não precisava ter se dado ao trabalho; Aviger não a havia deixado ligada.

Na brisa cada vez mais forte, Xoxarle deixou o humano inconsciente deslizar até o chão. Segurou o fuzil a laser com a boca e usou a mão para ajustar os controles para uma combustão silenciosa. Soltou a guarda do gatilho da estrutura da arma para abrir espaço para seus dedos maiores.

Os cabos deviam derreter com facilidade.

*

Como serpentes retorcidas surgidas de um buraco no chão, os cabos enfeixados, cortados em cerca de um metro em seu comprimento, deslizaram do conduíte. Unaha-Closp entrou no tubo estreito e chegou atrás das extremidades nuas da próxima extensão de cabos.

*

— Yalson — disse Horza. — Eu não levaria você comigo de qualquer jeito, mesmo que eu tivesse decidido não descer lá sozinho.

Ele sorriu para ela. Yalson franziu o cenho.

— Por que não? — perguntou ela.

— Porque precisaria de você na nave, assegurando que Balveda aqui e nosso líder de seção não se comportassem mal.

Os olhos de Yalson se estreitaram.

— É melhor que isso seja tudo — reclamou ela.

O sorriso de Horza se abriu, e ele afastou o olhar, como se quisesse dizer mais, mas, por alguma razão, não conseguisse.

Balveda estava sentada, balançando as pernas da borda do assento grande demais, e se perguntou o que estava acontecendo entre o Transmutador e a mulher de pele escura e penugenta. Achou que tivesse percebido uma mudança em seu relacionamento, uma mudança que parecia vir principalmente da forma como Horza tratava Yalson. Um elemento extra tinha sido adicionado; havia alguma outra coisa determinando suas reações a ela, mas Balveda não conseguia dizer o quê. Era tudo bem interessante, mas não a ajudava. Ela, de qualquer modo, tinha seus próprios problemas. Balveda conhecia suas próprias fraquezas, e uma delas a estava incomodando agora.

Estava mesmo começando a se sentir como um membro da equipe. Ela observou Horza e Yalson discutindo sobre quem deveria acompanhar o Transmutador se ele fosse voltar ao Sistema de Comando depois de um retorno à *Turbulência em Ar Límpido*, e não conseguiu conter um sorriso, escondido, para eles. Gostava da mulher determinada e pé no chão, mesmo que essa opinião não fosse retribuída, e não conseguia pensar em Horza de forma tão implacável quanto deveria.

Era culpa da Cultura. Ela se considerava civilizada e sofisticada demais para odiar seus inimigos; em vez disso, tentava entendê-los e seus motivos, para poder superar seus pensamentos e, quando ganhasse, tratá-los de um jeito que assegurasse que eles não se tornassem inimigos outra vez. A ideia era boa desde que você não chegasse perto demais, mas, depois de passar algum tempo com seus adversários, essa empatia podia se voltar contra você. Havia uma espécie de agressividade desinteressada e não humana exigida para acompanhar uma compaixão tão mobilizada, e Balveda podia sentir isso lhe escapando.

Talvez ela se sentisse segura demais, pensou. Talvez fosse porque agora não houvesse nenhuma ameaça significativa. A batalha pelo Sistema de Comando estava acabada; a busca estava terminando; a tensão dos dias anteriores, desaparecendo.

*

Xoxarle trabalhou rápido. O raio fino e atenuado do laser zunia irritado em cada cabo, tornando cada fio vermelho, amarelo e branco, então — quando ele os forçou — cada um deles arrebentou com um estalido. O velho aos pés do idirano se remexeu e gemeu.

A brisa suave tinha ficado forte. Poeira era soprada embaixo do trem e começava a redemoinhar em torno dos pés de Xoxarle. Ele moveu o laser para outro conjunto de fios. Faltavam apenas alguns. Olhou para a parte da frente do trem. Ainda não havia sinal dos humanos na máquina. Olhou para o outro lado, para trás, na direção do último vagão do trem e do vão entre ele e a boca do túnel por onde o vento chegava assoviando. Não conseguia ver nenhuma luz, ainda não ouvia nenhum barulho. A corrente de ar fez com que sentisse seu olho frio.

Ele se virou e apontou o fuzil a laser para outro conjunto de fios. As fagulhas foram captadas pela brisa e espalhadas pelo chão da estação, por cima das costas do traje de Aviger.

*Típico: eu fazendo todo o trabalho como sempre*, pensou Unaha-Closp. Ele estava retirando outro feixe de cabos do conduíte. O tubo de cabos atrás estava começando a se encher com pedaços cortados de fios, bloqueando a rota que o drone tinha utilizado para chegar ao pequeno cano em que agora estava trabalhando.

*Está abaixo de mim. Eu posso sentir. Não sei o que está fazendo, mas posso sentir, posso ouvir.*

*E tem mais uma coisa... outro ruído...*

*

O trem era um cartucho comprido e articulado dentro de uma arma gigantesca; um grito de metal em uma garganta vasta. Ele se enterrava pelo túnel como um pistão no maior motor já feito, fazendo curvas e percorrendo retas, luzes iluminando o caminho à frente por um instante, ar empurrado à sua frente — como sua voz uivante e trovejante — por quilômetros.

Poeira subia da plataforma, formava nuvens no ar. Um recipiente vazio para bebidas rolou do pallet onde antes Aviger estivera sentado e caiu ruidosamente no chão; ele começou a rolar pela plataforma, na direção da frente do trem, batendo na parede algumas vezes. Xoxarle o viu. O vento o puxava, os cabos se partiam. Ele liberou uma perna, depois outra. Seu outro braço estava solto, e os últimos fios caíram.

Um pedaço de revestimento plástico se ergueu do pallet como um pássaro negro e achatado e caiu na plataforma, deslizando atrás do recipiente de metal, agora na metade da estação. Xoxarle se abaixou rapidamente, pegou Aviger pela cintura e, com o homem facilmente levado em um braço e o laser na outra mão, voltou correndo pela plataforma, na direção da parede ao lado da entrada bloqueada do túnel onde o vento gemia ao passar pela traseira inclinada do trem.

— ... ou, em vez disso, tranque os dois aqui embaixo. Você sabe que podemos... — disse Yalson.

*Estamos perto*, pensou Horza, assentindo distraidamente para Yalson, sem ouvir enquanto ela lhe dizia por que precisava dela para ajudá-lo a procurar a Mente. *Estamos perto, tenho certeza de que estamos; posso sentir; estamos quase lá. De algum modo nós mantivemos — eu mantive — tudo inteiro. Mas ainda não acabou, e é preciso apenas um pequeno erro, um descuido, e é isso: a lambança, o fracasso, a morte. Até agora conseguimos, apesar dos erros, mas é fácil deixar passar alguma coisa, deixar de ver um detalhe minúsculo na massa de dados que depois — quando você se esqueceu de tudo sobre isso, quando você virou as costas — se aproxima e ataca você.* O segredo era pensar em tudo, ou — porque talvez a Cultura estivesse certa, e só uma máquina pudesse fazer aquilo — estar tão sintonizado com o que estava acontecendo que você pensasse automaticamente em todas as coisas importantes e potencialmente importantes e ignorasse o resto.

Com uma espécie de choque, Horza percebeu que sua própria motivação de nunca cometer um erro, de sempre pensar em tudo, não era tão diferente da necessidade fetichista que tanto desprezava na Cultura: aquela necessidade de tornar tudo justo e igual, de tirar o acaso da vida. Ele sorriu para si mesmo pela ironia e olhou para Balveda, sentada observando Wubslin testar alguns controles.

*Você está começando a se parecer com o inimigo*, pensou Horza. *Talvez, afinal de contas, isso tenha um fundo de verdade.*

— ... Horza, você está me ouvindo? — disse Yalson.
— Hum? Estou, claro. — Ele sorriu.

Balveda franziu o cenho enquanto Horza e Yalson continuavam a conversar e Wubslin remexia e examinava os controles do trem. Por alguma razão, ela estava começando a se sentir desconfortável.

Do lado de fora do vagão dianteiro, além do campo de visão de Balveda, um pequeno recipiente rolou pela plataforma e atingiu a parede ao lado da entrada do túnel.

Xoxarle correu para a parte de trás da estação. Junto da entrada do túnel de pedestres, que saía em ângulos retos para dentro da rocha atrás da plataforma da estação, havia o túnel de onde o Transmutador e as duas mulheres tinham surgido quando voltaram de sua busca pela estação. Ele oferecia o lugar ideal de onde observar; Xoxarle achou que escaparia dos efeitos da colisão e, ao mesmo tempo, teria a melhor oportunidade de um campo de tiro limpo, por toda a estação, até a frente do trem. Poderia ficar ali até que o trem batesse. Se eles tentassem desembarcar, os pegaria. Ele verificou a arma e ligou sua força no máximo.

Balveda desceu do assento, cruzando os braços, e caminhou lentamente pela cabine de controle na direção das janelas laterais, olhando atentamente para o chão, perguntando-se por que se sentia desconfortável.

*

O vento uivava através do vão entre a borda do túnel e o trem; então se tornou uma ventania. A vinte metros de onde Xoxarle esperava no túnel de pedestres, ajoelhado ali com um pé sobre as costas do inconsciente Aviger, o vagão traseiro do trem começou a se agitar e balançar.

*

O drone parou de repente. Duas coisas lhe ocorreram: um, que *havia* mesmo a droga de um barulho engraçado; e dois, que, apenas supondo que houvesse um alarme na cabine de controle, não só nenhum dos humanos conseguiria ouvi-lo; também havia uma boa chance de que o microfone do capacete de Yalson não transmitiria o berro em alta frequência.

Mas não deveria haver um alerta visual, também?

*

Balveda se virou para a janela lateral, sem exatamente olhar para fora. Ela estava sentada apoiada no painel, olhando para trás.

— ... sobre o quanto você ainda está falando sério em relação a procurar por essa maldita coisa — Yalson dizia para Horza.

— Não se preocupe — falou o Transmutador, assentindo para Yalson. — Eu vou encontrá-la.

Balveda se virou e olhou para a estação do lado de fora.

Nesse momento, os capacetes de Yalson e Wubslin ganharam vida com a voz urgente do drone. Balveda estava distraída por um pedaço de material escuro que deslizava rapidamente pelo chão da estação. Seus olhos se arregalaram. Sua boca se abriu.

*

O vento se transformou em um furacão. Um barulho distante, como uma grande avalanche ouvida de longe, veio da entrada do túnel.

Então, na extremidade da reta final que levava à estação sete a partir da estação seis, uma luz apareceu no fim do túnel.

Xoxarle não conseguia ver a luz, mas podia ouvir o barulho; ele ergueu a arma e apontou para a lateral do trem estacionário. Os humanos idiotas *deviam* perceber logo.

Os trilhos de aço começaram a gemer.

✳

O drone recuou rapidamente para fora do conduíte. Ele jogou os pedaços cortados e descartados de cabo contra as paredes.

— Yalson! Horza! — gritou para eles pelo comunicador.

Ele correu pela curta extensão do túnel estreito. No instante em que fez a curva que tinha aberto para torná-lo passável, pôde ouvir o lamento baixo, agudo e insistente do alarme.

— Tem um alarme! Eu posso ouvir! O que está acontecendo?

Ali, naquela passagem, ele podia ouvir e sentir a corrente de vento passando através e em torno do trem.

✳

— Tem uma ventania soprando lá fora! — disse rapidamente Balveda assim que a voz do drone parou.

Wubslin pegou seu capacete de cima do painel de controle. Debaixo dele, uma pequena luz laranja estava piscando. Horza olhou para ela. Balveda olhou para a plataforma. Nuvens de poeira eram sopradas ao longo do chão da estação. Equipamento leve estava sendo soprado de cima do pallet, em frente à estrutura de acesso.

— Horza — chamou Balveda em voz baixa. — Não estou vendo Xoxarle nem Aviger.

Yalson estava de pé. Horza olhou pela janela lateral, depois novamente para a luz piscando no painel de controle.

— É um alarme! — gritou a voz do drone dos dois capacetes. — Estou ouvindo!

Horza pegou seu fuzil, agarrou a borda do capacete de Yalson enquanto ela o segurava e disse:

— É um trem, drone; esse é o alarme de colisão. Saia do trem agora.

Ele soltou o capacete, que Yalson rapidamente enfiou sobre a cabeça e travou. Horza gesticulou na direção da porta.

— Andem! — falou em voz alta, olhando ao redor para Yalson, Balveda e Wubslin, que ainda estava sentado segurando o capacete que havia tirado do painel de controle.

Balveda seguiu para a porta. Yalson estava logo atrás dela. Horza saiu andando, então se virou e olhou para Wubslin, que estava colocando o capacete no chão e se virando outra vez para os controles.

— Wubslin! — gritou ele. — *Ande!*

Balveda e Yalson estava correndo pelo vagão. Yalson olhou para trás e hesitou.

— Vou colocá-lo em movimento — disse Wubslin com urgência, sem se virar para olhar para Horza. Ele apertou alguns botões.

— Wubslin! — berrou Horza. — Saia *agora!*

— Está tudo bem, Horza — falou Wubslin, ainda apertando botões e ligando chaves, olhando para telas e mostradores, fazendo careta quando tinha de movimentar seu braço ferido, e ainda sem virar a cabeça. — Eu sei o que estou fazendo. Saiam vocês. Eu vou colocá-lo em movimento, você vai ver.

Horza olhou para a parte de trás do trem. Yalson estava parada no meio do vagão dianteiro, ele a via com dificuldade através de duas portas abertas, a cabeça indo de um lado para o outro enquanto ela olhava primeiro para Balveda, que ainda corria na direção do segundo andar e das rampas de acesso, em seguida para Horza, esperando na cabine de controle. Horza gesticulou para que ela saísse. Então se virou, andou até Wubslin e o segurou por um cotovelo.

— Seu filho da mãe maluco! — gritou ele. — Ele pode estar se aproximando a cinquenta metros por segundo; você tem ideia de quanto tempo é preciso para colocar uma dessas coisas em movimento?

Ele puxou o braço do engenheiro. Wubslin se virou rapidamente e socou o rosto de Horza com a mão livre. Horza foi jogado para trás, no chão da cabine de controle, mais surpreso que machucado. Wubslin se voltou novamente para os controles.

— Desculpe, Horza, mas posso levá-lo para além daquela curva e tirá-lo do caminho. Você saia agora. Me deixe.

Horza pegou seu fuzil a laser, se levantou, observou o engenheiro trabalhando nos controles, em seguida se virou e saiu correndo dali.

Enquanto fazia isso, o trem deu um solavanco, parecendo se flexionar e tensionar.

Yalson seguia a mulher da Cultura. Horza tinha acenado para ela ir em frente, então ela o fez.

— Balveda! — gritou ela. — As saídas de emergência. Desça. Convés inferior!

A agente da Cultura não ouviu. Ela ainda estava se dirigindo para o vagão seguinte e as rampas de acesso. Yalson foi correndo atrás dela, xingando.

*

O drone irrompeu do chão e correu pelo vagão na direção da escotilha de emergência mais próxima.

*

*Aquela vibração! É um trem! Outro trem está se aproximando, depressa! O que aqueles idiotas fizeram? Eu preciso sair!*

*

Balveda deslizou por uma curva, estendeu uma das mãos e segurou a borda de uma parede; ela mergulhou para a porta aberta que dava para a rampa intermediária de acesso. Os passos de Yalson soavam atrás dela.

Saiu correndo pela rampa para o meio de uma ventania uivante, um furacão constante, sem lufadas. Instantaneamente, o ar ao seu redor explodiu com estalos e centelhas; luz brilhou de todos os lados, e as vigas explodiram em linhas derretidas. Ela se jogou no chão, deslizando e rolando pela superfície da rampa. As vigas à sua frente, onde a rampa se inclinava e virava para um lado, brilhavam com disparos de laser. Ela se levantou parcialmente outra vez e, com os pés e as mãos tentando encontrar apoio sobre a rampa, se jogou para trás uma fração de segundo antes que a linha móvel de disparos estourasse na lateral da rampa, nas vigas e nas grades de proteção depois. Yalson quase tropeçou nela; Balveda estendeu a mão e segurou o braço da outra mulher.

— Alguém está atirando!

Yalson foi até a borda e começou a atirar em resposta.

O trem deu um solavanco.

A reta final entre a estação seis e a estação sete tinha mais de três quilômetros de comprimento. O tempo entre o ponto em que as luzes da máquina em velocidade teriam ficado visíveis da traseira do trem parado na estação sete e o instante em que o trem saísse do túnel escuro para a própria estação ocupava menos de um minuto.

Morto, o corpo tremendo e balançando, mas ainda preso com muita firmeza para ser removido dos controles, o olho frio e fechado de Quayanorl encarava, através do vidro inclinado e blindado, a cena de um espaço escuro como a noite, decorado com duas linhas gêmeas brilhantes de luz quase sólida, e diretamente à frente, aumentando rapidamente, um halo de claridade, um anel brilhante de luminescência com um núcleo cinza e metálico.

Xoxarle praguejou. O alvo tinha se movido rápido, e ele tinha errado. Mas eles estavam aprisionados no trem. Ele os pegara. O velho humano sob seu joelho gemeu e tentou se mexer. Xoxarle pisou com mais força sobre ele e se preparou para atirar novamente. A torrente de ar saiu gritando do túnel e envolveu a traseira do trem.

Tiros em resposta atingiram lugares aleatórios em torno do fundo da estação, bem longe dele. Ele sorriu. Nesse momento, o trem se mexeu.

*

— Saiam! — disse Horza, chegando à porta onde estavam as duas mulheres, uma atirando, a outra abaixada, arriscando uma olhadela eventual para fora. O ar entrava redemoinhando pelo vagão, estremecendo e roncando.

— Deve ser Xoxarle! — gritou Yalson acima do vento tempestuoso.

Ela se inclinou para fora e atirou. Mais disparos passaram pela rampa de acesso e atingiram o casco externo do trem em torno da porta. Balveda se encolheu quando fragmentos quentes explodiram através da porta aberta. O trem pareceu balançar, então se moveu para a frente, muito devagar.

— O que...? — berrou Yalson, olhando ao redor para Horza enquanto ele se juntava a ela na porta.

Ele deu de ombros quando se inclinou para fora para atirar ao longo da plataforma.

— Wubslin! — gritou ele.

Ele mandou uma saraivada de tiros ao longo da extensão da estação. O trem andava adiante; um metro da rampa de acesso já estava escondido pelo casco do trem perto da porta aberta. Algo brilhou na escuridão do túnel distante, onde o vento uivava e a poeira era soprada e de onde vinha um barulho como um trovão interminável.

Horza sacudiu a cabeça. Gesticulou para que Balveda avançasse para a rampa, agora com apenas metade de sua largura à disposição desde a porta. Ele atirou novamente; Yalson se inclinou para fora e também atirou. Balveda se moveu para sair.

Nesse momento, uma escotilha explodiu perto do meio do trem, e do mesmo vagão um pedaço enorme e circular de casco caiu para fora com um clangor metálico — uma grande rolha chata de parede grossa caindo no chão da estação. Uma pequena forma escura saiu correndo da escotilha destruída, e do grande buraco circular ali perto saiu uma ponta prateada, crescendo rapidamente até uma forma ovalada gorda, brilhante e reflexiva enquanto a seção da parede atingia a plataforma, o drone passava zunindo pelo ar e Balveda saía correndo adiante pela rampa.

— Ela está ali! — gritou Yalson.

A Mente estava fora do trem, começando a se virar para sair correndo. Então os disparos brilhantes de laser da outra extremidade da estação mudaram; não atingiam mais as rampas de acesso e as vigas, as explosões brilhantes de luz começaram a se espalhar por toda a superfície da elipsoide prateada. A Mente pareceu parar, pairar no ar, abalada pela fuzilaria de disparos a laser; então caiu de lado na plataforma, sua superfície lisa começando a se ondular e se apagar enquanto rolava através do vento, caindo na direção da parede lateral da estação como uma aeronave com problemas. Balveda estava do outro lado da rampa, correndo pela seção inclinada, quase no nível mais baixo.

— Saia! — berrou Horza, empurrando Yalson.

O trem estava longe das rampas agora, os motores roncando, mas não ouvidos em meio ao furacão furioso que varria a estação. Yalson deu um tapa no pulso, ligando sua unidade AG, então saltou pela porta para o vento, ainda atirando.

Horza se inclinou para fora, tendo de disparar através das vigas da rampa de acesso. Segurava-se ao trem com uma das mãos, sentia-o tremer como um animal assustado. Alguns de seus tiros atingiram as vigas da rampa de acesso, explodindo fontes de destroços na corrente de ar e fazendo com que ele se encolhesse novamente para dentro.

A Mente se chocou contra a parede lateral da estação, rolando até se alojar no ângulo entre o chão e a parede curva, sua pele prateada estremecendo, perdendo o viço.

Unaha-Closp girava pelo ar, evitando tiros de laser. Balveda chegou ao fim da rampa e correu pelo chão da estação. O leque de disparos do túnel de pedestres distante pareceu hesitar entre ela e a figura voadora de Yalson, então se dirigiu para a mulher de traje. Yalson atirou em resposta, mas os disparos a encontraram, fazendo seu traje soltar fagulhas.

Horza se jogou para fora do trem, caindo no chão a partir do vagão em movimento lento, desabando no chão de pedra, perdendo o fôlego e sendo arremessado pela explosão forte de ar. Ele saiu correndo adiante assim que conseguiu se levantar, recuperando-se do impacto, atirando através do furacão na direção da outra extremidade da estação. Yalson ainda estava voando, movendo-se pela torrente de ar e pelas explosões dos disparos a laser.

Luz brilhou em torno da traseira do trem, agora avançando em velocidade um pouco maior do que uma caminhada para fora da estação. O barulho do trem que se aproximava ficou mais agudo, abafando todos os outros sons, até explosões e tiros, de modo que todo o resto parecia estar acontecendo em um silêncio chocado dentro daquele grito supremo.

Yalson caiu; seu traje estava danificado.

As pernas dela começaram a funcionar antes que ela atingisse o chão, e quando isso aconteceu ela já estava correndo, correndo para a proteção mais próxima. Correu na direção da Mente, de cor prata opaca, junto da parede lateral.

Então mudou de ideia.

Ela se virou pouco antes de conseguir mergulhar para trás da Mente e correu ao seu redor, na direção das portas e nichos na parede atrás dela.

O fogo de Xoxarle atingiu-a novamente no instante em que ela se virou, e dessa vez a blindagem de seu traje não conseguiu absorver mais nenhuma energia; ele cedeu, e os disparos de laser atingiram como raios todo o corpo da mulher, jogando-a no ar, afastando seus braços, tirando seus pés do chão, sacudindo-a como uma boneca na mão de uma criança raivosa e fazendo jorrar uma nuvem vermelha e brilhante do seu peito e de seu abdômen.

O trem chegou.

Ele entrou na estação em uma maré de barulho; saiu roncando do túnel como um raio sólido de metal, parecendo atravessar o espaço entre a entrada do túnel e o trem em movimento lento à frente no mesmo instante em que apareceu. Xoxarle, o mais próximo de todos eles, captou um breve vislumbre da frente brilhante e aerodinâmica do trem antes que aquela enorme parte dianteira atingisse a parte traseira do outro trem.

Ele não podia acreditar que houvesse um som mais alto do que aquele que o trem fizera no túnel, mas o barulho de seu impacto minimizou até essa cacofonia. Era uma estrela de som, uma nova cegante onde antes havia apenas um brilho fraco.

O trem bateu a mais de 190 quilômetros por hora. O trem de Wubslin mal tinha avançado a extensão de um vagão para o interior do túnel e se movia pouco mais rápido que uma pessoa andando.

O trem em alta velocidade atingiu o vagão traseiro, levantando-o e amassando-o em uma fração de segundo, triturando-o contra o teto do túnel, esmagando suas camadas de metal e plástico em uma massa compactada de destroços no mesmo instante em que seu próprio nariz e seu vagão dianteiro cederam à pressão por baixo, estilhaçando rodas, arrebentando trilhos e estourando a pele de metal do trem como pedaços de uma granada enorme.

Ele seguiu avançando, por dentro e por baixo do trem à frente, deslizando e batendo de um lado quando seções esmagadas dos dois trens foram jogadas sobre a parede ao lado dos trilhos, forçando os dois no interior do corpo principal da estaçao em um colosso de metal rasgado e rocha fraturada, enquanto os vagões corcoveavam, se esmagavam, se encaixavam e se desintegravam ao mesmo tempo.

Toda a extensão do trem em alta velocidade continuou a se derramar do túnel, vagões passando velozes e mergulhando no caos de destroços em desintegração à frente, erguendo-se, batendo e saltando. Chamas explodiram e tremeluziram em meio à detonação de destroços; fagulhas jorraram; vidro jorrou para fora das janelas quebradas; faixas cortantes de metal bateram contra as paredes.

Xoxarle se encolheu, protegendo-se do som pulverizador daquilo.

Wubslin sentiu o trem bater. O movimento o jogou para trás na cadeira. Já sabia que tinha falhado; o trem, seu trem, estava indo devagar demais. Uma grande mão vinda do nada o atingiu nas costas; seus ouvidos explodiram; a cabine de controle, o vagão, todo o trem se agitou ao seu redor, e de repente, no meio de tudo aquilo, a traseira do trem adiante, o que estava na caverna de reparos e manutenção, estava correndo em sua direção. Sentiu seu trem pular dos trilhos na curva que podia tê-lo levado para a segurança. A aceleração continuou. Ele estava preso, impotente. O vagão traseiro do outro trem brilhou em sua direção; ele fechou os olhos meio segundo antes de ser esmagado como um inseto no interior dos destroços.

Horza estava agachado em uma porta pequena na parede da estação, sem ter ideia de como tinha chegado até ali. Ele não olhava; não queria ver. Lamuriava-se em um canto enquanto a devastação berrava em seus ouvidos, cobria suas costas de detritos e sacudia as paredes e o chão.

Balveda também tinha encontrado um espaço na parede — um nicho onde se escondeu, virada de costas, o rosto escondido.

Unaha-Closp tinha se plantado no teto da estação, atrás da cobertura da redoma de uma câmera. Ele observou o acidente se desenrolar abaixo; viu o último vagão sair do túnel, viu o trem que chegava bater e atravessar aquele em que eles estavam apenas segundos antes, abrindo caminho à frente, deslizando em uma confusão emaranhada de metal amassado. Vagões saíram dos trilhos, deslizando para o lado sobre o chão da estação enquanto o desastre desacelerava, arrancando das colunas as rampas de acesso, destruindo luzes do teto; destroços jorraram, e o drone teve de se esquivar. Ele viu o corpo de Yalson, abaixo dele na plataforma, ser atingido pelos vagões que saltavam, desabando sobre a superfície de rocha fundida em uma nuvem de fagulhas; eles passaram pela Mente e não a acertaram por pouco, arrancaram o corpo rasgado da mulher do chão e o enterraram com as rampas de acesso na parede, atingindo a rocha negra ao lado do túnel, onde uma gola espremida de destroços crescia enquanto o último ímpeto da colisão se dissipava comprimindo metal e rocha juntos.

Fogo irrompeu; fagulhas brilharam dos trilhos; as luzes da estação piscaram. Destroços caíram, e o eco trêmulo do desastre reverberou pela estação. Surgiu fumaça, explosões abalaram a estação e, de repente, do teto, surpreendendo o drone, água começou a jorrar de buracos por toda a superfície de rocha, ao lado das linhas tremeluzentes de luzes. A água se transformou em espuma e desceu flutuando pelo ar como neve cálida.

Os destroços amassados sibilaram, gemeram e rangeram enquanto sossegavam. Chamas os lamberam, lutando contra a espuma que caía conforme encontravam materiais inflamáveis nos destroços.

Então houve um grito, e o drone olhou para baixo através de uma nuvem de fumaça e espuma. Horza saiu correndo de uma porta na parede e subiu a plataforma perto dos limites do entulho de metal em chamas.

O homem correu pela plataforma coberta de destroços, gritando e disparando a arma. O drone viu rocha se rachar e explodir em torno da entrada distante do túnel de onde Xoxarle estivera atirando. Ele esperava ver tiros de resposta e o homem cair, mas não aconteceu nada. O homem continuou a correr e a atirar, gritando incoerentemente o tempo todo. O drone não conseguia ver Balveda.

Xoxarle posicionou a arma além da curva assim que o barulho morreu; ao mesmo tempo, o homem apareceu e começou a atirar. Xoxarle teve tempo para mirar, mas não para disparar. Um disparo atingiu a parede perto da arma, e algo bateu com força na mão de Xoxarle; a arma hesitou e se calou. Uma lasca de rocha se projetava da carenagem da arma. Xoxarle praguejou e jogou-a fora pelo túnel. Mais disparos atingiram o entorno da entrada do túnel quando o Transmutador atirou outra vez. Xoxarle olhou para Aviger, que estava se mexendo sem forças no chao, o rosto virado para baixo, membros de mexendo no ar e sobre a rocha como alguém tentando nadar.

Xoxarle mantivera o velho vivo para usá-lo como refém, mas ele agora era de pouca utilidade. A mulher Yalson estava morta; o idirano a havia matado, e Horza queria vingá-la.

Xoxarle esmagou o crânio de Aviger com o pé, então fez a volta e correu.

Havia vinte metros a percorrer antes da primeira curva. Xoxarle correu o mais rápido que pôde, ignorando as dores em suas pernas e seu corpo. Uma explosão soou vinda da estação. Um ruído sibilante veio do alto da cabeça de Xoxarle, e jatos de água do sistema de emergência começaram a cair do teto.

O ar brilhou com disparos de laser quando ele mergulhou no primeiro túnel lateral; a parede explodiu em sua direção, e alguma coisa atingiu suas pernas e suas costas. Ele continuou a correr, mancando.

Havia algumas portas à frente, do lado esquerdo. Tentou se lembrar da disposição das estações. As portas deviam levar à sala de controle e aos dormitórios das acomodações; ele podia ir por ali, atravessar a caverna de reparos e manutenção perto da ponte dos guindastes e pegar um túnel lateral para o sistema de tubos de trânsito. Assim poderia escapar. Avançou mancando rapidamente, atacando as portas com o ombro. Os passos do Transmutador soavam baixos em algum lugar nos túneis às suas costas.

O drone observava Horza, sua arma ainda disparando, suas pernas em movimento, correndo pela plataforma como um louco, gritando e uivando e saltando por cima de fragmentos de destroços. Ele correu até onde estivera o corpo de Yalson antes de ser varrido do chão da estação pelos vagões caídos, então continuou a correr, precedido por um cone de luz brilhante de sua arma, passando por onde estivera o pallet, até a extremidade da estação, de onde Xoxarle tinha atirado nele, e desapareceu no túnel lateral.

Unaha-Closp desceu flutuando. Os destroços crepitavam e exalavam fumaça; a espuma caía como granizo. O cheiro feio de algum gás nocivo começou a encher o ar. Os sensores do drone detectaram radiação de média para alta. Houve uma série de pequenas detonações nos vagões destruídos, dando início a novos focos de incêndio para substituir os que tinham sido apagados pela espuma que agora cobria o caos de metal retorcido como neve sobre montanhas íngremes.

Unaha-Closp se aproximou da Mente. Ela estava junto da parede, sua superfície ondulada e escura, as cores de óleo em água, e sem brilho.

— Aposto que você achou que fosse esperta, não achou? — disse Unaha-Closp para ela em voz baixa.

Talvez ela conseguisse escutar, talvez estivesse morta; ele não tinha como saber.

— Se escondendo daquele jeito no vagão do reator: aposto que também sei o que você fez com a pilha; jogou-a em um daqueles poços profundos, perto de um dos motores de ventilação de emergência, talvez até aquele que vimos na tela do sensor de massa no primeiro dia. Então se escondeu no trem. Você estava satisfeita consigo mesma, aposto. Mas veja aonde isso a levou.

O drone olhou para a Mente silenciosa. Sua superfície superior ia acumulando a espuma que caía. O drone limpou sua própria lataria com um campo de força.

A Mente se moveu; ergueu-se abruptamente cerca de meio metro, uma extremidade de cada vez, e o ar sibilou e crepitou por um segundo. A superfície do dispositivo brilhou momentaneamente enquanto Unaha-Closp recuava, sem saber ao certo o que estava acontecendo. Então a Mente tornou a descer e pousou levemente no chão outra vez, as cores em sua pele ovalada se alterando preguiçosamente. O drone sentiu cheiro de ozônio.

— Está caída, mas não acabada, hein? — falou ele.

A estação começou a escurecer à medida que as luzes que não tinham sido danificadas eram nubladas pela fumaça que subia.

Alguém tossiu. Unaha-Closp se virou e viu Perosteck Balveda sair cambaleante de um nicho. Ela estava dobrada ao meio, segurando as costas e tossindo. Sua cabeça estava cortada e sua pele parecia da cor de cinzas. O drone foi flutuando até ela.

— Outra sobrevivente — disse ele, mais para si mesmo que para a mulher.

Ele foi até o lado dela e usou um campo para sustentá-la. Os vapores no ar estavam sufocando a mulher. Sangue escorria de sua testa, e havia uma mancha molhada e vermelha brilhando nas costas da jaqueta que estava usando.

— O que…? — Ela tossiu. — Quem mais?

Seus passos estavam fracos, e o drone teve de apoiá-la enquanto ela cambaleava sobre pedaços espalhados dos vagões do trem e fragmentos dos trilhos. Pedras cobriam o chão, arrancadas das paredes da estação durante o impacto.

— Yalson está morta — disse Unaha-Closp de forma prática. — Wubslin também, provavelmente. Horza foi atrás de Xoxarle. Não sei sobre Aviger; não o vi. A Mente ainda está viva, eu acho. De qualquer forma, ela estava se mexendo.

Eles se aproximaram da Mente; ela estava no chão, balançando de vez em quando uma de suas extremidades para cima e para baixo, como se quisesse levantar voo. Balveda tentou ir até ela, mas o drone a deteve.

— Deixe-a, Balveda — aconselhou ele, forçando-a a continuar andando pela plataforma, com os pés escorregando sobre os destroços. Ela continuava tossindo, seu rosto retorcido de dor.

— Você vai sufocar nesta atmosfera se tentar ficar — falou delicadamente o drone. — A Mente pode cuidar de si mesma, ou, se não puder, não há nada que você possa fazer por ela.

— Eu estou bem — insistiu Balveda. Então parou, se aprumou; seu rosto ficou calmo e ela parou de tossir. O drone parou também, olhando para ela. A mulher se virou para encará-lo, respirando normalmente, com o rosto ainda pálido, mas a expressão serena. Tirou a mão das costas, coberta de sangue, e com a outra mão limpou um pouco do fluido vermelho de sua testa e seu olho. Sorriu. — Veja.

Então seus olhos se fecharam, ela se dobrou na altura da cintura e sua cabeça tombou na direção do chão de pedra quando suas pernas cederam.

Unaha-Closp a segurou com capricho em pleno ar antes que ela atingisse o chão e a levou flutuando para fora da área da plataforma, através do primeiro conjunto de portas laterais que encontrou, levando-a para as salas de controle e a seção de acomodação.

Balveda começou a se recuperar com o ar fresco antes que eles tivessem percorrido mais que dez metros do túnel. Explosões trovejavam atrás deles, e o ar se movia em pulsos ao longo da galeria como as batidas de um coração enorme e errático. As luzes piscaram; água começou a gotejar, então a jorrar do teto do túnel.

*É bom que eu não enferruje*, disse Unaha-Closp para si mesmo enquanto flutuava ao longo do tubo até a sala de controle, a mulher se remexendo na pegada de seu campo de força. Ele ouviu o barulho de tiros: disparos de laser, mas não sabia dizer sua localização porque o barulho vinha da frente, de trás e do alto através de saídas de ventilação.

— Está vendo... eu estou bem... — murmurou Balveda.

O drone deixou que ela se mexesse; eles estavam quase na sala de controle, e o ar ainda estava fresco; o nível de radiação, diminuindo. Mais explosões abalaram a estação; o cabelo de Balveda e a pele de sua jaqueta se moveram com a corrente de ar, liberando flocos de espuma. Água escorria, pingando e se derramando.

O drone passou pelas portas da sala de controle; as luzes da sala não piscavam, e o ar estava limpo. Nenhuma água escorria do teto, e só o corpo da mulher e sua própria lataria pingavam no chão revestido de plástico.

— Assim está melhor — disse Unaha-Closp.

Ele colocou a mulher em uma cadeira. Mais detonações abafadas provocaram tremores na rocha e no ar.

Luzes piscaram e se acenderam pela sala, de todos os painéis.

O drone pôs a mulher da Cultura ereta, então empurrou delicadamente sua cabeça para baixo entre os joelhos e abanou seu rosto. As explosões trovejavam, abalando a atmosfera na sala como... como... como pisadas fortes!

Dum-*drum*-dum. Dum-*drum*-dum.

Unaha-Closp ergueu a cabeça de Balveda e estava prestes a tirá-la da cadeira quando os passos além das portas mais distantes, não mais mascarados pelo som de explosões da própria estação, de repente aumentaram de volume; as portas foram abertas bruscamente. Xoxarle, ferido, mancando enquanto corria, com água escorrendo do corpo, entrou como uma bala na sala; ele viu Balveda e o drone e seguiu imediatamente na direção deles.

Unaha-Closp se lançou à frente, bem na cabeça do idirano. Xoxarle segurou a máquina em uma das mãos e a jogou contra um painel de controle, destruindo telas e painéis de luz em uma fúria de fagulhas e fumaça acre. Unaha-Closp ficou ali, meio enfiado no conjunto de controles derretidos e vacilantes, com fumaça se erguendo ao seu redor.

Balveda abriu os olhos e observou ao redor, o rosto ensanguentado, selvagem e assustado; ela viu Xoxarle e partiu em sua direção, abrindo a boca, mas apenas tossindo. Xoxarle a agarrou e prendeu seus braços ao lado do corpo. Ele olhou ao redor, para as portas que tinha arrebentado ao entrar, parando por um segundo para recobrar o fôlego. Ele estava enfraquecendo, sabia disso. Suas placas queratinosas das costas tinham sido praticamente atravessadas onde o Transmutador havia atirado nele, e sua perna também tinha sido atingida, o que não parava de reduzir sua velocidade. O humano iria pegá-lo em pouco tempo... Ele olhou no rosto da mulher que estava segurando e decidiu não a matar imediatamente.

— Talvez você detenha o dedo no gatilho do pequeno... — exalou Xoxarle, segurando Balveda às costas com um braço e mancando rapidamente até a porta que levava aos dormitórios e à seção de acomodação, e depois para a área de reparos. Ele abria as portas com os joelhos e deixava que se fechassem às suas costas. — ... mas eu duvido — acrescentou e desceu mancando pelo túnel curto, em seguida pelo primeiro dormitório, por baixo das redes balançantes, sob uma luz trêmula e incerta, enquanto os *sprinklers* começavam a entrar em ação acima.

Na sala de controle, Unaha-Closp se soltou. Sua lataria estava coberta de revestimento plástico de fios em chamas.

— Canalha imundo — disse ele, grogue, oscilando pelo ar ao se afastar do console fumegante. — Seu zoológico de células ambulante...

Unaha-Closp se virou ainda sem muita firmeza através da fumaça e se dirigiu às portas por onde Xoxarle tinha entrado. Ele hesitou ali, então, com uma espécie de movimento trêmulo de dar de ombros, seguiu pelo túnel, ganhando velocidade.

Horza tinha perdido o idirano. Ele o seguira pelo túnel e através de algumas portas quebradas. Houve, então, uma escolha: à direita, à esquerda ou à frente; três corredores curtos, luzes piscando, água chovendo do teto, fumaça rastejando abaixo dele em ondas preguiçosas.

Tinha escolhido a direita, o caminho que o idirano teria seguido se estivesse se dirigindo para os tubos de trânsito, se tivesse descoberto a direção certa e se não tivesse algum outro plano.

Mas tinha escolhido o caminho errado.

Apertava a arma nas mãos com força. Falsas lágrimas da água que caía escorriam por seu rosto. A arma zumbia através de suas luvas; uma bola inchada de dor subia de seu estômago, enchendo sua garganta e seus olhos e azedando sua boca, pesando em suas mãos, cerrando seus dentes. Ele parou em outro cruzamento perto dos dormitórios, em uma agonia de indecisão, olhando de um lado para o outro enquanto a água caía, a fumaça subia e as luzes tremeluziam. Então ouviu um grito e partiu na direção do som.

\*

A mulher se debatia. Ela era forte, mas ainda assim impotente, mesmo com a pegada enfraquecida do idirano. Xoxarle seguiu mancando pelo corredor, na direção da grande caverna.

Balveda gritou, tentou se soltar, então usou as pernas para chutar as coxas e os joelhos do idirano. Mas Xoxarle a segurava muito apertado, muito alto nas costas. Seus braços estavam presos ao lado do corpo; suas pernas só conseguiam atingir as placas de queratina que subiam em curva das ancas do idirano. Atrás dela, as redes de dormir dos construtores do Sistema de Comando balançavam delicadamente nas ondas de ar que varriam o dormitório comprido a cada nova explosão na área da plataforma e nos trens destruídos.

Ela ouviu disparos vindos de algum lugar atrás deles, e portas na outra extremidade do aposento comprido explodiram. O idirano ouviu o barulho, também; logo antes de atravessar bruscamente a saída do dormitório, ele virou a cabeça para olhar na direção de onde tinha vindo o som. Então eles pegaram um corredor curto e saíram no terraço que circundava a caverna profunda da área de reparos e manutenção.

A um lado da caverna enorme, uma pilha caída e emaranhada de vagões esmagados e maquinaria destruída queimava. O trem que Wubslin tinha começado a pôr em movimento tinha sido empurrado contra a traseira do trem que já estava no nicho comprido e escavado que pairava acima do chão da caverna. Partes dos dois trens da frente tinham se espalhado como brinquedos: jogadas no chão da caverna, empilhadas contra as paredes, esmagadas contra o teto. A espuma caía pela caverna, fervilhando nos destroços quentes do acidente, onde chamas se erguiam de vagões amassados e fagulhas brilhavam.

Xoxarle escorregou no terraço, e por um segundo Balveda achou que os dois iam deslizar por sua superfície e cair por cima das grades de proteção na confusão de maquinaria e equipamento no chão duro e frio abaixo. Mas o idirano se equilibrou, virou e seguiu pela passarela ampla na direção de uma passagem de metal que atravessava a largura da caverna e levava da extremidade do terraço para outro túnel — o túnel que levava aos tubos de trânsito.

Ela ouvia o idirano respirando. Seus ouvidos apitavam e captavam o crepitar de chamas, o sibilar de espuma e a respiração difícil de Xoxarle. Ele a carregava com facilidade, como se ela não pesasse nada. Ela gritou de frustração, tentou erguer o corpo com toda a força, tentando romper sua pegada ou ao menos soltar um braço, debatendo-se fracamente.

Eles chegaram à passagem suspensa, e mais uma vez o idirano quase escorregou, então se equilibrou e se firmou a tempo. Ele partiu ao longo da estrutura estreita, seu passo manco e incerto abalando-a, fazendo com que soasse como um tambor de metal. As costas dela doíam enquanto ela lutava; a pegada de Xoxarle permaneceu firme.

Então ele parou de repente e a colocou diante de seu rosto enorme em forma de sela. Segurou-a pelos dois ombros por um momento, então pegou seu braço direito pelo cotovelo com uma das mãos e o ombro direito com a outra.

Ergueu um joelho, mantendo a coxa paralela ao chão da caverna, trinta metros abaixo. Presa pelo ombro e pelo cotovelo, seu peso mantido por aquele único braço, com as costas doendo, a cabeça não muito clara, ela de repente percebeu o que ele ia fazer.

Ela gritou. Xoxarle bateu a parte superior do braço da mulher sobre sua coxa, quebrando-o como um graveto. O grito dela foi como gelo se partindo.

Ele a segurou pelo pulso do braço bom e a jogou pelo lado da passagem, botando-a abaixo dele e posicionando sua mão em uma estreita escora de metal, então a deixou lá. Tudo foi feito em um ou dois segundos; ela balançava como um pêndulo sob a ponte de metal. Xoxarle saiu correndo, mancando. Cada passo, abalando a estrutura suspensa, vibrava através da escora até a mão de Balveda, afrouxando sua pegada.

Ela ficou ali pendurada. O braço quebrado pendia inutilmente ao seu lado. Sua mão agarrava a superfície fria, lisa e suja de espuma da escora estreita. Sua cabeça girava; ondas de dor que ela tentava sem sucesso conter se quebravam dentro dela. As luzes da caverna piscaram e se apagaram, então tornaram a se acender. Outra explosão abalou os vagões destruídos. Xoxarle atravessou a passagem e seguiu correndo e mancando pelo terraço do outro lado da grande caverna, então entrou no túnel. A mão dela começou a escorregar, ficando dormente; todo o seu braço estava ficando frio.

Perosteck Balveda se retorceu no ar, jogou a cabeça para trás e gritou.

O drone parou. Agora os barulhos vinham de trás. Ele tinha tomado a direção errada. Ainda estava confuso; Xoxarle, no fim das contas, não tinha voltado pelo mesmo caminho. *Sou um tolo! Eu não devia ter permissão para sair sozinho!*

Ele girou o corpo no ar do túnel que saía da sala de controle e dos dormitórios compridos, desacelerou e parou, então voltou pelo caminho por onde tinha chegado até ali. Podia ouvir disparos de laser.

*

Horza estava na sala de controle; ela estava livre de água e espuma, embora saísse fumaça de um buraco grande em um dos painéis de controle. Ele hesitou, então ouviu outro grito — o som de um humano, uma mulher — e saiu correndo pelas portas que levavam aos dormitórios.

*

Balveda tentou se balançar, transformar seu corpo em um pêndulo e, assim, prender uma das pernas na estrutura, mas os músculos já feridos em sua lombar não conseguiam fazer isso; as fibras musculares se rasgaram; ela foi inundada de dor. Ela permaneceu pendurada.

Não conseguia sentir a mão. Espuma se assentou em seu rosto voltado para cima e fez seus olhos arderem. Uma série de explosões abalroou a pilha amassada de vagões, fazendo o ar ao seu redor estremecer, abalando-a. Sentiu-se escorregar; caiu uma fração, sua pegada descendo um ou dois milímetros pela escora. Tentou se agarrar com mais firmeza, mas não conseguia sentir nada.

Barulho veio do terraço. Ela tentou olhar ao redor e imediatamente viu Horza correndo pelo terraço na direção da passagem, segurando a arma. Ele escorregou pela espuma e teve de estender a mão livre para se equilibrar.

— Horza... — Ela tentou gritar, mas tudo o que saiu foi uma expressão rouca.

Horza corria pela passagem acima dela, olhando fixamente à frente. Seus passos sacudiram a mão dela; tinha começado a escorregar outra vez.

— Horza... — disse ela outra vez, o mais alto que conseguiu.

O Transmutador passou correndo por ela, com a expressão firme, o fuzil erguido, as botas batendo forte no piso de metal acima dela. Balveda olhou para baixo, a cabeça pendendo. Os olhos se fecharam.

Horza... Kraiklyn... aquele ministro geriátrico do mundo exterior em Sorpen... nenhuma parte ou imagem do Transmutador, nada nem ninguém que o homem pudesse ter sido poderia ter qualquer desejo de resgatá-la. Xoxarle parecia esperar que alguma compaixão pan-humana fizesse Horza parar para salvá-la, e assim dar ao idirano alguns momentos preciosos a mais para escapar; mas tinha cometido o mesmo erro em relação a Horza que toda a sua espécie tinha cometido em relação à Cultura. Eles não eram tão moles, afinal de contas; humanos podiam ser tão duros, determinados e impiedosos como qualquer idirano, desde que tivessem o encorajamento certo...

*Vou morrer*, pensou ela, e ficou quase mais surpresa que aterrorizada. *Aqui, agora. Depois de tudo o que aconteceu, de tudo o que eu fiz. Morrer. Simples assim.*

Sua mão dormente se afrouxou lentamente ao redor da escora.

Os passos acima dela pararam, voltaram; ela ergueu os olhos.

O rosto de Horza estava acima dela, encarando-a fixamente.

Ela ficou ali pendurada, se retorcendo no ar, por um instante, enquanto o homem olhava em seus olhos, a arma perto do rosto dele. Horza olhou ao redor, além da passagem, para onde Xoxarle tinha ido.

— ... socorro... — disse ela com voz rouca.

Ele se ajoelhou e, pegando a mão dela, a puxou para cima.

— O braço; está quebrado...

Ela engasgou quando ele a pegou pela gola da jaqueta e a puxou para a superfície da estrutura suspensa. Ela rolou para o lado enquanto ele se levantava. Espuma descia através da oscilação de luz e escuridão da caverna enorme e ecoante, e chamas projetavam sombras momentâneas quando as luzes tremeluziam.

— Obrigada.

Ela tossiu.

— Por ali?

Horza olhou ao redor, para onde ele estava se dirigindo, o caminho que Xoxarle tinha seguido. Ela fez o possível para assentir com a cabeça.

— Horza — disse ela. — Deixe que ele vá.

Horza já estava se afastando. Ele sacudiu a cabeça.

— Não — respondeu ele, então se virou e saiu correndo.

Balveda se encolheu, o braço dormente se dirigindo ao quebrado; em sua direção, mas sem tocá-lo. Ela tossiu e levou a mão à boca, sentindo o lado de dentro, gorgolejando. Então cuspiu um dente.

Horza atravessou a passarela. Estava calmo agora. Xoxarle podia atrasá-lo se quisesse; ele podia até deixar o idirano chegar ao tubo de trânsito, então entraria na tubulação e atiraria na extremidade da cápsula de trânsito se afastando, ou explodiria e desligaria a energia e aprisionaria o idirano: não importava.

Ele atravessou o terraço e entrou correndo no túnel.

O túnel seguia reto adiante por mais de um quilômetro. O caminho para os tubos de trânsito ficava à direita em algum lugar, mas havia outras portas e entradas, lugares onde Xoxarle podia se esconder.

Estava claro e seco no túnel. As luzes tremeluziam só um pouco, e o sistema de *sprinklers* tinha permanecido desligado.

Horza resolveu olhar para o chão bem a tempo.

Ele viu as gotas de água e espuma enquanto corria na direção de duas portas que davam uma para a outra dos dois lados do túnel. A trilha de gotas terminava ali.

Estava correndo depressa demais para parar; em vez disso, se abaixou.

O punho de Xoxarle reluziu pelo ar, saído da porta à esquerda, acima da cabeça do Transmutador. Horza se virou e acionou a arma;

Xoxarle saiu da porta e chutou. Seu pé atingiu a arma, jogando o cano contra o rosto do Transmutador, batendo com força na boca e no nariz de Horza enquanto a arma espalhava disparos de laser por cima da cabeça do homem, no teto, provocando uma chuva de poeira e lascas de pedra em cima do idirano e do humano. Xoxarle estendeu a mão enquanto o homem atordoado cambaleava para trás. Ele pegou a arma, arrancando-a das mãos de Horza. Então a virou e a apontou para Horza enquanto o homem se apoiava na parede com uma das mãos, com a boca e o nariz sangrando. Xoxarle arrancou a guarda do gatilho da arma.

Unaha-Closp correu pela sala de controle, inclinou-se levemente no ar, passou como um raio pela fumaça e pelas portas destruídas, então disparou pelo corredor curto. Voou pela extensão do dormitório, entre as redes que balançavam, através de outro túnel curto e saindo para o terraço.

Havia destroços por toda parte. Ele viu Balveda na passarela, sentada, segurando um ombro com a outra mão, então descendo a mão até o piso da estrutura. Unaha-Closp rasgou o ar na direção dela, mas pouco antes de alcançá-la, quando a cabeça dela estava se erguendo para olhar para ele, o barulho de tiros de laser veio do túnel do outro lado da caverna. O drone se inclinou levemente outra vez e acelerou.

Xoxarle apertou o gatilho no exato momento em que Unaha-Closp o atingiu pelas costas; a arma não tinha nem começado a disparar quando Xoxarle foi jogado para a frente, caindo no chão do túnel. Ele rolou ao cair, mas o cano da arma se quebrou na pedra, carregando todo o peso do idirano por um momento; o cano se partiu em dois. O drone parou perto de Horza. O homem estava avançando sobre o idirano, que já recuperava o equilíbrio e recuava à frente deles. Unaha-Closp se lançou à frente outra vez, mergulhando e subindo velozmente, tentando um gancho como o que tinha derrubado o idirano uma vez antes. Xoxarle desviou a máquina com um movimento do braço. Unaha-Closp ricocheteou na parede como uma bola de borracha, e o idirano lhe deu mais um tapa, jogando o drone girando para trás, amassado e danificado, pelo corredor na direção da caverna.

Horza mergulhou para a frente. Xoxarle socou a cabeça do humano enquanto ele se projetava. O Transmutador desviou, mas não rápido o bastante; o golpe leve que recebeu atingiu o lado de sua cabeça, e ele desabou no chão, arrastando-se pela parede e parando em uma porta do outro lado do túnel.

*Sprinklers* jorravam do teto perto de onde a arma de Horza tinha disparado nele. Xoxarle circundou o humano caído, que tentava ficar de pé, suas pernas cambaleantes e vacilantes, os braços procurando conseguir apoio sobre as paredes lisas de rocha. O idirano ergueu a perna para pisar no rosto de Horza, então suspirou e tornou a baixar a perna quando o drone Unaha-Closp, movendo-se de forma desequilibrada pelo ar, com a lataria amassada, exalando fumaça, balançando enquanto avançava, voltava lentamente pelo túnel na direção do idirano.

— Seu animal... — disse Unaha-Closp com a voz diminuta rouca, alquebrada e áspera.

Xoxarle estendeu o braço, segurou a parte da frente da máquina, ergueu-a com facilidade com as duas mãos acima da cabeça, acima da cabeça de Horza — o homem olhou para cima, os olhos desfocados —, então golpeou com violência, tentando atingir o crânio do homem.

Horza rolou, quase de forma cansada, para um lado, e Xoxarle sentiu a máquina lamuriante atingir a cabeça e o ombro de Horza. O homem caiu esparramado no chão do túnel.

Ele ainda estava vivo; uma mão se moveu debilmente para tentar proteger a cabeça descoberta que sangrava. Xoxarle se virou, ergueu o drone impotente alto acima da cabeça do homem mais uma vez.

— E então... — disse ele em voz baixa ao tensionar os braços para golpear com a máquina.

— Xoxarle!

Ele olhou para cima, entre seus braços erguidos, enquanto o drone lutava sem força em suas mãos e o homem aos seus pés passava lentamente uma das mãos pelo cabelo coberto de sangue. Xoxarle sorriu.

A mulher Perosteck Balveda estava parada na extremidade do túnel, no terraço acima da caverna. Ela estava curvada, e seu rosto parecia paralisado e desgastado. Seu braço direito pendia de forma estranha ao seu lado, a mão junto da coxa virada para fora. A outra mão parecia fechada em torno de algo pequeno que ela estava apontando para o idirano. Xoxarle precisou olhar com cuidado para ver o que era. Parecia uma pistola; uma pistola feita principalmente de ar; uma pistola de linhas, fios finos, nada sólida, mas uma estrutura, como um contorno a lápis de algum modo erguido de uma página e preenchido o bastante apenas para segurar. Xoxarle riu e golpeou com o drone para baixo.

Balveda disparou a pistola; ela brilhou brevemente na extremidade de seu cano delgado, como uma pequena pedra preciosa captando a luz do sol, e fez um levíssimo barulho de tosse.

Antes que Unaha-Closp tivesse sido movido mais de meio metro pelo ar na direção da cabeça de Horza, a região média do corpo de Xoxarle se iluminou como o sol. A parte inferior do torso do idirano foi destroçada, detonada de seus quadris por cem pequeninas explosões. Seu peito, braços e cabeça foram jogados para o alto e para trás, atingindo o teto do túnel, depois tornando a cair através do ar, os braços ficando inertes, as mãos se abrindo. Sua barriga, as placas de queratina abertas, derramava entranhas sobre o chão salpicado de água do túnel enquanto a parte superior de seu corpo quicava pelas poças rasas que se formavam sob a chuva artificial. O que restou de seu corpo, os quadris pesados e as três pernas grossas como corpos, permaneceu de pé sozinho por algum tempo, enquanto Unaha-Closp flutuava em silêncio até o teto e Horza permanecia imóvel sob a água que caía, agora colorindo as poças de roxo e vermelho enquanto lavava o sangue dele e do idirano.

O tronco de Xoxarle jazia imóvel onde caíra, dois metros atrás de onde suas pernas ainda se mantinham de pé. Então os joelhos se dobraram lentamente, como se cedessem com relutância à força da gravidade, e os quadris pesados caíram sobre os pés esparramados. Água respingou no buraco sangrento da pelve aberta de Xoxarle.

— Bala bala bala — murmurou Unaha-Closp, preso ao teto, pingando água. — Bala labalabalabla… ha ha.

Balveda mantinha a arma apontada para o corpo destruído de Xoxarle. Caminhou lentamente pelo corredor, chapinhando pela água vermelha-escura.

Ela parou perto dos pés de Horza e olhou impassível para a cabeça e a parte superior do torso de Xoxarle, que jaziam imóveis no chão do túnel, sangue e órgãos internos se derramando do peito do gigante caído. Apontou a pistola e atirou na cabeça enorme do guerreiro, explodindo-a dos ombros e detonando pedaços estilhaçados de queratina vinte metros túnel adentro. A explosão a abalou; os ecos cantaram em seus ouvidos. Finalmente, ela pareceu relaxar, curvando os ombros, então ergueu os olhos para o drone que flutuava contra o teto.

— Aqui estou estamos, para baixo flutuando invertido, na direção do teto bala bala ha ha... — disse Unaha-Closp, e se moveu de um jeito incerto. — Então aqui. Vejam, eu estou *acabado*. Estou simplesmente... Qual é o meu nome? Que horas são? Bala bala, hey, ho. Água muita. A maioria caindo do alto. Ha ha e por aí vai.

Balveda se ajoelhou ao lado do homem caído. Guardou a arma em um bolso e sentiu o pescoço de Horza; ele ainda estava vivo. Seu rosto estava na água. Ela o ergueu e o empurrou, tentando rolá-lo para o lado. Escorria sangue de seu couro cabeludo.

— Drone — chamou ela, tentando impedir que o homem tornasse a cair na água. — Ajude-me com ele.

Ela segurava o braço de Horza com a mão boa, fazendo uma careta de dor enquanto usava o outro ombro para rolá-lo mais para longe.

— Unaha-Closp, droga, me ajude.

— Bla bala bal. Ho, hey. Aqui estou estamos, estou aqui estamos. Como você não? Telhado, teto, dentro fora. Ha ha bala bala — balbuciava o drone, ainda preso contra o teto do túnel.

Balveda finalmente pôs Horza de costas. A chuva falsa caía sobre seu rosto cortado, limpando o sangue de seu nariz e de sua boca. Um olho se abriu, então o outro.

— Horza — disse Balveda, movendo-se para a frente de modo que sua cabeça bloqueasse a água que caía e a luz do teto.

O rosto do Transmutador estava pálido, com exceção dos filetes de sangue que escorriam da boca e das narinas. Uma onda vermelha vinha da parte de trás e do lado da cabeça.

— Horza? — repetiu ela.

— Você venceu — falou Horza, de maneira confusa e em voz baixa.

Ele fechou os olhos. Balveda não sabia o que dizer; ela fechou os próprios olhos e balançou a cabeça.

— Bala bala... o trem agora está chegando na plataforma um...

— Drone — murmurou Horza, olhando para cima, além da cabeça de Balveda.

Ela assentiu. Então observou os olhos dele girarem para trás, tentando olhar por cima da própria testa.

— Xoxarle... — sussurrou ele. — O que aconteceu?

— Eu atirei nele — respondeu Balveda.

— Bala bala estenda seus braços saia entre, mais uma vez o mesmo... Tem alguém aqui?

— Com o quê? — A voz de Horza estava quase inaudível; ela teve de se abaixar e se aproximar para ouvir.

Ela pegou a pequena pistola do bolso.

— Com isto — disse ela.

Ela abriu a boca, mostrando a ele o buraco onde antes havia um molar.

— Memoriforme. A arma era parte de mim; parece um dente de verdade.

Ela tentou sorrir. Duvidava que o homem conseguisse sequer ver a pistola.

Ele fechou os olhos.

— Inteligente — falou ele em voz baixa.

Sangue escorria de sua cabeça, misturando-se com o líquido púrpura do corpo desmembrado de Xoxarle.

— Eu vou levá-lo de volta, Horza — disse Balveda. — Prometo. Eu vou levá-lo de volta para a nave. Você vai ficar bem. Vou garantir isso. Você vai ficar bem.

— Você vai fazer isso? — perguntou Horza em voz baixa, de olhos fechados. — Obrigado, Perosteck.

— Obrigado bala bala bala. Steckoper, Tsah-hor, Aha-Un--Clops... Ho hey, hey ho, ho para tudo aquilo, pensem. Pedimos desculpas por qualquer inconveniência causada... O que é o onde o como o quem o onde quando por que como, e então...

— Não se preocupe — tranquilizou-o Balveda.

Ela estendeu a mão e tocou o rosto molhado do homem. Água escorria pela parte de trás da cabeça da mulher da Cultura e caía no rosto do Transmutador. Os olhos de Horza tornaram a se abrir, piscando sem direção, olhando fixamente para ela, depois na direção do tronco caído do idirano; depois para o drone no teto; finalmente olhando ao redor, para as paredes e a água. Ele murmurou algo, sem olhar para a mulher.

— O quê? — indagou Balveda, debruçando-se mais para perto enquanto os olhos do homem tornavam a se fechar.

— Bala — falou a máquina no teto. — Bala bala bala. Ha ha. Bala bala bala.

— Que idiota — disse Horza com bastante clareza, embora sua voz esmaecesse conforme ele perdia consciência, e seus olhos permanecessem fechados. — Mas que maldito... tolo... idiota.

Ele meneou de leve a cabeça; não pareceu doer. Gotas lançavam sangue vermelho e roxo da água embaixo de sua cabeça de volta para seu rosto, então lavavam tudo outra vez.

— O Jinmoti de... — murmurou o homem.

— O quê? — perguntou Balveda outra vez, aproximando-se ainda mais.

— Danatre skehellis — anunciou do teto Unaha-Closp. — Ro vleh gra'ampt na zhire; sko tre genebellis ro binitshire, na'sko voross amptfenir-an har. Bala.

De repente, os olhos do Transmutador se abriram bem, e surgiu em seu rosto uma expressão de enorme horror, uma expressão de um medo e de um terror tão impotentes que Balveda se sentiu estremecer, os pelos em sua nuca se arrepiando apesar da água tentando grudá-los ali. As mãos do homem se ergueram de repente e agarraram sua jaqueta fina com uma pegada terrível.

— Meu nome! — gemeu ele, com uma angústia na voz ainda mais horrenda que aquela em seu rosto. — Qual é o meu *nome*?

— Bala bala bala — murmurou o drone do teto.

Balveda engoliu em seco e sentiu lágrimas ardendo por trás de suas pálpebras. Ela tocou uma daquelas mãos brancas que a agarravam com a própria mão.

— É Horza — disse ela com delicadeza. — Bora Horza Gobuchul.

— Bala bala bala bala — falou o drone em voz baixa, de um jeito sonolento. — Bala bala bala.

A pegada do homem se soltou; o terror se esvaiu de seu rosto. Ele relaxou, os olhos tornaram a se fechar, a boca quase sorria.

— Bala bala.

— Ah, sim... — murmurou Horza.

— Bala.

— ... é claro.

— La.

# 14

## PENSE EM PHLEBAS

**BALVEDA** estava olhando para o campo nevado. Era noite. A lua do Mundo de Schar brilhava forte em um céu negro repleto de estrelas. O ar estava imóvel, cortante e frio, e ali estava a *Turbulência em Ar Límpido*, parcialmente coberta por sua própria pilha de neve, sobre a planície branca e iluminada pela lua.

A mulher estava parada na entrada dos túneis escuros. Ela olhou para a noite e estremeceu.

O Transmutador inconsciente estava deitado em uma maca que ela havia feito com placas plásticas resgatadas do desastre do trem, sustentada pelo drone que flutuava e balbuciava. Ela havia feito um curativo na cabeça de Horza; era tudo o que podia fazer. Os kits médicos, assim como todo o resto no pallet, tinham sido varridos pelo acidente com os trens e enterrados nos destroços frios e cobertos de espuma que enchiam a estação sete. A Mente podia flutuar; ela a havia encontrado pairando no ar acima da plataforma na estação. Estava respondendo a solicitações, mas não conseguia falar, sinalizar ou se movimentar sozinha. Balveda lhe dissera para ficar sem peso, então a puxara e empurrara, junto com a maca levada pelo drone, com o homem sobre ela, até o tubo de trânsito mais próximo.

Quando estavam no interior da pequena cápsula de transporte, a viagem de volta levou apenas meia hora. Ela não parou pelos mortos.

Havia prendido o braço quebrado e o envolvido com uma tala, depois dormira em transe por um curto período enquanto estava em sua jornada, então levou a carga aos a seus cuidados dos tubos de trânsito pela seção de acomodação destruída até a entrada não iluminada dos túneis, onde os Transmutadores mortos jaziam inertes com aspecto de morte congelada. Ela descansou ali por um momento na escuridão antes de se dirigir para a nave, sentada no chão do túnel onde a neve havia entrado e se acumulado.

Ela sentia uma dor contida nas costas, sua cabeça latejava e seu braço estava dormente. Estava usando o anel que tirara da mão de Horza e esperava que o traje dele e talvez a parte elétrica do drone os identificasse como amigos para a nave que aguardava.

Se isso não acontecesse, muito simplesmente, seria a morte de todos eles.

Ela tornou a olhar para Horza.

O rosto do homem na maca estava branco como a neve e igualmente inexpressivo. Os traços estavam ali: olhos, nariz, sobrancelhas, boca; mas eles pareciam de algum modo desligados e desconectados, dando uma expressão de anonimato a um rosto sem qualquer personalidade, animação e profundidade. Era como se todas as pessoas, todas as caracterizações, todos os papéis que o homem tinha interpretado na vida tivessem vazado dele em seu coma e cobrado dele pequenas frações de seu eu verdadeiro, deixando-o vazio, limpo.

O drone que sustentava a maca flutuante balbuciou brevemente em uma língua que Balveda não conseguiu identificar, sua voz ecoando pelo túnel; então ficou em silêncio. A Mente flutuava, imóvel e de cor prata fosca, sua superfície remendada e espelhada refletindo, de sua forma elipsoide, Balveda, a luz fraca do exterior, o homem e o drone.

Ela ficou de pé e, com uma das mãos, empurrou a maca para fora, acima da neve iluminada pela lua, na direção da nave, suas pernas afundando na branquidão até as coxas. Uma sombra azul-clara da mulher em seu esforço era projetada para o lado no silêncio, na direção contrária à da lua e voltada às montanhas escuras e distantes, onde uma cortina de nuvens de tempestade pairava como uma noite mais profunda. Atrás da mulher, seus rastros, fundos e arrastados, levavam até a entrada dos túneis. Ela chorava baixo com o esforço de tudo aquilo e a dor entorpecente de seus ferimentos.

Algumas vezes, pelo caminho, ela levantou a cabeça na direção da forma escura da nave, uma mistura de esperança e medo em seu rosto enquanto esperava pela explosão e pelo clarão de uma luz de laser de alerta que diria a ela que a autovigilância da nave não a havia aceitado;

que o drone e o traje de Horza estavam danificados demais para serem reconhecidos pela nave; que estava acabado e ela estava condenada a morrer ali, a cem metros da segurança e da fuga — mas impedida de alcançá-las por um conjunto fiel e automático de circuitos...

... O elevador desceu quando ela aplicou o anel da mão de Horza nos seus controles. Ela pôs o drone e o homem no compartimento de carga. O drone murmurava; o homem estava silencioso e imóvel como uma estátua caída.

Ela tivera a intenção de desligar a autovigilância da nave e voltar imediatamente para buscar a Mente, mas a imobilidade gelada do homem a assustou. Foi buscar o kit médico e aumentou a temperatura no compartimento de carga, mas, quando voltou até a maca, o Transmutador de rosto frio e inexpressivo estava morto.

# APÊNDICES

# A GUERRA ENTRE IDIRANOS E A CULTURA

As três passagens a seguir foram extraídas de *Uma breve história da guerra idirana* (língua inglesa/versão do calendário cristão, texto original 2110 a.D., inalterado), organizado por Parharengyisa Listach Ja'andeesih Petrain dam Kotosklo. O trabalho faz parte de um Pacote de Extroinformação da Terra independente, não comissionado, mas aprovado pelo Contato.

# RAZÕES: A CULTURA

A Cultura sabia desde o começo que aquela era uma guerra religiosa no sentido mais estrito. Ela entrou em guerra para garantir sua própria paz de espírito: nada além disso. Mas essa paz era a qualidade mais preciosa da Cultura, talvez seu único e mais valioso bem.

Na prática, assim como na teoria, a Cultura estava além de considerações de riqueza ou império. O próprio conceito de dinheiro — visto pela Cultura como uma forma de racionamento tosca, demasiado complicada e ineficiente — era irrelevante dentro da sociedade em si, onde a capacidade onipresente e abrangente de seus meios de produção superava todas as exigências razoáveis (e, em alguns casos, talvez não razoáveis) que seus cidadãos muito imaginativos pudessem fazer. Essas exigências eram satisfeitas, com uma exceção, no interior da própria Cultura. Espaço para moradia era fornecido em abundância, principalmente em orbitais de matéria barata; havia matéria-prima em quantidades praticamente inexauríveis tanto entre as estrelas quanto dentro de sistemas estelares; e energia era, na verdade, ainda mais disponível, por meio de fusão, aniquilação, da própria Grade ou das estrelas (obtida indiretamente, como radiação absorvida no espaço, ou diretamente, extraída do núcleo estelar). Por isso, a Cultura não tinha necessidade de colonizar, explorar ou escravizar.

O único desejo que a Cultura não conseguia satisfazer no interior de si mesma era comum tanto aos descendentes de sua linhagem humana original quanto às máquinas que eles tinham (ao custo de uma grande mudança) criado: a necessidade de não se sentir inútil. A única justificativa da Cultura para a vida relativamente despreocupada e hedonista da qual sua população desfrutava eram suas obras de bem;

o evangelismo secular da Seção do Contato, não apenas encontrando, catalogando, investigando e analisando civilizações menos avançadas, mas — onde as circunstâncias pareciam ao Contato justificar isso — interferindo de fato (abertamente ou não) no processo histórico dessas outras culturas.

Com uma espécie de presunção arrependida, o Contato — e, portanto, a Cultura — podia comprovar estatisticamente que esse uso cuidadoso e benigno da "tecnologia da compaixão" (para usar uma expressão em voga na época) funcionava, no sentido de que as técnicas que tinham desenvolvido para influenciar o progresso de uma civilização melhoravam significativamente a vida de seus membros, sem prejuízo a essa sociedade como um todo pelo próprio contato com uma cultura mais avançada.

Diante de uma sociedade de inspiração religiosa determinada a estender sua influência sobre todas as civilizações tecnologicamente inferiores em seu caminho independentemente do preço inicial da conquista ou do atrito posterior à ocupação, o Contato poderia desobrigar-se de lutar e admitir a derrota — revelando a mentira não apenas sobre sua própria razão de existir, mas sobre a única ação justificadora que permitia às bem-afortunadas e autoconscientes pessoas da Cultura desfrutar de suas vidas com uma consciência limpa — ou lutar. Depois de se preparar e se fortificar (e à opinião pública) ao longo de décadas da primeira opção, ela recorreu, no fim, inevitavelmente, como praticamente qualquer organismo cuja existência é ameaçada, à segunda.

Com toda a perspectiva profundamente materialista e utilitária da Cultura, o fato de que Idir não tinha pretensões sobre nenhuma parte física da própria Cultura era irrelevante. Indiretamente, mas de forma definitiva e mortal, a Cultura *estava* ameaçada... não por conquista, ou perda de vidas, naves, recursos ou território, mas por algo mais importante: a perda de seu propósito e daquela clareza de consciência; a destruição de seu espírito; a rendição de sua alma.

Apesar de todas as aparências em contrário, a Cultura, não os idiranos, *tinha* de lutar, e, nessa necessidade do desespero, acabou por reunir uma força que — mesmo que nunca houvesse tido dúvidas reais sobre o resultado final — não podia tolerar nenhum compromisso.

# RAZÕES: OS IDIRANOS

Os idiranos já estavam em guerra, conquistando as espécies que viam como inferiores e subjugando-as em um império basicamente religioso que apenas por acaso também era um império comercial. Estava claro para eles desde o princípio que sua *jihad* para "acalmar, integrar e instruir" essas outras espécies e submetê-las ao olhar direto de seu Deus tinha de continuar e se expandir, ou se tornaria sem sentido. Uma interrupção ou moratória, embora possivelmente fizesse ao menos tanto sentido quanto a expansão contínua em termos militares, comerciais e administrativos, negaria essa hegemonização militante como conceito religioso. O fervor era maior e mais brilhante que o pragmatismo; assim como na Cultura, era o princípio que importava.

A guerra, muito antes de ser declarada oficialmente, era vista pelo alto comando idirano como uma continuação das hostilidades permanentes exigidas pela colonização teológica e disciplinadora, envolvendo uma escalada quantitativa e qualitativa do conflito armado em apenas um nível limitado para lidar com o conhecimento tecnológico relativamente equivalente da Cultura.

Enquanto os idiranos presumiam de forma universal que, ao marcarem posição, as pessoas na Cultura iriam recuar, alguns dos criadores de políticas idiranos anteciparam que, se a Cultura se mostrasse tão determinada quanto a "pior situação" possível projetada, um acordo politicamente criterioso podia ser alcançado que evitasse humilhações e tivesse vantagens para os dois lados. Isso envolveria um pacto ou tratado no qual os idiranos concordariam efetivamente em desacelerar ou limitar sua expansão por um período, permitindo assim que a Cultura pudesse reivindicar algum — mas não muito — sucesso e desse aos idiranos (a) uma desculpa religiosamente justificável para a consolidação, o que tanto permitiria que a máquina militar idirana ganhasse fôlego quanto reduziria o apoio àqueles idiranos que se opunham ao nível e à crueldade da expansão idirana; e (b) uma razão a mais para um aumento nos gastos militares, para garantir que no próximo confronto a Cultura, ou qualquer outro oponente, fosse superada em armamentos e destruída. Só as seções mais fervorosas e fanáticas da sociedade idirana insistiam e até contemplavam uma guerra até o fim, e mesmo assim apenas aconselhavam a continuar a luta contra a Cultura depois e apesar do recuo e da tentativa de estabelecer a paz que eles também acreditavam que a Cultura deveria inevitavelmente fazer.

Depois de planejar essas formulações "sem derrota" sobre o curso provável dos acontecimentos, os idiranos entraram em batalha contra a Cultura sem receio ou hesitação.

Na pior das hipóteses, eles talvez considerassem que a guerra estava sendo iniciada em uma atmosfera de incompreensão mútua. Não poderiam ter vislumbrado que, enquanto eram compreendidos quase perfeitamente demais pelo seu inimigo, não tinham entendido de maneira alguma as forças de crença, necessidade — e até medo — e moral em atuação no interior da Cultura.

# A GUERRA EM RESUMO

A primeira disputa entre idiranos e a Cultura ocorreu em 1267 a.D.; a segunda, em 1288; em 1289 a Cultura construiu sua primeira verdadeira nave de guerra em cinco séculos, apenas em forma de protótipo (a desculpa oficial foi que as gerações de modelos de naves de guerra criados por Mentes que a Cultura mantinha em desenvolvimento tinham evoluído tanto desde a última construída que era necessário testar o encaixe da teoria com a prática). Em 1307, a terceira disputa resultou em fatalidades (de máquinas). A guerra foi discutida publicamente na Cultura como uma probabilidade pela primeira vez. Em 1310, a seção de Paz da Cultura se separou da maioria da população, enquanto a Conferência do Abismo de Anchramin resultou em um acordo para a retirada de forças (um movimento que os idiranos sem visão e os cidadãos da Cultura, respectivamente, condenaram e aclamaram).

A quarta disputa começou em 1323 e continuou (com a Cultura usando forças terceirizadas) até 1327, quando a guerra começou oficialmente, e os equipamentos e o pessoal da Cultura foram diretamente envolvidos. O Conselho de Guerra da Cultura de 1326 resultou na separação de várias outras partes da Cultura, que renunciavam ao uso de violência sob qualquer circunstância.

O Acordo de Conduta da Guerra entre Idiranos e a Cultura foi ratificado em 1327. Em 1332, os homomda se juntaram à guerra do lado idirano. Os homomda — outra espécie trípode de maior maturidade galáctica que a Cultura ou os idiranos — tinham abrigado os idiranos que formavam os Remanescentes Sagrados durante o Segundo Grande Exílio (1345-991 a.C.), após a guerra entre skankatrianos e idiranos. Os Remanescentes e seus descendentes se tornaram tropas de solo de elite, e após o retorno surpreendente dos idiranos e a retomada de Idir em 990 a.C., as duas espécies trípodes continuaram a cooperar em condições que se aproximavam da igualdade com o crescimento do poder idirano.

Os homomda se uniram aos idiranos porque não confiavam no poder crescente da Cultura (eles estavam longe de estar sozinhos nesse sentimento, embora fossem os únicos a reagir a isso abertamente). Enquanto tinham relativamente poucas desavenças com os humanos, e nenhuma delas séria, tinha sido política dos homomda por muitas dezenas de milhares de anos tentar impedir que qualquer grupo da galáxia (em seu nível de tecnologia) se tornasse forte demais, um ponto do qual, segundo eles, a Cultura então se aproximava. Os homomda em nenhum momento dedicaram todos os seus recursos à causa idirana; eles usaram parte de sua frota espacial poderosa e eficiente para preencher as lacunas de qualidade existentes na marinha idirana. Ficou claro para a Cultura que se os humanos atacassem os planetas onde viviam os homomda, só então a guerra se tornaria total (na verdade, relações diplomáticas e culturais limitadas foram mantidas, e algum comércio continuou, entre os homomda e a Cultura ao longo da guerra).

Erros de cálculo: os idiranos acharam que poderiam vencer sozinhos, e então, com o apoio dos homomda, pressupunham que seriam invencíveis; os homomda acharam que sua influência faria a balança pender em favor dos idiranos (embora nunca tenham estado preparados para arriscar seu próprio futuro para derrotar a Cultura); e as Mentes da Cultura tinham adivinhado que os homomda não se juntariam aos idiranos; cálculos referentes à duração, ao custo e aos benefícios da guerra tinham sido feitos sob essa suposição.

Durante a primeira fase da guerra, a Cultura passou a maior parte de seu tempo recuando da esfera idirana, que se expandia rapidamente, completando a mudança de sua produção de guerra e construindo sua frota de naves de combate. Nos primeiros anos, a guerra no espaço foi lutada com eficácia do lado da Cultura por suas Unidades Gerais do Contato: não projetadas como naves de guerra, mas bem armadas o suficiente e mais do que rápidas o bastante para serem páreo para a nave idirana média. Além disso, a tecnologia de campos da Cultura sempre esteve à frente da dos idiranos, dando às UGCs uma vantagem decisiva em termos de contenção de danos e resistência. Essas diferenças em certo grau refletiam a perspectiva geral dos dois lados. Para os idiranos, uma nave era um meio de ir de um planeta a outro ou de defender planetas. Para a Cultura, uma nave era um exercício de habilidade, quase uma obra de arte. As UGCs (e as naves de guerra que acabaram por substituí-las) foram criadas com um talento entusiasmado e uma praticidade orientada para máquinas para os quais os idiranos não tinham resposta, mesmo que as próprias naves da Cultura nunca tivessem estado à altura das naves superiores dos homomda. Durante esses primeiros anos, mesmo assim, as UGCs eram amplamente superadas em números.

Esse estágio inicial também viu algumas das perdas de vidas mais pesadas da guerra, quando os idiranos atacaram de surpresa muitos orbitais da Cultura irrelevantes para a guerra, eventualmente produzindo bilhões de mortes por vez. Como tática de choque, isso falhou. Como estratégia militar, desviou ainda mais recursos dos Grupos Principais de Batalha da marinha idirana, já no limite, que estavam experimentando grande dificuldade para encontrar e atacar com sucesso os distantes orbitais, rochas, fábricas de naves e Veículos Gerais de Sistemas da Cultura, que eram responsáveis por produzir as armas e os equipamentos militares da Cultura. Ao mesmo tempo, os idiranos tentavam controlar os vastos volumes de espaço e o grande número de civilizações menores geralmente relutantes e frequentemente rebeldes que a retirada da Cultura deixara à sua mercê. Em 1333, o Acordo de Conduta da Guerra foi emendado para proibir a destruição de habitats povoados e não militares, e o conflito continuou de forma levemente mais restrita até quase o final.

A guerra entrou em sua segunda fase em 1335. Os idiranos ainda estavam lutando para consolidar seus ganhos; a Cultura estava finalmente preparada para a guerra. Um período de luta prolongado se seguiu enquanto a Cultura atacava fundo na esfera idirana e a política idirana oscilava entre tentar defender o que tinha, aumentar suas forças e montar expedições poderosas, mas que enfraqueciam suas defesas no resto da galáxia, tentando atingir golpes esperados no corpo de um inimigo que se revelava frustrantemente difícil de compreender.

A Cultura era capaz de usar praticamente a galáxia inteira para se esconder. Toda a sua existência era móvel em essência; até orbitais podiam ser trocados de lugar ou simplesmente abandonados, populações podiam ser movidas. Os idiranos estavam religiosamente comprometidos com tomar e manter tudo o que pudessem; manter fronteiras, assegurar planetas e luas; acima de tudo, manter Idir em segurança a qualquer preço. Apesar das recomendações dos homomda, os idiranos se recusavam a recuar para volumes mais racionais e mais facilmente defensáveis, ou mesmo discutir a paz.

A guerra teve idas e vindas por mais de trinta anos, com muitas batalhas, pausas, tentativas de estrangeiros e dos homomda de promover a paz, grandes campanhas, sucessos, fracassos, vitórias famosas, erros trágicos, atos heroicos e a tomada e a retomada de enormes volumes de espaço e inúmeros sistemas estelares.

Depois de três décadas, porém, os homomda estavam cansados daquilo. Os idiranos eram aliados intransigentes do mesmo modo que tinham sido mercenários obedientes, e as naves da Cultura estavam cobrando um preço alto demais da valiosa frota dos homomda, que exigiram e obtiveram certas garantias da Cultura e deixaram a guerra.

Desse ponto em diante, só os idiranos achavam que o resultado final ainda estava muito em questão. A Cultura crescera a uma enorme força durante o conflito e acumulara experiência suficiente naqueles trinta anos (para acrescentar a toda a experiência que havia reunido durante alguns milênios anteriores) para roubar dos idiranos qualquer vantagem perceptível em astúcia, embuste ou crueldade.

A guerra no espaço acabou, na prática, em 1367, e a guerra nos milhares de planetas que restavam aos idiranos — combatida principalmente por máquinas, do lado da Cultura — terminou oficialmente em 1375, embora pequenos enfrentamentos esporádicos em planetas afastados, conduzidos por forças idiranas e de medjel ignorantes ou com desprezo pela paz, tenham continuado por quase três séculos.

Idir nunca foi atacado e tecnicamente nunca se rendeu. Sua rede de computadores foi tomada por armas efetuadoras e, livre de limitações de projeto, fez um upgrade em si mesma para a senciência, para se tornar igual a uma Mente da Cultura, exceto pelo nome.

Entre os idiranos, alguns se mataram, enquanto outros foram para o exílio com os homomda (que concordaram em empregá-los, mas se recusaram a ajudá-los a se preparar para novos ataques contra a Cultura) ou criaram habitats independentes, oficialmente não militares, dentro de outras esferas de influência (sob o olhar da Cultura), ou então partiram em naves em fuga para partes pouco conhecidas das Nuvens, ou para Andrômeda, ou aceitaram os vitoriosos. Alguns até se juntaram à Cultura, e alguns se tornaram mercenários da Cultura.

**Estatísticas**
Duração da guerra: 48 anos, um mês. Total de baixas, incluindo máquinas (avaliadas na escala logarítmica de senciência), medjel e não combatentes: 851,4 bilhões (± 0,3%). Perdas: naves (todas as classes acima de interplanetária) — 91.215.660 (± 200); orbitais — 14.334; planetas e luas importantes — 53; anéis — 1; esferas — 3; estrelas (submetidas a perda de massa induzida significativa ou alteração da posição de sequência) — 6.

**Perspectiva histórica**
Uma guerra pequena e curta que raramente se estendeu por mais de 0,02% da galáxia em volume e 0,01% em população estelar. Há rumores de conflitos muito mais impressionantes se estendendo por extensões muito mais vastas de tempo e espaço... Mesmo assim, as crônicas das civilizações anciãs da galáxia consideravam a guerra entre idiranos e a Cultura o conflito mais significativo dos últimos 50 mil anos, e um daqueles acontecimentos de interesse singular que se veem tão raramente nesses dias.

# DRAMATIS PERSONAE

Quando a guerra acabou, **Juboal-Rabaroansa Perosteck Alseyn Balveda dam T'seif** se colocou em armazenamento de longo prazo. Ela havia perdido a maioria de seus amigos durante as hostilidades e descobriu que tinha pouca vontade de celebrar ou recordar. Além disso, o Mundo de Schar voltava para assombrá-la depois do retorno da paz, enchendo suas noites de sonhos com túneis escuros e sinuosos, ressoando com algum horror inominável. A condição podia ser tratada, mas Balveda escolheu, em vez disso, o sono sem sonhos do armazenamento. Deixou instruções para ser revivida apenas quando a Cultura pudesse "provar" estatisticamente que a guerra tinha sido moralmente justificável; em outras palavras, quando tempo suficiente tivesse se passado, pacificamente, para que se pudesse provar que mais pessoas teriam morrido no previsível e provável curso da expansão idirana do que tinham perecido, de fato, durante a guerra. Ela foi devidamente despertada em 1813 a.D. junto com vários outros milhões de pessoas por toda a Cultura que tinham se armazenado e deixado os mesmos critérios de despertar, a maioria com o mesmo sentimento de humor sombrio que ela. Depois de alguns meses, Balveda cometeu autoeutanásia e foi enterrada em Juboal, sua estrela natal. Fal 'Ngeestra nunca a conheceu.

O Querl **Xoralundra**, pai-espião e sacerdote guerreiro da seita das Quatro Almas subordinada ao Farn-Idir, estava entre os sobreviventes da destruição parcial e da captura do cruzador leve idirano *A Mão de Deus 137*. Ele e dois outros oficiais escaparam da nave atingida enquanto a UGC classe Montanha *Energia Nervosa* tentava tomá-la intacta; sua unidade de dobra o devolveu para Sorpen. Brevemente detido pela Gerontocracia ali, ele foi trocado por um resgate nominal na chegada da 93ª frota idirana. Continuou a servir no serviço de inteligência, escapando do cismático Segundo Expurgo Voluntário que se seguiu à retirada do apoio dos homomda à frota. Retornou logo depois a seu papel anterior de oficial de logística de combate e foi morto durante a batalha das Novas Gêmeas pelo controle do Braço Um Seis, perto do fim da guerra.

Depois de se juntar aos Piratas de Ghalssel em Vavatch, **Jandraligeli** se tornou um tenente relativamente de confiança no bando do capitão mercenário, acabando por assumir o comando da terceira nave da Companhia, a *Superfície de Controle*. Como todos os piratas que sobreviveram às hostilidades, Jandraligeli teve uma guerra lucrativa. Ele se aposentou logo depois da morte de Ghalssel — durante a sequência de batalhas dos sete extratos de Oroarche — para passar o resto de seus dias administrando uma faculdade freelancer de aconselhamento de vida na Lua Decadente, no sistema Pecado Sete dos Galantes Ricos dos Atos Infinitamente Alegres (reformados). Ele expirou — de forma agradável, se não pacífica — na cama de outra pessoa.

O drone **Unaha-Closp** foi totalmente consertado. Ele se inscreveu para se juntar à Cultura e foi aceito; serviu no Veículo Geral de Sistemas *Apocalipse Irregular* e no Veículo Limitado de Sistemas *Margem de Lucro* até o fim da guerra, então foi transferido para o orbital chamado Erbil, para um posto em uma fábrica de sistemas de transportes. Agora está aposentado e constrói pequenos autômatos movidos a vapor como hobby.

**Stafl-Preonsa Fal Shilde 'Ngeestra dam Crose** sobreviveu a outro sério acidente escalando, continuou a superar máquinas milhões de vezes mais inteligentes do que ela, mudou de sexo várias vezes, teve dois filhos, juntou-se ao Contato depois da guerra, tornou-se primitiva sem permissão em uma tribo não contatada de estágio dois de cavaleiras selvagens, trabalhou duro para um hipersábio dirigível em uma esfera de ar Blokstaar, voltou para a Cultura para a transcorporação do drone Jase em uma mente de grupo, foi pega por uma avalanche enquanto escalava, mas viveu para contar a história, teve outro filho, então aceitou um convite para se juntar à seção de Circunstâncias Especiais do Contato e passou quase cem anos (como homem) como emissário na recém-Contatada Anarquia de Um Milhão de Estrelas de Soveleh. Posteriormente, tornou-se professora em um orbital em um pequeno aglomerado perto da Nuvem Menor, publicou uma autobiografia popular e elogiada, então desapareceu alguns anos depois, aos 407 anos de idade, enquanto passava férias sozinha em um cruzeiro em um antigo anel Dra'Azon.

Em relação ao Mundo de Schar, pessoas voltaram para lá, uma vez, embora apenas depois do fim da guerra. Depois da partida da *Turbulência em Ar Límpido* — apontada, mais que pilotada, por Perosteck Balveda para um encontro com uma nave da Cultura fora da zona de guerra —, levou quarenta anos até que outra nave tivesse permissão para cruzar a Barreira de Silêncio. Quando aquela nave, a UGC *Consciência Protética*, atravessou e enviou um grupo para terra, o pessoal do Contato envolvido encontrou o Sistema de Comando perfeitamente reparado. Oito trens erguiam-se, intactos, em oito das nove estações perfeitas e sem danos. Nenhum sinal de acidente, destruição, corpos nem qualquer parte da base dos Transmutadores foi encontrado durante os quatro dias que a UGC e seus grupos de exploração tiveram permissão de permanecer ali. No fim desse período, a *Consciência Protética* recebeu ordens de ir, e após sua partida, a Barreira de Silêncio se fechou novamente, para sempre.

Havia destroços. Um amontoado de corpos e todo o material da base dos Transmutadores, além do equipamento extra levado pelos idiranos e pela Companhia Livre e da casca do chuy-hirtsi, o animal de dobra espacial, tudo estava enterrado embaixo de quilômetros de gelo glacial perto de um dos polos do planeta. Comprimido em uma bola de destroços retorcidos e corpos congelados e mutilados, em meio aos objetos resgatados daquela parte da defunta base dos Transmutadores que tinha sido a cabine da mulher Kierachell, havia um pequeno livro de plástico com páginas de verdade cobertas com letras miúdas. Era uma história de fantasia, o livro favorito da mulher, e a primeira página da história começava com estas palavras:

*O Jinmoti de Bozlen Dois...*

A Mente resgatada dos túneis do Sistema de Comando não conseguia se lembrar de nada do período entre sua viagem em dobra espacial para os túneis e seu posterior reparo e readaptação a bordo do vgs *Chega de ser Bonzinho* após seu resgate por Perosteck Balveda. Foi posteriormente instalada em um vgs classe Oceano e sobreviveu à guerra apesar de ter participado de muitas batalhas importantes. Modificada, ela foi subsequentemente colocada em um vgs classe Alcance, levando seu nome escolhido — levemente incomum — com ela.

Os Transmutadores foram extintos como espécie durante os estágios finais da guerra no espaço.

# EPÍLOGO

**GIMISHIN** Foug, ofegante, atrasada como de costume, nitidamente grávida, e que era a sobrinha tatara-tatara-tatara-tatara-tataraneta de Perosteck Balveda (além de uma poeta em desenvolvimento), chegou a bordo do vgs uma hora depois do resto de sua família. O veículo os havia apanhado no planeta remoto da Nuvem Maior onde estavam de férias e devia levá-los e algumas centenas de outras pessoas para o enorme vgs classe Sistema *Determinista*, que em breve faria a travessia das Nuvens para a galáxia principal.

Foug estava menos interessada na viagem em si que na nave em que viajaria. Nunca tinha encontrado uma classe Sistema antes, e torcia em segredo para que a escala da nave, com seus muitos componentes suspensos no interior de uma bolha de ar de duzentos quilômetros de comprimento e seu complemento de seis bilhões de almas, fornecesse a ela alguma nova inspiração. Estava empolgada com a ideia e preocupada com seus novos porte e responsabilidade, mas se lembrou, mesmo que um pouco tarde, de ser educada quando chegou a bordo do veículo de classe Alcance muito menor.

— Desculpe, nós não fomos apresentados — disse ela ao desembarcar do módulo em uma baia pequena com iluminação suave. Estava falando com um drone remoto que a ajudava com a bagagem. — Eu sou Foug. Como você se chama?

— Eu sou a *Bora Horza Gobuchul* — disse a nave por meio do drone.

— Que nome estranho. Como você acabou se chamando assim?

O drone remoto mergulhou uma de suas quinas dianteiras de leve, seu equivalente a um dar de ombros.

— É uma longa história…

Gimishin Foug deu de ombros.

— Eu gosto de histórias longas.

Esta obra foi composta em Caslon Pro e impressa em papel Pólen Natural 70g/m² com capa em papel Cartão 250g/m² pela Gráfica Corprint para Editora Morro Branco em março de 2023